RÉVÉLATION$

Ouvrages de Denis Robert

Chair Mathilde, Bernard Barrault, 1991, roman.

Je ferai un malheur, Fayard, 1995, roman.

Pendant les "affaires", les affaires continuent, Stock, 1996 ;
LGF, "Le Livre de Poche", n°14704, récit.

La justice ou le chaos, Stock, 1996 ;
LGF, "Le Livre de Poche", n°14393, essai.

Portrait de groupe avant démolition (avec René Taesch),
Stock, 1997, album.

Journal intime des affaires en cours (avec Philippe Harel),
Stock, 1998, script.

Notre héros au travail, Fayard, 1998, roman.

Tout va bien puisque nous sommes en vie, Stock, 1998,
roman.

révolte.com, les arènes, 2000, récit.

Le bonheur, les arènes, 2000, roman.

Denis ROBERT
Ernest BACKES

RÉVÉLATION$

les arènes

RÉVÉLATION$ se prolonge sur le site www.arenes.fr

L'index du livre est disponible sur ce site Internet.
Il sera intégré aux prochaines éditions.

Tous droits réservés pour tous pays.

© 2001, Éditions des arènes
33, rue Linné, 75005 Paris
Tél. : 01 43 31 29 25
Fax : 01 43 31 77 97
E-mail : arenes@easynet.fr

Où en serions-nous si tout le monde se deman-
dait : "Où en sommes-nous ?", sans jamais aller
voir ?

Hans A. Pestalozzi.

Ce récit est composé de trois parties.

La première est le fruit d'une enquête dans le monde de la finance internationale. Elle raconte l'histoire d'un cadre de la place bancaire luxembourgeoise et, à travers lui, d'une technique financière très particulière qu'on appelle le clearing.

La seconde partie est un lexique subjectif, reprenant et explicitant des termes, des événements ou des personnages évoqués dans la première partie.

La troisième partie reproduit divers documents : fac-similés, listes de comptes, copies de microfiches... attestant nos découvertes et révélations.

À Bernard Bertossa.

1

Le village financier

L'histoire qui va se dérouler ici peut paraître extraordinaire. Elle l'est.

Elle concerne ce qu'il est convenu d'appeler "la planète financière". On peut aussi dire le *Global Village*, ou mieux : le village financier. Dans cet univers présenté comme impénétrable, l'information circule en temps quasi réel. Le langage est codé, le non-initié tenu à l'écart, les règles rarement écrites et communicables. Beaucoup, à l'extérieur de ce microcosme, font comme si les histoires de spéculation, de fusions, ou de déplacement de masse financière qui prennent le temps d'un éclair n'avaient aucune influence sur nos vies. On sait que des banquiers ou des *brokers* achètent, vendent, exécutent des ordres et communiquent de temps en temps vers l'extérieur pour dire que tout va bien. Ils ont leur presse, leurs émissions de télévision, leurs livres de spécialistes, leurs indices boursiers, leurs mythes à fabriquer.

Au départ, un homme du sérail luxembourgeois va nous servir de guide...

J'ai rencontré Ernest Backes voici quatre ans. C'était dans un petit bureau appartenant au syndicat des bouchers du Luxembourg. Il avait garé sa vieille Ford Scorpio sur le parking. *"Tiens, ce type roule en Ford Scorpio"*, est une des premières choses à laquelle j'ai pensé le concernant. Elle avait 300 000 kilomètres au compteur. *"Tiens, les Scorpio tiennent le choc"*, est la deuxième chose qui m'est venue à l'esprit ce jour-là. Sinon, je me souviens que cet homme était déjà une énigme, et un sujet d'agacement. Sous mes yeux incrédules, ce buveur de Rosport (l'eau pétillante luxembourgeoise) parlait comme un livre. *"Chez lui, il faut en prendre et en laisser"* : c'est ce que je me disais. J'avais tort. Aujourd'hui, ce que j'ai compris laisse une sorte d'abîme sous mes pas. Il va falloir que nous courions vite.

Ernest Backes est né à Trèves, en Allemagne, en 1946. Trèves est la ville de Karl Marx. Le rapprochement entre les deux hommes ne s'arrête pas là. Ils sont tous deux barbus, corpulents, et susceptibles d'attenter aux intérêts du capitalisme. L'un, évidemment, est plus connu que l'autre. Et plus philosophe. Mais l'autre est vivant. Ce qui, pour ce qui nous concerne, est un avantage. Vivant, lucide, et possédant une bonne mémoire.

Tout ce qui va suivre est le récit de ce qui s'est déroulé depuis le début des années 70 autour d'une association de banques implantées partout dans le monde. Principalement en Angleterre et au Luxembourg, mais aussi en France, en Allemagne, en Belgique, en Espagne, en Italie, aux Pays-Bas, en Suisse, aux États-Unis et dans de nombreux paradis fiscaux. Au départ, ces banques étaient une petite centaine à mettre en place une sorte de coopérative interbancaire. Aujourd'hui, les listes de comptes que nous avons découvertes montrent qu'elles sont plus de deux mille, représentant plus de cent pays, utilisant plus de quinze mille comptes répertoriés, dont la moitié seulement existent officiellement.

Nous reviendrons sur ces chiffres, et sur ce fonctionnement étrange qui consiste à offrir à des clients la possi-

bilité de ne jamais apparaître lors de transactions financières internationales. Ces clients peuvent être des banquiers, mais aussi des managers de sociétés d'investissements, des hommes de paille à la tête de sociétés
offshore[1], des particuliers cherchant à défiscaliser une
partie de leur fortune, des responsables de services
secrets, ou des PDG de multinationales.

L'histoire qui suit montre qu'un système de dissimulation d'opérations bancaires a été mis en place – et
utilisé –, avec l'aval de dirigeants de banques, de directeurs financiers, d'administrateurs de sociétés implantées
partout dans le monde, et d'hommes politiques influents.
Ce système est parfaitement organisé, facile à utiliser et
toujours opérationnel.

Les motifs de ces dissimulations de transferts bancaires internationaux sont nombreux. Ils peuvent aller de
la simple recherche de confidentialité dans le cadre
d'opérations commerciales au blanchiment d'argent sale,
en passant par le délit d'initiés, la corruption ou l'évasion
fiscale. Ces activités financières ainsi dissimulées aux
yeux du marché, du fisc, de la concurrence ou des services de renseignement, peuvent être légales ou à la
limite de la légalité.

Elles peuvent également être criminelles.

Nous mettons ici en cause les utilisateurs, les gestionnaires et les administrateurs de ce système financier
international, ainsi que les dirigeants politiques luxembourgeois, européens ou même américains qui ont permis

---

1. Sociétés aux productions totalement inexistantes dont l'appellation *offshore*
signifie : "hors des eaux territoriales". Les sociétés panaméennes, comme les
Anstalt du Liechtenstein, sont des sociétés dites *offshore*.

à ces clients de dissimuler des transferts de fonds ou de titres. Et qui ont parfois eux-mêmes utilisé ces réseaux.

La fraude pourrait s'évaluer – si des instruments étaient capables de l'estimer rétroactivement – à des centaines de milliards de dollars. Peu importe la quantité de zéros. Il importe d'expliquer qu'un système au départ sain, visant à faciliter les échanges bancaires internationaux, a été détourné de ses objectifs initiaux.

Les victimes de ce système sont d'abord les États, qui n'ont pu percevoir de revenus fiscaux sur certaines opérations financières transfrontalières dissimulées, les millions d'actionnaires et d'épargnants qu'on tient dans l'ignorance de ces pratiques, mais aussi les contribuables qui, finalement, restent les seuls à régler l'addition. Le scandale est, selon nous, planétaire. Son origine est localisable. Une des structures que nous accusons d'avoir couvert et facilité ces pratiques a son siège social et l'essentiel de ses locaux à Luxembourg-Ville.

Il importe de dire qu'un concepteur du système est mort dans des circonstances étranges, en Corse, en 1983. Il s'appelait Gérard Soisson.

Il importe de dire qu'un autre concepteur du système en question est Ernest Backes. Qu'il s'est tu pendant dix-huit ans, avec sans doute l'envie de voir un jour publié ce qui suit.

Seulement deux sociétés internationales de *clearing* liquident l'essentiel des transactions transfrontalières de la planète financière

Le Luxembourg, petit pays sans histoires et sans vagues au cœur de l'Europe, compte deux cent dix-sept banques répertoriées. Le Luxembourg et sa discrétion légendaire. Le Luxembourg, sa maison royale et ses hommes politiques à l'avenir européen. Le Luxembourg et l'appui indéfectible dont il bénéficie depuis 1945 de la part du Grand Oncle américain. Le Luxembourg qui croule sous les dollars, les euros, les francs, les yens, les marks, les florins... Le Luxembourg et ses 430 000 habitants, où 554 milliards de dollars ont été capitalisés en bourse en 1999[1] : quatre cents fois plus qu'aux Bahamas, cinquante fois plus que dans les îles anglo-normandes, vingt-cinq fois plus qu'aux îles Caïmans, six fois plus qu'aux Bermudes, deux fois plus qu'à Singapour, plus qu'à Hongkong[2]... La plupart des Luxembourgeois vivent dans l'ignorance de ce que nous révélons dans ce livre. Ignorants ne veut pas forcément dire "dupes". On peut ignorer les détails.

La structure financière que nous mettons en cause a pour nom Clearstream. Cet intitulé est récent. Le changement d'étiquette a eu lieu en septembre 1999. Avant, Clearstream s'appelait Cedel, qui signifie Centrale de livraison de valeurs mobilières. Cedel a été fondée le 28 septembre 1970 à Luxembourg, comme l'une des deux chambres de compensation internationales[3]. L'autre a pour nom Euroclear et a son siège à Bruxelles[4].

---

1. Tandis que près de mille milliards de dollars étaient capitalisés dans ses fonds d'investissement.
2. Selon *International Money Marketing*, février 2000.
3. Yves Bernard et Jean-Claude Colli définissent ainsi le terme "compensation" : *"Procédé de règlement comptable entre deux ou plusieurs parties qui sont débitrices et créditrices les unes vis-à-vis des autres, et qui permet de limiter l'utilisation des moyens de paiement au règlement du solde net de ces relations"*, Vocabulaire économique et financier, Éditions du Seuil (Points), septième édition.
4. Depuis le 1er janvier 2001, Euroclear a été rebaptisée Euroclear Bank.

On a coutume de dire et de penser que l'argent, surtout l'argent virtuel, celui des ordinateurs des banques, n'a pas de mémoire et file, à la vitesse de la lumière, d'un compte à l'autre, d'un paradis fiscal à l'autre. Sans laisser de traces de ses passages.

C'est faux.

Une grande partie de la mémoire de l'argent, et de ses mouvements incessants, se trouve inscrite dans la comptabilité de ces chambres de compensation. Dans les archives très spéciales de ce qu'on appelle aussi "des sociétés de clearing" [1]. Tout le problème est évidemment d'être en mesure de lire cette comptabilité. D'interpréter ces traces.

Nous sommes dans l'abstraction la plus totale, l'argent n'existe plus depuis longtemps

Ernest donc. Je venais de quitter, après douze années, le journal français *Libération*. J'avais écrit un livre relatant mon voyage au cœur des affaires politico-financières [2]. La sortie de ce type d'ouvrage amène inévitablement son flot de paranoïaques du complot permanent, et de victimes du système judiciaire. Parmi elles, j'ai été contacté par un jeune Luxembourgeois, fils du député libéral René Mart, neveu de l'ancien ministre de l'Économie Marcel Mart, cousin de la présentatrice du journal télévisé de RTL Caroline Mart. Marco Mart – c'est son nom – a été spolié par une des plus grosses banques de Luxembourg,

---

1. Clearing vient du verbe anglais *to clear*, qui signifie éclaircir, clarifier, et dont une des acceptions signifie compenser (un chèque).
2. *Pendant les "affaires", les affaires continuent...*, Stock, 1996.

la Banque internationale à Luxembourg (BIL) [1]. Il s'était lancé dans un combat judiciaire qu'il poursuit encore aujourd'hui. Trahi par ses avocats, lâché par le parquet luxembourgeois, en rupture avec le reste de sa famille depuis la mort de son père, il était aidé dans ses recherches par un mystérieux conseiller dont il ne voulait pas me révéler l'identité. Ce silence attisait ma curiosité. L'homme voulait rester dans l'ombre.

Mes questions le concernant restèrent sans réponse, jusqu'à l'Appel de Genève [2]. Cette initiative s'attaquait, pour la première fois en termes politiques, à l'hypocrisie des paradis fiscaux. Cela a dû plaire à Ernest Backes. Dans sa première lettre, il se proposait de devenir le Sancho Pança du Don Quichotte qu'il voyait en moi : *"Je sais qu'il s'agit de moulins à vent et je vais le prouver"*, écrivait-il. Il voulait dire que notre combat était sans doute vain, mais que cela valait la peine de le mener.

Nous avons commencé à nous écrire, à nous envoyer des coupures de presse, des documents. Lui était embarqué dans des enquêtes au long cours, généralement menées par des policiers, des services fiscaux ou des magistrats de pays limitrophes du Luxembourg cherchant des renseignements et se servant de ses connaissances du

---

1. La BIL était alors présidée par Gaston Thorn, ancien Premier ministre libéral, et président de la Commission européenne jusqu'en 1982. Nous verrons que de nombreux hommes politiques luxembourgeois occupent des fonctions dans le secteur bancaire.
2. À l'occasion d'entretiens que j'avais eus avec plusieurs magistrats européens et qui avaient donné lieu à la publication du livre *La Justice ou le chaos*, Stock, 1996, ces derniers avaient lancé un appel à l'université de Genève, le 1er octobre 1996. Par ce texte, ils soulignaient la nécessité d'une justice indépendante et transfrontalière pour lutter contre le crime organisé.

milieu bancaire. Pour les besoins d'un film [1], j'ai par la suite-repris contact avec Marco Mart, qui m'a finalement présenté son mystérieux conseiller.

Ernest Backes avait longuement parlé, refusant d'être filmé. Puis, après réflexion, il avait fini par accepter d'être enregistré à visage découvert. C'était une première étape vers une sorte de *coming out* personnel.

Ernest était alors le gérant d'une coopérative de bouchers luxembourgeois. Ce travail – je le comprendrai plus tard – était à la fois un moyen de subsistance et une couverture. Pour quelqu'un qui avait été l'un des concepteurs d'un des deux systèmes de clearing bancaire transfrontalier du monde, la descente avait dû être raide. Ernest n'en montrait rien. La Scorpio, dernier vestige du temps où il travaillait encore dans le secteur bancaire, stationnait en bas, usée. Son conducteur, lui, dépensait beaucoup de temps et d'énergie à m'expliquer ce que je ne faisais alors qu'entrevoir. Il me livrait, par bribes, les morceaux d'un puzzle inquiétant qu'il me fallait assembler et dont je ne voyais pas le contour.

Je le trouvais intéressant mais confus, original mais trop prudent, généreux dans ses explications mais froid dans sa relation des faits, et très cassant quand on mettait en doute la justesse de ses analyses. Le verbe souvent violent, il manifestait un attachement ambigu à son pays. Prêt à pourfendre les agissements de bon nombre de dirigeants compromis, il hésitait à jeter un pavé trop lourd, de peur que son geste ne soit mal interprété. De peur aussi que la déflagration ne fasse trop de dégâts.

---

1. *Journal intime des affaires en cours*, co-réalisé avec Philippe Harel (sortie en salle en avril 1998 ; diffusion sur Canal + en juillet 1999).

Au Luxembourg, le silence est une vertu. Le sourire poli aussi. Au Luxembourg, les partis au pouvoir depuis l'après-guerre – des chrétiens-sociaux aux libéraux en passant par les socialistes – ont toujours eu des liens étroits avec les banques. Leurs représentants siègent dans bon nombre de conseils d'administration. Au Luxembourg, les juges sont discrets. Très discrets. Et les policiers financiers peu nombreux. Très peu nombreux. Au Luxembourg, les banquiers sont des amis qu'on veut protéger de ceux qui posent trop de questions. Et l'Église catholique veille sur ce petit monde tranquille et prospère.

Dès le début de notre relation épistolaire, je remarquai un trait de caractère qui se confirmera à mesure que nous avancerons dans notre travail commun. L'esprit d'Ernest Backes fonctionne en arborescence. Une idée en amène toujours une autre, soudain plus importante. Ses récits s'emboîtent les uns dans les autres. Une journée avec lui est exténuante. Le soir en rentrant, il faut reconstituer patiemment les poupées russes.

Je me suis souvent dit que j'aurais dû laisser tomber.

Ernest avait parlé longuement du clearing. C'était la première fois que j'entendais cette expression. Voilà ce qu'Ernest disait : *"Aujourd'hui, les grands transferts internationaux entre institutions bancaires ne passent plus de banque à banque. Il n'y a plus d'acheminement matériel de valeurs, ni d'argent liquide. Tout se fait sur la base de la* faxmoney [1]*".*

---

1. L'ère de l'argent virtuel a démarré avant même la création des systèmes de clearing internationaux, à la fin des années 60. Avant et pendant les années 70, les transactions entre utilisateurs de ces systèmes passaient par télex codé. Lorsque, au début des années 80, commence l'ère du fax et que les premières opérations passent par cette voie, nombreux sont ceux qui utilisent le terme de *faxmoney* pour caricaturer la rapidité de circulation accrue des capitaux, sans que personne ne voie plus tous ces milliards désormais "dématérialisés".

C'est une donnée fondamentale. L'argent n'existe plus. Plus précisément, l'idée de l'argent existe toujours, mais cet argent n'existe plus de la même façon. Ce terme (argent) ne recouvre plus ce qu'il recouvrait avant l'invention de la puce et du clearing. Tous les transferts entre les acteurs du marché financier (les vendeurs, les acheteurs, les banquiers) se font désormais par un système électronique fondé, nous avait dit Ernest dans le film, *"sur la confiance mutuelle des acteurs".*

On dira donc que l'argent est dématérialisé. Le problème de tous ceux qui possèdent des richesses est toujours de les placer, de les transformer en titres : en Sicav [1], en Sicaf [2], en actions, en obligations [3]... Ces titres sont, eux aussi, dématérialisés. Ils existent de moins en moins sous forme de papier. Des millions de titres de plus en plus virtuels – c'est-à-dire n'ayant aucune existence physique – sont chaque jour échangés grâce aux sociétés de clearing.

Comment est enregistré l'échange ? Qui garantit la solvabilité des parties ? Quelles sont les preuves de la vente ? Même si l'argent ou les titres sautent les frontières, une trace doit toujours exister. Je suis parti de cette intuition.

---

1. Sociétés d'investissement à capital variable.
2. Sociétés d'investissement à capital fixe.
3. Alors que l'actionnaire est en quelque sorte copropriétaire d'une entreprise, l'obligataire n'en est que le créancier. À ce titre, il a le droit de percevoir un intérêt, fixé par le contrat d'emprunt. Au fil des dernières décennies, le marché obligataire a explosé. Il est devenu le plus important marché de la planète financière. Différentes formes d'obligations ont vu le jour, comme les obligations à taux variable, les obligations convertibles en actions, etc.

À partir de là, j'ai très rapidement perçu, grâce aux explications d'Ernest, la logique des systèmes de clearing. Garder des traces des échanges, mais aussi gagner de l'argent le plus vite possible, le plus loin possible du regard des autres... Et une fois cet argent gagné, le placer le plus vite possible, le plus loin possible du regard des autres...

L'accélération de la vitesse des échanges et une discrétion toujours renforcée sur leur nature et leur montant sont les deux obsessions des gérants de la planète financière. Il subsiste cependant une nécessité vitale : garder, dans un lieu sûr et si possible peu accessible, une preuve de ces échanges.

Pour se faire une idée des sommes en jeu, il faut savoir que, pour les dirigeants actuels des sociétés de clearing, l'unité étalon est le trillion de dollars, ou maintenant d'euros. Ils ajoutent, quand vous ouvrez de grands yeux, que c'est "douze zéros". Par exemple, pour l'année 2000, la société Clearstream a revendiqué 10 trillions d'euros déposés en ses comptes. Autrement dit, 10 000 milliards d'euros de valeurs conservées annuellement dans le système Clearstream. Environ quarante-sept fois le budget de la France... Pour Euroclear, le concurrent, le montant annoncé est de 7 000 milliards d'euros. Dans les deux cas, les sociétés de clearing revendiquent autour de 150 millions de transactions traitées chaque année. Si l'on s'intéresse uniquement au montant des valeurs ne faisant que passer par leurs réseaux respectifs, les chiffres de 1999 sont encore plus édifiants : Euroclear annonçait environ 45 000 milliards d'euros de "capitaux dénoués" dans son système, pour un peu moins de la moitié à Cedel.

Au-delà de ces chiffres et de cette terminologie, le mot à retenir ici est "confiance". Comme pour n'importe quel échange financier, il faut que l'acheteur ait confiance en son vendeur. Et réciproquement. La société de clearing est le lieu où se matérialise cette confiance entre deux parties qui, parfois, ne se connaissent même pas.

L'abstraction est totale. Puisque l'argent n'existe plus sous une forme usuelle, puisque les titres achetés et vendus sont de moins en moins fabriqués de matière palpable, puisqu'on ne peut jamais toucher ses gains matériellement (sauf en de rares occasions), il faut les toucher virtuellement. Il y a là une antinomie de langage. Comment *toucher* quelque chose de virtuel ? Là intervient le clearing. C'est-à-dire la garantie de la solvabilité des parties, puis l'inscription, à un endroit déterminé, dans des documents précis et concrètement visibles, que l'échange (de valeurs, de titres, d'actions, d'obligations, de certificats divers, ou d'argent) s'est fait.

Les banquiers utilisent le terme de *dénouement*. Ils disent que la transaction se *dénoue*. Ils ajoutent aussi volontiers, pour expliquer le clearing, qu'ils font du "règlement-livraison". Un peu comme un marchand de pizza, sauf que les pizzas sont remplacées par des titres de propriété, et les cyclomoteurs des livreurs par un modem branché sur le fil du téléphone.

Les dirigeants des sociétés de clearing sont les notaires du nouveau monde. Comme les notaires, ils apprécient la discrétion, voire le secret. Tout ce qui concerne leurs pratiques et leurs stratégies doit rester le plus loin possible du regard des autres. Quels autres ? Vous. Moi. Ils dépensent une énergie considérable à amadouer la presse financière. Pour les autres journalistes, c'est plus compliqué, mais en même temps assez facile puisque très peu se

sont intéressés à eux jusqu'à présent. Les adeptes du clearing ont horreur des questions (surtout les plus simples) et
des poseurs de questions.

J'ai été frappé de constater que la société Euroclear,
qui possède l'une des plus belles tours de Bruxelles – un
bâtiment de verre de seize étages hébergeant 1 300 salariés –, n'affiche aucun signe distinctif sur sa façade. Même
pas un nom sur une sonnette. Le seul signe ostensible de
sa présence est une horloge marquant le temps qui nous
sépare du passage à l'euro. Cette horloge, portant le sigle
de la firme, se trouve à une cinquantaine de mètres de l'immeuble. L'explication de cette recherche d'anonymat m'a
été donnée par un des salariés d'Euroclear. On redoute les
agressions des militants anti-mondialisation. Les sociétés
de clearing se vivent bien comme des instruments essentiels de cette mondialisation.

Par opposition, Clearstream, la concurrente luxembourgeoise, affiche avec emphase son nouveau patronyme sur la
façade d'une des plus belles maisons d'un des plus chics
quartiers de Luxembourg. Ici, les mentalités sont différentes. On aime arborer sa richesse. On ne craint pas les
manifestations. La dernière remonte à si longtemps... Je
pensais que Clearstream voulait dire quelque chose comme
"courant clair". Des salariés de la firme ont plusieurs fois
insisté, ironiquement, sur une traduction légèrement diffé-
rente. Clearstream signifierait, selon eux, *le fleuve qui net-
toie*.

J'ai mis du temps à accepter l'idée selon laquelle
Ernest Backes pouvait être l'homme qui me permettrait de
regarder derrière le miroir de la Bourse, dans le *back office*
du village financier. Si, en langage financier, la bourse est le
lieu des affrontements (*front office*), le clearing est celui de
l'intendance (*back office*).

Ce mangeur de salade de cent kilos qui, bien souvent, noie ses récits sous des tonnes de détails apparemment anodins, possède un trésor, une clé d'accès aux petits et grands secrets du *Global Village*, cet univers de chiffres, de tics et de codes, où être informé avant les autres est le premier signe de pouvoir. Ernest Backes, retraité luxembourgeois brassant volontiers, dans ses dossiers, les affaires mafieuses italiennes et les activités de mystérieuses sociétés secrètes comme le Bilderberg ou la Trilatérale, qui sort de sa poche un très influent vendeur d'armes prénommé Henry que tout le monde est censé connaître, qui connecte trop vite des faits, des gens et des événements qui, pour nous, n'ont aucun rapport, n'est pas pédagogue. Il est plutôt ingérable.

Ernest tire sa force et ses convictions de ses recherches. Il a compris, à un moment de sa vie professionnelle, qu'il travaillait sur *le point aveugle* des transactions financières internationales. Il a saisi ce qui s'y passait. Il a vu ce que personne autour de lui ne voyait. Ce doit être un sentiment très particulier.

La société de clearing est le lieu d'accélération et d'enregistrement des transactions. De dissimulation, aussi

Revenons quelques décennies en arrière. Lorsqu'un agent d'assurance de Chicago voulait vendre une partie du capital de sa société à un armateur grec, comment faisait-il ? Il allait voir son banquier, disons la Bank of New York, et lui confiait la mission de vendre les titres. Ce dernier prenait l'avion pour Athènes, où il entrait en contact avec le banquier de l'armateur, disons la filiale grecque de l'ABN Amro Bank. Le clearing a d'abord permis de gagner du temps, donc de l'argent. Plus besoin de se déplacer. Un organisme central garantit désormais la réalité de l'échange. Le principe de base est simple : rassemblons-nous entre banquiers de différents pays, et créons un lieu de confiance où sera enregistré et avalisé l'échange bancaire. À la différence d'une bourse, qui rassemble différentes parties à une transaction, la société de clearing est une infrastructure apparemment passive. Elle se charge d'enregistrer et d'avaliser la modification. Les titres ne changent pas de place, seul le nom du propriétaire change.

On dénombre quinze organismes de clearing nationaux en Europe aujourd'hui[1]. Généralement inconnus de la clientèle bancaire, les clearings nationaux se limitent à la compensation d'opérations d'échanges de capitaux à l'intérieur d'un même pays.

Concernant les sociétés de clearing chargées des échanges de capitaux transfrontaliers, il n'en existe que deux. L'une, Euroclear, compte 1 350 salariés, dont 1 300 à Bruxelles et une cinquantaine dans une dizaine de bureaux de représentation implantés dans le monde. L'autre, Cedel,

---

1. La société de clearing française, créée au milieu des années 60, s'appelle Sicovam : Société interprofessionnelle pour la compensation des valeurs mobilières. Elle a fusionné, en juillet 2000, avec Euroclear. La société de clearing interne aux USA se nomme Depositary Trust Company (DTC) et représente l'équivalent de la Sicovam en France pour le territoire américain. Ce marché interne aux États-Unis est beaucoup plus important que les marchés servis par Cedel et Euroclear réunis. La société de clearing belge se nomme CIK ; la suisse, Sega ; l'anglaise, Crest ; la néerlandaise, Necigef. En Allemagne, on parle des Kassenvereine régionaux, regroupés à Francfort dans le Deutscher Auslandskassenverein (aujourd'hui rebaptisé en Deutsche Boerse-Clearing). Cette société qui, dès 1970, faisait partie des premiers membres actionnaires et fondateurs de Cedel, a fusionné avec Cedel en janvier 2000 pour constituer Clearstream.

a son siège social à Luxembourg, et compte 1 700 sala- riés dans le monde entier, dont la moitié travaillent dans une série d'immeubles au cœur de la ville, ainsi qu'à sa périphérie, sur le plateau du Kirchberg, le centre d'af- faires "européen" de Luxembourg. Les autres agences se trouvent à Londres, Tokyo, New York, Hongkong, Dubaï, Francfort et São Paulo. Nous pouvons affirmer ici que la grande majorité des échanges internationaux de titres passent par Cedel ou Euroclear. Ce passage obligé par une des deux sociétés de clearing implique l'enregis- trement en temps quasi réel et la conservation de la trace de ce passage dans des documents codés.

Nous parlons ici de transferts de titres. Même si Euroclear et Cedel transfèrent de l'argent, leur spécialité reste le transfert de ce que les banquiers appellent aussi des "valeurs mobilières" [1]. Ces deux sociétés ont le quasi- monopole des échanges d'obligations au niveau interna- tional. Le commerce des obligations permet d'emprunter et de prêter de l'argent sans apparaître nommément autrement que dans des documents internes aux banques. C'est un des produits préférés des blanchis- seurs et des clients brassant beaucoup de liquidités... Cedel et Euroclear échangent aussi des actions, des parts de Sicav ou de Sicaf, des certificats aurifères et du liquide.

Ernest Backes m'expliquait, à l'époque du film : *"L'ar- gent, que tu l'entres aux Bahamas, au Liechtenstein, à*

---

1. Terme collectif utilisé, au départ, pour désigner un portefeuille de titres com- posé d'actions et d'obligations. De nos jours, ce terme peut désigner tout autre outil d'investissement, comme des parts de Sicav, des fonds d'inves- tissements, etc.

Paris, à Francfort ou à Luxembourg, circule dans le système. Il peut sortir des réseaux financiers internationaux à un moment donné pour être investi dans l'industrie. La question est : combien d'argent sort aujourd'hui des grands circuits internationaux pour être vraiment investi dans l'industrie ? [1]*"*

Il ajoutait : *"Si tu voulais organiser une lutte ouvrière contre ce qu'on pourrait appeler le grand capital, qui irais-tu attaquer ? Il y a cent ans, quand les premiers syndicats sont nés, tu pouvais t'attaquer aux Thyssen, aux Krupp, aux grands patrons de l'industrie française d'alors, car c'était des figures connues. Aujourd'hui, si tu veux organiser une lutte contre le grand capital, tu dois t'adresser aux actionnaires ou aux détenteurs de parts de Sicav domiciliés à Vanuatu* [2]*..."*

Ces propos sont à l'origine de ma volonté de mieux comprendre le fonctionnement de ces réseaux bancaires internationaux. Ceux par lesquels l'argent file et disparaît, qui alimentent les puits apparemment sans fond que sont les banques installées dans les paradis fiscaux. Le juge d'instruction madrilène Baltasar Garzón a une image pour symboliser le combat des juges contre les criminels en col blanc. Il explique que les magistrats sont comme des mammouths aux prises avec des léopards. *"Quand le mammouth arrive dans la cache du léopard, celui-ci est*

---

1. In *Journal intime des affaires en cours*, cité.
2. Anciennement Nouvelles-Hébrides, la République de Vanuatu est un ex-condominium (État à la double souveraineté) franco-britannique situé dans l'océan Pacifique. Composé de quelque 80 îles (dont Espiritu Santo, où se trouve la capitale, Vila), Vanuatu s'étend sur environ 800 kilomètres et compte huit cent mille habitants.

déjà loin et doit bien rigoler. [1]" La lenteur des juges est liée à l'absence d'espace judiciaire commun, mais la rapidité des léopards est d'abord le fait du clearing.

Nous allons montrer comment, grâce à une perversion des systèmes de clearing, les possibilités de fraudes sont grandement facilitées au niveau international. Nous verrons pourquoi elles sont quasiment imperceptibles. Nous matérialiserons un univers où ce qu'il est convenu d'appeler "la finance parallèle" est repérable. Nous verrons que les discours publics sont très éloignés de la réalité des échanges financiers illustrée par les listes de comptes en notre possession.

J'ai d'abord voulu aller trop vite en besogne. J'ai présenté Ernest Backes à des magistrats ayant signé l'Appel de Genève, mais le courant n'est pas passé. Même avec Jean de Maillard, pourtant spécialiste de ces questions, les rapports étaient difficiles [2]. Ernest Backes n'avait plus aucune fonction sur la place financière luxembourgeoise, et ses explications étaient trop alambiquées pour susciter un intérêt autre que poli auprès de ces magistrats. À l'inverse, Ernest se disait surpris par le manque de culture financière de ces juges, pourtant présentés par les médias comme des sommités. Tous cherchaient des moyens pour combattre plus efficacement le crime organisé, mais la plupart n'avaient jamais entendu parler du clearing...

Au moment où je termine ce premier chapitre, je ne sais pas encore si ce livre sortira. Depuis plus d'une année, de

---

1. In *La Justice ou le chaos, op. cit.*
2. Magistrat, Jean de Maillard est l'auteur de *Les Beaux Jours du Crime. Vers une société criminelle ?*, Plon, 1992, et de l'atlas *Un Monde sans loi. La criminalité financière en images*, Stock, 1999.

nombreux et imprévisibles obstacles se sont dressés contre ma volonté d'aller au bout de ce travail. Impliqué, comme collaborateur judiciaire, dans diverses affaires en cours, Ernest ne voulait pas "griller ses cartouches" et préférait réserver l'exclusivité de certaines révélations à des magistrats. Qu'est-ce qui l'a décidé à parler ? Sa difficulté à faire passer son message dans la sphère judiciaire. Mon insistance aussi.

Une des premières critiques qui m'a été formulée est celle d'une manipulation dont je serais l'objet. Ernest, pour une raison trouble, me manipulerait et serait un parfait mythomane. Tout au début de notre relation, cette idée m'a effleuré. À l'usage de l'homme et à l'étude des pièces qu'il m'a montrées, je suis persuadé du contraire. Ernest aurait sans doute préféré poursuivre ses activités de l'ombre.

Tout au long de notre travail, nous avons cultivé la discrétion. Nous nous sommes peu parlé au téléphone, avons été prudents dans nos échanges d'e-mails. Il était convenu, pour l'extérieur, que le livre que nous écrivions était un fumeux bouquin sur l'histoire du Luxembourg. J'ai, dans un premier temps, travaillé à partir de comptes rendus d'entretiens enregistrés. Les histoires que raconte Ernest sont une matière importante de ce livre, et serviront de fil à notre démonstration. Nous nous sommes beaucoup vus au cours des six premiers mois de l'an 2000. Moins ensuite. Il m'a fallu confronter les éléments livrés par Ernest avec les acteurs de ses histoires. Principalement des banquiers et des techniciens du clearing.

Il y a eu des heurts et des clashs entre nous. Ernest se plaignant de ma lenteur à comprendre, et moi de ses hésitations quant à certaines mises en cause, ou de son souhait de souvent vouloir épargner son pays. Ernest gardait en lui, depuis des années, tout ce qu'il avait compris. Cette sortie de l'ombre était parfois vécue douloureusement. À mesure que le livre avançait, il commençait à mieux comprendre son impact. J'ai découvert grâce à lui, avec excitation et effarement, un monde inexploré.

Les pressions ont été nombreuses. Je n'avais pas soupçonné la difficulté d'enquêter sur son milieu. Tous les gens que j'ai pu rencontrer ont un point en commun : la peur. Certains craignent pour leur réputation, d'autres pour leur emploi. D'autres pour leur vie. Certains, après m'avoir parlé, m'ont supplié de ne rien écrire. D'autres m'ont donné des rendez-vous auxquels ils ne sont pas venus. Beaucoup m'ont menti.

J'ai souvent eu l'impression de devenir un explorateur immobile, surfant d'un paradis fiscal à l'autre, d'une banque japonaise à une société d'investissement inscrite à Singapour, suivant les circuits souterrains des contrebandiers de la *faxmoney*.

Une des premières remarques désagréables que m'avait faites Ernest Backes, au début d'un de nos entretiens, portait sur l'état de la presse en France : *"Tu me fais l'impression que me font beaucoup de journalistes français, vous êtes des abeilles qui collectent le nectar et oublient d'en faire le miel."* Je ne voyais pas très bien ce qu'il voulait dire.

2

Les années Cedel

Ernest Backes a 55 ans. Il est marié depuis trente et un ans. Il est deux fois grand-père, à la retraite depuis trois ans. Il touche une pension d'invalidité, liée à des problèmes cardiaques. Son état de santé et l'ombre de la mort ne sont peut-être pas étrangers à sa volonté de parler. Il prend aujourd'hui plus de risques que moi à se lancer dans l'aventure de ce livre. Ernest habite un village du Grand-Duché du Luxembourg, sur les rives de la Moselle, à une trentaine de kilomètres de Luxembourg-Ville. C'est là que nous avons réalisé bon nombre de nos entretiens. En général, c'était à tour de rôle. Une semaine, il venait à Metz à mon bureau. La semaine suivante, j'allais dans son village. Dans sa maison aux milliers d'archives.

C'est une ancienne bâtisse de vigneron. Cinq ou six pièces et l'immense grenier sont consacrés à sa passion de l'archivage. Ernest achète, depuis près de vingt ans, presque tout ce qui s'écrit, en allemand, en français et en anglais, sur les petites et les grandes affaires de la planète financière. Il commande les principaux journaux et magazines européens et américains. Il dispose d'une impressionnante collection de vidéocassettes sur ces questions. Il est méticuleux, ses dossiers, qui occupent des dizaines de mètres de rayonnages, sont rangés et étiquetés. D'Elf à Ambrosiano, de la banque espagnole Banesto aux fonds de pension Chrysler Canada, des pesos d'or mexicains du dictateur cubain Batista aux investissements de Silvio Berlusconi à Luxembourg, de l'assassinat du député belge André Cools aux avoirs bancaires luxembourgeois de l'Église de scientologie : chaque affaire "traitée" par notre homme est rangée dans une ou plusieurs chemises. Ernest conserve également chez lui des documents appartenant à divers amis étrangers travaillant sur des sujets proches des siens. De la même manière, ces amis conservent les archives sensibles d'Ernest. *"Notre meilleure assurance-vie"*, dit-il. Certaines affaires qui l'ont particulièrement motivé occupent des pans entiers de mur. Un réduit est consacré au clearing, et particulièrement à Cedel... D'autres dossiers, les plus chauds, sont consignés dans un coffre loin de chez lui. Face à cette mémoire de papier, Ernest doit, parfois, avoir le vertige en pensant au chemin parcouru.

Comment Ernest Backes arrive à Cedel, au cœur du centre financier de Luxembourg

Avant d'entrer à Cedel, Ernest, issu d'un milieu ouvrier, a été militant à la Jeunesse ouvrière catholique. Au Grand-Duché, difficile d'échapper à la mainmise de l'Église. La grande majorité de la population est catholique. L'Église luxembourgeoise vit sous la coupe du Vatican, qui a de nombreux intérêts financiers dans le pays. Le Luxembourg est, de plus, une des forteresses de l'Opus Dei. Le *Luxemburger Wort*, principal quotidien national, le plus gros employeur de journalistes [1], est la propriété de l'Imprimerie Saint-Paul, qui

---

1. La liste des journalistes agréés au Luxembourg compte environ 250 noms. La majorité n'ont pas de formation spécialisée. La presse catholique contrôle la presque totalité du secteur. Ce sont les employeurs qui inscrivent leurs journalistes sur la liste officielle. L'employeur offre, en quelque sorte, une "garantie de bonne plume" au service de la communauté.

appartient à l'Église luxembourgeoise et détient, via le groupe Medi@bel, des participations dans les journaux belges *La Dernière Heure* et *La Libre Belgique.*

Au milieu des années 60, le secteur bancaire luxembourgeois était encore embryonnaire. C'est une voie qu'on ne recommandait pas alors. Lorsqu'on sortait bachelier au Luxembourg, deux possibilités s'offraient aux jeunes hommes issus d'un milieu modeste : le service public ou l'Arbed, l'industrie du fer. À vingt ans, Ernest est assistant social chez Caritas, une association catholique caritative où il s'usera à gagner très peu d'argent pendant trois années. Aujourd'hui encore, il reste très attaché à cet engagement de jeunesse, plutôt rare sur la place financière.

Chez Caritas, il rencontre un vieux prêtre qui lui conseille d'aller voir ailleurs. L'homme le recommande au ministre de l'Éducation luxembourgeois, qu'il connaît bien (c'est un petit pays, tout le monde se connaît). Le ministre glisse à Ernest : *"Je vais essayer de te caser dans le service public, tu seras tranquille pour le restant de tes jours."* Ernest passe un concours administratif, où il est reçu brillamment, et devient fonctionnaire des impôts à l'administration des contributions. Il y restera trois ans. Il fait de l'excès de zèle, travaille beaucoup, jusqu'au jour où son supérieur lui explique l'état d'esprit de la maison : *"Il faut que tu freines ton zèle, ou bien jamais on ne trouvera de remplaçant le jour de ton départ, et on va nous limiter les effectifs."*

C'est pendant ses matinées de fonctionnaire tranquille qu'Ernest entend parler pour la première fois de Cedel, en découvrant dans le *Memorial*, l'équivalent du *Journal officiel* français, les statuts d'une étrange Centrale de livraison de valeurs mobilières. Puis, Ernest lit dans le *Luxemburger Wort* une offre d'emploi : *Cherche employé trilingue...* Nous sommes en 1971.

À la fin des années 60, ont été créés les marchés euro-obligataires, sur lesquels sont souscrits des emprunts générant des profits non taxables. Le Luxembourg va ainsi devenir une place financière de plus en plus puissante puisque les euro-obligations n'y sont pas taxées. L'Allemagne profite du statut fiscal avantageux des holdings luxembourgeois. L'Italie y investit ses capitaux plus ou moins légaux.

Cedel participe pleinement à l'essor du Luxembourg. S'attaquer à Cedel, c'est un peu s'attaquer au pays

Inconnu du public quant à la nature véritable de ses activités, Cedel est régulièrement cité par les ouvrages traitant du pays. Par exemple, ce livre d'histoire racontant ce qu'est le Luxembourg : *"Au nombre des circonstances ayant favorisé le développement de la place financière luxembourgeoise, on peut citer : le régime libéral de la Bourse du Luxembourg [...], l'absence de retenues à la source en ce qui concerne les emprunts étrangers, enfin, la création en 1970 à Luxembourg de la Cedel, dont l'objectif est de rationaliser les opérations d'achat et de vente des euro-obligations, qui sont ramenées à des jeux d'écritures comptables sans transmission matérielle des titres*[1]*."* À Luxembourg, Cedel fait partie du paysage. S'attaquer à "la Cedel", même si le commun des Luxembourgeois ignore tout des véritables activités de la firme, c'est un peu s'attaquer à ce qui a fait, et fait toujours, l'essor du Grand-Duché.

1. In *Luxembourg*, par Margue, Als, Hoffman and co, Christine Bonneton Éditeur, Le Puy, 1984.

Aujourd'hui, grâce à l'implantation de Cedel et à la politique du pays en matière d'accueil des banques et des holdings, le Luxembourg est devenu le septième centre financier au monde [1]. Derrière New York, Londres, Paris, Francfort, Zurich et Tokyo ; devant Singapour, Hongkong et les autres.

Comme nous l'avons vu, il n'existe que deux systèmes de clearing transfrontalier sur le plan mondial. Il y a d'abord eu Euroclear, créé à Bruxelles, en décembre 1968, par une banque américaine : la Morgan Guaranty Trust Company of New York [2], qui était alors la plus grande banque privée dans le monde. Les autres banques, européennes ou américaines, ont d'abord réagi contre le fait qu'une des leurs ait, en quelque sorte, "privatisé" une idée – celle du clearing – qui pouvait être considérée comme un service collectif interbancaire. Plus encore, ces banques ne supportaient pas que la Morgan puisse avoir, grâce au clearing, un œil, puis à terme la main, sur l'ensemble des opérations réalisées entre les banques de tous les continents. Il fallait réagir, et vite.

---

1. Ce classement nous est livré par diverses revues financières, principalement anglo-saxonnes, comme *Business Week* ou le *Financial Times*. Il dit, grossièrement, le positionnement d'une place financière en matière de "brassage" d'argent dans ses banques. Mais comme toute statistique, il prête à polémique. Le secret bancaire étant le secret le mieux gardé du monde, difficile de se fier aux chiffres livrés au public. Disons que le petit Luxembourg rivalise avec les plus grands...

2. Il s'agit de la plus importante filiale du groupe J.-P. Morgan & Co. Inc. À Bruxelles, par l'intermédiaire de son "Euroclear Operations Center", la Morgan Chase gère sous contrat le système Euroclear, leader mondial des sociétés internationales de clearing pour valeurs mobilières. En 2001, ce contrat doit être résilié, rendant le nouveau groupe Euroclear Bank, maître de sa gestion.

Cedel est géré par un conseil d'administration exclusivement composé de banquiers internationaux

Cedel a été créé, en septembre 1970, comme un système neutre et indépendant où aucune des banques actionnaires ne pouvait avoir la majorité du capital ou des droits de vote. Mieux, chaque détenteur de parts ne pouvait posséder plus de 5 % des actions de la société. Soixante-six banques venant de onze pays différents ont participé à la fondation de Cedel. Dix-sept banques seulement étaient domiciliées au Luxembourg. La plupart étaient des filiales de banques non luxembourgeoises. En octobre 1972, le système de clearing Cedel comptait déjà 371 banques adhérentes, originaires des cinq continents, dont 29 banques françaises.

Cedel se dotera vite d'un règlement intérieur en rapport avec l'urgence de la situation, et la nécessité absolue de réagir face à la concurrence. Le pouvoir est éparpillé entre tous les partenaires fondateurs. Aujourd'hui encore, malgré l'évolution constante du nombre de ses clients, Cedel International [1] compte une assemblée générale composée de 94 banques, et un conseil d'administration de 17 membres, dont la composition a peu changé. On y retrouve toujours des représentants de la BNP française, de l'Union de banques suisses (UBS), de l'italien Intesa (qui, à l'origine, était la Banque Ambrosiano), de la Chase Manhattan Bank de New York, de la Dresdner Bank allemande, de la Bar-

---

1. Nouveau patronyme de Cedel au sein du groupe Clearstream. L'étude de l'évolution de l'actionnariat de Cedel est complexe. En 1995, un premier changement a vu la création de Cedel Bank. Puis, en 1999, est née Clearstream, qui est devenue la nouvelle société de clearing, chapeautée par Cedel International...

clays de Londres ou de la Banque internationale à Luxembourg (BIL).

Avant la création des deux systèmes de clearing international, quand, sur ordre d'un client, une banque, située par exemple à New York, avait vendu une "position titres" [1] (au hasard, IBM) à une banque se trouvant à Rome, il se passait au moins quinze jours avant que les titres achetés à New York ne parviennent à Rome. N'y parviennent physiquement. L'argent n'était versé qu'à l'arrivée du porteur de ces obligations IBM. Il y avait donc, au minimum, une perte d'intérêts de quinze jours pour le vendeur. Les sommes généralement en jeu portant sur des millions de dollars, les pertes d'intérêts étaient considérables. De plus, avant le clearing, l'envoi de ces titres devait être assuré par une compagnie, ce qui alourdissait encore la facture. Il y avait évidemment les frais postaux d'acheminement. Parfois les titres étaient égarés, ou n'arrivaient pas au moment fixé par la vente.

C'est dans ce contexte qu'a été imaginé un système de chambre de compensation auquel toute banque susceptible de vendre ou d'acheter des titres pourrait adhérer. Celle de New York comme celle de Rome. Les unes et les autres auraient leurs titres et leurs fonds en dépôt dans le système de clearing.

Dès la création de ces chambres de compensation internationales, une transaction, comme cette hypothétique vente d'actions IBM, pouvait être conclue et "liquidée" en temps quasi réel, sans qu'il n'y ait ni mouvement de titres,

---

1. Une "position titres" est une quantité de titres entrant dans une transaction de valeurs mobilières, exprimée en unités d'actions pour les actions, en unités de parts pour les fonds et Sicav, ou en montant nominal pour les obligations.

ni mouvement d'espèces. Par convention, les banques adhérentes au système de clearing ont opté pour une "date de valeur" [1] dite à J+7. Ce qui signifie, pour reprendre notre exemple IBM, que la banque new-yorkaise pouvait bénéficier de l'argent italien sept jours après la vente de ses actions. Et réciproquement, pour la banque romaine, avec les actions américaines.

En clearing, comme dans toute relation avec une banque, chaque transaction nécessite une date de valeur. Le dépôt des titres ou de l'argent prenait parfois plus de temps que prévu. Les valeurs mobilières devaient, dès l'instruction de la vente, être acheminées vers le système de clearing. Les délais étaient irréguliers. On a introduit la notion de date de valeur à cet effet. Cette date de valeur a été fixée à J+7 par une association professionnelle cherchant à réguler le marché [2]. Sept jours semblaient être un bon délai pour acheminer des titres ou des fonds vers le système. Aujourd'hui, la date de valeur peut être décidée sur d'autres bases. Elle est le fruit de négociations entre les banques.

Accélérer les échanges de titres. Faciliter le travail des banques. Gagner du temps, donc de l'argent. Tel est depuis toujours le _credo_ des inventeurs, puis des salariés du clearing

Au début des années 70, à Cedel, tout était à inventer. L'ex-fonctionnaire des contributions et son chef, Gérard

---

1. La date de valeur est la date à partir de laquelle les intérêts commencent à courir en faveur du propriétaire.
2. Il s'agit de l'Association of International Bond Dealers (l'Association internationale des négociants de valeurs mobilières), rebaptisée International Securities Market Association (ISMA) depuis 1992.

Soisson, le premier directeur général de Cedel, s'y attellent. Ernest retient que Cedel et sa concurrente Euroclear ont été créées pour accélérer l'échange de valeurs et éviter les transferts physiques de titres et d'argent. L'informatique a permis cette révolution. Tout se passait, aux débuts du clearing, par courrier traditionnel et par télex. Au début des années 80, on entra dans l'ère du fax. C'est la naissance de ce qu'à Cedel, Ernest nomme la *faxmoney*. Il se targue d'être l'inventeur du mot. Aujourd'hui, la *faxmoney* a pris un coup de vieux. Les nouvelles technologies de réseaux ont remplacé le fax. Dès son arrivée à Cedel, Ernest sait très vite se rendre indispensable. Il s'investit avec enthousiasme dans son nouveau job. Il est bien noté de sa hiérarchie. Les seuls reproches qu'on lui fait concernent son langage, qu'on aimerait "plus feutré".

Son travail consiste d'abord à s'accoutumer au système et aux codes informatiques, puis à mettre en place un jeu de formulaires utilisables par les banques dans leurs relations avec le clearing. Une sorte de protocole qu'il fallait rendre le plus simple possible. Dès 1970, la centrale luxembourgeoise bénéficiait des plus gros ordinateurs du continent européen. Elle les louait plusieurs heures par jour à IBM. Deux ans plus tard, elle achetait ses propres "bidules" IBM (selon la terminologie de l'époque), toujours les plus gros. Ils étaient entreposés dans une salle spéciale, très surveillée, climatisée, car la température devait demeurer à 18 degrés. Ce travail de recherche et de création a duré plusieurs années. Au début, Ernest Backes et Gérard Soisson travaillaient avec des informaticiens belges détachés par IBM, qui ne connaissaient rien au clearing mais transcrivaient en code informatique, en *soft*, toutes leurs exigences.

Il était fréquent, quand l'ordinateur d'IBM à Luxembourg tombait en panne, qu'Ernest et son chef foncent en voitures, les coffres pleins de listings d'ordinateur et de formulaires, vers Bruxelles, le siège d'IBM-Europe, pour finir le travail. En fait, comme souvent au début d'une aventure qui apparaît aujourd'hui grandiose, luxueuse, rationnelle et technologique, des hommes inventent et bricolent.

Cedel dépendra moins d'IBM quand la société de clearing achètera ses propres ordinateurs, les plus puissants du marché. Ernest Backes et Gérard Soisson ont donc supervisé la fabrication d'un programme informatique propre à Cedel qui, quoique modifié, est encore opérant aujourd'hui. Sur la base de ce programme de pointe, du personnel informatique intégré à la firme luxembourgeoise sera bientôt embauché, mais toujours sous le regard bienveillant d'IBM.

La finance internationale a joui d'une grande liberté au début des années 80. Elle a poursuivi son développement, en trouvant des lieux d'échange et d'activité à l'abri de tout contrôle national. Les sociétés de clearing ont célébré à leur manière la mort des États-nations. En participant à l'explosion des places *offshore*, du Luxembourg à Singapour, de Jersey aux îles Caïmans. Tous ces refuges financiers ou ces paradis fiscaux vont trouver un système d'irrigation vitale dans le clearing.

Ernest Backes devient Numéro trois de Cedel et "visite" quatre cents banques en trois ans

En 1980, après avoir mis en place les techniques du clearing, Ernest devient Numéro trois de Cedel. Il peut, entre autres, avaliser de sa signature les gros transferts. Il change alors d'orientation. Il est nommé directeur des *Customer Services*, la personne chargée à Cedel des relations avec la clientèle. Sa tâche est de faire adhérer un maximum de clients. Il voyage énormément, rencontre des centaines de banquiers.

En trois ans, Ernest visitera 400 banques. Deux semaines à Vienne, deux autres à Lugano, trois semaines à Paris : il travaille à élargir le réseau des affiliés au système de Cedel. La première année de son nouveau job, il se souvient avoir passé 45 semaines hors du Luxembourg. Et avoir pris vingt kilos. Sa profession de foi : *"Devenez membre de Cedel, vous aurez tout à y gagner."* Il montre à ses interlocuteurs à quel point cela devient ridicule de traîner encore "en dehors du système", à quel point c'est illogique (à moins d'aimer perdre temps et argent) de ne pas être encore "chez Cedel".

Pour lui, au début des années 80, le succès est total. Il gagne très bien sa vie. Il monte rapidement dans l'organigramme. La Centrale de livraison de valeurs mobilières n'a cessé d'accroître sa surface financière et d'investir en hommes et en matériel. Achat d'un immeuble prestigieux, la villa Bofferding, situé sur l'avenue Grande-Duchesse-Charlotte. Construction d'une importante annexe, à l'architecture futuriste, hébergeant la troisième génération d'ordinateurs. Sans oublier l'embauche de salariés par dizaines, auxquelles Ernest a participé directement…

La fin des années 70 et le début des années 80 sont également marqués par l'arrivée massive de banques étrangères sur la place luxembourgeoise, qui grandit au rythme de croissance de Cedel. Toutes les banques ayant une activité dans les nouveaux marchés d'alors, le marché euro-obligataire en tête, misent sur le fait qu'il faut une présence à l'endroit où bat le cœur de ce marché. Le Luxembourg devenait une zone-test parfaite. Il était moins coûteux et moins risqué de se lancer à Luxembourg, plutôt que d'aller se noyer à Londres. Le pays profite également d'un atout majeur : son multilinguisme. Outre un dialecte local élevé au rang de langue par l'Union européenne en 1985, on y parle couramment l'allemand, le français et l'anglais. De plus en plus de firmes américaines trouvent au Luxembourg ce qu'elles cherchent : de la discrétion, pas trop d'impôts, et une ouverture sur l'Europe.

Le clearing transfrontalier a su se rendre discrètement indispensable. Quelques banques figuraient dans les deux systèmes de clearing. Cela n'était pas interdit. Même si chacun des deux systèmes avait ses secrets qu'il conservait jalousement, les banques importantes avaient toutes un pied dans Euroclear et un autre dans Cedel. Autour de la Morgan, à Euroclear, on recensait davantage de banques anglaises et américaines. Mais les valeurs traitées par les deux systèmes étaient planétaires.

Cedel était davantage branchée sur les banques européennes. Ce qui a été sa chance. En effet, les restrictions imposées par plusieurs États européens sur les opérations financières internationales ont poussé les banques de ces pays vers le système de clearing imaginé par Cedel, dont le leitmotiv était : *"Créé par le marché pour le marché"*. Un slogan que Euroclear aurait aisément pu reprendre à son compte. En fait, dans ces années-là, tant au niveau du fonctionnement que de la philosophie de l'entreprise, les différences entre les deux systèmes étaient infimes.

En Europe, les banques italiennes, soumises dans leur pays à d'abondantes taxations de capitaux, adhéreront plus massivement qu'ailleurs à Cedel et constitueront une manne pour la société luxembourgeoise, qui dépassera rapidement Euroclear en chiffre d'affaires et en nombre de clients. À la fin des années 70, les banques italiennes apportaient jusqu'à 60 % des volumes traités par Cedel. Ernest était alors aux premières loges. Il ne le savait pas encore, mais se constituait sous ses yeux le poste d'observation le plus formidable de la planète pour comprendre et détailler les mouvements bancaires officiels, et ceux qui le sont moins.

Le clearing est pour beaucoup dans la libéralisation économique de l'Europe. En accélérant les échanges, il offre à ses clients la liberté d'échapper aux contrôles. Euroclear et Cedel-Clearstream sont des institutions apatrides : elles ne travaillent pas pour le pays où est localisé leur siège social. Avec le recul, on peut avancer l'idée que cet outil financier a créé les conditions de ce qu'on a appelé, à la fin des années 90, la mondialisation de l'économie.

Le clearing a contribué à la fondation de ce que les journalistes spécialisés dans l'économie et la finance ont fini par baptiser, bien après les banquiers et les utilisateurs du clearing, le "*Global Village*" [1]. Un village où les lieux de pouvoir et d'information sont interconnectés.

Un détour par Swift, autre système d'accélération d'échange d'argent

Dans l'effervescence de la mondialisation financière, Cedel et Euroclear favorisent le développement d'un nouvel

---

1. Le terme de *Global Village* est attribué au théoricien canadien Marshall McLuhan. Propagé dès les années 50, il désigne de nos jours la planète telle qu'elle est perçue par les promoteurs de la mondialisation. En 1969, en collaboration avec Quentin Fiore, McLuhan publie *War and Peace in the Global Village* (traduit en français chez Laffont, en 1970 : *Guerre et paix dans le village global*). Le terme "Village global" n'est devenu courant que vers la fin des années 80. Il signifie qu'avec les progrès technologiques, un individu ou une société éloigné par la géographie devient votre voisin. Selon Ernest, André Lussi, l'actuel patron de Cedel, a été l'un des premiers à utiliser le concept de "*Global Village*", lors d'un discours à New York en 1991, pour vanter les mérites du clearing.

outil, dont le siège est à La Hulpe, dans la banlieue de Bruxelles. Swift [1] a été créé par les principaux actionnaires des deux systèmes de clearing. Il fallait adjoindre au couple Cedel-Euroclear un outil de transmission ultrarapide pour les espèces en toutes devises. Swift est présenté par ses responsables comme "un outil de télécommunication" doublé, précise-t-on volontiers, d'un système "d'authentification" de données. Les spécialistes parlent de *routing* d'informations financières. Fondé en 1973, Swift mettra quatre années à se rôder et deviendra opérationnel en 1977. Au départ, le système Swift avait été conçu pour aider strictement à la transmission d'opérations "cash" – des retraits en liquide ou des transferts de fonds d'un pays à l'autre –, mais le développement des systèmes de clearing internationaux obligera Swift à étendre très vite ses activités de transmission de données vers Euroclear et Cedel. Aujourd'hui, presque toutes les banques de la planète – de la plus petite à la plus grosse – sont connectées à Swift, dont l'annuaire fait 700 pages. Swift couvre 190 pays. Près de 7 000 institutions financières y sont connectées. Swift appartient à 3 052 banques. En 1999, la firme bruxelloise annonçait transférer environ 20 000 milliards de francs français par jour, pour six millions de "messages" traités quotidiennement.

De la banque d'un dictateur serbe à celle d'un marchand d'armes chimiques irakien, en passant par la société d'investissement d'un trafiquant colombien ou la

---

1. Swift (Society for Worldwide Interbank Financial Telecommunication SA) a été fondé le 3 mai 1973 par un groupe de 239 banques européennes et nord-américaines.

broker company [1] d'un armateur panaméen, on trouve de tout dans les canaux de Swift.

À Cedel, l'une des tâches du directeur général Gérard Soisson et d'Ernest Backes consistera à construire des "ponts" [2] entre ses clients et les systèmes Swift et Euroclear. Dans cette lente mais inexorable constitution d'un nouveau monde totalement interconnecté, Swift contribuera à alimenter en espèces les deux systèmes. Les acteurs des marchés obligataires et des bourses mondiales ont toujours cette obsession de la vitesse. L'argent circule le plus vite possible dans les systèmes de clearing. Ils passent donc de plus en plus souvent par Swift. Aujourd'hui, grâce, entre autres, au travail d'Ernest Backes, de Gérard Soisson et de quelques pionniers du clearing, les systèmes Swift, Euroclear et Cedel sont compatibles et reliés.

La mise en place des techniques du clearing crée les conditions d'un nouveau monde, dont personne ne maîtrise le développement

Ernest apprend vite et se passionne pour la mise en place des technicités du clearing. Il travaille sous les ordres d'un administrateur délégué nommé par le conseil d'administration de Cedel. Mais son supérieur direct reste le directeur général de Cedel, Gérard Soisson, avec qui il forme un

---

1. Le *broker* sert d'intermédiaire entre deux parties dans une vente, ou dans toute autre transaction financière. N'étant jamais en possession des biens ou des titres concernés par la vente, il intervient surtout pour mettre les parties en contact et déterminer les prix. Le *broker* est payé en commission, à la conclusion de l'accord.
2. À Cedel, où la langue anglaise est institutionnalisée, on parle de *bridges*.

duo efficace. Les deux hommes s'occupent de tout ce qui est interne à Cedel. Leur Graal : accélérer encore et toujours la vitesse des échanges. Leur sacerdoce : le temps, c'est de l'argent. Sous l'impulsion principale de Gérard Soisson, Cedel va rapidement dégager de confortables profits. La firme se paie en effet sur chaque transaction, sur les intérêts des masses financières qui transitent par elle, mais aussi en droits de garde ou de dépôt[1]. Alors que les études de faisabilité prévoyaient les premiers bénéfices au terme de cinq années d'activité, ils s'affichent dès le deuxième exercice[2].

Soisson et Backes sont des techniciens de la finance internationale. Ils se vivent comme des artisans. Et des inventeurs. Ils laissent le travail de présentation et de relations publiques aux Numéros un successifs de la firme. Dans les années 80, un ancien *dealer*[3] tient les rênes de Cedel : le Genevois Joe Galazka joue ainsi le rôle d'interface avec le conseil d'administration. Les Luxembourgeois, comme

---

1. Les droits de garde sont une sorte de loyer sur les valeurs mobilières déposées en banque. Ils sont calculés à partir de la valeur nominale des obligations déposées ou, pour les actions, du cours en bourse en fin d'année. Avec leurs clients, la plupart des banques calculent les droits de garde sur la base du dépôt client en fin d'année. Chez Cedel, la facturation est trimestrielle, au prorata du temps de dépôt.
2. Les tarifications chez Cedel vont de 1 à 15 dollars par transaction en fonction de leur complexité. Par ailleurs, la firme se paie surtout en droits de garde. Ces derniers varient entre 0,2 et 0,5 ‰. La firme se paie également sur les intérêts bancaires des sommes transitant par son réseau.
3. Le terme *dealer* désigne une personne ou une entreprise admise à intervenir en tant qu'acheteur et/ou vendeur dans les marchés boursiers et extra-boursiers. Aux États-Unis, le *dealer* peut aussi agir pour son propre compte et acheter ou vendre hors ses propres dépôts, contrairement au *broker*.

Ernest et Gérard, deviennent une denrée rare dans la hiérarchie de Cedel où les embauches de cadres se font de plus en plus à l'étranger, principalement sous l'impulsion des banques représentées au conseil d'administration.

Ernest Backes est calme et rationnel. Gérard Soisson, tout aussi cartésien, est plus soupe au lait. C'est un visionnaire passionné par son travail mais dur, voire cassant, dans ses rapports avec le personnel. *"On travaillait bien ensemble mais on était le feu et l'eau, c'est ce qui nous faisait avancer et être performant"*, dit Ernest, qui confesse une certaine candeur quant à l'utilisation qui pouvait être faite du clearing. Ce qui n'était pas le cas de son supérieur.

En ce début des années 80, Ernest n'est pas vraiment fasciné par ce qui se passe dans les transactions entre banques. Il voit passer des chiffres et des codes sur les comptes et dans ses montagnes de listings papier. Il se souvient vaguement de certains codes qui reviennent régulièrement, comme ceux de banques proches du Vatican. Les montants des virements sont toujours importants, et Ernest plaisante sur les deniers de l'Église : *"Tiens, le pape a encore fait une grosse quête dimanche dernier."* Ce genre de blague ne fait pas trop rire à Cedel, où la discrétion et le silence sont élevés au rang de culte.

Comment Ernest se retrouve aux premières loges dans l'affaire des otages américains détenus en Iran

Dans les nombreuses transactions très confidentielles qu'Ernest a eu à traiter lors de ses treize années passées à Cedel, celle qui l'a particulièrement marqué concerne les otages américains retenus en Iran au début des années 80. La Maison Blanche, où Ronald Reagan venait d'être élu, a

toujours nié avoir versé une rançon en échange de leur libération. Or Ernest est bien placé pour savoir que c'est faux [1].
Le stratagème était indétectable, à moins de se trouver au
cœur du système. Ce qui était son cas. Il se souvient de
l'ordre urgent reçu au tout début de l'année 1981. Le
16 janvier, la Federal Reserve Bank et la Bank of England
(les banques centrales américaine et anglaise) lui intimaient
conjointement l'instruction très pressante de livrer, à des
banques n'adhérant pas à Cedel, 7 millions de dollars en
valeurs mobilières : 5 millions à prélever sur le compte de la
Chase Manhattan Bank, et 2 millions sur un compte de la
Citibank.

On lui explique alors qu'il s'agit de virements liés au
sort des 55 otages américains détenus depuis près de
quinze mois dans l'ambassade américaine à Téhéran. Ces
deux banques étaient membres de Cedel, mais ni la Federal Reserve Bank ni la Bank of England, qui donnaient la
consigne à Ernest, n'était détentrice d'avoirs dans le système de la firme de clearing. D'après le règlement de
Cedel, seules la Chase Manhattan et la Citibank auraient dû
donner ces instructions de prélèvements. Ernest n'avait
aucun moyen de joindre directement ces banques. De plus,
les comptes concernés par ces prélèvements se trouvaient
dans des paradis fiscaux. Le travail demandé à Ernest par

---

1. L'histoire est ancienne mais son scénario est toujours d'actualité. À chaque
prise d'otages, les autorités des pays concernés s'évertuent à communiquer
sur le fait qu'ils n'ont payé aucune rançon en échange de la libération de
leurs ressortissants. En fait, on le voit encore avec l'affaire récente de Jolo
(aux Philippines) et le rôle de médiateur de la Libye, tout le problème
consiste, après négociation d'un prix, à trouver des masques, des parcours
originaux pour ce qu'il ne faudra jamais appeler "rançon".

ses interlocuteurs renommés, mais non-membres de Cedel, consistait à envoyer ces millions de dollars à la Banque nationale d'Algérie, le lieu de centralisation de la rançon. Une banque iranienne à Téhéran était le destinataire final de la somme, dont ces 7 millions de dollars n'étaient qu'une fraction. On demandait aussi à Ernest d'informer les Iraniens de ce versement.

Pour ne pas devoir admettre qu'il y avait paiement de rançon, on avait vraisemblablement monté un système alambiqué dont le maillon faible était, hasard des dates et des déplacements de ses supérieurs, Ernest Backes. Des petits malins, autour de Reagan, avaient imaginé une liste de valeurs diverses pour égarer tout fouineur hypothétique. Ils avaient composé la rançon sur des avoirs éparpillés à travers le monde, qu'on a ensuite concentrés dans une seule banque. En l'occurrence, la Banque nationale d'Algérie, qui devait ensuite virer les fonds aux Iraniens.

Ses deux supérieurs étant absents, Ernest contacte le président du conseil d'administration, Edmond Israël, qui dégage en touche et confesse ne pas être au courant de la prise d'otages, dont tous les journaux parlaient pourtant à l'époque. Conscient du rôle qu'on lui demande soudainement de jouer dans la libération des otages, Ernest va prendre sur lui d'exécuter l'ordre donné. Dans l'irrespect total du règlement de Cedel, il envoie un télex à la Banque nationale d'Algérie annonçant qu'il va lui faire parvenir les 7 millions, sur instructions américano-britanniques. La banque répond par retour de télex qu'elle n'a pas été mise au courant de son rôle concentrateur, ni par les Américains ni par les Anglais, et demande à Ernest d'attendre. Vingt minutes plus tard, elle rappelle pour s'excuser. Ernest informe ensuite les Iraniens. Une quinzaine de jours plus tard, quand tous les otages auront été libérés, la banque iranienne recontactera Ernest pour le féliciter de sa rapidité à transférer les fonds. Les Iraniens lui demandent une documentation et des formulaires d'ouverture de compte chez Cedel. Ils veulent à tout prix adhérer à un système de liquidation aussi performant. Ernest est content. De nouveaux clients signifient de nouvelles rentrées pour Cedel. Finalement, Téhéran renoncera à demander l'ouverture d'un compte. La composition du conseil d'administration de Cedel, dont le président d'alors se nomme Edmond Israël, n'y est pas étrangère.

Ernest est fier du caractère quasiment humanitaire de sa mission. Quelques années plus tard, il déchantera en découvrant qu'il n'a été qu'un pion dans une machination orchestrée par le candidat républicain aux élections présidentielles américaines, Ronald Reagan, et son candidat à la vice-présidence, George Bush. Le tandem Reagan-Bush était, à quelques mois de l'échéance, en tête-à-tête dans les sondages avec Jimmy Carter, président sortant briguant un deuxième mandat. Un succès du gouvernement Carter dans la libération des otages, à un mois des élections, aurait sévèrement handicapé le candidat républicain. Parallèlement aux négociations officielles du gouvernement Carter, l'équipe Reagan-Bush s'est donc accordée avec les Iraniens sur un maintien des otages en Iran. Leur libération ne devant intervenir qu'une fois Ronald Reagan élu à la présidence américaine. La contrepartie : des armes (l'Iran était à l'époque en guerre contre l'Irak) et des fonds, sous forme de titres. Reagan a toujours prétendu qu'il n'y avait jamais eu de rançon payée pour la libération des otages, il avait raison : les armes et les titres n'avaient comme but que de maintenir les otages en Iran environ trois mois supplémentaires [1]. Ils seront finalement libérés le 18 janvier 1981, après 444 jours de détention, deux jours après qu'Ernest a reçu l'ordre de virement.

Les archives des sociétés de clearing permettent – nous le voyons ici – de déjouer les mensonges d'État. C'est d'ailleurs sur la base des confidences d'Ernest qu'un journaliste anglais, aujourd'hui présentateur vedette à la BBC, Tim Sebastian, révélera une partie des dessous de l'affaire des otages américains retenus en Iran [2]. La Maison Blanche démentira, en cherchant en vain à savoir qui était, dans l'article de l'*Observer*, l'informateur du journaliste : un mystérieux Luxembourgeois nommé "Jean Berthoud".

Aujourd'hui, sur les 1 700 personnes travaillant à Cedel, la moitié officie à Luxembourg. Peu, pour ne pas dire aucun, y compris l'actuel PDG, n'a, selon Ernest, une vision globale, historique, de ce qu'est la firme. Personne ne peut savoir, toujours selon Ernest, parce que personne ne s'est jamais intéressé aux petits détails techniques qui ont fait ce que Cedel-Clearstream est aujourd'hui. Un mastodonte

---

1. Ces informations ont été reprises par différents médias américains. Elles figurent en bonne place dans un livre publié en 1989, sous la plume de Gary Sick, ancien conseiller de Jimmy Carter à la Maison Blanche : *October Surprise. America's Hostages in Iran and the Election of Ronald Reagan* (Random House). Elles ont été en grande partie confirmées par Barbara Honegger, une conseillère de Ronald Reagan qui a consacré un ouvrage à l'affaire : *October Surprise* (Tudor Publishing Company, 1989). L'ancien président iranien Bani Sadr en fait également état dans *Le Complot des ayatollahs* (entretiens avec Jean-Charles Deniau, La Découverte, 1989).

2. "The Secret Price of Terrorism. Cash for No Question", *The Observer*, 19 janvier 1997. Disponible sur Internet : www.fas.org/irp/news/1997/msg00034e.htm

omnipotent au cœur de Luxembourg-Ville, possédant clients et antennes sur les cinq continents. Personne, en fait, ne sait ce qu'on a vraiment construit avant lui. Comment et pourquoi on l'a construit. Si le système conserve la mémoire de l'argent, il ne conserve pas la mémoire de son histoire. Les hommes de Cedel, toujours très engagés dans leur lutte face au concurrent Euroclear, semblent interchangeables. Ils oublient, foncent, s'exécutent. La firme a changé maintes fois de cadres dirigeants, en particulier en ce qui concerne le poste très sensible de directeur financier. Le *turn over* des cadres de haut rang à Cedel est un des plus élevés de la place financière, malgré des salaires supérieurs à ceux d'Euroclear. Le profit pour la firme et ses clients, ainsi que le temps gagné dans les transactions semblent être les seuls moteurs de Cedel-Clearstream. Qui se soucie encore des statuts et des principes d'origine ?

Seuls, Ernest Backes et Gérard Soisson ont passé treize années à créer les conditions nécessaires à la naissance puis au développement de Cedel. Ils ont inventé des solutions techniques de plus en plus élaborées, répondant aux problèmes ardus posés par l'échange transfrontalier de valeurs mobilières. Ces réponses devaient être efficaces, et assurer non seulement la sécurité des transactions, mais aussi leur confidentialité. *"Personne d'autre que nous ne sait comment fonctionne le système. Comme Gérard Soisson est mort, je crois bien être le seul à pouvoir encore témoigner"*, m'a lâché un jour Ernest. C'était dit sans forfanterie ni vantardise, plutôt avec lassitude.

3

L'éjection du système

Ces histoires sont vieilles de dix-huit ans, mais pour Ernest c'est comme si c'était avant-hier. À Cedel, en cette fin d'année 1982, malgré les succès financiers de la firme, le climat interne est détestable. Chacun des cadres se demande pour qui roule son voisin de bureau. Ernest est stressé par le trop-plein de boulot, et surtout par les petites vacheries lâchées par Joe Galazka, le nouveau patron de Cedel. Gérard Soisson vient de se faire débarquer de la direction de la firme, et rétrograder au rang de "conseiller général", un poste sans réel pouvoir. La décision a été prise au cours d'un comité exécutif, en décembre 1982.

La tension est palpable. Ce jour-là, neuf des principaux banquiers actionnaires de Cedel étaient présents, ainsi que l'administrateur délégué Joe Galazka et le secrétaire général René Schmitter, la voix et l'œil des actionnaires les plus influents. Les minutes de ce conseil – que nous avons retrouvées – sont un monument de flagornerie et d'hypocrisie destiné à faire passer une très amère pilule à celui qui fut le premier concepteur de Cedel. *"Cedel est techniquement en avance sur Euroclear, mais si nous voulons rester leader, nous devons confier une nouvelle mission de planification au meilleur technicien de notre firme. Le spécialiste des titres le plus compétent est notre directeur général Gérard Soisson. Afin de lui donner tout le temps nécessaire pour cette mission, nous le déchargeons des tâches quotidiennes et le nommons conseiller général",* note en substance le compte rendu.

Dans la firme, Gérard Soisson est isolé. Mais il ne montre pas sa rancœur. Même si Ernest est opposé à ce qui lui apparaît comme une injustice, il ne soutient pas ouvertement son supérieur, qui le soupçonne alors de conspirer contre lui avec Galazka, et de vouloir sa place.

Gérard Soisson cache ses sentiments. Mais il paraît à la fois terriblement abattu et revanchard. Il s'active auprès des membres du conseil d'administration. Son lobbying semble porter ses fruits puisque, un mois plus tard, le 21 janvier 1982, le même comité exécutif apportera une nouvelle et surprenante justification au reclassement de Gérard Soisson : *"La modification du management interne ne peut en aucun cas être considérée comme une rétrogradation pour M. Soisson... Sa position le place au dessus du manager général* [1]*".* Le comité stipule, de plus, que le *"très estimable"* conseiller général a accès *"à l'ensemble des données internes de Cedel".* Autrement dit, Soisson, sans demander l'autorisation de personne, peut mettre le nez où il veut : dans la comptabilité, comme dans les crédits accordés à certaines banques.

Entre Soisson et Galazka, la guerre est déclarée.

Derrière les deux adversaires, les principales banques du conseil d'administration s'affrontent. Le Numéro un de Cedel a débarqué de Londres sans rien connaître au clearing. Galazka a été *dealer* chez le plus gros agent de change new-yorkais, Merrill Lynch. On l'a placé à Cedel pour faire le ménage dans la hiérarchie de la firme. Mais pour le compte de qui ? Et pourquoi ?

---

1. En l'occurrence, Joe Galazka.

Sa méthode, en tout cas, est expéditive. Humiliations, marginalisation des personnes gênantes, ouverture du courrier : tous les coups bas semblent permis pour faire craquer le personnel dont on veut se débarrasser. Gérard Soisson est toujours dans la ligne de mire de Galazka. Dans une note du 20 avril 1982 intitulée *"Quelques réflexions"*, qu'il remettra à divers membres du conseil d'administration, Soisson relate ses nombreux griefs : *"J'estime que ma promotion au titre fantaisiste de conseiller général est une drôle de façon de me remercier. Après douze ans de service, la quittance m'a été remise. J'ai été éliminé des circuits actifs de Cedel par la politique de coucou de M. Galazka..."* Il met sévèrement en cause la gestion de la nouvelle direction, le trucage des chiffres et des bilans, l'absence de contrôle et le gonflement artificiel du volume d'activité. Au-delà de l'amertume, on le sent combatif. Soisson fait savoir qu'il n'a pas dit son dernier mot. Il se méfie de tout le monde, mais croit se protéger en faisant savoir à l'intérieur de Cedel qu'il en sait long sur les agissements de certains et qu'il prépare un dossier...

Ernest en est sûr aujourd'hui : Galazka a été nommé pour mettre à exécution un plan décidé par d'autres que lui[1]. Le jour de son intronisation à Cedel, Ernest confirme avoir entendu le secrétaire général René Schmitter expliquer : *"Si Galazka n'est pas le crétin capable d'écarter Soisson, je*

---

1. Après plusieurs appels téléphoniques infructueux, et divers messages laissés sur son répondeur, nous avons adressé une lettre recommandée à Joe Galazka, le 5 septembre 2000, dans la quelle nous l'avons notamment interrogé sur le rôle qu'il avait joué dans la mise à l'écart de Gérard Soisson et Ernest Backes. Ce courrier est resté sans réponse.

trouverai d'autres crétins." Le message s'adressait autant à Ernest qu'au chef du personnel d'alors, Jean Beck. À l'époque, Ernest pensait qu'il s'agissait simplement d'un conflit de pouvoir et de personnes : *"Galazka m'a très tôt convoqué pour me dire qu'il était là pour liquider Soisson. Il a ajouté que si je voulais être à sa place dans dix ans, il faudrait que je l'aide, ou alors je serais moi-même liquidé par un plus petit que moi... Je lui ai répondu que l'envie ne me manquait pas d'être un jour à sa place, mais que je voulais choisir ma manière, et non me voir imposer la sienne. J'ai refusé d'être un instrument. Mon sort était scellé..."*

Ernest ajoute une raison plus conjoncturelle qui aurait pu déterminer la rancune de Galazka à son égard. *"Il avait accordé des faveurs à des amis banquiers anglais, en leur offrant d'énormes crédits non autorisés par le règlement de Cedel. J'avais dénoncé cette pratique de favoritisme dans le "grey market"* [1] *aux commissaires aux comptes. Je suppose qu'il me faisait payer cet excès de zèle."*

Les pressions des banquiers du conseil d'administration, les voyages épuisants où les clients en demandent toujours plus, la concurrence d'Euroclear, la sortie de trois années de travail intensif : tout concourt à perturber Ernest,

---

1. Ce terme ("marché gris") désigne un marché non réglementé dont il est difficile de définir les dimensions et les limites. Y sont traitées des valeurs non – ou pas encore – offertes sur les marchés de capitaux officiels contrôlés. Sont considérées comme faisant partie du "marché gris" les valeurs avant leur admission officielle à la cote, dans les situations ou de telles valeurs sont échangées avant leur émission, en un lieu fictif de cotation. Un exemple souvent cité dans ce contexte est celui de l'action Paribas qui, à l'occasion de la privatisation de la banque, en 1986, était proposée à 405 francs (prix officiel) mais cotait jusqu'à 485 francs sur le marché gris avant la distribution effective des actions.

toujours numéro trois de la société de clearing. Il revient d'un congé maladie qui l'a tenu éloigné de son bureau pendant trois semaines, on lui conseille de se calmer. Trop de tension, les premiers signes de problèmes cardio-vasculaires. Nous sommes le 19 mai 1983 à neuf heures du matin. Galazka, le patron, est à Londres. Soisson à New York ou à Paris, personne ne sait très bien...

Ernest est convoqué en salle de réunion par le responsable de l'informatique. Il se demande pourquoi on l'ennuie de si bon matin avec ce rendez-vous, alors qu'il s'apprête à recevoir des journalistes financiers venus spécialement de Londres pour une visite "dans" le système de clearing le plus performant du monde. Il entre. Trois hommes l'attendent. Le chef du personnel, le responsable de l'informatique et son ancien adjoint lui font face, et, après un long silence, lui signifient son licenciement. Sec et sans discussion. Le motif ? Pas de motif, sinon une vague altercation avec un banquier anglais, ami du PDG de Cedel, où des noms d'oiseaux auraient été échangés. C'est comme ça. Ordre de la hiérarchie, on n'y peut rien. Galazka, l'administrateur délégué de Cedel, a l'appui du conseil d'administration et de son président : le banquier luxembourgeois Edmond Israël.

Ernest encaisse le coup. Il ne s'y attendait pas. Il range ses affaires dans un carton, oublie d'emporter deux plantes qu'on lui expédiera plus tard par colis postal. Il a ordre de ne pas parler aux journalistes anglais sous peine de poursuites. Tout s'écroule soudainement. Ce travail, cette énergie dépensée. À onze heures, il est dehors. Libre de tout engagement vis-à-vis de la firme.

Sonné.

Ernest est viré sans compensation. Il rentre chez lui, raconte à sa femme ce qui vient de lui arriver, puis va consulter un avocat. Il ne sait pas encore que ce dernier fut un acteur de l'affaire IOS (Investor's Overseas Services), quelques années auparavant[1]. Hasard des rencontres, dans ce petit pays où la place financière est peuplée de gens qui savent mais qui n'en montrent rien. L'avocat entame une procédure pour licenciement abusif, mais le mal est fait. Le ressort est cassé. Ernest Backes avait toujours travaillé sans se poser trop de questions, en faisant confiance aux gens. Il est comme un boxeur groggy qui se demande d'où est parti le coup.

Le soir de son licenciement, Gérard Soisson appelle Ernest. Sa voix est aimable. Il propose son aide et son soutien. Ernest se méfie, mais il n'a plus beaucoup de cartes en main. Pour la première fois après plus de dix ans de travail en commun, les deux hommes se parlent vraiment. Ils se découvrent, et comprennent que leurs problèmes dépassent la simple animosité entre personnes. Ernest explique qu'il avait dénoncé aux commissaires aux comptes de la firme les engagements douteux que Galazka avait pris auprès de banques anglaises. Soisson confie qu'il en avait parlé, lui aussi, au secrétaire général René Schmitter. Ce même secrétaire général qui avait avoué à Ernest qu'il voulait "écarter" Soisson. Ce dernier comprend alors qu'il avait de nombreux faux amis dans la sphère dirigeante de la firme, et que le nouvel administrateur délégué n'était pas le maître à bord du navire Cedel...

Gérard Soisson demande à son ancien collègue de tenir le coup. Il annonce qu'il va tout entreprendre pour le

---

1. La faillite de l'Investor's Overseas Services de Bernie Cornfeld, dont l'activité consistait à proposer des instruments de placement bidons, fut le plus gros scandale bancaire des années 70.

faire réintégrer. Les deux hommes évoquent les motifs de ce licenciement. Pour Ernest, ils se résument aujourd'hui par un lapidaire : *"J'en savais trop."* Plus précisément, il s'était fait, à Cedel, le farouche partisan d'une réforme visant au contrôle des échanges financiers interbancaires par un organisme "public", étranger à l'emprise des banques du conseil d'administration de la firme. Selon lui, les cabinets d'audit chargés de ratifier les comptes en fin d'année étaient financièrement trop liés à la firme, et n'avaient pas les connaissances suffisantes pour percer les méandres d'une comptabilité aussi complexe que celle d'une société de clearing[1].

Ernest voulait éviter les dérives qu'il sentait possibles, compte tenu de l'outil "formidable" que lui et Soisson avaient patiemment élaboré. Il voulait revenir à ce qui avait fait l'origine de Cedel, son esprit de coopérative bancaire. Soisson l'appuyait sur cette position. Les deux hommes militaient en fait depuis de longs mois pour ce contrôle de la société de clearing par une autorité indépendante des banques, et avaient fait savoir à la hiérarchie de Cedel, ainsi qu'à divers membres du conseil d'administration, qu'ils verraient d'un bon œil l'Institut monétaire luxembourgeois [2] jouer ce rôle.

1. Les comptes de Cedel étaient alors contrôlés par Peat, Marwick, Mitchell, intégré depuis au groupe anglo-hollandais KPMG.
2. L'Institut monétaire luxembourgeois (IML) – rebaptisé Commission de surveillance du secteur financier (CSSF) depuis 1998 – est une émanation de l'ancien Commissariat au contrôle des banques, créé en 1945. L'équivalent hybride et luxembourgeois d'une entité qui rassemblerait la Commission des opérations de bourse (COB) française et la Banque de France. Cedel n'étant pas considérée comme une institution bancaire, l'IML, dont les administrateurs sont par ailleurs choisis dans – et par – la classe politique luxembourgeoise, ne montrait aucun zèle à se voir attribuer des devoirs supplémentaires en marge de ses attributions.

"De 1970 à 1983, nos contrôles étaient internes. Ils consistaient à vérifier si, techniquement, les instructions qui nous étaient données par les banques étaient en phase avec le règlement de Cedel. Parmi les motifs de mon licenciement, cette question a joué contre moi. À la direction de Cedel, j'étais le seul a réclamer que l'IML prenne la responsabilité d'un contrôle public dans le système de clearing. J'aurais dû comprendre que ce contrôle était la première chose que voulaient éviter nos adhérents", explique Ernest, qui poursuit : *"Voyant certaines opérations se dérouler sous les yeux de nos auditeurs, j'ai essayé de leur indiquer des bizarreries. Sans aucun succès. En fait, les banques en Cedel défendaient une position de "contrôle privé" contre un "contrôle public". Elles se vivaient comme au service du marché euro-obligataire. Cedel était, selon elles, une initiative privée, bancaire, opposée par essence à tout contrôle public.[1]"*

Avant leur départ de Cedel, les deux hommes avaient mis au point un système de comptes non publiés accessibles aux seules filiales de grosses banques italiennes et allemandes

Ernest formule aussi une autre hypothèse. À l'époque, cette idée ne lui était pas apparue susceptible de provoquer les ennuis que l'on sait. Avec le recul, il n'en est plus très sûr. Il s'agit de l'apparition dans Cedel d'un système de comptes non publiés. Gérard Soisson et Ernest Backes avaient agi à la demande de deux grosses banques ita-

---

1. Après le départ d'Ernest, Cedel sera finalement placée sous le contrôle de l'IML.

liennes[1] et de différentes banques allemandes[2]. Ces comptes "invisibles" n'apparaissent pas dans les listes officielles, publiées régulièrement à l'intention de tous les adhérents du système. Entre eux, les adhérents de Cedel appellent ces comptes bancaires les comptes "non publiés".

À Cedel, l'innovation permettant de posséder de tels comptes est passée presque inaperçue, même si aujourd'hui on peut découvrir, dans les plaquettes vantant les mérites du système de clearing luxembourgeois, cette opportunité offerte discrètement par la firme.

La possibilité d'avoir dans Cedel un compte non publié est, à l'origine, le fruit d'une demande technique. N'importe quelle banque ne pouvait pas en bénéficier. Elle ne visait qu'à alléger les démarches, lors d'une opération de clearing, quand l'une des banques concernées était la lointaine filiale d'une autre banque. Cette nouveauté concernait uniquement les établissements importants ayant une maison mère et des filiales. Il suffisait à l'autre banque partie prenante de connaître le code de la maison mère de son interlocuteur, qui se chargeait ensuite de répercuter la transaction vers le compte non publié de sa filiale. Les banques ayant une centaine de filiales n'étaient, dès lors, plus obligées de publier tous leurs codes en

1. Il s'agit de la Banca Commerciale et de la Banca di Roma.
2. Les banques allemandes en question étaient réunies sous le sigle AKV (Auslands-Kassenverein). Leurs comptes n'étaient pas à proprement parler des comptes non publiés. Ils étaient connus de tout le monde, mais le courrier adressé à chacune de ces banques allemandes était regroupé sous un seul compte, celui de l'actionnaire AKV (le compte 11487). Leurs comptes étaient connus pour commencer par 40 ou 41. Ils existent encore sous ces codes aujourd'hui...

Cedel. Elles pouvaient, si la firme les y autorisait, se contenter du code de la maison mère.

Il faut savoir que les adhérents de Cedel ont l'habitude de recevoir, à périodicité régulière – tous les deux ou trois mois –, la liste des comptes de tous les autres adhérents, avec leurs clés informatiques. Pour effectuer une transaction, il suffit de programmer avec son ordinateur le transfert ou la vente, et de transmettre ces informations à Cedel. La société de clearing se charge de la régler, de la "liquider", sans se soucier de la "visibilité" du compte. D'ailleurs, qui s'en soucie ?

Dans ces années-là, pour chaque transaction, les adhérents de Cedel remplissaient le "formulaire unique" mis en place par Ernest, Soisson et les informaticiens d'IBM. Il s'agit d'un questionnaire à remplir après s'être mis d'accord avec son client sur les modalités d'achat et de vente. Les banquiers et les techniciens du clearing appellent ce client, dans leur jargon, la "contrepartie" [1]. Pour effectuer l'opération, le vendeur doit donner à la société de clearing le numéro de compte de sa contrepartie : cette clé lui permettra d'entrer directement en contact avec lui. Le client de Cedel se sert de la liste des comptes clients publiés périodiquement pour obtenir ces clés. L'opération de clearing se fait automatiquement, sur la base des clés informatiques livrées par les deux parties intéressées par une transaction.

1. Ce terme est utilisé pour désigner l'acheteur et le vendeur dans une opération bancaire ou boursière. La contrepartie pour un acheteur est un vendeur. La contrepartie pour un vendeur est un acheteur. On parle aussi de contrepartie pour désigner le total des membres du système bancaire international, qui sont tous, entre eux, des contreparties possibles.

La liste publiée, adressée par Cedel à chacun de ses clients, est une bible pour chaque adhérent pressé de liquider ses opérations bancaires internationales. Elle permet de gagner du temps et assure la sécurité des échanges. Le banquier n'est pas obligé de donner d'explication sur les montants qu'il vire ou les valeurs mobilières qu'il transfère. Il suffit qu'il les code (il a le choix entre une douzaine de types de transaction). Les techniciens de Cedel n'interviennent qu'en cas de problèmes, d'erreur de code informatique ou de non-concordance, signalés par l'ordinateur de Cedel, entre acheteur et vendeur. Ils sont une présence lointaine, efficace et discrète. Ils voient passer des chiffres, des ordres, des codes, des clés. Ils sont très peu nombreux à pouvoir interpréter ces chiffres. À savoir, par exemple, qu'une "31" est un simple transfert de titres, actions ou obligations, sans contrepartie en argent, et nécessite l'identité de la contrepartie. Que les transferts d'argent s'opèrent sous des codes "10" et "90". Ou que le code 11088 est celui du compte publié de la Banque Ambrosiano de Milan.

Le règlement interne voulait que *tous* les comptes de *tous* les adhérents au système de clearing apparaissent sur la liste. Tous. Et puis, à la demande de ces banquiers italiens et allemands souhaitant gagner du temps et faciliter leurs démarches, le conseil d'administration a donc autorisé certaines banques à multiples filiales à ne pas faire paraître tous leurs comptes dans la fameuse liste reçue régulièrement. Quand une banque américaine doit, par exemple, traiter avec la filiale à Bari de la Banca Commerciale de Milan, elle n'est plus obligée de passer par le compte de Bari : grâce au système de comptes non publiés, elle inscrit seulement le numéro de compte de la maison mère à Milan. À charge ensuite pour la banque principale de régler l'opération avec sa filiale, en interne.

Certaines banques ne sont donc plus obligées de faire paraître tous leurs comptes sur la liste. Leur seule obligation est de faire en sorte que le produit de toutes les opérations des filiales corresponde, en fin d'exercice comptable, au chiffre déclaré par la maison mère. Les réviseurs externes de Cedel, aujourd'hui KPMG, doivent y veiller.

En fait – et ce détail a son importance –, les transactions enregistrées sur les comptes non publiés d'une banque ne sont utiles qu'à la banque qui les utilise et à Cedel, qui, pour se faire payer, doit comptabiliser les opérations liquidées par ses soins.

Le système de sous-compte porte en germe une perversion assez vite repérable. S'il veut préserver une plus grande discrétion, il sera maintenant possible, pour un banquier adhérant à Cedel, d'utiliser un compte non publié. Donc, non visible par les autres adhérents du système. Pour cela, il suffit à la limite de créer une filiale... Très vite, plusieurs clients malins, mieux informés ou malhonnêtes ont compris les bénéfices à tirer de cette innovation. D'ailleurs, dès le début des années 80, les demandes d'ouverture de comptes non publiés affluent à Cedel. L'homme chargé de donner les autorisations est Gérard Soisson, qui surveille de près ces procédures.

Cette perversion du règlement interne de Cedel n'était vraisemblablement pas prévue à l'origine. Elle est le fruit d'un glissement dont on ne peut situer précisément l'origine, mais qui deviendra perceptible à partir de 1992.

Dans la forêt des actionnaires de Cedel, des clients aux intentions douteuses ont peut-être entrevu à quoi pouvait servir ce sous-système. Dans cette hypothèse, la présence d'Ernest Backes et de Gérard Soisson – et surtout leur volonté affichée de voir Cedel contrôlé par un organisme indépendant – ne devenait-elle pas gênante ?

Tous deux connaissent suffisamment le système mis en place à Cedel pour sentir que les enjeux, au-delà de leur place dans l'organigramme, sont considérables. *"Depuis mon licenciement, j'ai toujours cherché à savoir si quelqu'un n'avait pas eu l'idée de faire de Cedel un organisme de clearing parallèle pour marchés parallèles. Les comptes non publiés instaurés par Soisson et moi offraient de belles possibilités à quelqu'un connaissant un peu le clearing. Ils n'étaient connus que de quelques-uns appartenant aux instances internes. Parmi eux, les réviseurs [1] et les membres du conseil d'administration. Et encore, la plupart n'y comprenaient rien. Entre nous, nous les appelions les* old boys [2]*..."*, raconte Ernest aujourd'hui.

Gérard Soisson fait le forcing pour qu'Ernest Backes soit réintégré

Dés la fin du mois de mai 1983, Soisson met la pression sur les membres du conseil d'administration de Cedel pour qu'Ernest soit réintégré. Entre les deux hommes, des liens d'amitié se sont noués. Jusque-là, leurs rapports étaient professionnels et plutôt tendus. Une solidarité d'exclus les unit désormais. Alors qu'il ne l'avait jamais fait, Soisson téléphone à Ernest tous les soirs à la maison, pour lui remonter le moral.

---

1. Synonyme du terme "auditeur". On parle d'auditeur externe lorsqu'une société de réviseurs d'entreprise est engagée par une firme pour vérifier ses livres comptables. On parle d'auditeur interne lorsqu'un haut responsable d'une firme a pour mission de veiller à la bonne tenue des livres et au bon déroulement, conformément aux lois et règlements, de toute activité de la firme.
2. "Vieux garçons".

Pendant six semaines, Ernest patientera tant bien que mal. Il enrage d'avoir été exclu de la sorte et essaye de comprendre ce qui lui arrive. Tout semble se jouer au sein du conseil d'administration, où Soisson compte encore quelques supporters. Ernest se souvient plus particulièrement du représentant français de la BNP, Jacques Calvet [1]. Début juillet, juste avant de partir en vacances en Corse, Soisson téléphone à Ernest pour le rassurer et le supplier de ne rien entreprendre qui pourrait nuire à sa réintégration, qu'il juge imminente. Ernest est confiant. Le président de Cedel, Edmond Israël, vient de lui proposer un boulot de compensation à la Bourse de Luxembourg. Il perdrait un bon tiers de salaire, mais au moins il ne serait pas à la rue. Soisson lui conseille d'accepter la proposition et de ne rien dire qui pourrait nuire à la réputation de Cedel. Ernest obéit. Il sait, parce que son ancien directeur général le lui a expliqué, qu'il a les moyens de faire changer d'avis certains banquiers craignant par-dessus tout le scandale et la publicité. Ernest vit donc avec l'espoir qu'il sortira bientôt du cauchemar que représente son éviction de Cedel.

Mi-juillet 1983, Gérard Soisson part en vacances avec ses quatre enfants, au volant de sa voiture de service – le dernier modèle BMW, très cher et très puissant –, que Cedel lui a offert en leasing. Joe Galazka, le manager de la firme, possédait le même modèle mais en formule sportive, donc un peu plus cher encore. Avant de prendre l'avion pour la Corse avec ses quatre enfants, il s'arrête à Paris pour la soirée, chez un banquier avec qui il avait rendez-

---

1. Avant de devenir président de Peugeot, Jacques Calvet avait été directeur général puis président de la Banque nationale de Paris.

vous. Le prétexte est de lui laisser la voiture en dépôt, mais d'après les témoignages des enfants Soisson, dont l'aîné a alors vingt ans, les deux hommes parleront beaucoup et se concerteront[1]. Le sujet de la conversation tourne autour de Cedel d'où, toujours selon les enfants, leur père était en attente d'une décision imminente.

Pendant ses vacances, Gérard Soisson est stressé. Il téléphone souvent à l'étranger, et prévient ses enfants qu'il attend un appel très urgent et qu'il devra sûrement les quitter pour un aller-retour à Luxembourg.

La mort de Gérard Soisson provoque d'étranges réactions

Le 30 juillet 1983, un avis mortuaire du *Luxemburger Wort* annonce le décès du "conseiller général" Gérard Soisson, survenu dans sa quarante-huitième année, lors de ses vacances en Corse... Ironie de l'histoire, même le rédacteur de l'avis mortuaire a pris la peine de rétrograder l'ancien directeur général au rang de conseiller, fût-il général. *"La direction et le personnel de la CEDEL S.A. ont le triste devoir de faire part du décès de Monsieur Gérard Soisson (conseiller général). Nous lui garderons un souvenir ému et inaltérable. Nous tenons à exprimer nos sincères condoléances à la famille éplorée."*

---

1. Ce banquier était en fait le directeur des valeurs mobilières du Crédit commercial de France. Nous avons cherché à le contacter, mais il est décédé en juillet 2000. D'après les enquêtes sur la Banque Ambrosiano, le CCF était alors un relais privilégié du Vatican en France. Ce détail, nous allons le voir, a son importance.

Dans un pays où la mort, surtout chez les banquiers, est célébrée à grand coups d'annonces payées dans la presse (plus l'avis mortuaire est grand, plus il est cher, plus il se voit), on peut difficilement faire plus sobre pour un des fondateurs de la plus grosse entreprise financière de la place. Ernest est pétrifié. Il s'interroge : *"Soisson était un personnage très dur, dur avec lui-même d'abord. Il était ceinture noire de judo, il faisait du jogging[1]. C'était un type qui était en pleine santé, pas le genre à faire un infarctus à 48 ans. Pendant les 5, 6 semaines où il était encore en vie après mon licenciement, il s'est dépensé pour contacter tous les membres du conseil d'administration – dix-sept banques éparpillées sur les cinq continents – pour voir avec eux ce qu'on pourrait faire pour redresser le tort qui m'était fait. Soisson a-t-il mentionné des affaires sensibles dont il connaissait l'existence ?"*

Officiellement, Gérard Soisson est décédé suite à un infarctus au Club Méditerranée de Cargèse, l'après-midi du 28 juillet 1983. Le certificat médical ne précise pas l'origine du décès. Il n'y est question que d'une "mort naturelle". Gérard Soisson est mort subitement, vers 17 heures, après un jogging, alors qu'il s'apprêtait à boire un verre d'eau au bar de l'hôtel. Il s'est effondré sur la terrasse, près de la piscine. La mort surviendra juste avant l'arrivée de l'hélicoptère qui devait l'emmener vers l'hôpital le plus proche. Le corps sera aussitôt rapatrié. Selon nos informations, l'opération aurait été supervisée par le secrétaire général de Cedel, René Schmitter, avec l'appui diligent de l'ambassade de Luxembourg. Pour l'anecdote,

---

1. Des photos prises à la veille de sa mort montrent qu'il pratiquait toujours le tir à l'arc et le footing.

relevons que cet expert-comptable de profession était également à l'époque le responsable de la plus importante société fiduciaire de Luxembourg [1]. Ernest apprendra par une source interne à la franc-maçonnerie que la loge luxembourgeoise à laquelle avait appartenu le banquier Roberto Calvi aurait organisé le rapatriement. Nous avons écrit à l'ancien secrétaire général de Cedel pour connaître sa version de l'affaire Soisson. Il nous a fait répondre par son avocat, Me Gaston Vogel : *"Ma partie n'a pas de déclaration à faire quant aux questions que vous lui posez et qui ne le concernent en aucune manière."*

La femme de Soisson n'aurait été mise au courant de ce rapatriement qu'après le début des procédures. Le corps, bizarrement évidé [2], n'arrivera à Luxembourg que quatre jours après le décès, soit le 2 août 1983. La police locale est tenue à l'écart. À l'enterrement, des banquiers de nombreux pays se déplacent, mais la famille de Gérard Soisson fait savoir à Cedel que la présence du Numéro un de la firme, Joe Galazka, est fortement indésirable. Les enfants déclarent tout aussi indésirable la présence du président, Edmond Israël, mais par peur du scandale, leur mère leur demande de renoncer. Edmond Israël fera une apparition très discrète à la cérémonie religieuse. Ernest est le seul collègue de travail invité par la famille à la col-

---

1. La fiduciaire de René Schmitter est aujourd'hui partenaire de la filiale luxembourgeoise du cabinet d'audit Touche & Ross, les liquidateurs de l'Ambrosiano et de la BCCI, deux banques que nous retrouverons plus tard.

2. L'information nous a été rapportée par les enfants de Gérard Soisson. On leur avait alors expliqué que le retrait des viscères était nécessité par le transport en avion. Après vérification auprès de médecins, cet argument n'apparaît pas fondé.

lation qui suivra la cérémonie religieuse. Dès l'enterrement, la rumeur enfle. Soisson aurait été assassiné...

Nous avons cherché à retrouver une trace de cette mort dans les archives policières corses, mais il semble que la police française n'ait rien conservé à propos de ce décès. Par ailleurs, pour les services de police luxembourgeois que nous avons contactés, cette mort a été jugée *"naturelle"*, même si, lors de nos contacts avec différentes sources, les circonstances du rapatriement de l'ancien directeur général de Cedel ont été jugées peu "naturelles".

Dix-sept ans après les faits, les quatre enfants de Gérard Soisson restent persuadés que la mort de leur père est directement liée *"aux affaires de Cedel* [1]*". "Soit le stress dans lequel ils l'ont mis l'a tué, soit il a été empoisonné"*, résume Daniel Soisson, l'aîné de la famille, 37 ans aujourd'hui, qui se souvient parfaitement des circonstances du décès : *"Nous étions depuis une semaine au Club Méditerranée de Cargèse. Mon père était sur des charbons ardents. Il téléphonait plusieurs fois par jour et attendait une décision. Il était prêt à partir en avion pour le Luxembourg à chaque instant... Le jour de sa mort, nous avions fait un footing après le repas. Il était en forme. C'est après ce footing qu'il s'est étendu sur le sol."* Les quatre enfants regrettent aujourd'hui de ne pas avoir fait autopsier le corps, et de n'avoir entrepris aucune démarche judiciaire après le décès. Ils ne peuvent que ressasser tout ce qui leur semble étrange.

Leur père leur avait annoncé avoir souscrit un contrat d'assurance, via Cedel, juste avant leur départ pour la Corse. Il venait de réaliser, pour ce contrat, un examen car-

---

1. Interviews avec Manuela, Carmen, Daniel et Gérard Soisson (fils), le 30 septembre 2000 à Bech-Kleinmacher (Grand-Duché de Luxembourg).

diologique qui l'avait certifié en excellente santé. C'était un sportif accompli. Il serait pourtant mort suite à un *"problème cardiaque"*. L'attitude de Cedel les laisse également songeurs. Les enfants de Gérard Soisson assurent n'avoir rien reçu de la firme à la mort de leur père, aucune prime d'assurance ni indemnité quelconque. Quand, le 29 juillet 1983, en compagnie d'une tante, leur mère s'est présentée à Cedel, elle n'a pu récupérer qu'une partie des effets de son mari. L'autre avait été détruite. On lui a demandé instamment de *"ne pas faire de scandale"*.

L'élément le plus troublant reste la première réaction du chef du personnel de la firme, Jean Beck, qui a accueilli les deux femmes. Il aurait, ce jour-là, annulé par téléphone le contrat d'assurance de Gérard Soisson en appelant personnellement la compagnie[1]. Les deux femmes ont assisté à la scène mais, trop abattues, elles n'ont pas réagi. Ce n'est que plus tard, en évoquant cette péripétie avec leurs enfants, que toute la famille s'est posée la question des raisons de cette résiliation[2]. Pour les enfants de Gérard Soisson, l'hypothèse la plus vraisemblable reste que le contrat d'assurance a été résilié pour qu'aucune enquête sérieuse ne soit diligentée sur la mort de leur père.

Retour sur la mort suspecte du numéro deux de Cedel, hypothèses, rumeurs, et découvertes de documents liés au milieu bancaire

---

1. Il s'agit de la compagnie d'assurance luxembourgeoise Le Foyer, qui possède une vingtaine de comptes en Cedel dont certains ne sont pas publiés.
2. Nous avons écrit à Jean Beck pour savoir s'il confirmait ou non la version de la famille Soisson, mais il n'a pas répondu à notre courrier.

Gérard Soisson avait commencé sa carrière de banquier à vingt ans, comme simple employé de la Banque générale de Luxembourg. Dans les années 60, il avait été fondé de pouvoir à la Kredietbank luxembourgeoise[1]. Juste avant de lancer Cedel, il avait passé un peu plus d'un an à l'Investor's Overseas Services (IOS). Cette société d'investissement montée par l'ancêtre des *brokers* américains, Bernie Cornfeld, avait des antennes sur toute la planète. Cornfeld avait conçu sa société sous la forme d'un "fonds d'investissement", un tout nouveau concept alors. Il s'agissait d'un établissement *offshore* possédant différents sièges installés dans des endroits fiscalement favorables. Genève et Luxembourg étaient les adresses les plus connues en Europe, où des milliers d'investisseurs, appâtés par des publicités très bien réalisées, placèrent leurs économies dans des valeurs fantômes et perdirent des fortunes. Soisson vivra de l'intérieur le premier scandale financier mondial de l'après-guerre, lorsque l'IOS s'effondrera.

La faillite de l'IOS, en 1970, est une leçon pour Gérard Soisson, qui, cependant, ne sera pas éclaboussé par le scandale. Il a, en effet, démissionné juste avant. L'expérience a dû lui être bénéfique. Il est maintenant aguerri aux techniques des vendeurs de sable et autres champions de l'embrouille. Gérard Soisson sait que, dans certains cas, il faut savoir garder le silence. Dans d'autres, parler. Le comportement d'un technicien de la finance internationale cherchant à tenir son rang, puis à grimper dans la hiérarchie bancaire, est le fruit d'un savant dosage. Faire savoir qu'on

---

1. C'est là qu'il élaborera, avec deux directeurs généraux, Philippe Duvieusart et André Coussement, les bases d'un système de clearing transfrontalier.

sait tout en faisant comprendre qu'on ne sait rien n'est pas donné à tout le monde.

Soisson avait expliqué à Ernest, après son licenciement, que, grâce à ce qu'il avait appris dans Cedel, il était intouchable et qu'il avait le pouvoir de le faire réintégrer. De quoi parlait-il ?

Lors de notre rencontre, les enfants de Gérard Soisson nous ont confié divers dossiers que leur père avait apportés avec lui en Corse lors de ses dernières vacances. Ces documents étaient rangés dans une mallette qu'il avait laissée dans sa chambre. Nous nous sommes procuré d'autres documents relatifs à Cedel qu'il avait conservés avec soin à son domicile.

Parmi ces derniers, nous avons relevé la présence d'une liste de banques faisant des demandes d'ouverture de comptes non publiés : la Chase Manhattan Bank de New York, la Chemical Bank de Londres, la Société générale alsacienne de banques de Luxembourg, Indosuez Asia de Singapour, et plusieurs filiales de la Citibank en marge desquelles Gérard Soisson avait émis des avis toujours négatifs[1]. Cette note montre que, bien que mis à l'écart, il avait encore une influence sur les décisions d'ouverture de comptes non publiés. Elle montre également que ce type de décision n'était pas anodine.

Dans un autre document, griffonné de sa main en Corse, nous avons découvert le nom de la Banque Ambrosiano, en gros caractères, en haut d'une page.

Pour Ernest, ce n'est pas une surprise.

---

1. Le document, annoté de la main de Soisson, est daté du 5 mai 1983.

Gérard Soisson avait été le premier à parler à Ernest de l'Ambrosiano comme d'un énorme scandale en devenir, alors que l'affaire n'était pas encore sortie dans la presse

Avant son départ en Corse, le Numéro deux de Cedel avait fait à Ernest quelques confidences, dont une qui l'avait laissé pantois : le président de la banque milanaise Ambrosiano, Roberto Calvi, que l'on avait retrouvé un an plus tôt pendu sous un pont à Londres, ne s'était pas suicidé. *"On l'a probablement assassiné"*, lui avait glissé Soisson.

L'Ambrosiano était l'une de ces banques catholiques, centenaires et provinciales, que comptait alors l'Italie. Elle faisait partie des actionnaires fondateurs de Cedel. Au début des années 70, une banque flamande, la Kredietbank, avait également accueilli Roberto Calvi dans son conseil d'administration lorsque Soisson y travaillait. C'est là que les deux hommes avaient fait connaissance. Le Luxembourg est un village. Déjà membre de la Loge P2 en Italie [1], Calvi, nous l'avons vu, avait été admis dans une des principales loges maçonniques luxembourgeoises, à laquelle, selon Ernest Backes, appartenait également un cadre supérieur de Cedel.

1. La loge "Propaganda Massonica Due" (communément appelée "Loge P2") comptait parmi les six cents loges composant le Grand Orient d'Italie. La perte de son statut de loge secrète après la découverte de la liste de ses membres, un jour de 1981, lui vaudra d'attirer vers l'Italie l'intérêt des médias internationaux. L'analyse de cette liste montre que les plus hautes instances de l'État italien, tout comme les structures des grandes entreprises de l'industrie et du commerce, étaient infiltrées par la loge P2, elle-même au carrefour des réseaux du Vatican, de la mafia et des services secrets.

72

Ces liens entre Calvi et Soisson ne sont pas fortuits. Les relations de confiance, ou de méfiance, entre les dirigeants des principales banques actives dans Cedel et les cadres de la société sont fondamentales. Elles constituent la matière première sur laquelle se fabrique quotidiennement le clearing. Soisson restait discret, voire secret, sur la nature de ses rapports avec les banquiers les plus influents de la planète, mais il côtoyait Calvi. Les deux hommes n'étaient pas des amis, mais ils semblaient proches. L'Italien lui avait offert un cadeau que le directeur général de Cedel avait posé en évidence sur son bureau : trois singes en laiton, le premier se bouche les oreilles, le second se voile les yeux, le troisième se masque la bouche.

En 1980, René Schmitter et Gérard Soisson avaient organisé la réunion mensuelle du conseil d'administration de Cedel à Rome, dans les locaux de l'Istituto per le Opere di Religione (Institut pour les œuvres religieuses), la "banque privée du pape"[1]. *"J'avais suggéré à Soisson de recommander à Mgr Marcinkus, l'archevêque chargé des finances du Vatican, d'ouvrir un compte direct dans nos livres pour l'IOR, et d'éviter ainsi les détours par toutes ces banques qui apparaissaient dans les transactions. Quand il est revenu de cette réunion, j'ai eu l'impression qu'il n'avait pas osé exprimer cette proposition"*, raconte Ernest.

Deux ans après cette réunion, Soisson expliquera à Ernest, qu'il a vu *"des choses bizarres"* au Vatican : *"Soisson savait lire les transactions mieux que moi, qui ne voyais que le côté technique. Je faisais des blagues sur le pape, autour des libellés que je lisais à Cedel. Lui savait que les*

---

1. Il était de coutume, chaque mois, d'organiser le conseil d'administration dans un pays différent.

instructions données par Calvi sur des sous-comptes de la finance vaticane, avec l'aval du Saint-Siège, étaient plus que risquées. Il pressentait que le pot aux roses ne manquerait pas d'être un jour découvert", ajoute aujourd'hui Ernest.

Un juge antimafia italien, Ferdinando Imposimato, nous en apprend davantage[1]. Ce dernier fait figure de dinosaure en Italie, depuis l'assassinat de la plupart de ses collègues s'étant intéressés de trop près aux liens entre Vatican, hommes politiques italiens et mafia. Imposimato a payé le prix fort. Son frère a été assassiné pour cause d'enquête trop pressante sur le sujet, en particulier sur Michele Sindona, que le juge italien qualifie "d'administrateur de Cosa Nostra".

Il révèle : *"La grande fraude débute lorsque don Michele* (Sindona), *grâce à ses trois banques – Banca Privata Finanziaria, Finabank, Banca Unione –, parvient à établir des accords avec les banques publiques, Banco di Roma, Credito Italiano et Banca Commerciale. Cédant aux pressions d'hommes au pouvoir, les banques nationalisées acceptent d'effectuer d'importants versements et dépôts dans les établissements de Don Michele. Ainsi, le financier accapare-t-il des milliards déposés par des organismes publics dans ses coffres. La stratégie de Sindona repose sur les circuits de l'argent par l'intermédiaire de l'IOR, qui en garantit, par sa présence, la régularité. La banque vaticane, en effet, peut effectuer n'importe quelle opération financière et déplacer des capitaux à travers le monde en dehors de tout contrôle."*

1. *Un Juge en Italie*, Éditions de Fallois, Paris, avril 2000.

On sait aujourd'hui, grâce aux enquêtes des juges italiens, dont Imposimato, que le principal grief contre le Vatican est d'avoir servi d'écran aux fonds détournés par Sindona puis par Calvi. Contre ce service l'IOR, la Banque du Vatican, était rémunérée au pourcentage : *"Le blanchiment d'argent s'effectue en trois étapes. D'abord, les capitaux de la mafia, des partis politiques et des gros industriels sont versés dans les banques de Sindona. Ensuite, ils transitent par l'IOR, qui prélève quinze pour cent d'intérêt au passage[1]. Enfin, tous ces capitaux, auxquels s'ajoutent des investissements du Saint-Siège, sont transférés dans les banques étrangères de Sindona, la Franklin Bank de New York et ses filiales des Bahamas et du Panama"*, poursuit le magistrat italien dans son ouvrage.

Devenu trop encombrant, après sa condamnation pour escroquerie en 1976, puis son arrestation aux États-Unis pour des malversations relevées dans les comptes de la Franklin National Bank, Sindona sera remplacé dans son rôle de "conseiller financier du Vatican" auprès de Mgr Marcinkus par Roberto Calvi, alors patron de la Banque Ambrosiano, qui renforce ainsi ses liens avec le Vatican...

Pas pour longtemps. En mai 1981, les magistrats milanais arrêtent et emprisonnent pour quelques mois Calvi

---

1. Cette révélation du magistrat italien pourrait expliquer pourquoi l'IOR ne souhaitait pas adhérer directement à Cedel. En effet, il était sans doute plus lucratif pour les ecclésiastiques de passer par des banques italiennes, à qui le Vatican servait de caution en contrepartie d'un pourcentage substantiel. L'IOR n'adhérera directement à Cedel qu'à partir de 1985. Il en est toujours membre aujourd'hui.

pour des malversations liées à la gestion de sa banque. Cette incarcération place l'Ambrosiano au bord de la faillite. Calvi cherche alors à récupérer des fonds, en particulier du Vatican : *"Il avait envoyé des millions de dollars pour soutenir Solidarnosc en Pologne et des mouvements de libération en Amérique latine, proches de l'Église, pour le compte du président de la banque vaticane, Mgr Marcinkus"*, poursuit Imposimato. Mais Marcinkus refuse de rembourser les avances faramineuses que la Banco Ambrosiano a consenties à l'IOR. De sa prison, Calvi se dit *"décidé à tout raconter des implications de la banque vaticane"*.

Relâché un peu plus tard, il se sent, selon sa femme, "terrorisé". Calvi ne restera pas longtemps en liberté. Le 18 juin 1982, on le retrouve pendu à un échafaudage sous le Blackfriars Bridge (le pont des Frères noirs), à Londres, avec un faux passeport, une identité d'emprunt, les poches de son costume bourrées de pierres et d'argent, une dizaine de devises différentes. Pendant de longues années, la thèse du suicide prévaudra, contre l'avis des enquêteurs anglais de la première heure[1].

La veille de son assassinat, le banquier avait réclamé 400 millions de dollars à l'IOR. On a retrouvé plusieurs de ses lettres menaçantes à l'égard de cardinaux et d'hommes politiques italiens. *"Mgr Marcinkus refuse toujours de me rencontrer... Je peux indiquer, si vous le souhaitez, le montant des sommes et les numéros des comptes courants"*, écrit-il au pape Paul VI, à qui il veut

---

1. Ernest sera en relation par la suite avec un enquêteur de Scotland Yard chargé de l'enquête. Ce dernier n'a jamais cru à la thèse du suicide.

remettre d'importants documents : *"J'ai endossé le pesant fardeau des erreurs et des fautes commises par les représentants de l'IOR, y compris les méfaits de Sindona, dont je subis encore les conséquences. (...) C'est moi qui, de concert avec les autorités vaticanes, ai coordonné la création d'innombrables entités bancaires afin de contrer la pénétration et l'expansion d'idéologies philomarxistes..."*

"Si la mafia a éliminé Calvi, ce fut non seulement pour racketter le Vatican, mais surtout pour récupérer des dossiers révélant ses propres opérations de recyclage", conclut Imposimato. Michele Sindona, lui non plus, ne survivra pas longtemps au krach de l'Ambrosiano. Il est assassiné à son tour, le 22 mars 1986, dans sa cellule de la prison de haute sécurité de Voghera, après avoir bu une tasse de café au cyanure[1].

La banqueroute qui suit la mort de Roberto Calvi – le montant des avoirs du Vatican qui se sont évaporés tourne autour de 1,3 milliard de dollars – dévoile une implication colossale du Saint-Siège dans les affaires illégales opérées par Sindona, puis Calvi. Elle révèle une série de scandales qui polluent encore aujourd'hui la vie politique en Italie. En particulier l'affaire de la Loge P2, qui se servait à Milan d'une autre banque, la Banca Unione, elle aussi membre de Cedel. L'affaire Gladio également[2]. Toutes ces affaires révélées ponctuellement par les médias ont des points en commun : l'Italie, les transferts

---

1. *Cf.* Nick Tosches, *Transactions avec le Vatican. L'affaire Sindona*, Le livre de poche, Paris, 1989 (titre de l'original américain : *Power on Earth*, 1986).
2. Gladio ("le Glaive") est le nom d'une organisation secrète mise en place au sein de l'Otan à partir du début des années 50 pour contrer "la menace communiste".

d'argent au nez et à la barbe de l'État, les liens entre le Vatican[1], les mafias, les USA, le Luxembourg... Et Cedel. Dans les archives de la société de clearing luxembourgeoise, se trouve peut-être la clé de l'histoire. Et, forcément, la réponse à la question gênante de l'identité des bénéficiaires d'une partie des sommes englouties dans la faillite bancaire.

Ernest avait remarqué que les banques italiennes, et surtout l'Ambrosiano, transféraient régulièrement des titres vers l'IOR, la banque du Vatican, qui en était toujours le destinataire final. Il avait reçu Roberto Calvi pour une visite guidée de Cedel. Ernest avait également noté le formidable intérêt que portait Michele Sindona au clearing. Mais c'est seulement après avoir lu le livre de David Yallop, *Au Nom de Dieu*[2], à l'automne 1983, que l'ancien Numéro trois de Cedel comprend qu'avec Gérard Soisson, il se trouvait à un carrefour important dans la "liquidation" des opérations mafieuses. Il découvre que bon nombre d'acteurs mentionnés par Yallop dans l'affaire Ambrosiano sont membres de Cedel : la Handelskredietbank de Zurich était une des banques suisses au cœur du système d'évasion des capitaux italiens, tout comme la Finabank, la Banca Unione, Capitalfin, Ultrafin et la Weisscredit de Chiasso.

Le passage par l'IOR était vraisemblablement un très bon moyen pour ces banques de frauder le fisc, de dissimuler certaines opérations de blanchiment, ou de poser un verrou supplémentaire pour des virements compromettants. La

---

1. Malgré les demandes répétées et pressantes des juges italiens enquêtant sur ces affaires, Mgr Marcinkus, constamment couvert par la hiérarchie papale, n'a jamais été interrogé. De sorte que la preuve de la complicité du Saint-Siège dans les affaires mafieuses n'a jamais pu être formellement établie.
2. *In God's Name. Murder of Pope John Paul I*, Bantam, NY, 1983.

seule personne au Vatican à pouvoir prendre la décision d'accepter ces virements était Mgr Marcinkus.

Ce que Ernest a compris en 1983, Soisson l'a sans doute perçu dès 1980, depuis le conseil d'administration de Cedel qui s'était tenu à l'IOR. Les transferts douteux étaient, pour une bonne partie, effectués via Cedel. Soisson, au cœur du système et proche de Calvi, savait que la Banco Ambrosiano, en transférant des fonds du Vatican vers l'étranger, enfreignait les lois italiennes sur l'exportation de capitaux. L'illégalité des transactions porte sur des transferts d'avoirs bancaires hors des frontières italiennes, jusque vers des pays aussi lointains que le Pérou, par exemple, où l'Ambrosiano a ouvert une filiale bien pratique (la Banco Ambrosiano Andino). La volonté de fraude des argentiers du Vatican est, vu de Cedel, manifeste. Gérard Soisson a-t-il trop parlé ? S'est-il servi de ces éléments pour faire pression en vue de sa réintégration à la tête de Cedel ?

À Luxembourg, une rumeur persistante circulera selon laquelle Gérard Soisson serait mort comme bien d'autres témoins gênants de l'affaire Ambrosiano : après l'absorption d'une tasse de café empoisonnée[1]. Gérard Soisson

---

1. La mort subite du pape Jean-Paul Ier, en septembre 1978, reste mystérieuse. Celui-ci est décédé dans son lit après seulement trente-trois jours de pontificat. Aucune enquête externe au Vatican ne sera diligentée. Trois semaines plus tôt, toujours dans l'enceinte du Vatican, un autre ecclésiastique, l'archevêque Nicodème de Saint-Petersbourg, patriarche russe orthodoxe de 49 ans, avait été trouvé la mort dans des circonstances tout aussi étranges. Pendant une audience privée accordée par le pape le mardi 5 septembre 1978, au dixième jour de son pontificat, Nicodème, après avoir goûté à sa tasse de café, s'était affaissé sur son siège, foudroyé. Sa tasse aurait été confondue avec celle du pape.

avait effectivement bu du café après son déjeuner. De là à imaginer que ce café ait pu être empoisonné...

Le premier cercle des initiés de ces affaires, au Vatican comme dans les banques italiennes impliquées, connaissait l'existence à Luxembourg d'un maillon fragile, dans la chaîne où tous, jusqu'alors, étaient complices et tenus au secret. Ce maillon, c'était Cedel. Et, à l'intérieur de Cedel, vraisemblablement son directeur général : Gérard Soisson.

"N'oublions pas que l'Ambrosiano n'était pas une affaire à l'époque. Personne n'en parlait. Personne n'avait fait de lien entre la mort de Calvi et les transactions de la Banco Ambrosiano constatées dans Cedel... Il y a sûrement plusieurs raisons au fait que nous ayons été exclus, mais celle qui a dû dépasser les autres reste le danger potentiel que nous représentions. En particulier Soisson... Les gens qui connaissaient les agissements de l'Ambrosiano avant que l'affaire n'éclate voulaient avoir le moins de témoins possibles. La mise à l'écart de Soisson et mon licenciement sont intimement liés à cette affaire, j'en suis persuadé même si je ne pourrai jamais le prouver. Il y a eu trop de morts, et trop d'intermédiaires qui ne connaissent qu'une parcelle de la vérité. Il fallait d'abord liquider ceux qui ont eu accès aux transactions. À ce moment-là, j'étais operations manager. J'étais donc en première ligne. Je voyais les libellés des transactions... Notre éjection était programmée. Dans les papiers de Gérard Soisson, il y avait le curriculum vitæ de mon successeur, qui avait été reçu par Edmond Israël et René Schmitter un mois avant mon débarquement..."

Plusieurs livres, dont ceux de Nino Lo Bello, David Yallop, Larry Gurwin ou Nick Tosches ont déjà raconté l'affaire Ambrosiano, mais sans jamais faire mention de Cedel. *"Personne ne savait, aucun auteur, aucun journaliste ayant écrit sur l'affaire... Personne n'a jamais trouvé trace de Cedel dans cette affaire. Pourquoi ? Parce qu'aucun journaliste n'est jamais parvenu à enquêter sur les systèmes de clearing. Tout le monde ignore leur existence. Beaucoup n'ont encore pas compris, même aujourd'hui, la raison d'être des chambres de compensation internationales"*, regrette Ernest.

Si le clearing est un mécanisme méconnu des auteurs de best sellers, il l'est aussi des magistrats et policiers, qui n'ont jamais poussé leurs investigations jusqu'à Cedel-Clearstream, 3-5, place Winston-Churchill, à Luxembourg-Ville... Pourtant, à écouter Ernest, la preuve tant recherchée des liens entre hommes politiques italiens, mafia sicilienne et ecclésiastiques romains, les motifs mêmes de l'assassinat des témoins gênants, se trouvent dans les acrobaties bancaires enregistrées à Cedel.

Cette découverte est glaçante.

Le clearing offre d'inépuisables possibilités

Après la mort de Gérard Soisson, Joe Galazka, l'administrateur délégué, ne restera pas longtemps en place. En octobre 1983, son contrat ne sera pas prolongé. Son départ, après l'éviction d'Ernest et la mort de Soisson, marque la fin d'une époque faite d'inventions, de tâtonnements, d'euphorie, de conflits et de très forte expansion financière. Il montre que le système Cedel génère sa propre logique, et fonctionne indépendamment des hommes. Le conseil d'administration, qui se réunit tous les mois, est le théâtre d'affrontements secrets, difficilement perceptibles et interprétables de l'extérieur. Parfois même, de l'intérieur. Au cours de notre enquête, il nous a semblé que des membres du conseil d'administration étaient interchangeables et ne comprenaient pas tous à quoi ils servaient. Les autres ne nous ont rien dit[1].

Une fois éjecté de Cedel, Ernest a cherché à alerter certains administrateurs de la situation. Mais le conseil d'administration de Cedel, secoué par les soubresauts de son licenciement et par la mort de Soisson, changera rapidement de vitrine. Un banquier parisien venant de la Société générale, Georges Muller, alsacien d'origine, sera nommé à la place de Galazka. Ernest le rencontrera quelques années plus tard. Celui-ci lui avouera qu'il n'aurait jamais dû être renvoyé.

Poussé vers la sortie par le président du conseil d'administration, Edmond Israël, Ernest acceptera, finalement, l'emploi qu'on lui propose. La Bourse de Luxembourg, où il entre en fonction le 1er juillet 1983 comme fondé de pouvoir, lui offre beaucoup de temps libre. Souvent, de l'intérieur de Cedel, d'anciens amis lui font signe. Ernest garde un œil sur ce qu'il considère un peu comme son enfant. Il sait que le clearing offre d'inépuisables possibilités. Il ne tardera pas à en avoir confirmation.

---

1. Relevons qu'aucun conseil d'administration ni aucune instance décisionnelle de Cedel n'a jamais été ouvert à un quelconque représentant du personnel. Et que le *turn over* au sein du conseil d'administration est important. Les administrateurs, représentants des banques, siègent à tour de rôle, entre un et trois ans, selon un rythme qui permet difficilement un accès aux petits et grands secrets de la firme.

4

Le temps des rencontres, des affaires et des premières enquêtes

Sous le calme apparent d'une vie réglée, les années qui suivent seront enrichissantes, studieuses. Et finalement mouvementées. Le cadre de haut niveau Ernest Backes avait toujours travaillé sans compter son temps. Il dit s'être remis au travail sans se poser trop de questions. La Bourse ne va pas tarder à l'ennuyer. De concepteur du clearing international, Ernest va devenir directeur d'une société à l'actionnariat fantomatique, administrateur pour un faux armateur grec, auxiliaire d'un agent de change douteux, puis chômeur pendant seize mois. Mais, surtout, Ernest va devenir enquêteur. Un limier très spécial au service d'amis de plus en plus nombreux. Français, suisses, italiens, israéliens, finlandais... Ernest se constitue un réseau et un savoir que lui reconnaissent des policiers de Scotland Yard, des détectives privés américains, des agents du fisc français, des juges néerlandais ou des journalistes allemands.

Ernest est, à Luxembourg, et pour les initiés, l'homme toujours discret de la situation. Celui qui voit et entend beaucoup de choses, qui sait faire les bons rapprochements, celui qu'on vient consulter pour savoir où Saddam Hussein a caché ses pétrodollars et le dictateur cubain Batista ses pesos d'or, qui finance en douce le parti socialiste espagnol, pourquoi la mort du député belge André Cools est liée à un trafic de faux titres bancaires (dont on a essayé d'écouler un lot à Luxembourg), où se cachent les sociétés luxembourgeoises de Silvio Berlusconi recherchées par le juge di Pietro, ou pourquoi Giancarlo Parretti a payé si peu cher la Sasea, une société agro-alimentaire d'origine vaticane[1]. Il est une encyclopédie vivante et protéiforme.

Son moteur ? Pas l'argent. Ni les honneurs (encore que, par instant, un peu de reconnaissance ne lui aurait pas déplu). Ni le pouvoir. Autre chose...

Un premier travail plutôt ennuyeux à la Bourse de Luxembourg

Ernest travaille jusqu'en 1986 comme fondé de pouvoir à la Bourse de Luxembourg, où il s'entend à merveille avec le directeur, peintre amateur comme lui. On lui fait miroiter qu'il serait le candidat idéal pour remplacer cet homme affable, proche de la retraite. Cette *promotion*, avalisée par les milieux bancaires luxembourgeois, impliquerait qu'il abandonne toute poursuite contre Cedel. La bourse dortoir de Luxembourg n'est pas très grande, ni très fonctionnelle. Elle se trouve au-dessus d'une galerie commerciale du centre-ville. Peu d'activités, une vingtaine de salariés [2] : la criée est du genre silencieuse.

---

1. Instruite en Suisse, l'affaire de la faillite frauduleuse du groupe Sasea, montée par l'homme d'affaires italien Florio Fiorini, a révélé que le commissaire aux comptes de la société en faillite, affilié au réseau KPMG, en était aussi le président et administrateur. L'ardoise laissée est de l'ordre de 20 milliards de francs français. KPMG est également le réviseur des comptes de Cedel.
2. Cent cinquante aujourd'hui.

Ernest est nommé membre du directoire dès son entrée en service. C'est une compensation voulue par le tout-puissant président de Cedel, Edmond Israël, qui espère bien acheter rapidement le silence de son ancien cadre, dont la plainte pour licenciement abusif court toujours. La principale tâche du nouveau fondé de pouvoir consiste à contrôler la bonne foi des candidats adhérents à la Bourse, donc des agents de change ou des représentants des banques qui veulent être présents sur le petit marché luxembourgeois. La particularité de la place boursière grand-ducale est que la majorité des opérations d'achat et de vente se réalisent "hors bourse"[1], l'affiliation à la Bourse de Luxembourg est demandée pour des motifs de pur prestige. Ernest Backes prépare des dossiers sur ces candidats, les présente, vérifie si possible leur solvabilité et l'origine de leurs investissements, et donne son avis au conseil d'administration de la Bourse. C'est un poste d'observation intéressant. Il apprend à flairer les arnaques derrière les catalogues rutilants des sociétés d'investissement cherchant à entrer dans le "Village financier" via la petite porte de la Bourse luxembourgeoise.

L'ex-Numéro trois de Cedel ne gagne plus que les deux tiers de son précédent salaire. Les journées sont longues pour qui travaille vite. Ernest s'ennuie. Il prend tout de même le risque d'entrer en conflit avec certains hommes politiques luxembourgeois qui soutiennent la candidature de clients que lui-même juge douteux. L'admission en bourse est fondamentale pour ces sociétés, car elle donne une

---

1. Ce marché étant désigné par le terme technique "*over the counter market*", qui signifie littéralement : par-dessus le comptoir.

sorte de brevet d'honorabilité et ouvre la porte des autres bourses européennes aux investisseurs. Ernest ferraille à cette occasion contre le ministre luxembourgeois Jean Dupong[1]. Ce dernier défend avec une constance étonnante, aux yeux d'Ernest, les intérêts de clients à la réputation sulfureuse comme la Bank of Credit and Commerce International (BCCI)[2], les sociétés de l'homme d'affaires anglo-irakien Nadhmi Auchi, ou Euroseas, une société financière dirigée par les quatre fils d'un ancien ambassadeur pakistanais à Washington.

Chaque refus d'accès à une société demande beaucoup de travail et de paperasserie. Dans ce type de conflit, Ernest bénéficie du soutien et des informations de fonctionnaires travaillant dans d'autres bourses européennes. Il se lie en particulier avec un responsable de la Bourse de Londres qui l'aidera dans ses recoupements. Les deux hommes échangent informations et points de vue.

Ernest lit beaucoup : la presse financière, des livres traitant de finance internationale, les dossiers qui passent par la Bourse et qui concernent souvent des sociétés nouvellement créées, à l'actionnariat mouvant. Les investisseurs qui cherchent refuge ou fortune au Luxembourg apprécient surtout la discrétion qu'offre la place financière grand-ducale. Ernest apprend à lire entre les lignes des

1. Fils d'un ancien Premier ministre luxembourgeois, Jean Dupong a été plusieurs fois ministre, notamment de l'Éducation et de la Justice. Il est membre du parti chrétien-social.
2. La Bank of Credit and Commerce International était une banque pakistanaise impliquée dans le blanchiment à grande échelle des capitaux émanant des cartels de la drogue colombiens. L'affaire BCCI, qui éclate à partir de 1988, représente le plus retentissant scandale bancaire depuis la dernière guerre.

prospectus vantant les mérites de tel ou tel produit. Il traque les mauvais payeurs. Il voit passer des noms qu'il retrouvera plus tard. Berlusconi, De Benedetti, Parretti et Fiorini, Rothschild[1]…

Il garde d'excellentes relations avec ses anciens collègues de Cedel, qui lui donnent régulièrement des nouvelles de l'intérieur. Le nouvel administrateur délégué, Georges Muller, a l'air de vouloir rompre avec les méthodes de son prédécesseur et renouer avec les principes de neutralité du système. Ernest traque et conserve toute information ayant un rapport avec l'affaire Ambrosiano. Il se constitue une sorte de trésor de guerre.

Sans le savoir, Ernest se fait embaucher par un escroc international

En mars 1986, fatigué de sa vie de fonctionnaire en Bourse et attiré par le doublement de son salaire, il finit par accepter la proposition d'un avocat luxembourgeois. Ernest devient le directeur d'une société nouvellement entrée en bourse : l'Asset Investment Management (AIM). L'avocat avait réussi à introduire AIM en bourse en contournant les recherches d'Ernest. La présence d'un administrateur de la Bourse de Luxembourg au conseil d'administration d'AIM avait suffi à obtenir une habilitation. L'avocat recruteur

---

1. Il y a aussi des hommes inconnus jusqu'alors qui débarquent un beau jour et sont aussitôt présentés par l'ensemble de la presse comme de "grands financiers internationaux" sans avoir jamais fait parler d'eux. C'est le cas de George Soros, dont le patronyme et la biographie complète apparaîtront le même jour, en 1988, dans tous les grands journaux du monde sans que personne ne s'étonne de ce statut soudain et miraculeux.

explique à Ernest que derrière cette société d'investissement présidée par un ancien banquier de Paribas, se trouve l'Agha Khan en personne. *"Ce nom m'a décidé à quitter la Bourse, parce que l'Agha Khan est un des seuls personnages pour qui, à l'époque, j'avais vraiment envie de travailler. Pendant les années passés chez Cedel, j'ai vu passer beaucoup de transactions en son nom, c'était un personnage qui gérait bien ses fortunes. Il avait une éthique que n'avaient pas les autres banquiers."*

Ernest déchantera rapidement d'AIM. Un jour, on lui présente un client très important qui dit s'appeler *"Monsieur Irving"*. Ils passent une journée ensemble à discuter de tout et de rien, de clearing et de la bourse, des investissements possibles, de la recherche de partenaires. Le lendemain de cette plaisante conversation, bonne surprise, Ernest se voit offrir une voiture de fonction. La fameuse Scorpio. Sur ordre de qui ? Mystère. Monsieur Irving, le client, est en fait Irving Kott, le véritable patron d'AIM, un financier controversé d'origine canadienne qu'on retrouvera plus tard impliqué dans diverses affaires dont celle, française, du délit d'initiés de Pechiney [1].

---

1. Irving Kott apparaît comme l'homme de l'ombre qui tirait les ficelles de la charge d'agent de change Petrusse Securities, alors animée par un intermédiaire luxembourgeois sous l'œil vigilant du lieutenant de Kott, l'homme d'affaires israélien Leo Arie From. Petrusse achètera à bas prix 15 000 actions Triangle, dans le cadre de l'affaire Pechiney, réalisant un bénéfice de près de 5 millions de francs en quelques jours. La charge Petrusse Securities était en fait la nouvelle appellation d'AIM, qui avait changé de statut et de patronyme après le départ d'Ernest. Irving Kott est également un des principaux bailleurs du film de Francis Ford Copola *Le Parrain III*, via l'une de ses sociétés néerlandaises : Rotterdam Investment Group.

Ernest raconte que la presse financière internationale le présentait alors comme *"le plus grand fraudeur nord-américain"* des années 70-80. Kott avait même été interdit de profession au Canada et aux États-Unis à partir de 1976. Ernest dit de lui aujourd'hui qu'il est *"le plus brillant cerveau"* rencontré pendant toute sa vie professionnelle dans le milieu bancaire : *"S'il avait mieux utilisé ses connaissances, il aurait été plus fort que n'importe quel ministre des Finances..."*

Kott a besoin d'une tête de pont pas très regardante, et d'une vitrine légale sur la place de Luxembourg. Et Ernest ferait très bien l'affaire, si Ernest n'était pas si fouineur.

Dans une conférence, Ernest Backes rencontre un vieillard prénommé Henry. Ce dernier fait défiler à Luxembourg une bonne partie de ce que l'Amérique compte comme présidents et ministres républicains

Ce travail sous l'égide d'Irving Kott lui permet cependant de mieux pénétrer, et donc de mieux comprendre, le monde clos des leaders de la planète financière. Il sera ainsi invité à de surprenantes conférences organisées par une association confidentielle dont il ne connaissait rien avant de travailler chez AIM : la Société luxembourgeoise des affaires internationales (SLAI). Celle-ci est présidée par Marcel Mart, cet ancien ministre de l'Économie luxembourgeois qui fut le premier président de la Cour des comptes européenne[1]. Grand maréchal de la cour grand-ducale, ce notable est l'administra-

---

1. Ex-dirigeant du Parti libéral luxembourgeois, Marcel Mart est l'oncle de Marco Mart, dont nous avons déjà parlé.

teur des biens du grand-duc. Il est également administrateur de la Banque générale du Luxembourg[1], qui était alors une des plus importantes banques du pays.

À deux reprises, Ernest sera l'hôte de ces conférences toujours organisées à la prestigieuse Maison de Cassal, le lieu de représentation privilégié du gouvernement luxembourgeois. Il y croise le gratin des hommes politiques de son pays, mêlés à des représentants de banques ou à des diplomates internationaux. Du banquier américain à l'administrateur de multinationale, la liste des invités laisse rêveur. Quant à celle des conférenciers, elle est surréaliste si l'on considère la taille et l'influence supposée du Luxembourg en Europe et dans le monde.

Un vieil habitué de ces cocktails très spéciaux apprend à Ernest qu'il est dans un authentique sanctuaire, et que le maître de cérémonie n'est pas Marcel Mart, mais un certain Henry J. Leir. Ernest enregistre, mais ne réalisera que plus tard la portée de ce qu'on essaye de lui faire comprendre. Ces conférences sont le signe du lien étroit qui unit son pays à la première puissance mondiale, les États-Unis. *"Tu dois comprendre une chose et la retenir : le Luxembourg est devenu le 51ᵉ État des États-Unis dès la fin de la Seconde Guerre mondiale"*, lui explique le vieil habitué.

Ernest fait la connaissance de ce Henry J. Leir, un personnage mystérieux qu'il ne cessera de croiser par la suite. Initiateur et mécène de la SLAI, fondateur du premier Rotary à Luxembourg, l'homme – alors âgé de 88 ans – sert la main d'Ernest, lui glisse quelques mots et conti-

---

1. Il en deviendra le PDG en 1993.

nue son chemin. *"Henry J. fait moins d'un mètre soixante. Il est plus puissant que la plupart de nos gouvernants, il a fait venir dans cette enceinte tous les grands noms de la politique américaine depuis Eisenhower"*, poursuit l'interlocuteur d'Ernest. La liste des "conférenciers" venus débattre devant l'élite luxembourgeoise sans que la presse n'en écrive jamais une ligne va, en effet, de Henry Kissinger, un abonné de la SLAI, à l'ancien secrétaire d'État à la Défense Caspar Weinberger, en passant par trois présidents venus durant leur mandat : Richard Nixon, Ronald Reagan et George Bush. Toute une série d'hommes politiques et de conseillers de présidents américains sont passés par les conférences de la SLAI à Luxembourg. La plupart sont des Républicains.

Industriel et banquier Henry J. Leir était jusqu'à son décès, en 1998, un des hommes les plus riches de la planète[1]. La presse américaine, dans les années 50, l'aurait présenté comme *"le plus grand vendeur d'armes du monde"*. À Luxembourg, on préfère parler de lui comme d'un *"homme d'affaires et philanthrope"*. Il serait, selon Ernest, qui a largement recoupé ses sources, un des premiers argentiers du parti conservateur américain : *"Si Henry J. Leir peut faire venir George Bush à Luxembourg, c'est qu'il peut exercer une certaine influence sur le président des États-Unis..."* Et inversement.

Ernest explique : *"Après la Deuxième Guerre mondiale, Henry J. Leir a amené vers le Luxembourg des poids*

---

1. Ceci nous est confirmé par la lecture de l'autobiographie du milliardaire Armand Hammer : *Hammer. Un capitaliste américain à Moscou, de Lénine à Gorbatchev* (Éditions Robert Laffont, Paris, 1987).

lourds de l'industrie américaine : des sociétés comme Good-
year ou Du Pont de Nemours, et aussi Monsanto[1]. Leir a éga-
lement fait venir des banques comme la Wells Fargo Bank ou
la Bank of America, qui était alors la banque numéro un au
monde. Il apparaît parmi les membres fondateurs de la pre-
mière société créée à Luxembourg par Bernie Cornfeld : l'In-
vestor's Overseas Services. Il était un coordinateur des mar-
chés d'armement, avec la bénédiction d'Eisenhower et de
Roosevelt – dont la mère était d'origine luxembourgeoise. Il
pouvait surtout compter sur le Parti républicain, ayant conseillé
les présidents américains depuis les années de guerre. Les
présidents ont changé, Leir est resté, avec toujours la même
fonction : conseiller."

Dans ces années-là, lors de ces conférences ou d'autres rencontres informelles, Ernest découvrira l'influence de "clubs" discrets nés après la Guerre, comme le Bilderberg [2] ou la Trilatérale [3]. La plupart des conférenciers de la SLAI sont membres de ces groupes, dont une des premières particularités est un farouche anticommunisme.

1. La firme Monsanto était alors un des deux seuls producteurs de Napalm au monde. Aujourd'hui, Monsanto est leader mondial dans la recherche et la production d'organismes génétiquement modifiés.
2. Sous influence de l'Otan depuis sa création, en 1957, le Groupe de Bilderberg réunit chaque année à huis clos, à titre d'invités, le gratin politique, militaire, industriel et financier du monde occidental. Aucun compte rendu des débats entre ces "décideurs" de premier plan n'est rendu public. Les Bilderbergers liés à l'Opus Dei sont légion, à commencer par le vicomte belge Étienne Davignon, actuel président du Bilderberg Group. Les têtes couronnées européennes y sont, elles aussi, régulièrement représentées, de même que certains intellectuels ou journalistes. Début juin 1999, en pleine guerre du Kosovo, le général Wesley Clarke, Commandant suprême des forces de l'Otan en Europe, s'était absenté le temps d'un aller-retour à Sintra, au Portugal, où se tenait l'assemblée annuelle de groupe. De nombreux sites – officieux – sont consacrés au Bilderberg sur Internet (voir notamment : www.bilderberg.org).

Henry J. Leir serait, selon Ernest, à l'origine de la fondation de ces cercles de rencontres dont l'influence sur les affaires de la planète est reconnue dans des milieux très divers[4]. Henry J. Leir est également, à Luxembourg, celui qui conseille

3. Émanation du Groupe de Bilderberg, la Commission Trilatérale a vu le jour en 1973 autour de *"355 personnalités de marque"* venues d'Europe, d'Amérique du Nord et du Japon. Parmi ses fondateurs apparaissent le président de la Chase Manhattan Bank, David Rockefeller (qui en sera le président pendant les années 80), le patron de Fiat, Giovanni Agnelli, ou l'ancien conseiller à la Maison Blanche Zbigniew Brzezinski. Les présidents Carter, Bush et Clinton ont appartenu à la Trilatérale. En France, Raymond Barre et Simone Veil nous ont confirmé leur appartenance à ce groupe en nous précisant les raisons de leur engagement. D'un recrutement aussi transversal, et d'une inspiration pas moins atlantiste et néo-libérale que le Bilderberg, bien que nettement moins secrète, la Trilateral Commission dispose, elle, de son propre site Internet (www.trilateral.org).

4. Les travaux du Groupe de Bilderberg intriguent d'autant plus qu'ils sont tenus secrets. La liste des invités à chaque réunion annuelle a néanmoins fini par fuiter, au moins pour les dix dernières années. Les invités français de ce club qui rapproche Américains et Européens vont de Laurent Fabius à Valéry Giscard d'Estaing, en passant par l'ancien ministre des Affaires étrangères Jean-Bernard Raimond, le gouverneur de la Banque de France Jean-Claude Trichet, l'ancien patron de Paribas André Lévy-Lang, l'ancien conseiller du président Mitterrand Jacques Attali, le député (RPR) Patrick Devedjian ou encore le journaliste du *Monde* Eric Le Boucher... On y trouve aussi, selon les différentes sources publiant ces listes, le nom du Premier ministre français Lionel Jospin ou de l'ancien ministre de l'Économie et des Finances Dominique Strauss-Kahn. Nous avons écrit à quinze participants français supposés pour leur demander s'ils confirmaient avoir pris part au meeting annuel du Bilderberg, et, dans l'affirmative, ce que cet engagement leur avait apporté. En dehors de Bertrand Collomb, PDG de Lafarge, et de Jean-Louis Gergorin directeur de la stratégie de Lagardère Groupe, qui ont revendiqué leur participation à ces réunions, nos courriers sont restés sans réponse. (Sur le Bilderberg et la Trilatérale, *cf.* l'ouvrage de Robert Gaylon Ross : *Who's Who of the Elite*, RIE, Spicewood, Texas, 1995 ; *cf.* également *Europe Inc. Liaisons dangereuses entre institutions et milieux d'affaires européens*, par Belén Balanyá, Ann Doherty, Olivier Hoedeman, Adam Ma'anit et Erik Wesselius, Agone Éditeur, Marseille, 2000.)

la famille royale pour ses investissements. Il vit au cœur de la ville, voyage beaucoup, parle peu. Il inspire, directement ou via des intermédiaires et sociétés, les investissements d'autres familles royales en Europe, comme celle du Liechtenstein ou la couronne hollandaise. Pour la noblesse aussi, le monde est un petit village...

Ernest insiste, à propos du Bilderberg : *"Toute personne qui commence à s'intéresser aux affaires financières tombe fatalement sur ces structures construites aussi pour contrôler les marchés parallèles... Le Bilderberg est un organisme très secret qui existe depuis 1954. Il a été fondé par le prince Bernhard des Pays-Bas, dans un hôtel près de La Haye, qui s'appelait l'Hôtel Bilderberg. Lorsque le prince Bernhard a lancé le Bilderberg, au nom des intérêts américains, son premier président était le ministre américain des Affaires étrangères d'alors, George Ball. Il faut se souvenir de l'esprit d'après-guerre. Il fallait réagir contre le grand ennemi à l'Est en créant des structures capables de remporter la victoire contre le communisme. Le prince Bernhard des Pays-Bas a fait le lien avec les têtes couronnées de ce monde, toutes soucieuses de lutter contre le "Péril rouge". Mais lui même était sans doute soigneusement conseillé par d'autres..."*

Lors de ces conférences organisées par la SLAI, Ernest Backes met enfin des images et des noms sur ce qu'il a toujours pressenti : la finance internationale est un microcosme prestigieux, composé de banquiers, de conseillers présidentiels, de patrons de grands groupes, qui vit selon des rites et des codes officiels, et des pratiques moins avouables. La peur toujours affichée du communisme. L'enrichissement entre soi. La discrétion absolue. La solidarité de classe. L'apologie du libéralisme. La création d'oligopoles aux intérêts convergents. La vénération du marché. Le dédain de tout ce qui peut apparaître comme un facteur de changements sociaux. Le conservatisme. Les arrangements entre amis. L'avènement d'un monde meilleur, mais d'abord meilleur pour eux, les nantis et leurs amis. Ces militants discrets d'un capitalisme immuable.

Irving Kott et l'affaire des *penny stocks*. Les premiers contacts d'Ernest avec un magistrat

Revenons aux déboires d'Ernest chez AIM. À l'époque où il entre dans cette société, éclate aux Pays-Bas le scandale dit des *penny stocks.* Il s'agit de la faillite d'une vingtaine de sociétés d'investissement – dont la plus importante, la First Commerce Securities, appartenait à Irving Kott – traitant des titres sans valeur réelle. La First Commerce vendait des titres bidons. Des dizaines de milliers de petits épargnants et d'investisseurs de tous les continents ont été lésés. Une plainte sera déposée au tribunal d'Amsterdam, où le procureur Jan Koers a le financier Irving Kott dans le collimateur.

Ernest se rappelle avoir, pendant des mois, effectué chaque semaine le trajet vers Amsterdam en petit avion Netherlines pour aller chercher des milliers de chèques envoyés par de petits épargnants de l'Asie du Sud-Est. Ces chèques étaient ensuite déposés au nom de la First Commerce et d'AIM dans des comptes ouverts par Kott au Grand-Duché auprès de la Bank of Credit and Commerce International pakistanaise (BCCI) et de la filiale de cette dernière, la Banque de commerce et de placements (BCP).

Ernest découvrira qu'Irving Kott est derrière AIM en lisant la presse néerlandaise et le *Financial Times*, où des pages entières sont consacrées au scandale de la First Commerce Securities. Il découvre que cette société fait partie d'un groupe dirigé par Kott, via un holding basé à Luxembourg – Alya Holdings –, dont dépend aussi AIM, ainsi qu'une série d'autres sociétés de Kott établies en toile d'araignée sur la surface du globe.

Ernest sent qu'AIM est une société écran qui couvre des activités troubles. En réalité, l'Agha Khan n'a jamais investi un centime dans l'Asset Investment Management. L'avocat qui a embauché Ernest avait inventé cette fable pour l'attirer chez Kott. Lorsque Ernest retournera le voir, celui-ci l'assurera de sa bonne foi. Ernest ne le croit pas, et se mettra à enquêter sur Kott et ses activités. Ce travail lui permettra de renouer des liens avec ses anciennes activités à Cedel.

Kott dispose de dizaines de sociétés installées un peu partout dans le monde. Il est, selon Ernest, un des premiers à avoir vu le monde de la finance comme un *Global Village*. Il fera de nombreux émules. Sous couvert d'investissements, Kott est un bon spécimen de prédateur financier, qui se joue des frontières et des règlements propres à chaque pays. Le temps qu'un juge s'intéresse à lui ou à ses avoirs, il est déjà ailleurs. Et l'argent n'est plus là.

À partir du holding à Luxembourg, grâce à sa société AIM ou à la First Commerce Securities à Amsterdam, grâce à l'Investors Discount Brokerage (IDS) à Londres ou à une autre société appelée EADI (Euroamericana de Inversiones), basée à Montevideo, Kott se lance dans de grandes opérations de séduction et de propagande. Tout est bon pour attirer l'investisseur. Surtout de luxueux prospectus. Kott enrichit au moins les sociétés de communication.

Une mine d'or pour l'exemple. Récit d'une arnaque.

L'affaire Devoe & Holbein est exemplaire du travail de Kott. L'histoire part d'une idée originale. Il faut toujours une bonne idée pour faire marcher une bonne combine. Là, il s'agit d'un procédé révolutionnaire visant à récupérer les métaux précieux dans des eaux usées, notamment autour de centrales atomiques.

Devoe et Holbein étaient deux professeurs de la McGill University, au Canada, qui possédaient une licence pour une invention permettant de séparer les métaux, dans les eaux usées chauffées par les centrales nucléaires. Leur système nécessitait des investissements très coûteux, et sa rentabilité n'était pas acquise. C'est là qu'Irving Kott intervient : si le système marche avec les centrales atomiques, il doit fonctionner avec les eaux usées des mines d'or ou de métal précieux...

Dans les amas de terre traitée pour récupérer l'or, il subsiste des traces. Kott s'appuiera sur des études attestant qu'on peut extraire jusqu'à six grammes sur les neuf grammes d'or qui subsistent en moyenne par tonne de terre déjà traitée, alors que les études faites jusqu'alors ne prévoyaient qu'une récupération maximale de trois grammes[1]. L'invention de Devoe et Holbein est, pour un investisseur comme Kott, une bénédiction car il existe des mines d'or partout : aux USA, en Afrique, en Russie, mais aussi en France...

À Salsigne, entre Albi et Carcassonne, une mine d'or est encore exploitée. Elle servira de test. Irving sort de son chapeau de Géo Trouvetout de la finance un prospectus

---

1. Les études menées par Kott poussent le détail jusqu'à définir un *"seuil de rentabilité"* à quatre grammes.

très scientifique où, grâce à la méthode Devoe & Holbein, on assure pouvoir récupérer jusqu'à sept grammes d'or par tonne de terre. Il embauche un ingénieur des mines canadien, l'envoie à Salsigne faire les premières expériences d'extraction et de laboratoire. Pour faire plus sérieux, le prospectus émis par Kott assure que les expériences de Salsigne sont supervisées par le CNRS français (Centre national de la recherche scientifique). Ernest, toujours directeur d'AIM, se charge de la promotion de l'opération et des premières recherches d'investisseurs.

En 1986, Ernest a justement choisi de passer ses vacances dans les Pyrénées. Albi se trouve sur sa route. Il se doute d'un coup fourré mais n'en est pas encore sûr. Il cherche une mine, des installations de recherche, des chercheurs appliqués. À Salsigne, il trouve une maison aux vitres défoncées d'où sort une vieille dame qui lui indique que le seul chercheur qu'elle connaît est effectivement canadien, mais qu'il cherche surtout à repousser les limites de sa consommation quotidienne de whisky...

Ernest découvre, dans un bâtiment appartenant à la mine, un Néerlandais se présentant comme l'employé du professeur canadien. *"Il coulait de l'eau dans de vieux récipients. Quand je lui ai raconté que je venais de la part d'AIM, qui faisait la prospection des titres Devoe & Holbein, il ne savait pas ce que c'était. Je voulais vérifier le contrôle du CNRS. Il ne savait pas ce qu'était le CNRS. Finalement, le Canadien est venu. Il balbutiait des explications incompréhensibles. De l'or, il ne savait pas où en trouver."*

Ernest touche du doigt l'arnaque AIM, qui est celle de dizaines de sociétés d'investissement bidons. Le marché. La bourse. Les transferts de banque à banque grâce au clearing. L'emballement sur de fausses valeurs. L'affaire de Salsigne est celle d'une start-up avant l'heure. Tout tourne autour de la fabrication d'un alibi économiquement plausible. Le reste, c'est de la cuisine d'investisseur. Et Irving Kott, à ce jeu, est maître queux.

AIM Luxembourg n'était qu'une société dans le chapelet de sociétés qu'Irving Kott avait créées autour du monde pour distribuer ses stocks de *pennys*. En Bourse de Vancouver, au Canada, baptisée par les initiés *"la Bourse casino"*, il existe des sociétés qui sont cotées depuis le début du siècle dernier. Exemple : un aéroport fantôme dans les forêts canadiennes ; une société de gestion de cet aéroport jamais construit a quand même été créée, elle est cotée en Bourse. Des milliers de sociétés de ce type sont cotées à Vancouver. Tous leurs avoirs, répartis sur des dizaines de milliers d'actions émises, ne valent même plus un *penny* symbolique par action. C'est la société idéale pour Irving Kott ou ses émules. Ils achètent pour un millier de dollars la totalité de ces actions. Cotées en bourse, elles sont remises "en vie".

Chez AIM, Ernest était aux premières loges pour saisir, *a posteriori*, les finesses du montage orchestré par Kott. Ce dernier joue entre les filiales de son groupe. Il vend un paquet d'actions valant dix *cents* à sa filiale de Montevideo, laquelle les vend à son tour à une filiale irlandaise pour quinze *cents*. L'argent passe et repasse sur des comptes internes. Il faut se trouver dans la société de clearing transfrontalier chargée d'exécuter les ordres d'achats et de ventes, ou à la tête du holding pour suivre les méandres des titres vendus et revendus.

À l'origine, les actions de Devoe & Holbein ont été créées de toutes pièces par une société de Kott à Vancouver. Elles atterrissent en quelques mois sur une filiale de Kott aux Pays-Bas, qui vend de nouveau à une filiale du groupe à Londres. Le prix de l'action a monté. Il est maintenant de

12 dollars. Le bond est considérable. Kott et son équipe peuvent prendre part au poker boursier, parce qu'ils sont reconnus sur la place financière de Luxembourg. À Londres aussi, ils ont acquis une réputation de boîte qui travaille beaucoup et bien. La réputation, l'image, les citations dans la presse spécialisée puis dans la "grande" presse : tout est affaire de stratégie, de dosage, d'investissement humain.

Bien préparé, le coup échoue rarement. Il faut, dans un premier temps, approcher un des ténors des marchés financiers : Merrill Lynch, par exemple, ou Shearson Lehmann. Imaginons qu'on appelle un boursier de chez Merrill Lynch au nom de la First Commerce à Amsterdam. On le contacte parce qu'on s'est rencontré à un cocktail bancaire quelque part. Les vendredis soirs à Luxembourg, comme à la City ou à Wall Street, il y a toujours un cocktail bancaire quelque part… On se présente au nom d'un client qui a absolument besoin d'un poste d'actions de Devoe & Holbein :

– Tu sais, c'est cette action qui fait 12 dollars tandis que le mois passé elle était à 5 dollars, et les prix vont encore monter… Mon client est prêt à payer jusqu'à 15 dollars. Est-ce que tu peux m'en trouver ?

Normalement, tout vendeur saute sur l'occasion, vérifie vaguement les prix, et va chercher partout dans le monde ces actions au rapport élevé. Il en trouvera certainement à Montevideo, chez EADI. La filiale de Kott peut lui en vendre un petit bloc à 15 dollars… Le but n'est pas encore de faire du bénéfice, mais de susciter l'intérêt. Une action montée de 5 à 15 dollars en quelques semaines est *forcément* à mettre dans les portefeuilles de ses meilleurs clients. Et le tour est presque joué.

– Qu'est ce qu'on achète, au fait ?

– Un truc incroyable, un nouveau procédé capable de trouver de l'or dans un tas de boue.

Nous sommes au début des années 80, mais ce mécanisme annonce déjà l'emballement du Nasdaq et la surenchère purement artificielle autour de milliers de start-up quasiment virtuelles. Pour certains, en particulier les blanchisseurs, l'argent n'a pas la même valeur que pour d'autres.

À son retour de vacances, Ernest informe l'avocat recruteur d'AIM de l'affaire de la mine d'or. Ce dernier confesse à Ernest son étonnement et démissionne aussitôt du conseil d'administration. L'administrateur délégué de la société, un ancien banquier de Paribas Luxembourg qui avait réussi à introduire AIM en bourse, en fait de même. *"Ils ont démissionné en prétendant qu'ils ne savaient pas à qui ils avaient affaire. Par la suite, j'ai su qu'ils mentaient. Ils ont démissionné parce qu'ils me craignaient. C'est tout."*

Ernest quitte AIM, emmenant avec lui le fruit de ses recherches et des copies des archives de sa société (*"qui ne relèvent pas du secret bancaire"*, précise-t-il). À la demande de ses anciens collègues de la Bourse, qui répondent à une enquête hollandaise, il se fend d'un court rapport qui ne sera jamais remis aux autorités hollandaises. Ernest l'apprendra dix-huit mois plus tard par le procureur d'Amsterdam, Jan Koers. Ce dernier a également envoyé une commission rogatoire visant Kott et AIM au tribunal de Luxembourg. Elle atterrira sur le bureau du procureur Étienne Schmit, mais n'en décollera pas.

Ernest verra un jour débarquer le rédacteur en chef d'une revue économique néerlandaise. Ce dernier explique travailler en bonne intelligence avec le procureur d'Amsterdam, qui cherche toujours à élucider l'affaire des *penny stocks*. Le journaliste a frappé à la bonne porte. Ernest lui montre les quelques deux mille pages qu'il rassemblées sur Kott et son entourage. Il refuse cependant de confier ses documents au journaliste. Ce dernier met en contact Ernest avec Jan Koers, qui l'invite à Amsterdam. Les documents d'Ernest sont analysés, expliqués. Ils entrent en procédure. Jan Koers raconte à Ernest qu'il a lancé, sans succès, une commission rogatoire au Luxembourg dix-huit mois auparavant. *"J'ai su plus tard que, suite à la commission rogatoire diligentée par Jan Koers à Luxembourg, une enquête avait été effectuée par la police financière. Un des policiers qui avait étudié le dossier de la First Commerce, ici à Luxembourg, avait confectionné une réponse que ses supérieurs lui demanderont de mettre dans le tiroir inférieur de son bureau jusqu'au jour où quelqu'un la lui réclamerait. Or on ne la lui a jamais réclamée."*

Une fois le dossier jugé à Amsterdam[1], l'affaire est revenue aux oreilles des autorités luxembourgeoises. Le policier en charge de la commission rogatoire a été soupçonné d'avoir, en douce, fait son travail. Il s'est défendu, a donné à ses supérieurs le dossier qui traînait encore dans le tiroir inférieur de son bureau. Ceux-ci ont comparé les documents et ont dû se rendre à l'évidence. Le policier ne pouvait pas être l'auteur des informations transmises aux autorités néerlandaises. Il n'a donc pas été sanctionné. Mais dans ce petit pays où magistrats et policiers financiers sont peu nombreux – ils n'étaient alors que sept policiers en section financière et seraient une quarantaine aujourd'hui –, beaucoup se sont demandés

---

1. Le procès débouchera sur la mise en faillite et la liquidation de la First Commerce Securities. Irving Kott sera condamné à une amende de plusieurs millions de florins.

qui avait pu donner des informations si précises à leurs voisins néerlandais. Ils se le demandent encore.

Le clearing permet, selon Ernest, de remonter n'importe quelle filière d'argent sale si l'on s'en donne les moyens

Si Ernest Backes reste discret sur ses liens avec le procureur d'Amsterdam, cette affaire lui ouvre de nouveaux horizons. Satisfait des éléments fournis par son informateur luxembourgeois, Jan Koers va l'introduire auprès d'autres magistrats. Une bonne connaissance des systèmes de clearing permet de remonter les filières de blanchiment, mais surtout, comme c'est le cas ici, de repérer le parcours d'une valeur bidon gonflée artificiellement. *"Il peut y avoir trente comptes, et les titres peuvent passer de Londres à Francfort en transitant par Samoa ou Nauru. Si l'on me donne du temps et des moyens, je remonte la filière sans l'ombre d'un problème"*, assure Ernest aujourd'hui.

Ernest profite de cette histoire pour se consacrer à sa nouvelle passion : l'archivage. Il collecte tout ce qui touche à la finance internationale et à ses petites et grandes affaires. Des revues, même confidentielles, des livres introuvables ou retirés de la vente. Vers le milieu des années 80, il passe beaucoup de temps, et dépense une partie importante de ses salaires, pour mieux connaître et pénétrer ces milieux secrets et mal connus du public et des médias, où se mêlent intermédiaires troubles et banquiers marrons, industriels à la fortune soudaine et faux journalistes... *"Toutes les affaires qui sortent à Londres ou à Paris sont toujours la pointe émergée d'un iceberg visible par les seuls initiés placés aux endroits stratégiques. Je le sais, j'en étais..."*

Le meilleur ami d'Ernest, Alex Manson, est un *major of Special Forces* [1]. Ils se sont rencontrés grâce aux recommandations conjointes de magistrats. Quand il vient à Londres, Ernest séjourne dans un petit hôtel, en face de l'appartement d'Alex Manson, près d'Oxford Circus.

Alex introduit son ami luxembourgeois dans un monde un peu particulier, où aucun statut – en dehors de celui de chercheur – n'est clairement défini. Tous ces "enquêteurs" ont en commun leurs plongées dans ce qu'il est convenu d'appeler le crime organisé. Ernest sort ainsi de sa solitude, se découvre des affinités avec les amis d'Alex. Il retrouve, entre autres, des magistrats et des policiers de tous les continents : des Sud-Africains, des Américains, des Italiens, des Israéliens, des Finlandais... Lors de leurs premiers entretiens, Alex évoque avec Ernest un personnage croisé régulièrement dans de nombreuses affaires : *"Un spectre rencontré depuis 1948."*

Alex lâche le nom d'Henry J. Leir :

– Il doit habiter quelque part en Allemagne, poursuit-il.

– Mais pas du tout, rétorque Ernest, sidéré. Il vit à Luxembourg, je l'ai rencontré lors de conférences un peu spéciales...

Les deux hommes vont confronter leurs connaissances du mystérieux Henry J. Leir, qui le devient un peu moins. Ernest comprend alors que Henry J. Leir est aussi l'un des initiateurs de Cedel et du clearing. Ce dernier a été à l'origine de la création ou de la fusion de plusieurs banques, notamment Paribas. Le fait qu'un des principaux immeubles

---

1. Grade d'officier dans les SAS britanniques (troupes d'élite) fondées par Sir David Stirling, ami et ancien patron d'Alex Manson.

loués par Cedel au cœur de Luxembourg lui appartienne est un signe tangible des liens pouvant unir l'homme d'affaires américain à la société de clearing.

Alex montre à Ernest un rapport qu'on lui a commandé sur un financier anglo-irakien, un certain Nadhmi Auchi[1]. Henry J. Leir travaille dans l'ombre, poussant devant lui des hommes comme Auchi, le marchand d'armes saoudien Adnan Khashoggi, mais aussi le nouveau patron d'Ernest chez AIM : le Canadien Irving Kott. Auchi, Khashoggi et Kott montent des opérations financières d'envergure, sans qu'on connaisse avec exactitude l'origine de leur fortune. Ernest soupçonne Henry J. Leir d'avoir été le principal sponsor, dans ces années-là, d'Auchi, Khashoggi et Kott, mais aussi de nombreux autres hommes d'affaires faisant la Une de la presse économique.

Leir, le milliardaire américano-luxembourgeois [2] si secret, se nourrit d'informations sur la planète financière. Pour qui connaît les vertus et les codes du clearing, quel est le meilleur endroit pour récolter sans risque des informations fiables sur les flux financiers, les possibilités d'investissements, les liens secrets entre concurrents ?

Au fil du temps, Alex Manson transmettra à Ernest Backes ses informations et le contact de ses informateurs. Il

---

1. Nadhmi Auchi a fait parler de lui, en France, dans le cadre de l'affaire Elf. En juillet 2000, un mandat d'arrêt international a été lancé contre lui par le juge Renaud Van Ruymbeke. Le magistrat français s'intéresse en particulier aux conditions du rachat par Elf du pétrolier espagnol Ertoil, en 1990, qui avait donné lieu au versement à Auchi d'une commission de 400 millions de francs.

2. Bien qu'ayant passé plus de quarante ans au Luxembourg, Leir n'a jamais pu obtenir la nationalité luxembourgeoise.

se noue entre eux, selon Ernest, une relation quasi filiale. L'élève luxembourgeois partage avec son maître anglais le même intérêt et la même méfiance vis-à-vis de ce que racontent les journaux, la même curiosité pour savoir qui se cache derrière les groupes financiers ou industriels qui alimentent la chronique financière ou judiciaire. Toujours faire des liens entre des événements passés et présents. La lutte contre le crime organisé devient le moteur d'Ernest. Tout simplement.

Le Luxembourg est le pays idéal pour parfaire ses connaissances. On y parle tellement de langues. On y voit passer tellement de gens, et de sociétés...

Ernest Backes élucide pour l'agence Kroll la question des intérêts de Saddam Hussein placés à Luxembourg

Je me suis souvent étonné, en me trouvant chez Ernest, de la quantité astronomique d'appels téléphoniques qu'il recevait de toute l'Europe. À mes questions sur le nombre d'enquêtes sur lesquelles il travaillait, les réponses d'Ernest ne variaient pas : *"En ce moment, cinq ou six."* Une de mes découvertes est qu'il a été très peu rémunéré pour ces services rendus. Souvent, il distille ses informations pour le plaisir ou parce qu'en retour il en récupère d'autres. Des journalistes de tous pays – y compris français[1] – ont bénéficié de ses informations ou de son aide, sans contrepartie. Mon sentiment est que quelques-uns l'ont exploité. Lui nie

---

1. En France, Ernest a notamment été en contact avec des journalistes du "Vrai Journal", ainsi qu'avec plusieurs auteurs d'enquêtes financières. Il a contribué à différents reportages, notamment pour Arte...

mollement. Il se préfère dans la peau d'un chercheur que d'un journaliste ou d'un détective.

J'ai pu vérifier qu'il avait été l'un des informateurs du célèbre cabinet d'enquête américain de Jules Kroll, qui cherchait à localiser les avoirs de Saddam Hussein placés hors d'Irak. Ernest est à l'origine d'une information qui fera le tour du monde et des médias. Pour cette information, que Kroll a vraisemblablement facturée très cher au gouvernement américain, Ernest n'a pas touché un centime. Il a retrouvé les avoirs de Saddam sur la place luxembourgeoise parce qu'un ami journaliste américain le lui a demandé[1]. L'ami avait simplement omis de préciser qu'il "pigeait" de temps en temps pour Kroll. *"S'il m'avait expliqué ce qu'il cherchait vraiment ce jour-là, et pour qui, je me serais arrêté au premier détail trouvé. Kroll a toujours davantage cherché le scoop médiatique que l'information étoffée."*

En février 1987, Ernest travaille quelques mois chez un financier luxembourgeois d'origine grecque dont l'épouse est parlementaire européen. On lui propose le même genre de boulot : la gestion d'une société d'investissement. Mais "le Grec", comme l'appelle Ernest, se révélera un piètre investisseur. Ernest a l'impression de ne servir à rien. Il ressent le même sentiment que chez Irving Kott et préfère démissionner.

Fin 1987, grâce à un ancien professeur de Harvard, ex-directeur chez Merrill Lynch connaissant ses qualités de

---

1. Dans un article paru le 25 avril 1992, le *Washington Post* évoquait le rôle de premier plan joué par le cabinet Kroll dans cette enquête visant à localiser les avoirs de Saddam Hussein placés en Europe. Suite à ces découvertes, les autorités luxembourgeoises ont placé sous séquestre 100 millions de dollars appartenant au président irakien.

gestionnaire, il est embauché chez un agent de change français connu en Bourse de Paris et de Nantes : Alain Boscher. Son boulot, bien payé, consistera d'abord à créer une société d'investissement, puis à tenter de l'introduire en Bourse de Luxembourg. Boscher explique à son nouvel employé qu'il voudrait surtout séduire des investisseurs allemands et les faire venir, via Luxembourg, sur le marché parisien.

La mésaventure Boscher, l'histoire d'un raid raté sur Paribas où Ernest est encore aux premières loges

Pendant trois ans, l'admission de Boscher avait été refusée par la Bourse de Luxembourg en raison de sa mauvaise réputation à Paris. Pour être admis, Boscher a d'abord utilisé la stratégie habituelle. L'envoi de cadeaux à des hauts fonctionnaires et à des hommes politiques du sérail, avec une prédilection pour les safaris en Afrique, les croisières familiales et les grands crus du Bordelais. En vain. L'IML, qui délivre les habilitations, met le marché en main à Ernest : l'habilitation de Boscher contre l'abandon des poursuites contre Cedel... La mort dans l'âme, parce qu'il veut à tout prix travailler, Ernest finit par accepter un arrangement à l'amiable[1]. Ce sera une erreur. Boscher obtient cependant son habilitation en bourse.

Au début, tout se passe bien. L'épouse d'Ernest est également embauchée par Alain Boscher et démissionne de son poste d'enseignante. Nous sommes en mars 1988. Ils

---

1. Pour le retrait de sa plainte, il recevra de Cedel 250 000 francs français, dont 100 000 francs serviront à payer ses frais d'avocat.

seront licenciés deux ans plus tard. Au départ, la mission d'Ernest devait consister à attirer vers sa nouvelle société une clientèle non française susceptible d'investir dans des valeurs françaises cotées en Bourse de Paris. En fait, Boscher s'est évertué à exporter vers le Luxembourg tous ses bénéfices parisiens. *"En 21 semaines d'activité, on avait fait 21 millions de francs luxembourgeois de bénéfice (environ 3,5 millions de francs). On ne faisait que compter les bons points, les mauvais étant enregistrés à Paris, pour le fisc français."*

Les événements vont s'accélérer avec la tentative de raid sur Paribas, à l'hiver 1989-1990. Boscher était, avec le financier irakien Nadhmi Auchi, un des deux plus importants raiders cherchant à prendre le contrôle de Paribas et de sa Compagnie financière. Pour l'occasion, Ernest va retrouver, non sans plaisir, ses amis de Cedel. Il envoie et reçoit des ordres d'achat et de ventes d'actions pour le compte de Boscher. *"On ne savait plus qui achetait quoi, parce qu'il y avait des paquets énormes qui changeaient de propriétaire à un rythme effréné. La personne qui se trouvait derrière Alain Boscher, et pour laquelle il achetait des titres Paribas, était Marc Fournier, le patron de la Via Banque à Paris. Il présidait alors la Compagnie de navigation mixte. Mais Boscher et Fournier travaillaient avec l'argent d'un autre."*

La toute dernière opération sur Paribas fera couler la charge de l'agent de change, à Paris d'abord, à Luxembourg ensuite. Ernest et son épouse seront licenciés par Alain Boscher avant le naufrage.

On retrouve pour l'occasion un cas typique de logistique Cedel. Boscher possède un compte officiel qui lui sert à liquider, dans le clearing international, ses opérations d'achats et de ventes avec ses contreparties. Cedel informe chaque membre adhérant au système des transactions qu'il

109

a déposées dans Cedel, mais aussi des transactions que ses contreparties disent avoir conclues avec lui. L'affaire peut paraître fastidieuse et compliquée, elle est une bonne approche pour appréhender ce que nous allons révéler des pratiques de Cedel dans les chapitres suivants.

Ne perdons pas de vue cette idée simple selon laquelle les sociétés de clearing sont "les notaires du nouveau monde". Les caisses enregistreuses des changements de propriété des sociétés...

De son bureau luxembourgeois, Ernest reçoit officiellement, et *on line*, par ordinateur branché sur Cedel, l'indication selon laquelle Boscher aurait acheté (pour le compte du banquier Fournier) 650 000 actions Paribas, au plus haut niveau de la cotation du jour en Bourse de Paris : 740 francs par action. L'instruction tombe quelques minutes seulement avant 15 heures, fermeture de la Bourse de Paris. Nous sommes le 28 décembre 1989. Cet achat d'actions Paribas a eu lieu pour une "contre-valeur" de 481 millions de francs français. Boscher a acheté ces actions Paribas à une filiale basée à Jersey du Crédit agricole français[1]. Sur son écran, Ernest a la confirmation de la transaction reçue de Cedel, avec ce message clignotant : *"Awaiting your instructions"* (*"En attente de vos instructions concordantes"*). Il lui faut donc confirmer l'achat d'actions pour liquider l'opération.

Malheureusement pour Boscher, le cours en Bourse de Paris va chuter de moitié dans les minutes qui suivent cette opération. Ernest, toujours branché sur Cedel, informe Boscher et lui explique qu'il vient de recevoir l'information de Cedel selon laquelle le Crédit agricole prétend lui avoir vendu

1. Dont l'intitulé est "CNCAJER", et le numéro de compte en Cedel, 39900.

ses actions. Alain Boscher nie tout ordre, et demande à Ernest d'annuler la transaction. *"Je ne savais pas ce que les deux parties avaient conclu... Je lui ai dit : "Monsieur Boscher, il faut voir comment un système de clearing procède. Je n'ai aucune influence, ni sur votre transaction si vous ne l'avez pas faite, ni sur celle d'une contrepartie quelconque. Je peux tout au plus dire à Cedel qu'on ne connaît pas cette opération.""*

Cedel confirme pourtant à Ernest que le Crédit agricole ne varie pas dans sa position. Pas d'erreur possible. Dans une opération de clearing de cette nature, avec autant d'argent à la clé, seul le Crédit agricole pouvait annuler la transaction. Cette banque n'a jamais admis avoir commis une quelconque erreur, et Boscher n'a jamais pu prouver qu'il n'avait pas donné d'ordre. Ces transactions se font d'abord au téléphone entre l'agent de change et son représentant *trader* [1] en bourse, toutes les conversations sont enregistrées. Le *trader* de Boscher n'a pas fait d'erreur, mais au vu de la chute des cours dans les minutes qui ont suivi la conclusion du contrat, l'agent de change ne voulait vraisemblablement plus honorer ses engagements. Cette opération, où Boscher a perdu plus de 200 millions de francs sur un coup de dés, précipitera sa chute.

La charge d'un des plus importants agents de change parisiens sera reprise par la BNP en octobre 1990. L'affaire, à l'époque, sera largement évoquée dans la presse sans que personne ne connaisse les tenants et aboutissants de

---

1. *Trade* : négociation d'une transaction en valeurs mobilières. Dans une banque, le *trader* est un négociateur en valeurs mobilières qui exécute les ordres de la clientèle.

cette tentative de raid [1]. Et avec l'argent de qui Boscher travaillait. Ernest le sait...

Boscher avait, on l'a vu, une instruction permanente du banquier Fournier d'acheter le maximum d'actions Paribas. *"L'information selon laquelle Fournier n'était plus acheteur avait été connue en Bourse à la veille de la transaction avec le Crédit agricole, ce qui a amené la chute des cours. Boscher a été pris en tenaille. J'avais reçu l'ordre d'annuler l'opération, or, travaillant pour lui, je pouvais tout au plus annuler ou confirmer une instruction de Boscher, mais pas une instruction du Crédit agricole"*, explique Ernest.

Pour l'instant, pas de malversation. Juste une histoire boursière qui tourne mal. Une enquête sera ordonnée plus tard en France, appuyée par le ministre des Finances d'alors, Pierre Bérégovoy, qui est également un des pères et un des principaux soutiens de la mutualité française. *"J'ai collaboré avec les autorités françaises pour voir ce qui s'était vraiment déroulé. J'avais photocopié toutes les transactions qui passaient sous ma responsabilité, ici à Luxembourg. J'ai appris un jour par un magistrat du tribunal de commerce de Paris à qui appartenait la contre-valeur engagée dans cet achat... Ce n'était pas de l'argent propre à Boscher, il n'en avait pas autant, et il ne sera jamais inquiété judiciairement en dehors de sa faillite personnelle. Aucune plainte des investisseurs*

---

1. *Le Monde* du 26 octobre 1990 titrait : "Le vilain petit canard de la Bourse perd son indépendance." Après l'aventure Paribas, Boscher perdra aussi beaucoup d'argent dans l'achat d'actions Michelin. La seule issue pour lui sera de revendre ses parts à la BNP.

lésés ne sera déposée", poursuit Ernest [1]. La question de base revient : l'argent de qui ?

Selon Ernest, l'argent de mutuelles aurait servi à cette OPA ratée sur Paribas... Il ajoute : *"L'affaire Boscher n'a pas été considérée à sa juste valeur en France. Si un agent de change en Bourse peut dilapider des centaines de millions appartenant à des mutualistes dans une seule opération boursière, qu'est-ce que les autres, Crédit lyonnais ou grands investisseurs publics, ont pu perdre dans des raids du même type ?"* Bonne question.

Pour les époux Backes, le coup est rude. Si l'épouse d'Ernest retrouve assez rapidement un emploi de secrétaire, Ernest devient ce que tous ses faux amis de la place luxembourgeoise avaient prédit. Un chômeur. Plus exactement, un champion du clearing au chômage. En plein cœur de Luxembourg, paradis des investisseurs.

---

1. Les règles des agents de change, à Paris comme à Luxembourg, prévoient qu'on ne peut engager plus que son propre montant en capital, à moins de prouver que l'argent investi l'est par un investisseur identifiable.

5

Le combat d'Ernest Backes
et ses premières découvertes

Elles traînent dans une chemise, méticuleusement rangées. Il y a d'abord les copies des lettres écrites. Puis les réponses négatives. En seize mois de chômage, Ernest enverra 220 demandes d'emploi, la plupart à des banques de la place de Luxembourg. Il essuiera 220 refus. Ici, il est tricard. Trop peu discret sur ses refus de compromissions, trop incontrôlable, et surtout trop cultivé en matière financière, Ernest cumule les handicaps dans un si petit et si discret paradis bancaire.

Ces mois d'inactivité professionnelle forcée s'avéreront pourtant intenses sur le plan des découvertes. Ernest ne sombre pas dans la déprime, même si financièrement ce n'est pas la grande forme. Il multiplie les contacts et les recoupements. Il enquête toujours du côté de la Banco Ambrosiano, cherchant des preuves à propos de la mort "surnaturelle" de son ami Gérard Soisson, surtout depuis l'annonce de l'assassinat par empoisonnement dont a été victime Michele Sindona. L'enquête officielle n'a toujours pas débouché aujourd'hui. Régulièrement, l'actualité italienne est agitée par un procès ou une arrestation lié à la faillite de l'Ambrosiano[1].

---

1. Selon la revue *Intelligence* (n° 378, 22 janvier 2001), le procureur de Rome, au vu d'une récente contre-expertise médico-légale, serait sur le point de renvoyer trois hommes devant la justice (Flavio Carboni, Pipo Callo et Francesco Di Carlo) pour le meurtre de Roberto Calvi.

Nul n'a retrouvé trace de l'argent parti dans la faillite de la banque italienne. Il a disparu comme dans un trou noir. Personne n'a eu l'idée d'interroger Cedel ou Euroclear...

La Banco Ambrosiano a changé de nom. Après s'être rebaptisée Nuovo Ambrosiano, elle est devenue la Banca Intesa. Elle est toujours présente et active au sein de Cedel (renommé Clearstream en 1999).

En Italie, nous sommes au début de l'opération "Mani Pulite". À Genève, un nouveau procureur vient d'être élu. Il s'appelle Bernard Bertossa, et veut faire de la coopération internationale en matière de lutte contre la délinquance d'affaires son cheval de bataille. On ne parle pas encore dans les médias de crime organisé, ni de paradis fiscaux. Les premières affaires de corruption mettant en cause des hommes politiques commencent à sortir. En Italie d'abord. En Espagne, en Belgique et en France ensuite. Bientôt en Allemagne. Toutes ont un point de passage commun : Genève. Genève où, après des années d'errements et d'absurdités, le secret bancaire est devenu perméable et où des noms ont commencé à circuler, même si les circuits des délinquants en col blanc passent aussi par Jersey, Gibraltar, certaines îles des Antilles ou le Luxembourg, aboutissant à ce que de nombreuses enquêtes soient bloquées. Ernest recoupe, demande des renseignements à ses amis de Cedel. Ces derniers ne sont pas nombreux à savoir que les sociétés de clearing voient passer des tas d'informations susceptibles d'intéresser les affaires en cours.

Ernest s'intéresse aussi de près à ce qui deviendra le plus énorme scandale bancaire des années 90 : la faillite de la banque pakistanaise BCCI (Bank of Credit and Commerce International). Il archive les coupures de journaux, s'équipe d'une photocopieuse, recense méticuleusement toute apparition du nom d'un administrateur de la BCCI dans la presse spécialisée... À l'affût de la moindre nouvelle concernant la planète financière, il perfectionne sa connaissance de ce qu'il appelle le "crime commercial". Concernant la BCCI, il a été alerté par des amis de Cedel. Un journaliste américain lui a également demandé des renseignements sur le sujet.

Le fait d'avoir été l'un des concepteurs du système de clearing aide Ernest à réagir plus vite que le commun des analystes financiers quand on lui indique, par exemple, qu'à Paris un juge s'intéresse au Crédit lyonnais, ou qu'en Floride des agents du FBI viennent de perquisitionner une succursale de la BCCI, contribuant à révéler *"la plus grande fraude bancaire de l'Histoire"*[1].

L'affaire de la faillite de la BCCI et une curieuse rencontre chez le Premier ministre luxembourgeois Jacques Santer

Le monde de la finance fait mine de découvrir avec effroi la faillite d'une des plus importantes banques de la planète. Le montant des pertes subies par les clients et actionnaires de la BCCI – établissement qui était représenté dans 73 pays – est si considérable qu'aucun chiffre indiscutable n'a, à ce jour, été clairement avancé par les liquidateurs. Selon un article paru le 25 mars 2000 dans le *Luxemburger Wort*, les liquidateurs de la BCCI auraient récupéré 5,35 milliards de dollars soit, selon l'article, qui reprend les chiffres donnés par les liquidateurs, *"environ 60 % de la*

1. "The Largest Bank Fraud in World History", avait titré le *Guardian* londonien le 31 juillet 1991.

dette" [1]. Nous pouvons estimer ces pertes au minimum à neuf milliards de dollars...

Toutes les filiales de la BCCI dans le monde ont été fermées le 7 juillet 1991. Mais les premières informations de malaise concernant cette banque ont commencé à circuler dans les milieux initiés dès 1988. Dans un rapport de plus de 800 pages rendu public en décembre 1992, après les enquêtes judiciaires diligentées aux USA, un sénateur démocrate américain, John Kerry, présentait la BCCI comme *"un réseau grossier fait de rapacité et de prises d'influences sévissant sur toute la planète"* [2]. Le scandale avait éclaté à cause de la filiale de la BCCI à Tampa, en Floride. Celle-ci s'est trouvée épinglée par les douanes et la Drug Enforcement Administration (DEA) américaines pour blanchiment de l'argent de la drogue opéré au bénéfice des cartels colombiens. Et également pour distribution effective de drogue, via l'une de ses agences en Floride. Les poli-

1. L'article explique entre autres que, pour échapper à des poursuites au Luxembourg, l'émirat d'Abu Dhabi (principal actionnaire de la BCCI) aurait versé 1,8 milliard de dollars aux liquidateurs. Des actions en justice ont par contre été lancées par les créanciers de la banque pakistanaise contre la Banque d'Angleterre, l'État luxembourgeois, l'Institut monétaire luxembourgeois (chargé de contrôler la banque) et son auditeur externe, le groupe Price-Waterhouse Ernst et Young. Ce dernier aurait accepté, pour ne pas être inquiété, de verser 100 millions de dollars au liquidateur chargé de récupérer les avoirs de la banque, précise le journal. L'ancien liquidateur anglais de la banque, Brian Smouha, est également mis en cause par les autorités judiciaires luxembourgeoises pour avoir surfacturé ses honoraires. Le tribunal de commerce de Luxembourg lui réclame plus de deux millions de dollars.
2. "The BCCI Affair", rapport du Committee on Foreign Relations du Sénat américain, réalisé par les sénateurs John Kerry et Hank Brown, décembre 1992. Le rapport est disponible sur Internet (www.fas.org/irp/congress/1992_rpt/bcci/).

ciers américains avaient patiemment infiltré la banque, avant de lancer une vaste enquête dont les répercussions dépasseront rapidement les frontières américaines pour atteindre le siège du holding à Luxembourg.

Ernest repère, en juillet 1990, une annonce parue au *Bankers' Almanach* (le *Who's Who* ? du monde bancaire international) montrant la distribution en toile d'araignée, à partir du holding luxembourgeois, des filiales de la BCCI à travers le globe. Ernest connaît bien le groupe bancaire, dont les comptes étaient gérés par Cedel depuis la fin des années 70. Il se souvient avoir liquidé plusieurs de ses opérations, et s'être posé beaucoup de questions sur leur nature. Il sait que la plupart des notables que compte le pays, en particulier parmi les hommes politiques, ont soutenu – et participé à – des manifestations dont la BCCI était le sponsor ou le partenaire. Voire davantage, puisque certains politiques luxembourgeois ont été administrateurs du groupe BCCI à différents stades de son existence.

En octobre 1989, alors qu'il était encore salarié de l'agent de change Boscher, Ernest avait rencontré, grâce à l'entremise d'un ami, député maire de sa commune, le Premier ministre luxembourgeois de l'époque, Jacques Santer. La rencontre avait eu lieu dans le bureau de la présidence à l'Îlot Clairefontaine, le quartier gouvernemental, en plein centre historique de la ville de Luxembourg. Ernest voulait présenter à Jacques Santer la première version d'une étude visant à la création, à Luxembourg, d'une banque de données en matière de recherche financière internationale [1].

---

1. Le titre de son étude était alors : *"Creating an International Data Base for Commercial Research"*. À l'époque, seul l'État luxembourgeois avait les moyens informatiques de traiter les données accumulées par Ernest.

Un de ses arguments portait justement sur l'histoire de la BCCI. *"J'avais signalé mes craintes de voir tomber sur nous un premier scandale international. Je ne voulais pas jouer à l'oiseau de mauvais augure, mais j'avais surveillé de très près les activités de cette banque depuis ses débuts. Au moment de notre entretien, Santer devait être au courant de l'affaire de Tampa, en Floride, et de la commission roga-toire adressée par le FBI aux autorités judiciaires luxem-bourgeoises pour pouvoir venir enquêter auprès de l'admi-nistrateur délégué de la BCCI, ici à Luxembourg."*

Kazem Naqvi, l'administrateur délégué en question, se trouvait en "voyage d'affaires" quand les agents du FBI ont finalement pu pénétrer dans les bureaux luxembourgeois de la banque, accompagnés de leurs homologues de la Sûreté nationale. *"Naqvi avait été alerté de la venue du FBI par un de ses avocats, dans le bureau duquel je me trouvais au moment où celui-ci avait reçu un appel de "quelqu'un" qui lui disait : "Ils sont là, préviens Kazem." J'ai été le témoin direct de la scène, le téléphone étant sur haut-parleur lors de l'entretien."*

L'informateur de l'avocat était un fonctionnaire travaillant au Palais de justice de Luxembourg. Il a été retrouvé mort sur son lit, dans un hôtel parisien, le 15 décembre 1999. Il avait 52 ans. Son travail de fonctionnaire anonyme ne laissait rien transparaître de sa véritable mission. L'homme était en fait une taupe à la solde de différentes mafias internationales. Il en existe d'autres au pays, où tout le monde se connaît... Le métier est lucratif mais dangereux. Parmi les avis mortuaires publiés à l'occasion de la mort de cet indic, Ernest en a relevé deux : l'un émanant de Pax Christi Luxembourg (une ONG catholique) ; l'autre, de la Fondation internationale pour le dialogue entre chrétiens, juifs et musulmans. Toujours des mouvements religieux aux premières loges.

Lors de ce premier entretien avec Santer, Ernest explique à son Premier ministre qu'il serait préférable d'aider les pays concernés par le scandale BCCI – en devenir – à résoudre leurs problèmes chez eux, et d'éviter ainsi d'être entraînés dans une spirale qui pourrait éclabousser le Luxembourg et sa classe politique. Nous sommes alors près de deux ans avant la faillite de la banque. Santer semble attentif, même si en fin d'audience, il oppose le fait que la BCCI est le *"tax* payer *numéro un"* du secteur financier et bancaire de l'époque. C'est ce qu'on appelle la *Realpolitik*. En d'autres termes, peu importe que les cartels colombiens soient les premiers contribuables du pays, du moment qu'ils paient…

Quelques semaines après cette entrevue, Ernest retrouve son ami, le député maire à l'initiative du rendez-vous. Ce dernier lui assure qu'il a laissé une *"grosse impression"* auprès de Jacques Santer : *"Jacques m'a dit : "J'aimerais bien aider Backes à réaliser son projet, mais j'ai les mains liées. De toute façon, je dois admettre que ce qu'il m'a raconté existe. Je connais les dossiers, mais si j'avoue être au courant, je serai contraint d'agir. Je n'aurais pourtant pas cru que certains de ces problèmes avaient pris une telle envergure…""*

L'invitation à parler d'un banquier très pressant

Au début des années 90, l'affaire Soisson semble oubliée. En réalité il n'en est rien, et Ernest le vérifiera. Sachant que l'ancien Numéro trois de Cedel est à la recherche d'un emploi, un banquier appelle un jour chez lui pour évoquer une possibilité d'embauche. Ils vont dîner dans le restaurant de la banque. Le banquier connaît les qualités de son interlocuteur et ses compétences en matière de clearing. L'homme est luxembourgeois mais travaille pour un consortium de banques italiennes. *"On n'a pas parlé de mon CV mais de bien d'autres choses, on se connaissait depuis vingt ans. Au dessert, il m'a posé une question. Je réalise aujourd'hui qu'il ne m'avait invité que pour me poser cette question : "Est-ce que tu es au courant de l'affaire qu'on raconte à Luxembourg ? Gérard Soisson aurait été assassiné en Corse, ce ne serait pas une mort normale..."* Cette question venait d'un représentant de banques italiennes impliquées dans l'affaire Ambrosiano. J'ai eu l'heureuse réaction de dire : "Ah non, je n'ai jamais entendu parler de ça.""*

Le lendemain, le candidat à un emploi dans le secteur bancaire reçoit par courrier les regrets du consortium de banques italiennes. *"Pas d'emploi à l'heure actuelle, mais nous ne manquerons pas de..."* Si Ernest avait été plus bavard, il aurait peut-être retrouvé du travail. *"J'aurais peut-être aussi bu la même tasse de café que Sindona"*, dit-il, un pâle sourire aux lèvres.

Les choses, à Cedel, sont en train d'évoluer. Le conseil d'administration varie peu dans sa composition, même si les banques changent de nom et si de nouvelles têtes apparaissent. Edmond Israël, alors sous-directeur de la Banque internationale à Luxembourg, en est toujours le président. Un nouvel administrateur délégué vient d'être nommé. L'ancien, le Français Georges Muller, qui, aux dires d'Ernest, n'a pas démérité, est mis sur la touche sans raison apparente. La concurrence avec Euroclear est toujours aussi vive. La maison bruxelloise semble prendre le dessus, même si aucun chiffre incontestable ne peut déterminer qui de Cedel ou d'Euroclear a le leadership mondial du clearing. En tout cas, les deux sociétés sont en pleine expansion. Plus les transactions bancaires se multiplient, plus l'argent entre en caisse.

Cedel touche une somme fixe par transaction mais ne bénéficie que d'un faible pourcentage sur les sommes transitant par ses canaux. C'est surtout, dans ces années-là, sur la quantité de titres en dépôt que les sociétés de clearing font le plus de bénéfices, sur lesquelles elles communiquent peu. Voire pas du tout. Selon une information parue dans le magazine anglais *Punch*, les bénéfices de Cedel pour l'année 1996 s'élèveraient, par exemple, à 310 millions de francs français. Les principales sources de revenu des sociétés de clearing sont alors une sorte de loyer, appelé "droit de garde", proportionnel à la valeur des titres déposés et au temps de dépôt. Cet intéressement varie, nous l'avons vu, entre 0,2 et 0,5 ‰ du montant total des titres. Pour obtenir la plus grosse part de ce marché de dépôts de titres, la concurrence est rude.

Pour s'y retrouver dans le clearing, il faut en maîtriser la langue : l'Iso

Compte tenu de la dématérialisation des transactions bancaires nationales et internationales [1], la société de clearing est l'ultime endroit où les valeurs circulant dans la planète financière sont déposées. Certains de ces dépôts sont virtuels, d'autres bien réels. En effet, une société de clearing entrepose rarement du cash ou des titres dans ses murs. Le plus souvent, elle sous-traite à des banques dépositaires. Nous devons essentiellement retenir que, lors d'échanges de titres entre une banque vendeuse et une

---

1. Des pays de plus en plus nombreux n'émettent plus de titres papiers. Les banques scandinaves et françaises ou la Banque européenne d'investissement sont pionnières en la matière.

123

banque acheteuse, les titres ne changent pas de lieu de dépôt : seul leur propriétaire change. Le clearing est en fait l'acte, inscrit électroniquement, de ce changement de propriétaire. Comme les bénéfices des sociétés de clearing dépendent essentiellement du montant et de la durée des dépôts, elles ont donc tout intérêt à fidéliser leurs gros clients, afin que ceux-ci immobilisent en leurs comptes leurs avoirs.

Essayons de suivre le parcours d'un ordre d'achat. Pour l'ordinateur de Cedel, ce type de transaction est codé 41. On ne parle ici qu'en code, chaque valeur a un code. Par exemple, le code d'une des nombreuses valeurs de l'émetteur IBM est le 003867528. Ce code est le même sur toute la planète financière. Un organisme standardise et centralise ces codes, communs à toutes les banques : l'International Standardization Organization (Iso). Fondé à Vienne vers 1970, au début du clearing international, cet organisme a également créé le code-barre pour permettre l'informatisation du commerce. Aujourd'hui, tous les acteurs sur la planète financière – principalement Swift, Cedel et Euroclear, mais aussi toutes les banques et sociétés de clearing nationales – acceptent les règles de l'Iso [1]. Gérard Soisson, à titre individuel, et Cedel, en tant que société, avaient été nommés représentants de l'Iso sur la place de Luxembourg.

À Cedel comme chez Euroclear, le concurrent, ou chez Swift, on ne parle donc qu'en code. On demande aux salariés de Cedel d'introduire ou de lire des données chiffrées.

---

1. Auparavant, Cedel, Euroclear et Swift disposaient tous de *codes lists* spécifiques. Les opérateurs financiers avaient créé des tables de conversion pour faire passer leurs valeurs d'un système à l'autre. Les transmissions étaient lentes et demandaient de nombreuses manipulations très complexes. Grâce à l'Iso, ces temps sont révolus.

À aucun moment les opérateurs de Cedel ne savent, par exemple, que le code 003867528 représente la valeur IBM. Les hommes, dans les sociétés de clearing, ont, pour la plupart, perdu tout rapport cognitif à l'objet de leur travail. Ils manipulent des chiffres.

Ceux que j'ai interrogés pour les besoins de ce livre m'ont tous dit ne pas se soucier de l'objet de leur commerce. Ils se vivent comme des opérateurs ou des informaticiens, plutôt très bien payés compte tenu des tarifs en vigueur sur le marché[1]. La confidentialité totale est la première règle de leur contrat de travail. Ceux qui savent, dans la hiérarchie de Cedel, et qui pourraient ainsi vérifier qui se cache derrière celui qui achète et celui qui vend, sont censés ne jamais le faire. Ils doivent absolument et réglementairement faire confiance à leur ordinateur. En fait, les moins mal informés restent certains cadres se trouvant en bas de l'échelle des salaires : les opérateurs chargés quotidiennement de veiller à la bonne transmission des informations et à la vérification des listes de codes.

Rien ne permet au personnel de relever si les comptes qu'il traite sont publiés (c'est-à-dire s'ils font partie de la liste des comptes officiels distribuée périodiquement aux adhérents du système) ou non publiés (en d'autres termes, si ces comptes sont officieux, non répertoriés, non listés ni envoyés, connus de leurs seuls titulaires). Une des finesses

---

1. Les salaires à Cedel sont, en gros, pour le personnel, de 30 à 40 % supérieurs à ceux pratiqués chez Euroclear. Par exemple, un informaticien débutant chez Euroclear perçoit 15 000 francs net. Le même gagnera chez Cedel environ 21 000 francs. Mais les écarts se creusent à mesure que l'on monte dans la hiérarchie. Là, selon nos sources, l'échelle des différences peut facilement aller de 1 à 5, voire de 1 à 8 pour le PDG...

du système réside justement dans le fait qu'aucun signe distinctif ne peut, à l'écran comme sur les listings papier, déterminer la nature d'un compte. Le seul moyen de savoir si un compte est publié ou s'il ne l'est pas reste de vérifier si son code fait partie de la liste reçue par les adhérents.

Un nouvel administrateur aux méthodes musclées pour Cedel

Dès 1991, toutes les banques importantes du village financier adhèrent aux deux systèmes de clearing, Cedel comme Euroclear. Le successeur de Georges Muller à la tête de la Centrale de livraison de valeurs mobilières est un Suisse, ancien responsable de l'Union de banques suisses (UBS) dans la capitale britannique [1]. L'homme s'appelle André Lussi. Très vite, des salariés encore en place viennent se plaindre de lui à Ernest. Autoritarisme, embauche de nouveaux cadres, poursuite des licencie-ment, stages intensifs de management dont certains font penser à des pratiques scientologues [2], réorganisation interne visant à un plus grand cloisonnement : Lussi veut imposer sa marque à des fins qui échappent souvent aux salariés, même bien placés dans la hiérarchie de la société de clearing. Échappent-elles aux membres du conseil d'administration ? Vraisemblablement pas à tous. Ernest pense qu'André Lussi a été placé à la tête de

---

1. L'UBS est alors une des cinq premières banques du monde.
2. Organisés sur des terrains ayant appartenu à l'armée belge, ces stages dits de "survie" en nature sont animés par des Scientologues.

Cedel pour appliquer une politique et des stratégies décidées par d'autres.

Avant de faire son entrée à Cedel, André Lussi était en poste à l'UBS Londres. Il y était en particulier quand, en 1986, a éclaté une ténébreuse affaire de vente d'armes. Un navire bourré d'armement avait été intercepté en Méditerranée, alors qu'un embargo strict avait été décrété contre l'Iran et l'Irak, alors en guerre. Les armes étaient destinées à l'un de ces pays sans qu'on puisse dire lequel. L'enquête menée par Scotland Yard montrera que le financement de l'opération avait été réalisé par l'UBS à Londres. Un des dirigeants de la filiale londonienne, un ancien haut fonctionnaire suédois nommé Peter Engström, sera contraint à la démission[1]. André Lussi, lui, ne sera pas inquiété[2]. L'enquête de la police tournera court, puisque la dizaine de policiers chargés de la mener à bien seront mutés un peu partout dans le pays sur intervention politique. Quelques semaines seulement après avoir été licencié par l'UBS Londres, Engström sera pourtant l'invité d'honneur de l'UBS à Zurich, où il s'exprimera devant cinquante banquiers comptant parmi les plus importants du monde.

1. La femme de Peter Engström, Béatrice Bondy, fut la supérieure hiérarchique d'André Lussi à ses débuts. Aujourd'hui, ce dernier confie à l'agence de communication londonienne de Béatrice Bondy des projets rémunérés à hauteur de 1 000 livres de l'heure.
2. Interrogé par nos soins, un ancien délégué du personnel de Cedel, licencié depuis, nous confirmera avoir reçu la visite d'un vice-président de l'UBS venu spécialement de Zurich pour le rencontrer dans les salons d'un grand hôtel de Luxembourg pour le prier de ne pas ébruiter cette affaire anglaise, *"gênante pour l'UBS, Cedel et son nouvel administrateur délégué"*.

Depuis son départ de Cedel, Ernest est demandeur d'informations. Les murs de la firme sont de plus en plus protégés. De nouvelles caméras de surveillance sont installées, les badges magnétiques d'entrée sont plus perfectionnés, la pression est forte sur le personnel. Ernest surveillait avec une attention soutenue la gestion du système des comptes non publiés mis en place par Soisson et lui. *"Mon idée a toujours été de vérifier ce qu'on allait faire de notre travail. Il était très facile, avec les comptes non publiés, de créer un système dans le système. D'après ce que je savais de la place financière luxembourgeoise, la mise en place d'une "banque dans la banque" avait déjà eu des adeptes ailleurs. Ces affaires avaient été étouffées, les responsables protégés. On en parlait seulement sous le manteau".*

La DGSE, Unilever, Shell, Accor, Siemens, et quelques autres nouveaux clients de Cedel...

Avec l'arrivée de Lussi, le rapport entre Ernest Backes et "les gens restés à l'intérieur" va s'inverser. Au fil des ans, des salariés de la société de clearing, par dizaines, se plaindront des nouvelles pratiques de la maison, et apporteront confidentiellement à leur ancien chef et collègue des informations très précises et de plus en plus alarmantes sur la santé financière de la firme, et les pratiques de son nouveau patron. La maison d'Ernest devient une sorte de confessionnal où l'on laisse échapper sa colère, ses frustrations… mais aussi des informations précieuses et étranges. Plus personne, à part Ernest, ne peut vraiment en saisir la portée. Ces *"dernières mauvaises nouvelles du clearing"* concernent principalement l'arrivée de nouveaux clients qui ne sont plus forcément des banques, et la gestion particulière de leurs comptes. Ernest, toujours attentif à l'utilisation des comptes non publiés, acquiert la conviction qu'à la tête de Cedel on a décidé de se servir de ce type de comptes à des fins différentes de celles prévues par les concepteurs du système.

Les salariés de Cedel qui lui amènent des renseignements ou des documents internes ne se rendent pas compte, dans la plupart des cas, de la portée de leurs informations. Ernest découvre ainsi avec stupéfaction que, sous des codes spécifiques, certains clients sont des sociétés industrielles ou commerciales cherchant d'abord de la discrétion dans leurs opérations financières, en évitant le passage jusqu'alors obligatoire par une banque. *"En traitant directement avec des industriels, Cedel court-circuitait ses adhérents. C'était incroyable pour une société créée par des banques pour des banques"*, raconte Ernest.

On découvre par exemple, sous les codes 53198 et 57649, les comptes non publiés de la multinationale agroalimentaire hollandaise Unilever. Ou, sous le code 50453, celui du groupe français Accor Wagons-Lits. Le groupe pétrolier Shell possède un compte non publié (code 76414, au nom de Shell Overseas Trading Ltd)[1]. Le géant allemand Siemens possède également quatre comptes non publiés (code 71701, 77054, 79779 et 79987).

Ces exemples sont en contradiction avec les affirmations d'André Lussi, qui nous avait certifié lors d'un entretien, le 18 juillet 2000, qu'aucune société autre que des banques ou des *brokers* ne pouvait obtenir un compte en Cedel.

---

1. Pour sa part, le groupe pétrolier Elf passe par deux comptes non publiés (codes 27019 et 27027) inscrits chez Cedel au nom d'une société appelée Sofaxbanque, domiciliée dans la tour Elf à La Défense.

Nous savons aujourd'hui que l'admission de Siemens a provoqué des remous à l'intérieur de Cedel. Des voix se sont élevées pour protester contre l'illégalité d'une telle disposition au regard de la loi luxembourgeoise[1]. Elles ont été aussitôt étouffées. La direction leur a fait comprendre que l'admission de Siemens avait été négociée au plus haut niveau. Un témoin de l'époque, ancien cadre à Cedel, raconte : *"C'était, encore une fois, le rouleau compresseur du "tout est permis". J'ai pensé ce jour-là à ce que disait un cadre de Cedel quelques années plus tôt : "Nous n'avons pas besoin de juristes chez nous : nous achetons les lois au mètre, en fonction de nos besoins.""*

Le principe même du clearing est détourné au profit d'intérêts particuliers, en l'occurrence ceux de sociétés industrielles. Un juriste luxembourgeois qui, en raison de son statut dans le milieu bancaire, nous a demandé l'anonymat, est formel : *"Normalement protecteur des banques, Cedel devient le concurrent de ces mêmes banques. Le nouveau message est clair : "Venez et flouez ceux qui vous ont créés !" Ces comptes attribués à des industriels représentent une violation non seulement des statuts de Cedel, mais surtout de la loi luxembourgeoise...* [2]*"*

---

1. La loi du 27 octobre 1984, relative à l'accès au secteur financier et à sa surveillance, stipule dans son article 63 : *"Sont dépositaires professionnels de titres ou d'autres instruments financiers les professionnels dont l'activité consiste à recevoir en dépôt des titres des seuls professionnels du secteur financier, à charge pour eux d'en assurer la garde et l'administration et d'en faciliter la circulation."*
2. Ceux que la loi luxembourgeoise appelle *"les professionnels du secteur financier"*, catégorie dans laquelle se range Cedel, ne peuvent avoir en principe comme clients que des banques, ou les succursales étrangères de banques.

Ernest découvre également que, sous le code 39093, se cache la Direction générale de la sécurité extérieure (DGSE), autrement dit les "investissements" des services secrets français à l'étranger. Ceux-ci passent par la Banque de France, qui possède un compte non publié dans Cedel au nom de la DGSE. On peut aisément imaginer que le service d'espionnage français souhaite voir le minimum d'intermédiaires entre lui et les sociétés étrangères ou les agents qu'il finance[1]...

Ernest trouve enfin, et ce n'est pas la moindre de ses surprises, que le ministère luxembourgeois du Trésor possède un compte non publié dans Cedel. Dans ce cas, les pratiques sont plus troublantes. Pas de banque, les courriers et messages sont à adresser directement par porteur au *"Service de la Trésorerie"* du ministère. On ne fait pas confiance à la Poste pour informer le Trésor des transactions opérées grâce à Cedel sur le compte non publié 77776. Plusieurs fois par an, à intervalle irrégulier, sur ordre de l'administrateur délégué, un employé du service Mailings de Cedel apporte à l'un des plus hauts fonctionnaires du Trésor luxembourgeois une enveloppe *"à remettre en main propre"*. Si le haut fonctionnaire est absent, le cadre de Cedel a l'ordre de rapporter l'enveloppe à sa firme. Ce client privilégié de Cedel était le seul, en 1995 et 1996, à bénéficier d'un tel traitement de faveur.

Ernest acquiert la conviction que, sous l'impulsion du nouvel administrateur délégué, André Lussi, on détourne le système de ses buts originaux. Et qu'on facilite la dissimulation d'opérations inavouables.

---

1. Pour la petite histoire, alors que la plupart des comptes sont gérés par des personnes physiques, dans ce cas le courrier est adressé par Cedel à un numéro de six chiffres.

Quelques précisions d'ordre technique avant de se poser la question des responsabilités...

La métaphore la plus fondée pour décrire ce que représente le choix d'un compte non publié pour un client de Cedel reste l'inscription sur la liste rouge pour les abonnés du téléphone. Certains choisissent d'être dans l'annuaire, d'autres paient pour ne pas y être. La comparaison a pourtant ses limites. Si l'on comprend les raisons qui peuvent pousser un abonné du téléphone à ne pas voir son numéro offert au regard des autres (souci de discrétion, recherche de tranquillité), on comprend moins les motivations d'un client de Cedel choisissant de ne pas apparaître sur la liste des comptes de la société de clearing. Compte tenu de la nature des opérations en jeu, on reste perplexe sur ce qui peut motiver un banquier, les services d'un ministère, une société d'investissement ou une multinationale à ne pas vouloir faire savoir qu'il possède un compte en Cedel... ou en Euroclear, car la concurrente belge de Cedel possède, elle aussi, des comptes non publiés.

Concernant l'ouverture d'un compte chez Cedel, les demandes doivent être soumises au conseil d'administration. Même si c'est une formalité, le règlement intérieur de la firme luxembourgeoise impose son approbation. L'avis du conseil d'administration n'est à demander que pour la première ouverture de compte. Ensuite, l'administrateur délégué ou le directeur général remplit, en principe lui-même, une fiche paramétrée pour chaque client, qu'il transmet au service informatique. Le service informatique introduit les nouvelles données dans l'ordinateur de Cedel. La procédure est toujours la même, qu'il s'agisse de comptes publiés ou non publiés.

Avec des dizaines de milliers de transactions opérées chaque jour, un contrôle est devenu matériellement impossible. Le service de contrôle interne à la société de clearing peut seulement vérifier la codification des transactions rejetées par l'ordinateur. Et encore. Aujourd'hui, des instructions ainsi rejetées sont refoulées *on line* à l'expéditeur pour correction. Les contrôleurs de Cedel ne vérifient que l'exactitude des codes, et ces données chiffrées ne disent rien sur les origines et motifs des opérations.

Si, à Cedel, des doutes sont émis sur certains candidats, des enquêtes internes peuvent être lancées. Elles sont généralement menées par des représentants de banques actionnaires. Par exemple, si une banque anglaise demande son adhésion au système, Cedel lancera une enquête complémentaire à la Barclays de Londres, qui déléguera un de ses administrateurs pour enquêter et rédiger un rapport. Ce dernier vérifiera les statuts de la banque, sa réputation, les citations la mentionnant dans la presse. Selon André Lussi, que nous avons interrogé à ce propos, de nombreuses banques ou *brokers companies* auraient ainsi été refoulées[1]. De l'avis d'autres employés de Cedel que nous avons interrogés, aucune banque n'a jamais été rejetée jusqu'à présent par la société de clearing. La concurrence avec Euroclear serait trop vive pour que l'on se permette d'être vraiment regardant...

La politique de Cedel depuis le début des années 90 consiste à toujours apparaître comme un opérateur tech-

---

1. André Lussi n'a pas souhaité nous donner d'exemples concrets, prétextant la confidentialité de ce type d'information.

nique, le plus anonyme possible. Un tuyau. Mais para-
doxalement, quand on titille André Lussi sur la traçabilité
des transactions liquidées par sa firme, ce dernier
confesse avec fierté que tout est retraçable. *"Absolument
tout"*, insiste-t-il. Un tuyau intelligent, donc...

**Une liste de "journalistes clés", une autre de
consultants externes grassement indemnisés...**

L'actuel administrateur délégué de Cedel cultive deux
types de communication : l'une à usage interne, visant à
déifier l'entreprise par des slogans et un conditionnement
assez sommaire ; l'autre à usage externe, visant à présenter Cedel comme un simple, mais très fiable, prestataire de services. Si de l'argent est blanchi, ou si des transactions illicites sont liquidées grâce à Cedel, la firme et
ses représentants ont pour mission de dire qu'ils ne peuvent en aucun cas en être tenus pour responsables. Tout
se commettrait en dehors de Cedel, en amont ou en
aval...

La communication interne à Cedel est très spéciale.
L'une des manies de l'actuel administrateur délégué est
de conclure ses discours par des citations dont la morale
prône la liberté individuelle, la force de caractère du salarié, le culte de l'entreprise, la prosternation devant le dieu
Marché ou la lutte sans merci contre un ennemi invisible
qui peut être, au choix : le socialisme, les gauchistes,
Euroclear, les cocaïnomanes, le désordre... Morceaux
choisis : *"Pardonne à tes ennemis, mais n'oublie jamais
leur nom... La différence entre le possible et l'impossible
repose sur la détermination de l'individu... Si tu cours, tu
peux perdre, si tu ne cours pas, tu as la certitude de
perdre... Nous ne pouvons diriger le vent, mais nous*

pouvons ajuster les voiles... Le bon ordre est le fondement de tout...[1]*"*

Cedel cultive des relations privilégiées avec une quarantaine de journalistes clés, principalement anglais et américains. Nous nous sommes procuré une liste à usage interne, avec les annotations émanant de la direction de Cedel. Intitulé *The Key Journalists*, le document classe les journalistes par groupes en fonction de l'intérêt qu'ils représentent pour la firme. Dans le premier groupe, on trouve les journalistes "amis". Ces derniers – quatre noms sont cités – travaillent dans des publications spécialisées dans le domaine financier, comme *Euromoney*, *Euroweek* ou *International Financing Review*. Le document précise : *"Ces journalistes sont influents et contribuent à donner de Cedel une image de société au management énergique, dévouée à ses clients.*[2]*"*

Dans le second groupe, on trouve quinze noms, dont le seul représentant français est un journaliste aux *Échos*. Pour le reste, tout le gratin de la presse mondiale économique y figure en bonne place : Bloomberg, *The Economist*, le *Frankfurter Allgemeine Zeitung*, le *Financial Times* ou le *Wall Street Journal*... Pour l'une des journalistes du *Financial Times*, nous relevons ce commentaire : *"Elle est pro-Cedel, et devrait par conséquent représenter l'une de nos meilleures alliées...*[3]*"*

---

1. Ces citations, qui nous ont été indiquées par des salariés, sont extraites de courriers internes à la firme, ou figurent sur des publicités affichées sur les murs de Cedel.
2. *"These journalists are influential in painting a picture of Cedel's commitments and strong management..."*
3. *"She is pro-Cedel and therefore could be a key figure..."*

Dans le troisième groupe figurent sept journalistes, principalement des pigistes mais aussi des représentants de *World Equity*, *Global Investor*, *Institutional Investor*... Le document recense enfin un quatrième groupe de journalistes susceptibles d'intégrer prochainement le plan média de Cedel[1]. Parmi cette dizaine de "candidats", des représentants de *The Banker*, *The Treasurer*, ou *Institutional Insider*...

Certains des journalistes de cette liste ont été payés par Cedel. Sous le titre "La banque qui achète les journalistes", le journal anglais *Punch* a révélé fin 1997 qu'un des journalistes de cette liste, pigeant pour différents journaux dont le *Financial Times*, *Euroweek*, le *London Financial News* et *International Financing Review*, avait touché des indemnités confortables (la revue évoque le chiffre de 600 000 francs par an) pour, entre autres tâches, critiquer le groupe concurrent Euroclear et *"exagérer le profil international"* du PDG de Cedel[2].

Un pigiste anglais est également sévèrement mis en cause dans l'article de *Punch*, après avoir réalisé une enquête sur Cedel en se présentant comme un journaliste à *Euromoney*, et enregistré des témoignages de salariés ou d'administrateurs de la firme très critiques à l'égard de la gestion actuelle. Or, ces enregistrements ont ensuite été présen-

---

1. *"There are also a number of other journalists who are also important and should form part of the ongoing media programme..."*
2. Du fait de ces pratiques, il nous a été très difficile d'entrer en contact avec des salariés de Cedel-Clearstream, même ayant quitté la firme depuis une dizaine d'années. On a régulièrement mis en doute notre indépendance, nous soupçonnant explicitement de travailler *"pour Clearstream"*. Nous avons interrogé André Lussi sur ces méthodes, mais il ne nous a pas répondu.

tés à André Lussi sans qu'aucun article ne paraisse. Le journaliste en question, David Cowan, qui aurait également touché quelques centaines de milliers de francs de la part de Cedel pour ce "travail", est aujourd'hui le directeur de la communication de Cedel-Clearstream. L'article de *Punch* n'a, à notre connaissance, fait l'objet d'aucune poursuite judiciaire.

Nous avons retrouvé deux victimes de cette manipulation, qui nous ont confirmé avoir cru qu'ils parlaient à un journaliste. L'un d'eux, Régis Hempel, délégué du personnel à Cedel jusqu'en 1993 et aujourd'hui consultant d'entreprises, a été sèchement licencié et s'est retrouvé rapidement mis au ban du système bancaire suite aux accusations portées contre Lussi que Cowan avait enregistrées. Tous ses crédits ont été subitement annulés, il n'a pas retrouvé de travail sur la place financière luxembourgeoise. L'autre "victime", Joseph Simmet, un haut cadre de Cedel en conflit avec Lussi, a été recasé comme PDG d'une société spécialisée dans la fabrication et l'exploitation des cartes bancaires. Il nous a confié sa peur de parler, surtout d'André Lussi : *"Il est en contact avec tous les banquiers de la place, je tiens à mon job...* [1]*"*

Nous nous sommes également procuré un autre document, qui montre que Cedel indemnise à périodicité régulière une bonne centaine de personnes, au statut et à la nationalité très divers. Chacun de ces *"consultants externes"* travaille en étroite collaboration avec un cadre de la firme.

---

1. Entretiens réalisés à Luxembourg, le 20 octobre 2000 avec Joseph Simmet, et le 3 novembre 2000 avec Régis Hempel.

Ces pratiques nouvelles, cette communication interne, cette recherche de nouveaux marchés, tout comme l'utilisation des journalistes, accompagnent les métamorphoses de Cedel. La société de clearing, qui a perdu son avantage technique sur Euroclear, doit se positionner sur la place financière, et plus que jamais jouer des coudes avec son concurrent bruxellois. Cette période correspond aux premières pertes. Pour Cedel, les marchés boursiers ne sont plus ce qu'ils étaient...

Ernest explique : *"Cedel n'est qu'un outil de travail pour les banquiers. Quelles que soient les flambées boursières, Cedel tire ses bénéfices des volumes déposés... Or l'argent gagné par les entreprises n'est plus réinvesti dans l'outil de travail, ou dans la détention de valeurs à long terme. Les bénéfices ne se font que sur la faxmoney qui circule autour du monde, et ne génère que de la faxmoney. La rapidité vient du clearing, c'est ce que peu de gens ont encore saisi. Il y a une trentaine de banques sur les cinq continents qui, aujourd'hui, peuvent disposer des mêmes cinq millions d'obligations, ou des cinq mille actions IBM, dans une même journée comptable. Jamais personne ne voit l'investissement qui devrait être à la base de la transaction. Les financiers gagnent de l'argent parce qu'ils font jongler les valeurs."*

Le début des années 90 voit surgir d'importantes luttes de pouvoir à l'intérieur de Cedel. Nous avons rencontré plusieurs cadres et dirigeants de la firme éjectés durant cette période par André Lussi. L'ancien responsable de l'Union de banques suisses Londres réussira à s'imposer en éliminant tous ses concurrents. Parfois – nous l'avons vu avec l'affaire révélée par *Punch* – ses méthodes sont à la limite de la régularité. Peu importe, André Lussi devient le patron indiscutable de ce qui est encore, en 1992, la première société internationale de clearing transfrontalier. Il est soutenu par ses administrateurs. Un élément n'est jamais mis en avant, par lui comme par les dirigeants de Cedel : ces années-là marquent le début de l'explosion du nombre de comptes non publiés dans Cedel. Comment ces comptes sont-ils gérés ? Qui les contrôle ? Comment sont comptabilisés les bénéfices générés par cette gestion… ?

Les transactions opérées sur ces comptes non publiés représentent, en période de bouleversement boursier, une indiscutable manne pour Cedel. Et une formidable opportunité pour qui cherche un maximum de discrétion dans le village financier.

6

La nouvelle histoire
de la faillite de la BCCI
par les microfiches

Malgré les efforts de la place financière luxembourgeoise pour dénigrer les qualités d'Ernest Backes auprès
d'hypothétiques employeurs, ce dernier finira par retrouver
du travail. Il devient, le 15 juillet 1991, le gérant d'une
coopérative bouchère. Son rôle est de remettre de l'ordre
dans la comptabilité et de lutter contre la fraude à l'intérieur
de la coopérative. Son employeur lui laisse carte blanche et
lui permet, si le travail est fait, de poursuivre à sa guise ses
recherches. Ernest ne s'en privera pas. Il continuera ses
enquêtes, et collaborera, officieusement mais efficacement,
à plusieurs livres, films et travaux journalistiques. Toujours
dans l'ombre. Cet emploi de gérant lui permettra de tenir
financièrement jusqu'à sa retraite anticipée, qu'il sera forcé
de prendre sept ans plus tard, pour raisons de santé.

Ernest a toujours en tête son projet de création d'une
banque de données, base de son observatoire de la criminalité organisée. Il compte beaucoup, pour cela, sur le Service informatique de l'État. À l'époque, compte tenu de la
trop faible puissance des ordinateurs disponibles sur le marché, c'était la seule solution.

Une nouvelle rencontre chez le Premier ministre Santer

Même dans un mini-État de moins de 500 000 âmes tel que le Luxembourg, être invité chez son Premier ministre n'est pas une chose courante, surtout quand on sort tout juste de seize mois de chômage. À peine promu gérant de la Coopérative des patrons bouchers et charcutiers de la ville de Luxembourg, Ernest Backes se voit pourtant convié à un tête-à-tête avec Jacques Santer, le chef du gouvernement luxembourgeois, également ministre de l'Économie[1]. Nous sommes le 18 juillet 1991, Ernest est à son bureau, le téléphone sonne. Madame Faber, la secrétaire de Jacques Santer, lui annonce que le Premier ministre voudrait le voir à la présidence, et propose la date du 8 août suivant. *"Je me souviens très bien de ces moments-là, puisque c'était le jour où j'ai signé mon contrat d'embauche avec mes amis bouchers. Le soir même, mon nouveau patron m'a raconté toutes les démarches entreprises par des Rotariens et par les avocats de mes anciens patrons pour le dissuader de me donner cet emploi. Tout au long de ma carrière, j'ai eu la même étude d'avocats contre moi, toujours...[2]"*

Plus de deux ans se sont écoulés depuis la précédente visite d'Ernest chez Jacques Santer. Cette fois, le Premier

---

1. Après des études de droit, Jacques Santer a intégré le Parti social-chrétien luxembourgeois, dont il est devenu le président. Il a également été secrétaire du conseil de surveillance de la Confédération internationale des syndicats chrétiens, et président de l'Association des universitaires catholiques. Élu député au Luxembourg, il intégrera le gouvernement avant de devenir, en 1989, Premier ministre du Grand-Duché. Il présidera, en outre, le Parti populaire européen et, à deux reprises, le Conseil européen. En 1995, il succède à Jacques Delors à la tête de la Commission européenne, à Bruxelles. Il sera contraint de mettre un terme à ce mandat en mars 1999.

ministre est demandeur du rendez-vous. Entre-temps, le scandale de la BCCI a éclaté, et Ernest s'intéresse de près à la question. Le 5 juillet 1991, treize jours avant l'appel téléphonique de Mme Faber, le procureur américain Robert Morgenthau (District Attorney de New York) a ordonné la mise sous séquestre de l'ensemble des avoirs de la Bank of Credit and Commerce International à travers le monde, ordre qui sera relayé par Interpol. Tandis que la porte de verre du siège londonien est barrée d'un pudique écriteau indiquant : *"Désolés, nous sommes temporairement fermés"*, à Luxembourg des scellés sont posés sur les portes des bureaux de la BCCI au Forum Royal, signe qu'un magistrat luxembourgeois a relayé l'ordrede son homologue américain. Les clients de la banque sont dans l'impossibilité de retirer leurs dépôts, les employés ne peuvent percevoir leur salaire.

Le Luxembourg, qui abrite le holding du groupe, avait forcément vocation à se retrouver dans la ligne de mire des enquêteurs américains. C'est d'ailleurs ce dont Ernest avait, lors de leur première rencontre en octobre 1989, averti Jacques Santer. Faute d'un contrôle luxembourgeois sur les opérations douteuses effectuées par la Bank of Credit and Commerce International, le Grand-Duché de Luxembourg serait susceptible, l'avait-il mis en garde, de connaître un scandale retentissant. Outre les opérations douteuses opé-

---

2. Ce cabinet d'avocats (qui offrait par ailleurs une domiciliation luxembourgeoise au consulat de Panama) avait choisi, dans un simple procès aux prud'hommes qui opposait les époux Backes à Alain Boscher, de se faire assister par l'avocat français Jacques Trémolet de Villers, qui fut notamment le défenseur du milicien Paul Touvier et des intégristes catholiques. Me Trémolet de Villers a été, de 1981 à 1998, le président d'Ictus (l'Institut culturel et technique d'utilité sociale), continuation de la Cité catholique fondée par Jean Ousset. Aujourd'hui baptisé Centre de formation au droit naturel et chrétien, Ictus a été satellisé par l'Opus Dei au début des années 70.

rées par la BCCI qu'il avait pu observer en Cedel au temps des débuts de la banque fondée par le financier pakistanais Agha Hasan Abedi[1], Ernest sait bien que des notables luxembourgeois – des socialistes aux libéraux en passant par les chrétiens-sociaux – sont apparus dans les documents officiels du holding BCCI comme membres de son conseil d'administration ou de sociétés satellites. On y retrouvait ainsi un député, deux anciens ministres, et même un magistrat du conseil d'État.

Depuis 1988, année où la justice américaine a commencé à fourrer son nez dans les activités de la BCCI, jusqu'à la veille de la banqueroute, les autorités luxembourgeoises n'ont jamais changé d'attitude vis-à-vis de cette banque pas comme les autres[2]. Contribuant à donner à l'établissement un semblant de respectabilité du temps de

1. Abedi a fondé la Bank of Credit and Commerce International en 1972. Bénéficiant du parrainage de l'émir d'Abu Dhabi, cheikh Zayed Ben Sultan al-Nahyan, qui placera le jeune établissement bancaire sous perfusion de pétro-dollars, il souhaitait en faire la première banque musulmane au monde. Grâce à ces puissants appuis dans le Golfe Persique, la BCCI connaîtra une croissance fulgurante. À la fin des années 80, le holding luxembourgeois, qui regroupait 29 banques et compagnies financières, se trouvait à la tête d'un empire de 400 agences et filiales dans 73 pays, et prétendait disposer de 20 milliards de dollars de dépôts.

2. Au début des années 80, les dirigeants de la BCCI ont croisé la route du Colombien Pablo Escobar, numéro un du cartel de Medellín. Celui-ci croulait littéralement sous la masse des bénéfices engrangés (en cash) grâce au commerce de la cocaïne, et devait absolument trouver une solution efficace pour recycler cet argent. La BCCI, de son côté, était à la recherche de liquidités. Au fil des ans, la banque pakistanaise a détourné l'ensemble des techniques financières existantes au profit d'opérations de recyclage des narco-dollars colombiens. La BCCI comptait également dans sa clientèle le dictateur panaméen Manuel Noriega, titulaire de neuf comptes, le Philippin Ferdinand Marcos, le Haïtien "Bébé Doc" ou l'Irakien Saddam Hussein…

sa splendeur, l'implication de l'establishment grand-ducal au sein d'un holding mafieux avait de quoi faire craindre le pire aux magistrats et hommes politiques du pays. Ernest insiste sur le fait que les instances de contrôle luxembourgeoises – en particulier l'Institut monétaire luxembourgeois (IML) – n'ont jamais voulu prêter attention aux liens étroits que deux autres institutions financières de la place – la Banque de commerce et de placements (BCP)[1] et l'International Trade and Investment Bank (ITIB)[2] – entretenaient avec la BCCI dans ce qui va devenir la plus grande affaire de blanchiment d'argent de la drogue jamais dévoilée.

Un mois et un jour après la fermeture de la BCCI, Ernest se retrouve donc à nouveau assis face à son Premier ministre. Ce dernier est-il informé de ce qui va se passer chez Cedel dans le courant de cette journée du 8 août 1991 ? Ernest, aujourd'hui, s'en dit persuadé.

Jacques Santer commence par évoquer l'entretien d'octobre 1989. Il a maintenant une proposition à formuler. Il veut offrir à Ernest la possibilité d'installer sa banque de données au ministère des Finances. Ernest n'est pas très

---

1. Rachetée en 1977 par Agha Hasan Abedi, le fondateur de la Bank of Credit and Commerce International, la BCP lui permettra d'introduire indirectement la BCCI en Suisse, ce qui lui avait été refusé précédemment par les autorités helvétiques.
2. Créée le 9 novembre 1973 sous le nom de World Banking Corporation SA, l'International Trade and Investment Bank était établie sur le boulevard Royal de Luxembourg jusqu'en 1992. Étroitement liée à la BCCI, la banque était dirigée par la famille égyptienne Bin Mahfouz – Khalid S. Bin Mahfouz en avait été nommé président. Contrairement à la Banque de commerce et de placements, vendue au groupe turc Cukurava et à l'UBS dès 1991, l'ITIB sombrera dans l'affaire BCCI.

chaud : il n'a aucune confiance en un haut fonctionnaire de ce ministère qu'il sait impliqué dans des affaires louches, comme le scandale Pechiney. Il ne souhaite pas voir les informations qu'il a recueillies divulguées à ceux qu'il considère opposés à la transparence de la place financière. Jacques Santer propose alors le tutorat de l'Institut monétaire luxembourgeois. Ernest décline à nouveau, pour des raisons similaires. Il confie au chef du gouvernement que, pendant la période où il travaillait encore chez Cedel, il avait dénoncé les pratiques de la BCCI auprès de l'IML, organisme censé contrôler les flux financiers opérés au Grand-Duché. Cette dénonciation n'avait eu aucun effet [1].

Jacques Santer et Ernest Backes en viennent à évoquer l'affaire BCCI. Dix ans plus tard, on peut légitimement se demander quelle était la véritable motivation de Jacques Santer à recevoir Ernest, cet emmerdeur prêchant l'éthique et la déontologie à "un milieu qui n'en a pas besoin", cet empêcheur de "liquider en rond" devenu tricard dans toutes les banques du Grand-Duché... En juillet 1991, le Luxembourg avait tout à craindre des retombées du scandale BCCI. Était-il prioritaire de confier à un homme comme Ernest Backes le projet d'une banque de données en matière de criminalité financière internationale dont on peut penser que les hiérarques de la finance grand-ducale avaient tout à craindre ? Ou bien était-il question, pour le chef du gouvernement luxembourgeois, de tester le degré de connaissance d'Ernest sur les coulisses de la Bank of Credit and Commerce International ?

---

1. Précisons qu'à l'époque le secret bancaire ne s'imposait pas à Cedel ni à ses salariés.

Depuis 1988 en effet, sollicité par un journaliste américain, Ernest s'agite à Luxembourg. Il active son réseau d'informateurs, à Cedel et ailleurs, cherchant à savoir ce que trament les financiers pakistanais et leurs puissants clients et alliés. Grâce à ses contacts, il a découvert de source sûre que, malgré l'interdiction de la justice américaine et d'Interpol, la BCCI exerce toujours ses activités de banque mafieuse. Il glisse ainsi à son Premier ministre que les dirigeants de la banque ont, depuis la fermeture judiciaire, loué un étage entier de l'hôtel Intercontinental où l'établissement continue de fonctionner comme si de rien n'était[1].

"Santer était au courant ! Je me souviens très précisément de ce qu'il m'a dit : "Monsieur Backes, il faut comprendre que ces gens doivent pouvoir liquider les affaires en cours..."" Ernest est soufflé par la légèreté de cette justification. Il était justement interdit aux banquiers de la BCCI, scellés à l'appui, d'expédier la moindre affaire courante. Le Premier ministre en personne ne se montrait pourtant ni choqué ni surpris de la reprise des activités de la BCCI. Ces manipulations financières – forcément illégales – pouvaient se poursuivre en toute quiétude sous les lambris d'un hôtel luxembourgeois...

Les deux hommes en reviennent au projet d'Ernest, prétexte à ce tête-à-tête. Tous deux cherchent une solution de compromis. Ernest serait prêt à accepter la tutelle du ministère de la Justice, dans la mesure où il connaît le plus

---

1. L'hôtel Intercontinental appartient au groupe de l'homme d'affaires anglo-irakien Nadhmi Auchi, dont l'une des sociétés, la Dowal Corporation, était titulaire d'un compte à la BCCI. Il est intéressant de noter que le financier Irving Kott avait, lui aussi, loué un étage de "l'Interconti" quelques temps auparavant.

haut fonctionnaire de ce ministère, Charles Elsen, en qui il dit avoir toute confiance. Santer semble trouver l'idée bonne, d'autant que l'homme en question est un ami. Il demande un délai pour en parler aux personnes intéressées, en particulier au ministre de la Justice, Marc Fischbach, à qui il promet de remettre l'étude de faisabilité réalisée par Ernest à propos d'une banque de données.

Malgré un autre rendez-vous en mars 1992 – chez Fischbach, cette fois-ci – et de nouvelles promesses, l'affaire cafouillera lentement mais sûrement. Ernest perd en chemin ses dernières illusions sur la volonté des gouvernants de son pays de mener une politique volontariste pour contrer l'influence grandissante des mafieux en col blanc[1]. Il n'est pas au bout de ses surprises...

En repensant à son entretien du 8 août 1991 avec Jacques Santer, Ernest a aujourd'hui le sentiment qu'il s'est fait avoir. Sa convocation chez le Premier ministre luxembourgeois était, selon lui, liée à l'affaire de la BCCI. Le projet de banque de données qu'il avait présenté à son interlocuteur vingt et un mois auparavant n'était qu'un alibi pour Jacques Santer : *"J'ai quitté son bureau vraiment perplexe. J'avais le sentiment qu'il cherchait à savoir ce que je savais, ou même à m'acheter... J'avais en tête sa réflexion sur la BCCI : il aurait fallu tolérer qu'elle continue à travailler, avec de l'argent ne lui appartenant plus, dans l'enceinte de l'Intercontinental. Ce point de vue ne passait pas du tout..."*

---

1. Un mois plus tard, Charles Elsen sera nommé à Bruxelles, auprès du conseil des ministres européens, au poste de directeur pour l'Intérieur et la Justice. Marc Fischbach est aujourd'hui juge à la Cour européenne des droits de l'homme à Strasbourg.

Nous avons interrogé Jacques Santer sur la manière dont il avait géré l'affaire BCCI, dans un courrier que nous lui avons adressé le 17 janvier 2001. L'ancien Premier ministre luxembourgeois nous a répondu une semaine plus tard. Il a nié catégoriquement avoir couvert par son silence ou son absence de réaction certains agissements de la banque pakistanaise, qualifiant nos informations de *"contre-vérités [...] dénuées de tout fondement"* [1]. Jacques Santer a mis en avant, au contraire, son rôle, ainsi que celui du commissaire au contrôle des banques, Pierre Jaans, dans le déclenchement de la procédure qui avait abouti à la liquidation de la Bank of Credit and Commerce International. *"Une fois la justice saisie,* nous écrit Jacques Santer, *il est du devoir du gouvernement de s'abstenir d'intervenir."* Le témoignage d'Ernest n'est pas contradictoire avec cette affirmation. Tout n'est, en effet, qu'une question de date. Force est de reconnaître que Jacques Santer et son commissaire au contrôle des banques auraient pu agir beaucoup plus tôt.

Une enquête délicate, sous pression pakistano-luxembourgeoise

Ernest ne lâchera pas prise, et demandera dès cet instant à tous ses contacts dans Cedel de surveiller les transactions opérées sous les comptes de la BCCI en clearing international. Quelques semaines plus tard, par le biais d'un intermédiaire, le FBI rentre en contact avec lui. Les Améri-

---

1. La lettre de Jacques Santer est intégralement reproduite en annexe.

cains ont entendu dire qu'Ernest pourrait pallier les résultats médiocres des commissions rogatoires qu'ils ont fait parvenir aux autorités luxembourgeoises. Le FBI ne s'est pas trompé. Fin 1991, Ernest remettra à son interlocuteur un dossier complet de deux cent cinquante pages, intégrant notamment les changements de statuts successifs du holding luxembourgeois BCCI.

Ernest se souvient des pressions qu'il a subies à l'époque : *"Un avocat luxembourgeois m'avait prévenu que, si je continuais mes recherches, j'allais avoir des ennuis avec les Pakistanais... Pendant une semaine, un homme de type pakistanais s'est promené devant chez moi. Chaque matin, lorsque vers sept heures je sortais prendre mon courrier, il était là à faire les cent pas. Il marchait jusque chez le voisin puis il rebroussait chemin, une bonne dizaine de fois. En deux mille ans d'histoire, c'était la première fois qu'un Pakistanais passait par mon petit village. Un jour, je suis sorti et je lui ai dit : "Moïen" ("Bonjour", en luxembourgeois)... Il était envoyé pour m'impressionner. J'ai laissé faire ce petit jeu, puis j'ai rappelé l'avocat qui m'avait mis en garde, en lui disant : "Tu peux prévenir le Pakistanais qui stationne devant ma porte que je n'ai pas besoin d'une garde grand-ducale. Si l'on veut m'intimider, toutes les informations dont je dispose seront rendues publiques. Ce n'est pas la peine de venir les chercher ici, elles sont éparpillées à travers le monde. Le fait de me descendre déclencherait tout de suite la publication des informations en ma possession." Le lendemain, le gars ne venait plus faire sa promenade."*

Un peu comme dans l'instruction hollandaise visant Irving Kott, Ernest pallie la mauvaise volonté des autorités judiciaires luxembourgeoises. Le tribunal de Luxembourg avait répondu par l'envoi d'un minuscule feuillet aux enquêteurs américains demandant des renseignements sur la BCCI. Ce feuillet était la photocopie d'une convocation à une assemblée générale de la BCCI publiée par le *Memorial*, le *Journal officiel* du Grand-Duché. À New York, Rudolph Giuliani le procureur adjoint chargé de l'enquête sur la BCCI, n'est pas encore maire de la ville[1]. Giuliani et les agents du FBI sont ravis des documents officiels que leur livre Ernest, et qui leur permettent de relancer l'enquête. Ils le lui font savoir.

Plus tard, en 1997, l'adjoint de Giuliani, John Moscow, se souviendra d'Ernest et le contactera pour une autre demande de renseignements. Le procureur new-yorkais voulait qu'Ernest l'informe sur André Lussi et sur Cedel. Une enquête était en cours à New York, où Cedel disposait d'un bureau de représentation. Moscow voulait en savoir plus sur cette mystérieuse pratique bancaire qu'on appelle le clearing, et qui consiste à faire passer discrètement les frontières à des montagnes d'argent en un clic d'ordinateur... Les deux hommes resteront en contact quelque temps, avant que Moscow, pour des raisons qu'Ernest ignore, ne décroche de cette enquête sur Cedel.

Quinze ans s'écouleront entre le début des recherches d'Ernest sur les activités illégales de la BCCI à Luxembourg et l'arrivée des premières preuves de ce qu'il pressentait : la banque continue ses activités de blanchiment et de détournement de fonds, malgré l'interdiction formelle d'exercer lancée par la justice américaine, relayée par Interpol et, localement, par la justice luxembourgeoise. Des années plus tard, des extraits journaliers lui parviendront,

---

1. Il en deviendra maire en 1993.

sous la forme de microfiches détaillant les transferts effectués par Cedel en cet été 1991.

Les microfiches sont la mémoire quotidienne de Cedel. Une journée d'activité de la société de clearing luxembourgeoise tient, en moyenne, sur trente-cinq microfiches[1]. Celles-ci ont le format d'une carte postale. Une même microfiche peut contenir 540 pages de format A4, c'est-à-dire renfermer l'équivalent de ce livre. En sachant qu'une page contient en moyenne 35 opérations ou transactions, cela fait environ 100 millions d'opérations par an, contenues sur environ 12 000 microfiches...

Comment une banque en faillite, dont les bureaux sont scellés, peut encore faire des affaires...

Ernest est dans son élément. Il connaît parfaitement le maniement de ces microfiches. La mission qu'il s'est fixée requiert un travail minutieux et une parfaite connaissance du langage codé des banquiers. Il allume sa visionneuse, où il fait glisser une à une les microfiches. Sur l'écran défilent des lignes de chiffres et de codes, des noms de banque ou l'identité d'un client. Ernest cherche une aiguille dans une meule de foin. Mais pas n'importe laquelle. Car, au passage, il aperçoit bien d'autres noms de personnes ou de sociétés sur son écran : Gian Carlo Parretti, Florio Fiorini, Bernard Tapie ; les abîmes du Lyonnais, Elf (avec le rachat de la raffinerie de Leuna, en ex-Allemagne de l'Est)...

L'hypothèse d'Ernest est simple. Puisque la BCCI a poursuivi de mystérieuses activités à l'hôtel Intercontinental,

---

1. Trente les jours de faible activité ; quarante, voire plus, les jour de forte activité (année de référence 1991).

en dépit de sa fermeture et du gel de ses avoirs, il n'est pas impossible qu'elle ait cherché à extraire des actifs théoriquement placés sous scellés au profit de quelque "créancier privilégié". Ernest Backes cherche, parmi les millions de transactions effectuées en Cedel cet été-là, une hypothétique opération concernant la BCCI intervenue postérieurement au 7 juillet, ce qui constituerait un détournement de fonds.

Ernest a un avantage : il connaît les numéro de code de la BCCI dans Cedel. Une des difficultés est que la banque a plusieurs comptes, donc plusieurs codes. Les codes sont des chiffres de cinq unités. Le problème est qu'il ne connaît pas le jour de la transaction, mais seulement la date de départ de sa recherche, à savoir le 7 juillet 1991, jour de fermeture judiciaire de la banque.

Le fait que des noms de personnes apparaissent sur des microfiches est une pratique courante à Cedel. Dans trois types de transactions sur la douzaine possible, des noms doivent apparaître. Les plus courantes, nous l'avons dit, sont des transactions de type "31". Elles concernent les simples transferts de valeurs mobilières. Concernant les virements de liquidités, l'identité des personnes doit également figurer sur la microfiche. Ces transactions sont codées "10" pour une entrée de fonds, et "90" pour une sortie de fonds. Chaque transaction strictement financière nécessite forcément deux opérations simultanées. Celui qui paie remplit un formulaire "90", où il inscrit l'identité de celui qui doit recevoir les fonds. Celui qui reçoit trouve un crédit à son compte sur un formulaire "10", établi par Cedel, qui mentionne le nom de l'expéditeur des fonds [1].

---

1. Cette procédure est un peu plus lourde et plus lente que chez Swift, mais elle est gratuite pour les clients de Cedel.

Revenons à la BCCI. Après avoir passé d'innombrables heures à recouper les données et rechercher les virements, Ernest jubile. Il a trouvé ce qu'il cherchait. L'aiguille BCCI dans la meule de foin de Cedel. Il note, avec certitude, dans la journée du 8 août 1991, une activité sur le compte en Cedel de la banque pakistanaise. Cette activité n'a rien à voir avec un remboursement de coupons ni avec le paiement à la firme d'un droit automatique de garde. Non, il s'agit d'un premier virement illégal.

En d'autres termes, un détournement de fonds, puisque la banque est sous séquestre.

Le 8 août 1991, alors même qu'Ernest était en grande discussion avec le Premier ministre Santer, une opération de retrait d'actifs a été liquidée sur un des comptes en Cedel de la BCCI. Ce jour-là, sur le compte n° 13935 au nom de la Bank of Credit and Commerce International Luxembourg, ont été débités cent cinquante-sept postes de valeurs mobilières (en actions et en obligations) totalisant quelque 100 millions de francs français (environ 15 millions de dollars). L'ensemble de ces valeurs a été transféré vers un compte non publié de Cedel : il s'agit du compte n° 32506 BGLCLIEN, de la Banque générale du Luxembourg.

La Banque générale du Luxembourg et Cedel, deux des plus importantes institutions financières de la place, pouvaient-elles ignorer la fermeture de la BCCI dans 73 pays dont le leur ? Leurs responsables avaient-ils conscience du risque qu'ils couraient, en cas d'enquête, d'être poursuivis en tant qu'auteurs et coauteurs de "détournements de fonds et de banqueroute frauduleuse" ?

Un ancien salarié de Cedel nous a relaté un incident instructif qui a eu lieu six mois après cette fameuse journée du 8 août 1991 [1]. *"Dans la matinée du jeudi 17 décembre 1991, l'agence de presse Reuters a annoncé la faillite imminente d'une grande banque russe. Sur la seule base de cette dépêche, et sans effectuer la moindre vérification, la direction de Cedel a procédé immédiatement au blocage total des comptes et sous-comptes de cette banque. Aussitôt, les Russes ont protesté. Le PDG de la banque nous a menacés de poursuites judiciaires. Des dizaines d'instructions étaient en attente de règlement. Le banquier tonnait contre la légèreté avec laquelle Cedel avait agi, en ne prenant même pas la précaution d'appeler Moscou pour vérifier la dépêche de Reuters"*, raconte l'ancien salarié de Cedel, qui ajoute : *"Dans le cas de la BCCI, Cedel était nécessairement au courant de la fermeture de la banque ! Ce n'était pas une, mais cent dépêches Reuters qui étaient tombées, sans compter Interpol, les scellés..."*

Grâce à ses microfiches, Ernest Backes possède aujourd'hui la preuve que la BCCI, banque mafieuse par excellence, a poursuivi ses activités malgré l'interdiction d'exercer dont elle faisait l'objet. Celui qui prendrait le temps d'examiner les comptes des autres filiales de la BCCI qui adhéraient à Cedel découvrirait sans doute d'autres trésors. Mais il nous suffit de savoir que, trente et un jours après sa fermeture, cette banque pouvait encore "servir" un créancier et lui transférer des avoirs substantiels, au détriment de dizaines de milliers d'autres créanciers lésés, qui, eux, ne seront jamais remboursés. C'est le signe d'une fla-

---

1. Ce témoin nous a assuré par écrit qu'il serait prêt à réitérer son témoignage publiquement en cas de contestation de ses informations.

grante inégalité de traitement. Pour quelles raisons a-t-on pris pareil risque à Cedel ? L'administrateur délégué, André Lussi, était alors le seul dirigeant de la firme à pouvoir donner son accord pour de pareilles transactions. Une chose est sûre, ce n'est pas pour la rémunération que rapporte ce type de transfert. Cedel n'a encaissé, pour 157 transactions de type "31", que 157 dollars en frais de transfert, soit un dollar par transaction. Une recette ridicule pour une telle prise de risque.

"J'ai trouvé mon aiguille, se réjouit Ernest. Quant à la meule de foin contenant les autres aiguilles, je l'ai mise en botte et l'ai conservée chez des amis hors du Luxembourg. Je la donnerai au juge qui saura s'en servir..."

L'argent des faillites bancaires et des liquidations douteuses n'est jamais perdu pour tout le monde...

Le compte de la BCCI à partir duquel ont été débités les 157 postes de valeurs mobilières identifiés par Ernest est un compte officiel, donc publié. L'opération n'était pas destinée à isoler, de manière technique, certains avoirs sur un compte spécifique. D'une part, parce que c'est la seule transaction en un mois sur le compte n°13935 de la BCCI, d'où partent les avoirs. D'autre part, parce qu'à la date du 8 août 1991, bien d'autres opérations – repérables sur nos microfiches – ont été enregistrées sur le compte non publié n° 32506 ouvert à la BGL, qui reçoit ces avoirs. Par exemple, des livraisons physiques de titres à la Banque de Neuflize à Paris, ou à l'agent de change Riga à Bruxelles.

Le transfert est effectué vers un compte non publié de la Banque générale du Luxembourg. Celui qui se cache derrière le mystérieux compte BGLCLIEN est vraisemblablement un important client de cette banque. Aurait-il, par le passé, bénéficié des mêmes faveurs dans d'autres "liquidations" d'affaires internationales sur la place de Luxembourg ? Ernest soupçonne qu'on pourrait retrouver sa trace, par exemple, dans les dossiers relatifs à la liquidation de l'IOS ou de la Banque Ambrosiano.

Il résume : *"Les liquidateurs n'étaient pas encore nommés. Pour prendre un tel risque, il fallait que l'ordre vienne de très haut... Dans cette opération trouble, l'administrateur délégué de Cedel a joué au "cascadeur" pour quelqu'un d'autre. Le fameux compte "BGLCLIEN" qui a reçu l'argent devait être très influent sur la place financière. Ou susceptible de garantir une impunité totale."*

À défaut de pouvoir identifier les personnes physiques ayant profité de cette transaction interdite, il est en tout cas certain qu'une telle opération chez Cedel n'a pu être effectuée sans l'aval de l'administrateur délégué André Lussi, garant du respect des lois et règlements en vigueur au sein de la firme de clearing[1]. À l'autre bout de la chaîne, constatons que la Banque générale du Luxembourg, qui compte parmi les banques fondatrices de Cedel, est très liée au Parti libéral luxembourgeois ainsi qu'à la cour grand-ducale. Le libéral Marcel Mart, ancien ministre des Affaires économiques qui fut le premier président de la Cour des comptes

---

1. L'autonomie d'André Lussi était un privilège dans l'univers de la haute finance. À cette époque, l'Institut monétaire luxembourgeois lui avait d'ailleurs demandé quand il comptait mettre en place à Cedel le principe de la gestion conjointe ("Four Eyes Principle"). Issu du monde bancaire germanique, ce principe oblige les sociétés à avoir, aux postes les plus élevés de la hiérarchie, un fonctionnement bicéphale, de sorte que les dirigeants les plus puissants se contrôlent les uns les autres. L'incitation de l'IML était restée lettre morte.

européenne, est également grand-maréchal de la cour grand-ducale, et surtout l'administrateur des biens du grand-duc au moment des faits. Après avoir longtemps appartenu au conseil d'administration de la BGL, il en est devenu le président en mai 1993. À la même date, le prince Guillaume, fils cadet du grand-duc Jean, a également fait son entrée au conseil d'administration de la banque.

Nous avons interrogé Marcel Mart au sujet de ce virement illégal survenu deux ans avant sa nomination à la tête du conseil d'administration, mais il n'a pas répondu à nos sollicitations [1].

Au moment où nous travaillions à ce livre, *L'Express* écrivait, dans une enquête sur "les dessous de Monaco", que juste avant la fermeture de la BCCI, le compte personnel du prince Rainier avait été alimenté par un virement de 40 millions de francs en provenance de la banque pakistanaise. Le journaliste Roger-Louis Bianchini reprenait en fait une information parue dans son livre *Monaco, une affaire qui tourne* [2]. On pouvait y lire : *"Le prince Rainier avait bien failli faire partie des victimes de la faillite de la BCCI Monaco... Son conseiller privé, chargé d'administrer sa for-*

---

1. Lettre recommandée en date du 8 septembre 2000. Nous posions notamment à M. Mart les questions suivantes : *"Quelle était la cause de ce virement ? D'où venait l'instruction de l'effectuer ? La BGL savait-elle à l'époque que la BCCI avait été fermée un mois auparavant partout dans le monde ? Quel est le rôle joué par Cedel dans cette transaction ? Votre banque a-t-elle fait part au donneur d'ordre de vos hésitations éventuelles à l'égard de ce virement effectué pendant la période suspecte ? En avez-vous fait part au liquidateur de la BCCI ? Qui, en vos livres, était le bénéficiaire de ce virement, en d'autres termes "le créancier privilégié" rémunéré au détriment de la masse... ?"*
2. Seuil, 1997.

tune, avait confié à la banque quelque 40 millions de francs provenant de la cassette de son souverain. Le souverain monégasque, manifestant ainsi une nouvelle fois son flair, demanda à son homme d'affaires de retirer ses avoirs juste avant la fermeture de la banque..."

Certes, à cette date, les avoirs de la banque n'étaient pas encore placés sous séquestre[1], mais l'intuition du prince Rainier ressemble à un formidable sixième sens...

Le parallèle avec nos affaires luxembourgeoises est troublant sur plusieurs points. Si la fortune des Grimaldi est estimée à 1,193 milliards d'euros, celle de la famille royale grand-ducale pèse trois fois plus. Elle a prospéré ces dernières années, et arrive au second rang des fortunes royales en Europe, juste derrière celle du prince du Liechtenstein[2], d'après une enquête de la très sérieuse revue *Eurobusiness*, parue en juillet 1999.

En tête du hit-parade des têtes couronnées arrive la famille royale du Liechtenstein, avec 5,05 milliards d'euros (dont 3 milliards en œuvres d'art). Elle est suivie de près par les 4,655 milliards des Nassau luxembourgeois (la revue annonce 1,6 milliard de *family trusts*). En troisième position pointent les Windsor. La couronne anglaise, malgré 4,15 milliards d'euros, vient se faire coiffer par le minuscule

---

1. Interrogé, le journaliste de *L'Express* n'a pu nous préciser la date exacte du transfert.
2. Il est par ailleurs troublant de constater les liens étroits existant entre ces têtes couronnées et le Vatican. L'Opus Dei, en particulier, exerce une influence notable au Liechtenstein, à Monaco et au Luxembourg – trois mini-États qui ont été élevés au rang d'archevêché et qui ont à leur tête un prélat proche de l'Opus – aussi bien auprès des maisons royales que du personnel politique et économique.

Luxembourg. Suivent les Orange-Nassau des Pays-Bas, avec 4,05 milliards. Puis les Saxe-Cobourg de Belgique (2,255 milliards). En sixième position, les Bourbon d'Espagne (1,81 milliard). Puis les Grimaldi, septièmes. Les trois dernières place du classement sont occupées par les têtes couronnées scandinaves, avec les Bernadotte de Suède (793 millions) et les Oldenbourg du Danemark (146 millions), qui dépassent d'une courte encolure leurs cousins de Norvège (141 millions).

Les familles royales européennes les plus riches règnent sur de véritables "monarchies fiscales". Pourtant, la famille grand-ducale luxembourgeoise était sortie des années de guerre entièrement ruinée. En 1945, les caisses royales étaient vides. La fortune des Nassau avait été entièrement dépensée pendant le long exil américain. Comment, en à peine cinquante années, sans travail ni activité industrielle ou commerciale, cette fortune a-t-elle pu atteindre le niveau connu aujourd'hui ? Les Nassau disposent sûrement des meilleurs conseils en placement financier de la planète.

Difficile en tous les cas de ne pas faire de lien entre l'augmentation sensible et quantifiable de ces fortunes royales et l'accueil, tout aussi royal, réservé, dans les "monarchies fiscales", à des banques douteuses et à des financiers peu scrupuleux.

7

Ce que révèlent les listes de comptes non publiés et les microfiches de Cedel, puis de Clearstream

Avant de rencontrer Ernest Backes et de découvrir le clearing, à la seule lecture des journaux ou au contact de magistrats généralement bloqués dans des enquêtes au long cours, j'avais tendance à imaginer que l'argent était dépourvu de mémoire, voyageant par virements électroniques de Paris à Francfort, de Jersey à Lugano... Tout cela – cette succession si rapide de virements empruntant des voies de plus en plus étroites, cette impuissance des juges, cette arrogance des puissants – m'avait inoculé le virus de la fatalité. On n'y arrivera pas.

"À l'heure des réseaux informatiques d'Internet, du modem et du fax, l'argent d'origine frauduleuse peut circuler à grande vitesse d'un compte à l'autre, d'un paradis fiscal à l'autre, sous couvert de sociétés offshore, anonymes, contrôlées par de respectables fiduciaires généreusement appointées. Cet argent est ensuite placé ou investi hors de tout contrôle. L'impunité est aujourd'hui quasi assurée aux fraudeurs. Des années seront en effet nécessaires à la justice de chacun des pays européens pour retrouver la trace de cet argent, quand cela ne s'avèrera pas impossible dans le cadre légal actuel, hérité d'une époque où les frontières avaient encore un sens pour les personnes, les biens et les capitaux", scandait

Bernard Bertossa à la tribune de l'université de Genève, le 1er octobre 1996.

L'incendie qui a détruit les archives du Crédit lyonnais a-t-il brûlé les preuves des virements bancaires ? Le fait qu'une partie des fonds destinés au financement du Parti républicain français ait voyagé vers Gibraltar a-t-il réduit à néant toutes les tentatives visant à reconstituer l'itinéraire des sommes détournées ? Quelles traces laisse l'argent, surtout lorsqu'il passe les frontières… ?

Cette enquête sur les pas d'Ernest Backes m'a appris que nous avions tort d'être aussi pessimistes. Les archives de Cedel sont une découverte considérable qui peut nous aider à comprendre la réalité des échanges financiers. Et à en retrouver la trace.

Des documents exploitables sous forme de listes de comptes et de microfiches

Les documents que nous avons découverts sont de deux types : des listes de comptes recensant de manière exhaustive, à cinq années d'intervalle, les comptes publiés et non publiés de Cedel-Clearstream ; et des microfiches répertoriant les transactions opérées sur ces comptes.

Ces documents sont une véritable mine de renseignements pour tout enquêteur financier. Quand on annonce que la faillite de l'Ambrosiano a généré un milliard et trois cents millions de dollars de perte, ou que le trou de la BCCI ou du Crédit lyonnais s'évaluerait à plusieurs centaines de milliards de francs, il faut savoir que les fonds en question ne se sont pas évaporés pour tout le monde. Ils ont suivi des circuits que les archives des sociétés de clearing peuvent, à l'évidence, contribuer à retracer[1]. Il suffit de le vouloir, et de s'en donner les moyens. La connaissance de la liste et des codes – jusqu'alors gardés secrets – relatifs aux comptes non publiés offre d'immenses possibilités.

Le constat est simple, un peu effrayant, légèrement incroyable, mais d'une incontournable évidence. La mémoire de millions de transactions transfrontalières est discrètement conservée dans les archives de ces points de passage obligés que sont les sociétés de clearing international : investissements en actions ou en obligations, mais aussi transferts de liquide d'un pays à l'autre. Si tout est retraçable, l'argent du crime a dû, lui aussi, laisser des traces. Où ? Comment ?

Parmi ces archives, on identifie forcément la trace de mouvements financiers liés aux affaires en cours : les "investissements" du groupe pétrolier Elf, mais aussi les virements liés aux affaires de corruption espagnole, ceux de la banque

---

1. La reconstitution d'une partie des archives du Crédit lyonnais disparues lors de trois incendies successifs – dont au moins deux étaient très troublants – pourrait être entreprise grâce aux archives combinées de Cedel-Cleartrseam, d'Euroclear et de la Sicovam (la société de clearing interne à la France) pour ce qui est des valeurs mobilières, et de Swift aussi pour ce qui est des virements en liquide. Le premier incendie date du 5 mai 1996 et a eu lieu au siège de la banque à Paris. Le second incendie douteux, le 19 août 1997, concerne les hangars du Havre où la banque entreposait la totalité de ses archives. À l'époque, la juge d'instruction Eva Joly était sur le point de retrouver, entre autres, des relevés bancaires attestant de prêts personnels trop généreusement accordés à des cadres du Crédit lyonnais. La banque était alors dirigée par Jean-Maxime Lévêque qui, après avoir quitté le Lyonnais, s'est refait une santé financière au Luxembourg en s'associant avec le milliardaire saoudien Adnan Khashoggi dans une société baptisée Ibi-Ibsa. Un troisième incendie, le 30 octobre 1998, du siège parisien de la banque, a été considéré, lui, comme accidentel.

Banesto et de son PDG Mario Conde (une sorte de Crédit lyonnais à la sauce ibérique), ceux du "Kremlingate", via les banques russes et la Bank of New York, les avatars luxembourgeois de l'opération Mani Pulite italienne, ou les transactions troubles du fabricant d'armes italien Agusta, en Belgique. Nous parlons d'affaires connues et en partie révélées. Il y a également toutes celles qui ne le sont pas. Et pour cause...

Toutes ces affaires, et d'autres, pourraient être mieux éclairées par un accès aux archives des sociétés spécialisées dans le transfert transfrontalier d'argent et de valeurs mobilières comme Clearstream, Swift et Euroclear. Une bonne connaissance des techniques du clearing, et de ses codes, permettrait de retracer bon nombre d'itinéraires financiers [1].

Clearstream archive quotidiennement ses transactions sur des microfiches. Euroclear procède de la même manière et conserve, dans la banlieue de Bruxelles, l'ensemble des traces de ses transactions sur le même type de microfiches que sa concurrente luxembourgeoise.

Pour ce qui est de Swift, qui ne transporte électroniquement que des ordres de virement d'espèces, après de nombreuses difficultés nous avons fini par obtenir l'information que nous cherchions : Swift conserve également la mémoire de tous ses virements. Mais le groupe interban-

---

1. L'octroi de moyens ridicules – par rapport aux sommes récupérables – est indispensable pour lire et décoder ces archives : principalement la mise à disposition d'appareils performants permettant la lecture des microfiches, ainsi que du personnel formé à ce travail. Ce que nous avons réalisé partiellement pour ce livre pourrait être aisément, et avec de meilleurs résultats, réalisé officiellement.

caire préfère, si l'on en croit ses services, le disque optique à la microfiche. Ces disques sont conservés précieusement dans des locaux protégés de la banlieue bruxelloise.

Swift est un transporteur d'argent virtuel. Une sorte d'accélérateur de particules qui se veut, avant tout, prestataire technique. Chez Swift, pas question de savoir d'où vient l'argent ni où il va. *"Nous ne sommes qu'un gros tuyau"*, expliquait en 1999 un dirigeant de Swift interviewé pour l'émission "Envoyé spécial"[1]. Un autre se défaussait de toute responsabilité quant à l'origine des sommes transitant par Swift en se comparant au facteur distribuant le courrier : *"Le facteur est-il responsable des lettres qu'il apporte ?"*

Ni Cedel ni Euroclear ni Swift ne sont de gros tuyaux. Compte tenu des protocoles mis en place, il est compliqué mais possible de suivre, dans les deux sociétés de clearing transfrontalier, mais aussi dans Swift, le parcours d'un ordre bancaire. De retrouver l'identité de la banque, et parfois du client – surtout quand il est gros – qui se cache derrière la banque. De cerner, en tout cas, la nature des opérations ordonnées par les clients. Mieux, il est matériellement possible, quand on connaît la date d'une opération et la banque d'entrée, de reconstituer à l'intérieur des sociétés de clearing et dans Swift, le voyage de l'argent et des valeurs mobilières. De suivre à la trace, pour reprendre la métaphore du juge Garzón, la fuite du léopard...

Quelque part, dans trois endroits aisément localisables, se cachent des coffres où est conservée, sous forme de microfiches ou de disques optiques, la mémoire de millions de transactions financières transfrontalières.

---

1. Reportage de Sébastien Vibert diffusé sur France 2 le 25 novembre 1999.

Swift expédie six millions de messages financiers par jour, archivés sur disque optique

Chez Swift, on aime se définir comme un service de *routing* financier. Comme Clearstream et Euroclear, Swift est une société appartenant aux plus importantes banques de la planète, et gère un service pour ces banques. Ce service *"se limite"* – les salariés et utilisateurs de Swift insistent tous sur ce point – à des transmissions d'informations. Swift se présente comme une *"coopérative détenue par 3 000 banques et gestionnaires de fonds"*. Mes rapports avec le service de communication de cette société ont été laborieux, et les réponses à mes questions difficiles à obtenir jusqu'à ce qu'un responsable du service de presse, Euan Sellar, ne prenne les choses en main[1]. Impossible, en revanche, de m'entretenir avec un administrateur de Swift : *"J'aurais du mal à vous trouver quelqu'un, on n'a pas grand chose à dire..."*

Chez Swift, à la question de savoir s'il est possible de retracer le parcours de l'argent qui transite, la réponse (écrite) se veut précise : *"Notre outil est une messagerie financière sécurisée. Nous ne véhiculons pas d'argent et n'assumons aucun règlement. Les messages sont des instructions (virement, achat, vente, confirmation d'ordre, etc.) échangées entre acteurs financiers. Nous connaissons toujours l'émetteur et le récepteur d'un message."* Chez Swift, on aime jouer sur les mots, et on pratique le minimum syndical dans la gestion des questions ennuyeuses. Pas de transport d'argent, mais des virements... Rien à déclarer

---

1. Conversations avec Euan Sellar, les 22 et 23 septembre 2000.

concernant la conservation des traces. Il faut insister. Swift fait payer un droit de passage à ses clients : *"Nous pratiquons une tarification par message, quelle que soit la destination."* Plus le volume des messages est important, plus la firme est rémunérée[1]. À propos de leur conservation en archives, la firme finit, après plusieurs e-mails, par admettre qu'elle conserve *"tous les messages"*.

En 1999, environ six millions de messages étaient expédiés chaque jour via Swift, reçus par sept mille institutions financières représentant 190 pays : *"Toutes les transactions sont encryptées et archivées sous la forme de disques optiques."*

Les explications (orales) viennent plus tard. Euan Sellar, le responsable de la communication de Swift, concède : *"On peut retrouver la trace et le contenu d'un message entre un émetteur et un récepteur, même si le message fait une partie de ping-pong entre quinze banques."* Mais il ponctue *: "Nous ne lisons pas les messages..."* Avant de convenir : *"On peut décrypter le message avec l'autorisation de la banque ou d'un magistrat. La clé, ce sont les banques qui l'ont, elles ne nous la donneront que si l'on fait pression sur elles. Nous ne sommes pas propriétaires des messages. Nous sommes contrôlés par la Banque nationale de Belgique pour le compte de toutes les banques centrales européennes. Tous les messages sont archivés, en raison des audits. L'archivage est automatique. Il faudrait un cadre juridique pour intervenir et c'est très difficile, chaque pays ayant sa propre législation. On est comme une Poste, on peut à la limite compter le nombre de caractères,*

---

1. Le tarif de base est de 6 francs belges (soit 1 franc français) par message.

mais une fois encryptés, les caractères ne sont plus lisibles. N'importe qui pourrait se brancher sur notre réseau et capter nos messages si nous ne pratiquions pas de la sorte. À l'arrivée, ceux qui reçoivent les messages que nous envoyons les décryptent. Les clés d'encryptage sont connues des deux banques et renouvelées continuellement. Un algorithme est commun à tout le monde[1]..."

Sur les modalités de sélection des adhérents au système, Swift admet un grand esprit d'ouverture. Il suffit d'être une banque ou *"une institution financière au sens large"*. Pas de phénomène marquant, ces dernières années, chez les utilisateurs du système : *"Hormis une flambée des banques russes, mais maintenant c'est retombé."* Un survol rapide de l'imposante, et plus récente, brochure inventoriant les utilisateurs de Swift, les classant par pays et par banque, donne une idée de la nature des mouvements financiers sur l'ensemble de la planète [2]. Les pages concernant les clients basés dans les paradis fiscaux sont très fournies, celles des pays de l'Est aussi. De *A* (Algeria, American Samoa, Andorra, Angola, Anguilla, Antigua and Barbuda, Argentina...) à *Z* (Virgin Island, Yemen, Yugoslavia[3], Zambia, Zim-

---

1. À la base du codage des messages Swift, cet algorithme est géré par un système baptisé SP8, commercialisé par la société Bull.
2. Il s'agit de l'*International Bank Identifier Code Directory*, juin 2000. Cette base de données est accessible par Internet (www.bicdirectory.swift.com).
3. On relève, par exemple, la présence de la Yugobank, établissement de l'ex-banquier Slobodan Milosevic. En arrivant au pouvoir, l'opposition serbe a immédiatement bloqué un virement de 180 millions de francs français engagé par Milosevic, dont les avoirs en Suisse ont tous été bloqués. Selon *Le Monde*, qui cite *Le Monde du renseignement*, Milosevic aurait, via la Yugobank, ouvert des comptes et effectué des virements vers des pays aussi divers que la Chine, Chypre ou le Liban.

babwe), on trouve de tout chez Swift. Surtout des banques et sociétés financières inscrites par centaines dans des paradis fiscaux. Le survol de ces 1 500 pages roses et bleues nous informe mieux que n'importe quel rapport savant sur l'excellente santé, et la prolifération endémique, des marchés parallèles *(ci-dessous, la page sur "Monaco")*.

MONACO

MONACO

— BANQUE DE GESTION EDMOND DE ROTHSCHILD MONACO	BERL MC MC
• LES TERRASSES, 2 AVENUE DE MONTE-CARLO, 98000 MONACO	
— BANQUE MARTIN MAUREL	MMSE MC MC
• LE PARK PALACE 27 AVENUE DE LA COSTA, 98000 MONACO	
— BANQUE PASCHE S.A. - [FIN, PNS, TB+]	BPGE MC MC
• MONTE CARLO PALACE 3-7 BOULEVARD DES MOULINS, 98000 MONACO	
— BSI 1873 GERANCE INTERNATIONALE SAM	BSIL MC MC
• LE ST. MICHEL, 1 AVENUE ST. MICHEL, 98000 MONACO	
— CREDIT AGRICOLE MONACO	AGRI MC M1
— CREDIT LYONNAIS	CRLY MC M1
— CREDIT LYONNAIS PRIVATE BANKING INTERNATIONAL S.A.M. MONACO	CRLY MC MX
• 1, AVENUE DES CITRONNIERS, 98007 MONACO	
— CREDIT SUISSE ASSET MANAGEMENT	CRSG MC M1
— EFG EUROFINANCIERE D'INVESTISSEMENTS SAM	EFGB MC MC
• VILLA DES AIGLES 15 AVENUE D'OSTENDE, 98000 MONACO	
— HSBC REPUBLIC BANK (MONACO) S.A. (FORMERLY REPUBLIC NATIONAL BANK OF NEW YORK (MONACO) S.A.) - [EAF, FIN]	BLIC MC MC
• BELLE EPOQUE 17 AVENUE D'OSTENDE, 98000 MONACO, POB 355, 98006 MONACO	
— KB LUXEMBOURG (MONACO) - [FIN, PNS, TB+]	KBLX MC MC
• 8 AVENUE DE GRANDE-BRETAGNE, 98016 MONACO CEDEX, POB 262, 98005 MONACO	
— SOCIETE GENERALE BANK AND TRUST MONACO	SGBT MC MC
• IMMEUBLE LE REGINA 13-15 BOULEVARD DES MOULINS, 98007 MONACO CEDEX, POB 249, 98007 MONACO CEDEX	
— SOCIETE MARSEILLAISE DE CREDIT, (AG. MONACO)	SMCT MC M1
— SOCIETE MARSEILLAISE DE CREDIT, (AG. MONTE CARLO)	SMCT MC M1 PØ2
— SOCIETE MARSEILLAISE DE CREDIT, (AG. FONTVIEILLE)	SMCT MC M1 PØ4
— UBS (MONACO) S.A. - [FIN, PNS, TB+]	UBSW MC MX
• 2 AVENUE DE GRANDE-BRETAGNE, 98007 MONACO CEDEX, POB 189, 98007 MONACO CEDEX	

MONTE-CARLO

— ABC BANQUE INTERNATIONALE DE MONACO - [FIN, PNS, TB+]	ABCO MC MX
• LE SPORTING D'HIVER PLACE DU CASINO, 98000 MONTE-CARLO, 98000 MONTE-CARLO CEDEX	
— ABN-AMRO BANK N.V.	ABNA MC MX
• 7 BOULEVARD DES MOULINS, 98000 MONTE CARLO	
— AMERICAN EXPRESS BANK LTD.	AEIB MC M1
— BANCA DI ROMA INTERNATIONAL - SUCCURSALE DE MONACO	BROM MC MX
• 6 SQUARE BEAUMARCHAIS, 98000 MONTE-CARLO	
— BANQUE DU GOTHARD (MONACO) - [FIN, PNS, TB+]	BDGL MC MX
• LE BELLE EPOQUE 15B/517 AVENUE D'OSTENDE, 98000 MONTE-CARLO, POB 347, 98006 MONTE-CARLO	
— BANQUE INTERNATIONALE DE CREDIT ET DE GESTION MONACO	BCGM MC M1
— BANQUE MONEGASQUE DE GESTION	BMGM MC MC
• 1, AVENUE DE GRANDE-BRETAGNE, 98000 MONTE-CARLO, POB 275, 98000 MONTE-CARLO	
— BANQUE NATIONALE DE PARIS S.A.	BNPA MC M1
— BANQUE SUDAMERIS S.A.	BSUD MC MX
• 2 BOULEVARD DES MOULINS, 98000 MONTE-CARLO, POB 167, 98000 MONTE CARLO	
— BARCLAYS BANK PLC MONACO - [CH+, FIN, PNS]	BARC MC MX
• 31 AVENUE DE LA COSTA, MONTE-CARLO, POB 335, MONTE-CARLO	
— BERKELEY CAPITAL LIMITED	BECI MC M1
— CITIBANK N.A. - [CH+, FIN]	CITI MC MX
• LES TERRASSES 2 AVENUE DE MONTE-CARLO, 98002 MONTE-CARLO CEDEX, POB 188, 98003 MONTE-CARLO CEDEX	

MONTE-CARLO (continued)

— COMPAGNIE MONEGASQUE DE BANQUE S.A.M. - [FIN, PNS, TB+]	CMBM MC MX
• 23 AVENUE DE LA COSTA, 98003 MONTE-CARLO CEDEX, POB 167, 98001 MONTE-CARLO CEDEX	
— CREDIT AGRICOLE MONACO	AGRI MC M1 MNC
— CREDIT COMMERCIAL DE FRANCE, MONTE-CARLO	CCFR MC MX
• 2 BIS BOULEVARD DES MOULINS, 98000 MONTE-CARLO	
— CREDIT DE MONACO POUR LE COMMERCE	MCRC MC M1
— CREDIT FONCIER DE MONACO - [FIN, PNS, TB+]	CFMO MC MX
• 11 BOULEVARD ALBERT IER, 98012 MONTE-CARLO	
— CREDIT SUISSE (MONACO)	CRES MC MX
• LE PARK PALACE 27 AVENUE DE LA COSTA, 98000 MONTE-CARLO, POB 185, 98000 MONTE-CARLO	
— HSBC REPUBLIC BANK (FRANCE) S.A. (FORMERLY REPUBLIC NATIONAL BANK OF NEW YORK (FRANCE) S.A.) - [EAF, FIN, PNS, TB+]	BLIC MC MX
• LA BELLE EPOQUE 17 AVENUE D'OSTENDE, 98000 MONTE-CARLO	
— LLOYDS TSB BANK PLC	LOYD MC MX
• 11 BOULEVARD DES MOULINS, 98000 MONTE-CARLO, POB 229, 98007 MONTE-CARLO CEDEX	
— MONTE PASCHI BANQUE S.A. (FORMERLY GRINDAYS BANK S.A.)	MONT MC MX
• IMMEUBLE AKELE MARINE 15 AVENUE PRINCE HEREDITAIRE ALBERT, 98000 MONTE-CARLO	
— SOCIETE MONEGASQUE DE BANQUE PRIVEE	CAIX MC MX
• 9 BOULEVARD D'ITALIE, 98000 MONTE-CARLO	

Au-delà de ces listes, il est amusant de noter que Swift a organisé sa propre incapacité à lire les messages qu'il se charge de transmettre. C'est un peu comme si un homme se bandait les yeux et invoquait ensuite sa cécité pour expliquer son comportement d'aveugle.

Nous pouvons également retenir de nos échanges avec Euan Sellar que tous les ordres bancaires passant par les réseaux de Swift sont conservés et archivés sous une forme (le disque optique) facilement utilisable par des logiciels de recherche...

L'exemple de la piste allemande dans l'affaire Elf

Un exemple concret nous est fourni par l'enquête menée en Suisse par le juge d'instruction Paul Perraudin pour cerner la destination d'une commission de 256 millions de francs français versée par le groupe Elf dans le cadre du rachat de la raffinerie de Leuna, en ex-Allemagne de l'Est.

Sous le titre "Un ex-ministre allemand au bout de la piste des commissions d'Elf", un article du *Monde*[1] révèle qu'un des destinataires de ces fonds serait l'ancien secrétaire d'État à la Défense du gouvernement Kohl, et ex-patron des services secrets allemands : Ludwig-Holger Pfahls. Pour retrouver sa trace, le juge suisse a dû suivre les méandres du parcours financier menant de la

---

1. *Le Monde* du 20 septembre 2000.

banque du groupe Elf[1] aux banques de sociétés *offshore* où apparaît un intermédiaire allemand nommé Dieter Holzer. C'est au prix de commissions rogatoires internationales successives, adressées à plusieurs banque se renvoyant la balle, que le magistrat est arrivé à la DSL Bank, une banque allemande ayant une filiale à Luxembourg. Cette banque a perçu l'essentiel de la commission versée par Elf pour le compte d'une fondation nommée Delta Internationale, basée à Vaduz et possédant une filiale à Monaco.

Le Monde relate que des comptes appartenant au secrétaire d'État allemand ont été crédités d'environ 17 millions de francs en 1994. Puis cet argent a voyagé. En illustration, le journal publie ce qu'il nomme un extrait des *"archives de la DSL"*, où seraient attestés des transferts de fonds entre Pfahls et Holzer. L'article laisse entendre que les fonds auraient alimenté les comptes de diverses sociétés *offshore*, et que Pfahls en serait le destinataire final.

Le document en question est un extrait bancaire fourni à la DSL par Swift, et qui a été décodé par la banque allemande. On peut y lire les codes des deux parties dans la transaction, ainsi que le moment de la liquidation. On découvre que le donneur d'ordre est Pfahls et le réceptionnaire des fonds, Holzer, via sa fondation Delta Internationale. Plus précisément, on découvre le message suivant : "Nous avons crédité votre compte à la DSL d'un million de francs français venant du compte de Ludwig-Holger Pfahls auprès de la SBS." Ce message est

---

1. Il s'agit de la Sofaxbanque, dont nous avons déjà parlé. Cette banque a toujours possédé des comptes en Cedel.

adressé par Swift à la DSL pour le compte de Delta International. Contrairement à ce que laisse entendre *Le Monde*, ce n'est donc pas le secrétaire d'État Pfahls qui a perçu les fonds, mais bien lui qui les a versés à l'intermédiaire[1].

Paris-Match a poursuivi l'enquête du *Monde*[2]. Selon l'hebdomadaire, le juge Perraudin serait sur le point de retracer le parcours des fonds. Après avoir traversé plusieurs frontières, via des banques et des sociétés écran, l'argent aurait atterri à… Tortola, dans les îles Vierges britanniques. Tortola est l'île principale de ce paradis fiscal situé dans l'océan Atlantique, non loin de Porto Rico. Une partie importante des 161 millions de francs détournés par le duo Holzer-Pfahls y serait cachée via la filiale d'une banque du Liechtenstein.

En étudiant la liste des comptes de Clearstream en 2000, heureux hasard, on trouve justement six comptes dans les îles Vierges. Cinq sont des comptes non publiés aux patronymes étrangers : Bozano (qui en possède deux),

---

1. Sur le fond, cette méprise ne change pas grand chose aux tenants et aboutissants de l'affaire Elf. Il s'avère, de source judiciaire, que ce virement est le signe d'une entourloupe entre Pfahls et Holzer. Autrement dit, le secrétaire d'État Pfahls, ayant récupéré des fonds d'Elf, simule un remboursement vers l'intermédiaire Holzer. Les fonds sont effectivement virés de l'un à l'autre. Libre ensuite à l'intermédiaire de reverser des subsides au ministre, en liquide si possible… Cette hypothèse est d'autant plus intéressante que la banque mise en cause, la DSL, est une discrète banque publique créée à l'initiative du gouvernement allemand. À l'instar de la Banque de France avec la DGSE française, la DSL finance les opérations de ses services secrets, puisqu'elle gère les comptes de la Bundestnachrichtendienst (l'équivalent allemand de la DGSE). La DSL possède également des comptes non publiés en Cedel.
2. *Paris-Match* du 1er novembre 2000.

Westbourn, Controlfida, Mornington Ltd [1]. Il serait étonnant, compte tenu de la législation protégeant le secret des comptes qui y sont domiciliés, que les îles Vierges répondent favorablement aux requêtes venant de Suisse. Par contre, si une enquête était lancée du côté de Clearstream... On ne sait jamais.

Ce qui transparaît à nouveau ici, c'est l'intérêt que représente un extrait émanant d'une société œuvrant dans le clearing transfrontalier. Swift, Euroclear ou Cedel conservent en mémoire la trace de toutes les transactions effectuées par leur entremise. Il aurait suffi au magistrat suisse à l'origine de la recherche de connaître les codes des sociétés ou banques participant à la transaction, et la date approximative de cette dernière, pour parvenir plus rapidement à la trace de la remise de fonds. Pour des personnages comme Holzer ou Pfahls, et plus encore pour leurs banquiers, Swift ou Clearstream sont des outils de travail. Comprendre le fonctionnement de ces outils aide, à l'évidence, à mieux lutter contre leur utilisation à des fins criminelles.

La mémoire de millions de transactions est conservée chez Clearstream, dans des microfiches fabriquées quotidiennement

Revenons au clearing et à nos documents. La première liste des comptes de Cedel en notre possession porte sur le début de l'année 1995, avant que la firme luxembourgeoise ne change de statuts et ne devienne aussi une

---

1. Les numéros de ces comptes non publiés sont, respectivement : 80204 et 80733, 70101, 50997 et 32743.

banque [1]. Cette liste interne est en fait le fichier interne d'adresses des clients de Cedel. Elle nous a été fournie sous la forme d'un listing papier contenant 4 200 références [2].

Cette première liste montre, à un instant donné de l'année 1995, les noms des banques et sociétés utilisant Cedel, les codes qui leur sont affectés à l'intérieur du système, et les personnes chargées de la gestion de ces comptes au sein de ces banques et sociétés.

Il faut savoir, c'est un point fondamental, que la loi luxembourgeoise – et la perspective d'hypothétiques litiges entre utilisateurs du système – oblige la société de clearing à conserver une trace de toutes les transactions liquidées par ses soins, sous forme de papier et de microfiches. C'est pourquoi, depuis environ vingt-cinq ans, Cedel réalise quotidiennement des copies sur microfiches de toutes ses transactions. Même si l'ordinateur et les transactions *on line* sont aujourd'hui la règle, les opérateurs de Cedel et leurs clients ont toujours besoin de vérifier sur un support physique la réalité de leurs échanges. Bien que nous nous trouvions dans le monde de l'argent virtuel et de l'abstraction, nous sommes quand même, et avant tout, dans le monde de l'argent.

---

1. En 1996 s'est constituée Cedel Bank, qui a repris la clientèle de Cedel et qui est devenue Clearstream en janvier 2000. Dans les milieux financiers, Cedel Bank a la réputation d'être "la banque des banques" : en quelque sorte, la banque centrale privée de la mondialisation…

2. La liste des comptes gérés par Cedel en 1995 devrait totaliser plus de 4 500 noms. Il en manque environ 200 dans celle que nous nous sommes procurée. Les adresses des comptes non publiés dépendant d'une banque principale ne figurent pas intégralement dans cette liste. Cedel, en effet, n'échange pas de courrier avec l'ensemble des filiales de ses clients.

À l'extrême gauche : Ernest Backes. Troisième en partant de la gauche : Gérard Soisson. Au centre : Joseph B. Galazka, l'administrateur délégué de Cedel.
Réunion du Comité de direction de Cedel, début 1981. Cette photo a été prise pour illustrer le bilan de l'année 1980.

Gérard Soisson (à droite) *dans les locaux d'IBM Luxembourg, au début des années 70.
À gauche, au deuxième plan : le premier administrateur délégué de Cedel, Clément
Liégeois. Les débuts du clearing furent héroïques.*

Ernest Backes à Cedel au début de l'année 1981, alors qu'il travaillait encore à la Direction des opérations.

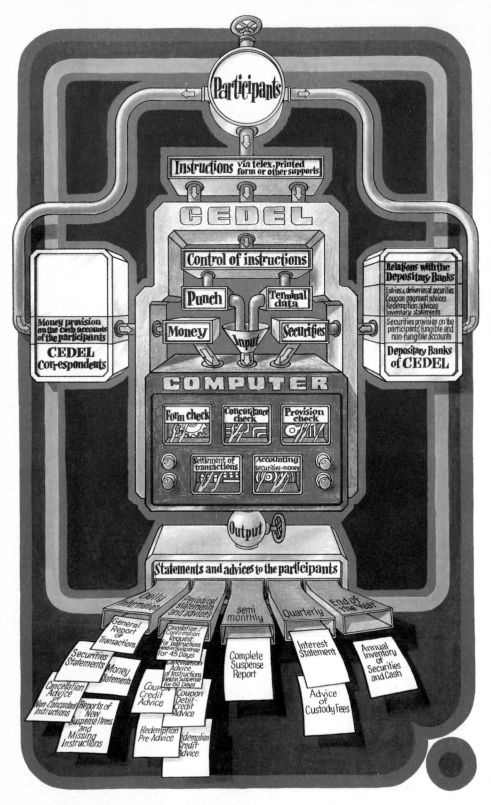

Cette plaquette publicitaire vantant les mérites de Cedel est la première à avoir été réalisée par une agence spécialisée, au milieu des années 70. Elle ne sera jamais diffusée, le président Edmond Israël ayant estimé que le dessin symbolisant le fonctionnement du clearing chez Cedel faisait par trop penser à une machine à sous...

Le banquier luxembourgeois Edmond Israël, qui fut président du conseil d'administration de Cedel à la création de la société de clearing. Il est aujourd'hui président d'honneur de Cedel-Clearstream.

Ancien président du directoire de la Banque générale du Luxembourg, Remy Kremer était vice-président de Cedel en août 1991, lorsque la société de clearing a permis, dans la plus parfaite illégalité, des transferts de titres opérés par la Bank of Credit and Commerce International (BCCI) après la mise sous séquestre des avoirs de cette banque. Remy Kremer a participé à la création des premières sociétés de la Banque Ambrosiano à Luxembourg. On retrouvera l'un de ses fils parmi les liquidateurs de l'Ambrosiano.

Gérard Soisson à la veille de son décès brutal.

Cette photo prise par Scotland Yard le 18 juin 1982 sous le Blackfriars
Bridge, à Londres, montre le cadavre de Roberto Calvi, le "banquier du
pape", juste après qu'il a été décroché par la police londonienne. Calvi
a encore au cou la corde qui a servi à le pendre, tandis que les pierres
retrouvées dans ses poches ont été placées à côté de son corps. On voit
que le bas de son pantalon a été mouillé par les eaux de la Tamise, ce
qui a permis aux experts du Yard de fixer l'heure de la mort (par comparaison avec l'amplitude, régulièrement enregistrée, du niveau du
fleuve).

Nous avons la profonde douleur de faire part du décès de notre bien-aimé et regretté époux, père, beau-frère, oncle, neveu et cousin

Monsieur Gérard Soisson
époux de Marie-Louise Hoffmann

subitement décédé à Cargèse (Corse), le 28 juillet 1983, à l'âge de 48 ans.

L'enterrement, suivi du service funèbre, aura lieu à Sandweiler, le mercredi 3 août 1983, à 16 heures.

De la part de:

Madame
Marie-Louise Soisson-Hoffmann
et ses enfants Daniel, Carmen,
Manuela et Gérard;
Monsieur Nicolas Hoffmann;
Monsieur et Madame
Henri Majerus-Hoffmann
et leurs enfants Jean,
Marie-Thérèse, Marie-Anne
et Henri;
Monsieur et Madame
Paul Schuh-Hoffmann
et leurs enfants
Marco, Claudine et Aly;
Monsieur et Madame
Léon Durbach-Hoffmann
et leurs enfants
Henri, Annette et Norbert;
Monsieur et Madame
Joseph Hoffmann-Baumann
et leurs enfants Guy, Marc,
Marie-Pia et Patricia;
Monsieur et Madame
Jean-Pierre Hoffmann-Arend
et leur fils René;
Madame Jean Soisson-Hommes;
Madame Marie Hoffmann-Ehlinger;
Madame Marie Weber-Maller;
Madamoiselle Jeanne Weber
et des fam

Strassen,
Gare, Belvaux
2 août 1983.

LA DIRE
ET LE PE
DE LA CI
ont le triste de
de

Monsie

Nous lui gar
inaltérable.
Nous tenon
condoléances à la famille éplorée. 31035

LA DIRECTION
ET LE PERSONNEL
DE LA CEDEL S. A.
ont le triste devoir de faire part du décès
de

Monsieur Gérard Soisson
conseiller général

Nous lui garderons un souvenir ému et
inaltérable.
Nous tenons à exprimer nos sincères
condoléances à la famille éplorée. 31035

Ces deux avis de décès ont été publiés dans le Luxemburger Wort *après la mort de Gérard Soisson. En haut, celui de la famille ; en bas, celui de Cedel. La discrétion du faire-part de la société de clearing a surpris les milieux bancaires.*

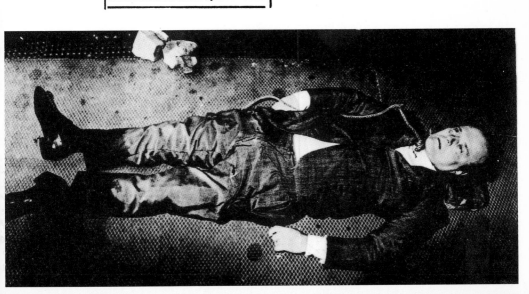

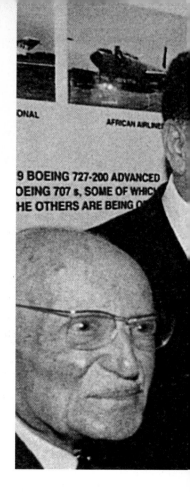

L'équipe d'Asset Investment Management (AIM). De gauche à droite, (debout) : Ernest Backes ; Claude Thill, qui fera parler de lui à l'occasion de l'affaire Péchiney ; Altaf Nazerali, directeur d'AIM ; Romain Gaasch, secrétaire général de Alya Holdings (Gaasch avait été le chef de cabinet de Marcel Mart lorsque celui-ci occupait la fonction de président de la Cour des comptes européenne. Par la suite, il a travaillé pour André Lussi à Cedel, où il était notamment en charge des publications de la firme) ; Michael Kott, le fils d'Irving Kott ; un homme qui se faisait appeler Peter Green (alias Pedro Verde), dealer de la First Commerce Securities à Amsterdam qui a servi dans les différentes sociétés d'Irving Kott ; Alphonse Schmit, administrateur délégué d'AIM.
Assises, au premier plan : les secrétaires d'AIM.

Tirée d'une luxueuse plaquette de promotion pour AIM – réalisée par la plus grande agence de publicité du Luxembourg : Made By Sam's –, cette photo montre, sous un intitulé mensonger ("Message du conseil d'administration"), Ernest Backes et Claude Thill avec Altaf Nazerali et Alphonse Schmit. Seuls ces deux derniers font réellement partie du conseil d'administration. Une illustration supplémentaire de l'art du bluff dans lequel AIM était passé maître.

De gauche à droite : Henry J. Leir, Nadhmi Auchi, Jacques Poos et Jacques Santer.
Cette photo a été prise le 5 mai 1994 à l'occasion du 15e anniversaire de la General Mediterranean Holding SA (GenMed), l'une des sociétés de Nadhmi Auchi. Tirée d'une brochure
publiée pour l'occasion, elle montre – réunis devant un panneau d'information présentant
les investissements aéronautiques de la GenMed – deux représentants emblématiques du
pouvoir politique luxembourgeois (Jacques Santer, alors Premier ministre, qui sera bientôt
nommé président de la Commission européenne ; et Jacques Poos, alors vice-Premier
ministre et ministre des Affaires étrangères, ancien directeur d'établissements financiers
dans lesquels Henry J. Leir et Nadhmi Auchi ont des participations significatives), ainsi que
les deux principaux représentants du pouvoir économique au Grand-Duché : Henry J. Leir
(décédé le 14 juillet 1998, il avait fondé en 1933 la Société des minerais SA) et Nadhmi
Auchi (qui reprendra la Société des minerais après la mort de Leir).

Cette photo tirée d'une brochure de Cedel montre la "salle machines", où sont également fabriquées les archives. La société de clearing est désormais loin des bricolages de ses débuts.

Publicité pour Cedel Bank parue à l'automne 1997 dans la revue TransAction ("Le Journal des professionnels en valeurs mobilières internationales"), qui est en fait une émanation de Cedel.

Vision for Europe
Award Ceremony 1997

Cedel Group played host to the Edmond Israel Foundation Vision for Europe Award attended by over 650 people, including high level government officials, ambassadors and senior executives. At the conference, HE Mr Helmut Kohl, the Chancellor of the Federal Republic of Germany, received the 1997 Vision for Europe Award, a sculpture by Mr Lucien Wercollier.

En haut, à la tribune : André Lussi ; au milieu, photo de gauche : Jean-Claude Juncker, actuel Premier ministre luxembourgeois ; au milieu, photo de droite : Helmut Kohl et Edmond Israël.

Dans la revue interne de Cedel Group, en octobre 1997, une double page est consacrée à la remise du prix décerné par la Fondation Edmond Israël (du nom du premier président de la firme de clearing), baptisé "Vision pour l'Europe". Le lauréat, cette année-là, est le chancelier allemand Helmut Kohl. L'administrateur délégué de Cedel, André Lussi, est aujourd'hui président de la Fondation Israël.

Denis Robert et André Lussi, l'administrateur délégué de Cedel, lors de leur entretien du 18 juillet 2000. Depuis cette date, nos fax, e-mails et courriers recommandés lui demandant des précisions sur sa gestion sont restés sans réponse.

Quand quelqu'un achète, ou prête ce qui lui appartient, il cherche toujours à en conserver la preuve. Chaque jour, des employés de Cedel sont chargés de mettre en microfiches les transactions. Une première série de microfiches est conservée environ douze mois dans les locaux de la firme, puis détruite. Ces documents sont à la disposition d'un des services de Cedel, appelé le service opérations. En effet, les employés de Cedel ont parfois besoin, à la demande de leurs clients, de revenir sur des transactions passées. L'autre série de microfiches, copie conforme de la première, est conservée en archives pendant le minimum légal au Luxembourg : à savoir dix ans pour les entreprises commerciales et quinze ans pour les banques. Ces microfiches étaient, jusqu'à ces dernières années, rangées dans les sous-sols de la Villa Bofferding, à l'intérieur de chambres fortes. La Villa abrite, aux étages supérieurs, les bureaux des principaux dirigeants de la firme. Ernest y avait le sien par le passé. Selon d'autres sources, depuis une vingtaine d'années, un deuxième exemplaire des "archives court terme" de Cedel-Clearstream sont déposées dans les coffres de la West Deutsche Landes Bank, à deux pas de la firme. Laquelle, en contrepartie, accueille dans ses coffres les archives de cette banque allemande.

Cedel étant une entreprise commerciale qui fait office de réseau interbancaire, et désormais de banque, personne n'a su nous dire avec précision – y compris son PDG, André Lussi – sous quel régime juridique elle se situait. En fait, Cedel est à la fois une banque pour ses nouvelles activités bancaires, et un *"professionnel du secteur financier"* pour ses activités en relation avec le clearing. Le flou entretenu autour des délais de conservation de ses microfiches laisse à penser que la firme – hier

Cedel, aujourd'hui Clearstream – ne souhaite pas communiquer à propos de la gestion de ses archives.

J'ai mis un peu de temps avant de saisir l'intérêt formidable de ces documents. Les microfiches qui ont été utilisées pour les besoins de ce livre concernent plusieurs années de transactions à Cedel. Elles sont le complément logique et nécessaire à la liste des comptes et des clients. La liste précise l'identité des clients, les microfiches correspondantes livrent les montants et la nature des transactions de ces clients, et parfois même l'identité des bénéficiaires ultimes. Les microfiches en notre possession couvrent une dizaine d'années d'archivage, et tiennent dans le coffre d'une voiture de moyenne gamme.

Nous n'en avons exploité qu'une infime partie. Notre but, ici, n'est pas l'exploitation de tel ou tel secret bancaire, mais bien de montrer que ce que nous avons pu trouver avec des moyens artisanaux, d'autres, mieux équipés et officiellement missionnés, pourraient en trouver et en décrypter mille fois plus.

Ernest Backes, aidé par ses amis de Cedel, possède ainsi aujourd'hui les codes d'accès à des vérités bancaires considérées jusqu'à présent comme impénétrables.

Nous avons vu, à travers l'exemple de la BCCI, comment, malgré la quantité importante de microfiches archivées quotidiennement par Cedel-Clearstream [1], il était possible – et relativement facile, avec du matériel approprié – de retrouver la trace d'une transaction.

_____

1. Rappelons qu'en 1991, 12 000 microfiches conservaient, annuellement, la mémoire de quelque 100 millions d'opérations.

De la méthode pour arriver à la confection de la liste des comptes non publiés

Revenons à la liste de 1995. Pour détecter les comptes non publiés, deux étapes sont nécessaires. La première a été de récupérer le listing correspondant à l'ensemble des comptes gérés par Cedel en début d'année 1995. Ces comptes, chacun identifié par un code spécifique, étaient enregistrés dans le fichier interne recensant les adresses des clients de la société de clearing. La seconde étape a consisté à comparer cette première liste, interne à Cedel et connue de quelques rares initiés, avec la liste "officielle" distribuée régulièrement aux adhérents du système.

En début d'année 1995, Cedel gérait d'une manière officielle, et vérifiable par toute autorité de contrôle voulant s'en donner la peine, plus de 2 200 comptes. Ces comptes sont les comptes dits "publiés". Mais en réalité, Cedel gérait cette année-là plus de 4 200 comptes, pour près de 2 000 clients appartenant à 73 pays. Il nous a suffi d'une soustraction pour constater que la firme de clearing gérait, de manière totalement officieuse, quelque 1 900 comptes supplémentaires : les comptes non publiés. Nous verrons que cinq ans plus tard, Clearstream gère environ quinze mille comptes, dont la moitié ne sont pas publiés, pour 2 500 clients.

Ce qui étonne *a priori*, c'est le chiffre très élevé de comptes non publiés chez la firme luxembourgeoise. La proportion tourne, à Cedel-Clearstream, en 1995 comme en 2000, autour de 50 %. Au cours de notre enquête, nous avons consulté une dizaine de responsables de banques ou de systèmes de clearing nationaux et internationaux. Chaque fois que nous leur avons demandé des explications concernant cette proportion de comptes non publiés, ils nous ont répondu par de l'incrédulité[1].

Personne, en effet, en dehors de nous et d'un petit nombre de responsables ou d'administrateurs de Clearstream, ne semble avoir accès à cette étonnante statistique.

La comparaison difficile avec Euroclear, et le blocage de Clearstream sur la question des comptes non publiés

Pour pouvoir nous faire une idée de l'intérêt de cette donnée, nous avons cherché à savoir combien de comptes non publiés étaient gérés par Euroclear. La firme belge s'est montrée très réticente à nous livrer ces informations. Pendant quelques mois, on nous a, vraisemblablement volontairement, induit en erreur.

Lors d'un entretien qu'il nous a accordé, Pierre Francotte, le PDG belge de la firme, nous a assuré n'avoir dans ses livres qu'une infime proportion de "comptes non publiés". À savoir 2 %, soit *"environ 150 comptes"* pour 7 000 comptes au total et 2 000 clients. Pour justifier cette non-publication, Pierre Francotte évoque la présence, dans sa société, de plusieurs banques centrales ne souhaitant

---

1. Outre les PDG de Clearstream et Euroclear et quelques-uns de leurs subordonnés, nous nous sommes entretenus avec un ancien dirigeant de Cedel, aujourd'hui responsable des échanges de titres au sein d'une grande banque française ; le numéro deux d'une autre banque française ; l'actuel PDG de la société de clearing française Sicovam ; un ancien cadre de Cedel travaillant aujourd'hui au Crédit suisse de Zurich ; un ancien responsable de la communication de Cedel ; un universitaire spécialiste de ces questions ; un ancien cadre du Crédit lyonnais ; des responsables de Swift ou de sociétés financières luxembourgeoises ; ainsi que des journalistes spécialisés.

faire aucune publicité sur leur présence en Euroclear ni sur leurs éventuelles transactions. Ceci, afin de garder la plus grande impartialité et de ne pas influencer le marché. À propos des autres comptes non publiés, le mutisme est de rigueur : *"Ce sont des clients qui veulent rester discrets pour des raisons strictement commerciales[1]."*

Nous avons dû attendre décembre 2000, après plusieurs appels et relances écrites, pour que Euroclear, par la voix de son responsable de la communication, convienne d'une *"méprise"*. Après calcul, et renseignements pris auprès des techniciens, il y aurait *"en fait"* 3 000 comptes non publiés sur les 7 000 gérés par Euroclear. La firme aurait confondu les *"clients non publiés"* (148 sur 1 900) avec les *"comptes non publiés"* : *"Nous nous excusons pour ces mauvaises informations[2]."* Faute avouée est à moitié pardonnée...

Lors de notre rencontre en juillet 2000, André Lussi, l'actuel administrateur délégué de Cedel-Clearstream, nous avait affirmé que Cedel comptait 2 500 clients, mais n'avait pas souhaité s'exprimer sur le nombre de comptes, même approximativement. Par la suite, il n'a plus répondu à aucune de nos demandes écrites sur ces sujets, y compris sur le nombre de clients non publiés.

À l'évidence, chez Clearstream comme chez Euroclear, on n'aime pas les questions sur cette pratique qui consiste à publier certains comptes, et à n'en pas publier d'autres. À référencer certains clients, et à en dissimuler d'autres.

---

1. Interview avec Pierre Francotte, General Manager d'Euroclear, le 29 août 2000.
2. Entretien avec Conor Leason, le 6 décembre 2000.

Tous les comptes non publiés, et leurs gestionnaires, ne sont pas dans l'illégalité. Certains comptes non publiés – une faible proportion pour ce qui nous a été permis de constater dans les listes de Cedel – sont des comptes de filiales de banques et répondent aux critères définis par les inventeurs de ce sous-système au début des années 70 [1]. D'autres comptes non publiés peuvent répondre à un confort personnel, demandé par certaines banques à l'écoute de leurs clients. C'est, grossièrement, ce qu'on nous a expliqué à Euroclear : *"Certains clients ne souhaitent pas, dans des opérations d'achat et de vente, que leurs contreparties se perdent dans une multitude de comptes de clients, ou de filiales. Il y a aussi le problème de la confidentialité. Prenons l'exemple d'une banque londonienne titulaire d'un compte chez nous qui n'a pas envie que ses clients, essentiellement des fonds de pension, apparaissent sur le marché. Les raisons sont essentiellement commerciales, afin que la concurrence ne voit pas le* business [2].*"*

Ainsi, selon le chargé de communication d'Euroclear, les comptes publiés serviraient de comptes-relais. Ensuite, le produit de l'achat ou de la vente serait ventilé vers des comptes non publiés. Si tout le monde possédait de tels comptes, ce serait pourtant la fin du système de clearing. La possibilité d'échanger des titres au-delà des frontières requiert au minimum, pour le vendeur comme pour l'acheteur, la connaissance du numéro du compte de sa contrepartie dans la société de clearing. De plus, si les comptes

---

1. Rappelons qu'à l'origine, selon Ernest Backes, il n'existait que 200 comptes non publiés appartenant aux filiales de deux grandes banques italiennes.
2. Conversation du 6 décembre 2000 avec Conor Leason.

sur lesquels se passe la majeure partie de l'activité sont les comptes publiés, comment se fait-il que le nombre de comptes non publiés – qui, par définition, ne seraient qu'une facilité technique offerte aux banques disposant de nombreuses succursales –, augmentent de façon si vertigineuse ?

Si André Lussi a refusé de répondre à nos questions sur ce sujet, Pierre Francotte, le PDG d'Euroclear, nous a livré l'explication suivante : *"Je ne suis pas sûr que les comptes non publiés servent de véhicule à quoi que ce soit..."*, avant de reconnaître : *"Si quelqu'un veut cacher quelque chose, il aura tendance à utiliser des comptes non publiés. La difficulté est toujours de pouvoir retracer une transaction. Il est clair que quelqu'un qui cherche à cacher quelque chose aura l'opportunité de rendre la traçabilité particulièrement difficile avec ce système de comptes non parus [1]."*

En langage de banquier où chaque mot est pesé, cela pourrait s'appeler une "révélation".

Certains comptes non publiés sont en infraction avec le règlement intérieur

À l'évidence, chez Cedel, certains comptes non publiés ne répondent pas à des critères strictement techniques ou "de confort". Parmi les titulaires de ces comptes, un tri est nécessaire entre ceux qui, pour des raisons commerciales et concurrentielles, cherchent de la discrétion en utilisant une possibilité offerte par la société de clearing... et les autres.

---

1. Entretien du 29 août 2000.

Compte tenu de leur caractère encore plus hermétique, un accès aux comptes non publiés de Cedel pourrait être particulièrement instructif.

Le compte non publié de la Banque de France mis à la disposition de la DGSE, qui existe sous le même code en 1995 et en 2000, est un bon exemple. Il montre qu'il est possible, pour des raisons qui n'ont rien à voir avec celles évoquées plus haut, de bénéficier d'un compte non publié en Cedel.

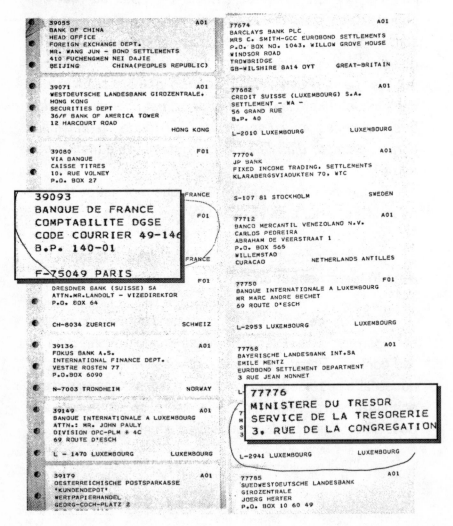

39093	BANQUE DE FRANCE D.G.S.E.	PARIS	FRANCE

Les exemples de clients possédant des comptes non publiés en Cedel, à côté de comptes publiés, sont nombreux. Mais qu'en est-il des dizaines de comptes non publiés appartenant à des clients non répertoriés, comme Siemens, Accor ou Unilever... ?

71701	SIEMENS AG	GERMANY	ZFF 71/TREASURY CONTROL
79987	SIEMENS AG	GERMANY	CORPORATE FINANCE
79779	SIEMENS AG OESTERREICH	AUSTRIA	DEPARTMENT RB
77054	SIEMENS AGG	GERMANY	ZFF 71

50453	ACCOR WAGONS LITS	FRANCE	DIRECTION TRESORERIE ET FINANCEMENTS

53198	UNILEVER	NEDERLAND	TREASURY ADM. PLC
57649	UNILEVER	NETHERLANDS	TREASURY ADM. PLC

Qu'en est-il des comptes non publiés au nom de sociétés d'investissement non référencées installées à Guernesey, Caïmans, Luxembourg ou Singapour ? Tels les Guernsey Administrative Services Ltd., dont on ne retrouve pas la trace dans la liste officielle.

75480	N	GUERNSEY ADMINISTRATIVE SERVICES LTD	CHANNEL ISLANDS	SECURITIES AND INVESTMENTS
75485	N	GUERNSEY ADMINISTRATIVE SERVICES LTD	CHANNEL ISLANDS	SECURITIES AND INVESTMENTS

Qu'en est-il des centaines de comptes non publiés du Crédit lyonnais, de la Barclays, de la Citibank, de l'UBS, de la BIL-Dexia Luxembourg, de la Banque générale de Luxembourg (appartenant aujourd'hui au groupe Fortis) et des banques russes ou colombiennes nouvellement admises chez Clearstream ? Qu'en est-il des comptes non publiés de la Sofaxbanque (Société financière auxiliaire du pétrole), chargée par le groupe Elf d'organiser ses *"investissements"* vers l'étranger [1] ?

En lisant attentivement le règlement intérieur de Clearstream, on trouve discrètement mentionnée la possibilité de bénéficier de comptes non publiés

La possibilité offerte à des clients de Cedel-Clearstream de disposer de comptes non publiés est, parmi les initiés du village financier, un secret de Polichinelle. La firme ne fait pas de publicité sur ce point. Elle communique discrètement. Ce "service" apparaît toutefois dans le règlement intérieur de la société de clearing, en 1995 comme en l'an 2000, règlement envoyé à tout client potentiel qui en fait la demande.

Dans la version française de 1997, reproduite *in extenso* en 2000, on peut lire sous le titre "Comptes clients" : *"Chaque compte client est identifié par un numéro de compte unique à cinq chiffres. Par l'intermédiaire d'un seul compte et d'un seul numéro, nos clients peuvent dénouer des transactions et maintenir des soldes dans tous les titres et devises admis. Au moment d'ouvrir un compte, le client doit spécifier les options à être appli-*

---

1. Cette société, présentée comme une banque ou une société d'investissement, est une émanation du groupe Elf. La Sofaxbanque – dont le nom n'est pas apparu dans la presse – aurait viré l'intégralité des commissions suspectes de l'affaire Elf, en particulier les 256 millions de francs utilisés pour le rachat de la raffinerie de Leuna, en ex-Allemagne de l'Est.

quées à son compte." Suit un sous-chapitre intitulé : "Compte principal et compte supplémentaire". En introduction, Cedel donne le conseil suivant : *"Nos clients peuvent ouvrir des comptes supplémentaires pour mieux distinguer leurs propres positions des positions de leurs clients* [1]*, pour répondre à des besoins spécifiques ou pour d'autres raisons."* La firme ne précise pas de quelles *"autres raisons"* il peut s'agir. C'est donc au client de faire preuve d'imagination. Le règlement évoque des *"comptes supplémentaires"*, et pas des comptes non publiés [2].

Dans le cadre de ces *"besoins spécifiques"*, les dirigeants de Cedel précisent : *"En règle générale, le compte principal de chaque client est publié : l'existence du compte, ainsi que son nom et son numéro, sont publiés dans la "Code List" de Cedel Bank, dans des rapports et dans des documents imprimés... Sur demande, et à la discrétion de Cedel Bank, le client peut ouvrir un compte non publié. Les comptes non publiés ne figurent dans aucun document imprimé et leur nom n'est mentionné dans aucun rapport."* Ce passage montre que Cedel-Clearstream gère les demandes de comptes non publiés selon des critères qui ne sont pas définis dans le règle-

---

1. En Grande-Bretagne, cette disposition (*Client Money Regulation*) est une obligation légale depuis le début des années 90. Elle oblige les banques et les intermédiaires financiers anglais à s'assurer et à apporter la preuve que les fonds ou les titres déposés par eux et appartenant à des clients sont séparés de leurs fonds propres et individualisés dans les livres du dépositaire. La protection des clients en est accrue.
2. Cet élément pourra se révéler crucial si des recherches judiciaires sont lancées : le règlement de Cedel précise en effet que des banques peuvent, pour des raisons qui leur sont propres, créer des sous-comptes pour des clients spécifiques, *"en les identifiant".*

ment intérieur et qui, à notre connaissance, ne le sont nulle part. La gestion de ces comptes spéciaux s'effectue loin de tout regard importun, et de manière discrétionnaire. Par qui ? Selon nos sources, l'administrateur délégué de Cedel serait le principal gestionnaire de ces comptes [1].

Interrogé sur ces points, André Lussi n'a répondu à aucune de nos questions [2].

Toujours dans le règlement intérieur de la firme, à propos des comptes non publiés, on peut relever un peu plus loin : *"Les sous-comptes, tels que les comptes de dépôt et les comptes espèces, sont généralement ouverts comme des comptes non publiés. Il n'est pas nécessaire de divulguer l'existence de ces comptes aux contreparties, le dénouement des transactions conclues avec ces dernières étant effectué par l'intermédiaire du compte principal de notre client."*

Cette explication paraît superflue. Elle est la réminiscence du règlement d'origine mis en place dans les années 1978-1979, du temps de Gérard Soisson et Ernest Backes. La logique de ce règlement intérieur prévoit qu'un compte non publié ne peut fonctionner que comme le sous-compte (supplémentaire) d'un compte principal publié. Mais dans la liste de comptes non publiés de 1995 (ainsi que dans celle de 2000), une proportion non négligeable ne sont pas les sous-comptes d'un compte principal.

1. En 1983, Gérard Soisson était chargé de cette tâche. Nous avons vu qu'il avait refusé de nombreuses ouvertures de comptes non publiés.
2. Courrier du 8 septembre 2000,et lettre recommandée du 25 janvier 2001.

La liste de 1995 révèle de nombreuses incohérences. L'exemple du Venezuela

Prenons l'exemple, dans la liste de 1995, des clients vénézuéliens de Cedel. Nous y relevons :

15 comptes publiés

57929	Y	BAMERINVEST C.A.	VENEZUELA LOLOA
77440	Y	CITIBANK N.A. CARACAS	VENEZUELA
77437	Y	CITIBANK N.A. CARACAS	VENEZUELA
77326	Y	CITIBANK CARACAS	VENEZUELA
75167	Y	CITIBANK CARACAS	VENEZUELA
81116	Y	BANCO PROVINCIAL OVERSEAS N.V.	VENEZUELA
57245	Y	CITIBANK CARACAS	VENEZUELA
79647	Y	CHASE INVERSORA C.A.	VENEZUELA
75170	Y	CITIBANK CARACAS	VENEZUELA
74484	Y	CITIBANK CARACAS	VENEZUELA
78064	Y	CITIBANK CARACAS	VENEZUELA
75418	Y	EXTERIOR BANK N.A.N.V.	VENEZUELA
54801	Y	BANCO MERCANTIL S.A.C.A.	VENEZUELA
54815	Y	BANCO PROVINCIAL OVERSEAS N.V.	VENEZUELA
79812	Y	BANCO VENEZOLANO DE CREDITO, S.A.C.A.	VENEZUELA

24 comptes non publiés, parmi lesquels 20 appartiennent à la Citibank de Caracas – qui possède par ailleurs huit comptes publiés au Venezuela.

77033	N	BAMERINVEST C.A.	VENEZUELA
78994	N	BANCO EXTERIOR DE LOS ANDES Y DE ESPANA SA	VENEZUELA
79086	N	BANCO PROVINCIAL OVERSEAS N.V.	VENEZUELA
57474	N	**BANCO LA GUAIRA**, SACA	VENEZUELA
72044	N	CITIBANK CARACAS	VENEZUELA
72031	N	CITIBANK CARACAS	VENEZUELA
72001	N	CITIBANK CARACAS	VENEZUELA
57253	N	CITIBANK CARACAS	VENEZUELA
71981	N	CITIBANK CARACAS	VENEZUELA
71973	N	CITIBANK CARACAS	VENEZUELA
71965	N	CITIBANK CARACAS	VENEZUELA
71960	N	CITIBANK CARACAS	VENEZUELA
72006	N	CITIBANK CARACAS	VENEZUELA
80071	N	CITIBANK N.A.	VENEZUELA
57258	N	CITIBANK CARACAS	VENEZUELA
79248	N	CITIBANK N.A. CARACAS	VENEZUELA
71999	N	CITIBANK CARACAS	VENEZUELA
80433	N	CITIBANK CARACAS	VENEZUELA
74875	N	CITIBANK CARACAS	VENEZUELA
72138	N	CITIBANK CARACAS	VENEZUELA
72303	N	CITIBANK CARACAS	VENEZUELA
72308	N	CITIBANK CARACAS	VENEZUELA
72320	N	CITIBANK CARACS	VENEZUELA
72325	N	CITIBANK CARACAS	VENEZUELA

Ces comptes non publiés sont tous reliés à un compte publié (au Venezuela ou ailleurs), excepté celui de la Banco La Guaira. En effet, ce compte n'est le sous-compte d'aucun compte principal : il s'agit bel et bien du compte non publié d'un client non référencé en Cedel. Un compte n'apparaissant dans aucun imprimé, n'existant nulle part ailleurs que dans la "mémoire intime de Cedel".

Nous sommes au cœur du système tel qu'il fonctionne aujourd'hui : les comptes non publiés du type de ce compte vénézuélien trouvé au hasard de notre liste sont des comptes de clients non référencés. Dépourvus d'existence officielle, ils paraissent en infraction avec le règlement de Cedel. Et avec les dires de son PDG.

Le cas des 186 comptes de clients "français" de Cedel, dont 57 ne sont pas publiés

Autre exemple, toujours sur notre liste de 1995 : le cas des clients "français" de Cedel, des banques ou des sociétés implantées en France. Une bonne moitié de ces clients ayant des comptes publiés sont des banques étrangères possédant une succursale à Paris. En 1995, Cedel recensait, dans la liste de ses clients domiciliés en France :

186 comptes publiés

18660	Y	BANQUE POUR L'INDUSTRIE FRANCAISE	FRANCE
76533	Y	SOCIETE DE BOURSE GILBERT DUPONT	FRANCE
74891	Y	CREDIT LYONNAIS	FRANC
74297	Y	UBS FRANCE SA	FRANCE
25679	Y	BANQUE COLBERT	FRANCE
73644	Y	BANCO SANTANDER FRANCE	FRANCE
73563	Y	CAISSE DES DEPOTS ET CONSIGNATIONS	FRANCE
76185	Y	PALUEL-MARMONT BANQUE	FRANCE
73580	Y	BANQUE S.G. WARBURG	FRANCE
73606	Y	DEUTSCHE BANK FRANCE SNC	FRANCE
76274	Y	ODDO ET CIE	FRANCE
75294	Y	CREDIT COMMERCIAL DE FRANCE (REIMS)	FRANCE
74425	Y	CREDIT LYONNAIS	FRANCE

74115	Y	OFIVALMO	FRANCE
18708	Y	CREDIT COMMERCIAL DE FRANCE	FRANCE
75876	Y	BANQUE VERNES	FRANCE
74896	Y	CREDIT LYONNAIS	FRANCE
52736	Y	BANQUE SARADAR FRANCE SA	FRANCE
53252	Y	C.P.R. RUB.SCHELCHER DUMONT PRINCE	FRANCE
35360	Y	SOCIETE MARSEILLAISE DE CREDIT	FRANCE
53193	Y	CREDIT LYONNAIS	FRANCE
53142	Y	BANCO EXTERIOR DE ESPANA SA, PARIS BRANCH	FRANCE
53112	Y	SOFABANQUE	FRANCE
53079	Y	ARAB BANK LTD	FRANCE
53040	Y	FERRI SA – SOCIETE DE BOURSE	FRANCE
35602	Y	COMPAGNIE BANCAIRE	FRANCE
13200	Y	SICOVAM	FRANCE
35688	Y	SOCIETE GENERALE	FRANCE
13099	Y	INTERNATIONALE NEDERLANDEN BANK NV	FRANCE
52706	Y	CAISSE DE GESTION MOBILIERE	FRANCE
52579	Y	BANQUE LEHMAN BROTHERS SA	FRANCE
52477	Y	NIKKO FRANCE SA	FRANCE
52426	Y	CREDIT INDUSTRIEL D'ALSACE ET DE LORRAINE	FRANCE
52345	Y	CAISSE CENTRALE DES BANQUES POPULAIRES	FRANCE
12980	Y	WESTDEUTSCHE LANDESBANK (FRANCE) SA	FRANCE
12963	Y	CREDIT LYONNAIS	FRANCE
52099	Y	GENERALE DE BANQUE BELGE (FRANCE) SA	FRANCE
12874	Y	BANQUE FRANCAISE DU COMMERCE EXTERIEUR	FRANCE
12858	Y	CAISSE CENTRALE DES BANQUES POPULAIRES	FRANCE
55285	Y	BANQUE D'ESCOMPTE	FRANCE
35718	Y	BANQUE DU PHENIX	FRANCE
54224	Y	BANQUE INDOSUEZ	FRANCE
55263	Y	NATWEST SELLIER	FRANCE
33227	Y	KUWAITI-FRENCH BANK	FRANCE
55239	Y	BANQUE HARWANNE	FRANCE
54976	Y	ROTHSCHILD ET CIE BANQUE	FRANCE
54904	Y	MASSONAUD FONTENAY KERVERN	FRANCE
15873	Y	BARCLAYS BANK SA	FRANCE
54890	Y	PROMINNOFI	FRANCE
54771	Y	FRANCE COMPENSATION BOURSE	FRANCE
54488	Y	FIMAGEST SA	FRANCE
53465	Y	COMMERZBANK A.G., SUCCURSALE DE PARIS	FRANCE
54270	Y	GMF BANK – FINANCIAL DIRECTION	FRANCE
35122	Y	BANQUE DE GESTION PRIVEE-SIB	FRANCE
34231	Y	BANQUE PARIBAS	FRANCE
34342	Y	SOCIETE GENERALE	FRANCE
13889	Y	BANQUE LIBANAISE POUR LE COMMERCE (FRANCE)	FRANCE
54114	Y	BAMQUE FEDERATIVE DU CREDIT MUTUEL	FRANCE
13765	Y	BANCO POPULAR COMERCIAL	FRANCE
54038	Y	CAISSE NATIONALE DE CREDIT AGRICOLE	FRANCE
13714	Y	B.B.L. France	FRANCE
53711	Y	BANCO PORTUGUES DO ATLANTICO	FRANCE
53699	Y	CAISSE DE DEPOTS ET CONSIGNATIONS	FRANCE
51608	Y	SBT BATIF	FRANCE
38003	Y	SOCIETE GENERALE	FRANCE
11665	Y	SOCIETE GENERALE NANTES	FRANCE
38067	Y	CAISSE NATIONALE DE CREDIT AGRICOLE	FRANCE
38059	Y	SOCIETE MARSEILLAISE DE CREIT	FRANCE
38091	Y	BANQUE TRANSATLANTIQUE	FRANCE
39934	Y	BANQUE NATIONALE DE GRECE (FRANCE)	FRANCE
39900	Y	C.N.C.A. SECURITIES-JERSEEEEEY LTD	FRANCE
81014	Y	HAYAUX DU TILLY SA	FRANCE
39764	Y	SAINT GOBAIN NEDERLAND N.V.	FRANCE
81124	Y	BANQUE NATIONALE DE GRECE (FRANCE)	FRANCE
11509	Y	FINACOR	FRANCE
51743	Y	REGEFI	FRANCE

39599	Y	GMF BANQUE	FRANCE
11681	Y	CREDIT DU NORD	FRANCE
11444	Y	BANQUE DE NEUFLIZE, SCHLUMBERGER MALLET S.A.	FRANCE
11398	Y	CREDIT LYONNAIS	FRANCE
11347	Y	CREDIT COMMERCIAL DE FRANCE	FRANCE
11240	Y	BNP CAPITAL MARKETS	FRANCE
11207	Y	BANQUE INDOSUEZ	FRANCE
81221	Y	ARCA BANQUE DU PAYS BASQUE SA	FRANCE
38628	Y	SOCIETE GENERALE-BO OPTIONS CHANGE	FRANCE
39080	Y	VIA BANQUE	FRANCE
39662	Y	CREDIT LYONNAIS	FRANCE
50819	Y	BANQUE D'ORSAY	FRANCE
51497	Y	BANKERS TRUST (FRANCE) SA	FRANCE
12408	Y	LAZARD FRERES & CIE	FRANCE
12394	Y	WORMSER FRERES	FRANCE
51462	Y	AXA BANQUE	FRANCE
51438	Y	BANQUE DE CHINE	FRANCE
51403	Y	BANQUE SCALBERT DUPONT	FRANCE
51390	Y	BANQUE GENERALE DU COMMERCE SA	FRANCE
51085	Y	CAIXAA GERAL DE DEPOSITOS	FRANCE
12254	Y	BANQUE FRANCAISE DE L'ORIENT	FRANCE
12238	Y	CREDIT INDUSTRIEL ET COMMERCIAL DE PARIS	FRANCE
50844	Y	CITIBANK S.A.	FRANCE
50070	Y	BANQUE VERNES	FRANCE
50746	Y	BAYERISCHE VEREINSBANK S.A. (BV FRANCE)	FRANCE
12114	Y	BANQUE SUDAMERIS	FRANCE
50698	Y	REPUBLIC NATIONAL BANK OF NEW YORK (FRANCE)	FRANCE
80700	Y	UBS SA MAISON DE TITRES	FRANCE
11819	Y	BANQUE FRANCO-PORTUGAISE	FRANCE
50466	Y	CAISSE CENTRALE DES BANQUES POPULAIRES	FRANCE
50445	Y	BANQUE DUMENIL LEBLE	FRANCE
11746	Y	COMPAGNIE FINANCIERE DE L'UNION EUROPEENNE	FRANCE
50240	Y	FONDS DE REETABLISSEMENT DU CONSEIL DE L'EUROPE	FRANCE
14109	Y	BANCO BILBAO VIZCAYA	FRANCE
80608	Y	BANQUE PARISIENNE DE CREDIT	FRANCE
58262	Y	EUROPENNE D'INTERMEDIATION FINANCIERE ET BOURSIERE	FRANCE
78080	Y	ECOFI-FINANCE	FRANCE
78102	Y	LOUIS DREYFUS FINANCE (BANQUE) SA	FRANCE
58807	Y	SOVAC	FRANCE
30970	Y	BANQUE MAROCAINE DU COMMERCE EXTERIEUR	FRANCE
17906	Y	MESSIEURS HOTTINGER & CIE	FRANCE
31054	Y	BANQUE ODIER BUNGENER COURVOISIER	FRANCE
58454	Y	CREDIT LYONNAIS	FRANCE
31135	Y	NATIONAL BANK OF ABU DHABI, PARIS BRANCH	FRANCE
31615	Y	CAISSE CENTRALE DES BANQUES POPULAIRES	FRANCE
17973	Y	SOCIETE LYONNAISE DE BANQUE	FRANCE
77909	Y	BANCA DI ROMA (SUCC PARIS)	FRANCE
14273	Y	BANQUE RIVAUD & CIE	FRANCE
58119	Y	CHEUVREUX DE VIRIEU	FRANCE
78697	Y	DB BOURSE SNC	FRANCE
17744	Y	BANQUE C.G.E.R. FRANCE	FRANCE
72499	Y	CCF ELYSEES BOURSE	FRANCE
58411	Y	BANQUE SIFAS	FRANCE
17019	Y	BANQUE INTERCONTINENTALE ARABE	FRANCE
77046	Y	BANQUE AUDI (FRANCE) SA	FRANCE
17647	Y	SOCIETE CENTRALE DE BANQUE S.A.	FRANCE
17612	Y	SOCIETE DE BANQUE OCCIDENTALE	FRANCE
17388	Y	BANQUE DE REESCOMPTE ET DE PLACEMENT B.A.R.E.P.	FRANCE
71646	Y	CREDIT LYONNAIS	FRANCE
77976	Y	BANQUE IBJ FRANCE SA	FRANCE
70939	Y	CREDIT LYONNAIS PARIS	FRANCE
77933	Y	VIA BOURSE	FRANCE
70521	Y	JEAN PIERRE PINATTON SA	FRANCE
70496	Y	BANQUE INDOSUEZ	FRANCE

77016	Y	BANQUE FRANCO ROUMAINE	FRANCE
70173	Y	UBS FRANCE SA	FRANCE
30457	Y	CREDIT AGRICOLE	FRANCE
17892	Y	BANQUE PARIBAS	FRANCE
30651	Y	BANQUE HERVET	FRANCE
29640	Y	CPR INTERMEDIATION	FRANCE
55948	Y	CAISSE CENTRALE DE REESCOMPTE	FRANCE
32328	Y	ELECTRO BANQUE	FRANCE
56596	Y	PATRICE WARGNY SA	FRANCE
14745	Y	UNION DE BANQUES ARABES ET FRANCAISES, U.B.A.F.	FRANCE
14621	Y	CAISSE DES DEPOTS ET CONSIGNATIONS	FRANCE
56354	Y	DE CHOLET DUPONT	FRANCE
56222	Y	DEUTSCHE BANK FRANCE SNC	FRANCE
56184	Y	BANCO SANTANDER	FRANCE
56078	Y	CAISSE CENTR. DE CREDIT MUTUEL DU CENTRE	FRANCE
56001	Y	ING BOURSE	FRANCE
79141	Y	MATIF SA	FRANCE
32905	Y	BNP FINANCE	FRANCE
18406	Y	CITIBANK N.A.	FRANCE
14460	Y	BANQUE EUROPEENNE DE TOKYO	FRANCE
55463	Y	PATRICK DU BOUZET SOC. DE BOURSE	FRANCE
55455	Y	BANQUE NOMURA FRANCE	FRANCE
72910	Y	SOCIETE DE BOURSE DYNABOURSE	FRANCE
14427	Y	BANQUE WORMS	FRANCE
55374	Y	VEGA FINANCE	FRANCE
14281	Y	DEMACHY WORMS ET CIE	FRANCE
55306	Y	DIDIER PHILIPPE, AGENT DE CHANGE	FRANCE
56065	Y	SOCIETE BANCAIRE DE PARIS	FRANCE
32107	Y	UNION DES BANQUES A PARIS	FRANCE
57538	Y	ORDO ET CIE	FRANCE
15377	Y	BANQUE DE FRANCE	FRANCE
57512	Y	DELAHAYE RIPAULT SA	FRANCE
32379	Y	BANQUE INDUSTRIELLE & MOBILIERE PRIVEE	FRANCE
57312	Y	UNIAO DE BANCOS PORTUGUESES	FRANCE
15199	Y	LA COMPAGNIE FINANCIERE EDMOND DE ROTHSCHILD BQUE	FRANCE
31739	Y	BANQUE FRANCAISE DU COMMERCE EXTERIEUR	FRANCE
78859	Y	BAYERISCHE VEREINSBANK AG	FRANCE
31704	Y	SPCIETE GENERALE	FRANCE
31682	Y	CDC/EURO TITRES INTERNATIONAL SA	FRANCE
57681	Y	BANQUE FINANCIERE GROUPANA	FRANCE
56979	Y	BANCA COMMERCIALA ITALIANA (FRANCE)	FRANCE
56944	Y	SOCIETE GENERALE	FRANCE
56936	Y	SOCIETE GENERAL	FRANCE
31658	Y	BIP-BANQUE INTERNATIONALE DE PLACEMENT	FRANCE
14885	Y	BANQUE SANPAOLO PARIS	FRANCE

57 comptes non publiés

22543	N	CREDIT COMMERCIAL DE FRANCE	FRANCE
75200	N	BANQUE INDUSTRIELLE ET MOBILIERE PRIVE	FRANCE
73844	N	UNION DE BANQUES ARABES ET FRANCAISES	FRANCE
27019	N	**SOFABANQUE**	FRANCE
76350	N	CREDIT LYONNAIS	FRANCE
19542	N	BANQUE NATIONALE DE PARIS	FRANCE
25437	N	LAZARD FRERES + CIE	FRANCE
27027	N	SOFABANQUE	FRANCE
21709	N	BANQUE NATIONALE DE PARIS	FRANCE
75582	N	BANQUE S.G. WARBURG	FRANCE
20451	N	SOCIETE GENERALE	FRANCE

75817	N	WESTDEUTSCHE LANDESBANK (FRANCE) SA	FRANCE
21776	N	BANQUE PARIBAS	FRANCE
26217	N	BANQUE FRANCAISE DU COMMERCE EXTERIEUR	FRANCE
27197	N	BAII	FRANCE
74390	N	BANQUE NATIONALE DE GRECE (FRANCE)	FRANCE
75812	N	WESTDEUTSCHE LANDESBANK (FRANCE) SA	FRANCE
76210	N	BANQUE NOMURA FRANCE	FRANCE
74454	N	BANQUE NATIONALE DE GRECE (FRANCE)	FRANCE
35314	N	SOCIETE GENERALE	FRANCE
51662	N	**CAISSE NATIONALE DE TELECOMMUNICATIONS**	FRANCE
53567	N	MEESCHAERT-ROUSSELLE	FRANCE
33230	N	COMPAGNIE BANCAIRE	FRANCE
79545	N	CAISSE CENTRALE DES BANQUES POPULAIRES	FRANCE
34406	N	FERRI S.A.	FRANCE
34738	N	SOCIETE GENERALE SEINE	FRANCE
39556	N	**MORGAN GUARANTY TRUST, CY OF NEW YORK**	FRANCE
38606	N	B.N.P. EURO CP	FRANCE
39093	N	BANQUE DE FRANCE	FRANCE
38674	N	BANKERS TRUST (FRANCE) SA	FRANCE
37320	N	CREDIT LYONNAIS	FRANCE
37974	N	BANQUE INDOSUEZ	FRANCE
50453	N	**ACCOR WAGONS LITS**	FRANCE
37656	N	BANQUE INDOSUEZ	FRANCE
78276	N	SOFABANQUE	FRANCE
16047	N	CREDIT COMMERCIAL DE FRANCE	FRANCE
71854	N	CREDIT LYONNAIS	FRANCE
71927	N	COMPAGNIE BANCAIRE - UCB	FRANCE
28563	N	CAISSE NATIONALE DE CREDIT AGRICOLE	FRANCE
28376	N	CAISSE CENTRALE DES BANQUES POPULAIRES	FRANCE
78714	N	BANQUE PARIBAS	FRANCE
71331	N	CREDIT LYONNAIS	FRANCE
71328	N	CREDIT LYONNAIS	FRANCE
29483	N	CAISSE DES DEPOTS ET CONSIGNATIONS	FRANCE
77025	N	BANQUE D'ORSAY	FRANCE
71064	N	CREDIT LYONNAIS PARIS	FRANCE
71714	N	BARING SECURITIES BOURSE SA	FRANCE
70220	N	DEUTSCHE BANK FRANCE SNC	FRANCE
30538	N	BANQUE PARIBAS	FRANCE
57716	N	BANQUE PARIBAS	FRANCE
56507	N	BANQUE INDOSUEZ	FRANCE
32514	N	SOCIETE GENERALE	FRANCE
32803	N	BANQUE INDOSUEZ	FRANCE
78727	N	BANQUE PARIBAS	FRANCE
14451	N	**COMPAGNIE FINANCIERE DE L'UNION EUROPEENNE**	FRANCE
28121	N	COURCOUX-BOUVET SA	FRANCE
79022	N	BANQUE NOMURA FRANCE	FRANCE

Parmi ces derniers, certains ne sont les sous-comptes d'aucun compte publié. C'est le cas du compte non publié du groupe hôtelier Accor Wagons-Lits, qui n'apparaît nulle part ailleurs, de la Caisse nationale des télécommunications (qui a demandé que la correspondance du compte non publié soit exclusivement adressée à son directeur général) ou encore de la Compagnie financière de l'Union européenne. On trouve aussi, parmi les comptes non publiés de Cedel, la trace d'un compte au nom de la banque fondatrice de son principal concurrent, Euroclear, en l'occurrence une filiale française de la Morgan Guaranty Trust Company of New York.

Au total, une dizaine de clients français de Cedel ne possèdent que des comptes non publiés, sans être répertoriés dans la liste des clients de la firme.

D'autres clients, une majorité, ont des comptes dans les deux listes. La Caisse centrale des banques populaires, par exemple, qui regroupe toutes les Banques populaires de France, a deux comptes publiés (intitulés : "Opérations à l'étranger"*)* et un compte non publié (intitulé : "Gestion internationale"). Le Crédit agricole possède un compte publié et un non publié (au nom d'un cadre de la banque). Il en est de même pour la Banque Paribas, la Banque Indosuez, la Caisse des dépôts et consignations, la Banque de France (dont le seul compte non publié est ouvert au nom de la DGSE), la Société générale ou le Crédit commercial de France. La Sofaxbanque possède, elle, un compte publié pour trois comptes non publiés. Idem pour la filiale parisienne de la banque japonaise Nomura, à la réputation sulfureuse car impliquée dans de nombreux scandales financiers au Japon.

La plupart des autres clients français de Cedel, de la Banque Hervet à la Banque Vernes en passant par AXA Banque ou la Via Banque, n'ont que des comptes publiés. Ils sont la majorité. Cette photographie rapide est à relativiser, compte tenu d'un élément essentiel : les grosses banques françaises ont de nombreuses filiales à l'étranger qui ont davantage de comptes non publiés [1].

---

1. Nous nous apercevrons notamment, en étudiant les comptes 2000, que la plupart des filiales de grosses banques françaises basées dans les principaux paradis fiscaux y possèdent des comptes non publiés.

Le Crédit lyonnais a forcément utilisé les comptes non publiés de Cedel

Le champion de France, pour l'année 1995, en matière de comptes non publiés reste le Crédit lyonnais, qui a laissé un trou de 140 milliards de francs que le contribuable français a dû, et doit encore, rembourser. Ce trou est, pour l'essentiel, lié à des investissements vers l'étranger. Le Crédit lyonnais, qui fut une des banques fondatrices de Cedel, possédait 55 comptes à son nom dans les registres de la société de clearing, dont 23 étaient des comptes non publiés.

Y	39662	CREDIT LYONNAIS	FRANCE
Y	74425	CREDIT LYONNAIS	FRANCE
Y	58454	CREDIT LYONNAIS	FRANCE
Y	53193	CREDIT LYONNAIS	FRANCE
Y	30767	CREDIT LYONNAIS	GREAT BRITAIN
Y	11398	CREDIT LYONNAIS	FRANCE
Y	74891	CREDIT LYONNAIS	FRANCE
Y	74896	CREDIT LYONNAIS	FRANCE
Y	52358	CREDIT LYONNAIS	SPAIN
Y	74985	CREDIT LYONNAIS	GREAT BRITAIN
Y	51187	CREDIT LYONNAIS	U.S.A.
Y	27308	CREDIT LYONNAIS	U.S.A.
Y	71646	CREDIT LYONNAIS	FRANCE
Y	12963	CREDIT LYONNAIS	FRANCE
Y	13897	CREDIT LYONNAIS (SUISSE) S.A.	SWITZERLAND
Y	70993	CREDIT LYONNAIS (URUGUAY SA	URUGUAY
Y	31607	CREDIT LYONNAIS - SINGAPORE BRANCH	SINGAPORE
Y	55298	CREDIT LYONNAIS BANK (AUSTRIA) AG	AUSTRIA
Y	12220	CREDIT LYONNAIS BELGIUM S.A.	BELGIUM
Y	55310	CREDIT LYONNAIS CANADA	CANADA
Y	30406	CREDIT LYONNAIS GELGIUM SA	BELGIUM
Y	51969	CREDIT LYONNAIS HONG KONG BRANCH	HONG KONG
Y	12319	CREDIT LYONNAIS LUX BRANCH	LUXEMBOURG
Y	73959	CREDIT LYONNAIS LUXEMBOURG SA	LUXEMBOURG
Y	72864	CREDIT LYONNAIS MANILA OFFSHORE BRANCH	PHILIPPINES
Y	70939	CREDIT LYONNAIS PARIS	FRANCE
Y	53185	CREDIT LYONNAIS SEC. (SWITZERLAND AG,TOKYO BRANCH	JAPAN
Y	52221	CREDIT LYONNAIS SECURITIES	GREAT BRITAIN
Y	54084	CREDIT LYONNAIS SECURITIES	GREAT BRITAIN
Y	55085	CREDIT LYONNAIS SEURITIES (CH) SA	SWITZERLAND
Y	76066	CREDIT LYONNAIS SINGAPORE-A/C CLIENTS	SINGAPORE
Y	50194	CREDIT LYONNAIS TOKYO BRNACH	JAPAN

N	39560	BFG BANK AG, GRUPPE CREDIT LYONNAIS	GERMANY
N	37588	CREDIT LYONNAIS	GREAT BRITAIN
N	71854	CREDIT LYONNAIS	FRANCE
N	71328	CREDIT LYONNAIS	FRANCE
N	76350	CREDIT LYONNAIS	FRANCE
N	71331	CREDIT LYONNAIS	FRANCE
N	37320	CREDIT LYONNAIS	FRANCE
N	32484	CREDIT LYONNAIS BELGIUM S.A.S	BELGIUM
N	28520	CREDIT LYONNAIS EURO-SECURITIES	GREAT BRITAIN
N	27885	CREDIT LYONNAIS EURO-SECURITIES	GREAT BRITAIN
N	27893	CREDIT LYONNAIS EURO-SECURITIES	GREAT BRITAIN
N	28423	CREDIT LYONNAIS EUROSECS. CLIENT 4	GREAT BRITAIN
N	75426	CREDIT LYONNAIS HONG KONG	HONG KONG
N	29810	CREDIT LYONNAIS LUX BRANCH	LUXEMBOURG
N	31038	CREDIT LYONNAIS LUX BRANCH	LUXEMBOURG
N	74556	CREDIT LYONNAIS LUXEMBOURG	LUXEMBOURG
N	35780	CREDIT LYONNAIS LUXEMBOURG BRANCH	LUXEMBOURG
N	80530	CREDIT LYONNAIS LUXEMBOURG SA	LUXEMBOURG
N	71064	CREDIT LYONNAIS PARIS	FRANCE
N	35262	CREDIT LYONNAIS SECURITIES	GREAT BRITAIN
N	31852	CREDIT LYONNAIS SECURITIES	GREAT BRITAIN
N	36833	CREDIT LYONNAIS SECURITIES	GREAT BRITAIN
N	33421	CREDIT LYONNAIS-SINGAPORE BRANCH	SINGAPORE

Parmi eux, nous avons découvert des filiales du Lyonnais à Singapour, où la banque française possède trois comptes inscrits dont un n'est pas publié. Le Lyonnais a aussi sept comptes au Luxembourg dont cinq ne sont pas publiés, douze comptes à Londres dont sept ne sont pas publiés, et deux comptes à Hongkong dont un n'est pas publié [1].

Ernest explique : *"Ce n'est pas le Crédit lyonnais de Dijon ou de Châlons-sur-Marne qui est concerné ici. J'ai trouvé, dans les listes de Cedel, un Crédit lyonnais à Manille. Aux Philippines, le Crédit lyonnais a un compte officiel, mais on trouve à Manille un second compte qui n'est pas publié. Il ne faut pas venir m'expliquer que la filiale du Lyonnais à Manille a besoin d'un compte publié et d'un compte non*

1. Le compte non publié à Singapour est le 13397. Les comptes luxembourgeois non publiés sont les comptes 35780, 29810, 31038, 74556 et 80530. Les comptes anglais non publiés sont les comptes 27885, 27893, 28520, 28423, 31852, 35262 et 36883. Le compte non publié à Hongkong est le compte 75426.

publié... " Il poursuit : *"L'argent et les valeurs brassées à partir des comptes non publiés voyagent d'un compte à l'autre. Ils représentent une finance parallèle. La plupart du temps, l'argent reste dans le système, comme en planque, sur les comptes non publiés..."*

Au hit-parade des comptes non publiés de 1995, les Anglais devancent les Luxembourgeois

Sur la liste des comptes de 1995, nous avons recensé des clients de Cedel dans 73 pays. Les utilisateurs les plus friands de comptes non publiés sont les Anglais, les Luxembourgeois et les Allemands, qui possèdent davantage de comptes non publiés que de comptes publiés. Quant à l'Iran, il ne possède qu'un seul compte en Cedel, et il est non publié[1].

	NOMBRE DE COMPTES NON PUBLIÉS	NOMBRE DE COMPTES PUBLIÉS
Angleterre	644	293
Luxembourg	458	213
États-Unis	152	155
Italie	70	181
France	57	186
Allemagne	52	45
Hongkong	44	96
Suisse	36	192
Îles anglo-normandes	13	35
Espagne	9	44
Japon	5	61
Finlande	3	4
Chypre	3	4
Monaco	2	10
Iran	1	0
Liechtenstein	1	1
Îles Caïmans	1	4
Chine	1	6

1. Il s'agit du compte 80726 de la Bank Markazi Jomhouki Islamic.

À l'inverse, au vu de nos listes, certains pays apparaissent uniquement dans la liste des comptes publiés. C'est le cas de la Russie (6 comptes publiés), des Bahamas (4 comptes), de Gibraltar ou d'Israël (2 comptes), de Vanuatu ou du Vatican (1 seul compte publié pour chacun de ces pays).

Quant aux banques, les établissements disposant du plus grand nombre de comptes non publiés sont la Banque Internationale à Luxembourg, la Citibank, la Barclays, le Crédit lyonnais et la Nomura [1].

NOMBRE DE COMPTES NON PUBLIÉS

Banque internationale à Luxembourg	309
Citibank	271
Barclays Bank	200
Crédit lyonnais	23
Nomura	12

Quand deux banques colombiennes sont faussement domiciliées aux Bahamas...

En 1995, la liste des comptes internes à Cedel ne correspondait pas tout à fait à la liste des comptes publiés que recevaient les adhérents. C'est ainsi que, dans notre listing Cedel récupéré directement à la source, nous découvrons, par exemple, les références et le numéro d'identification de deux banques colombiennes domiciliées à Bogota. Mais à la même date, dans l'annuaire des adhérents de Cedel, ces deux numéros d'identification correspondent, chacun, à une banque domiciliée à Nas-

1. Banque et société d'agents de change japonaise.

197

sau, aux Bahamas . En effet, dans la "Code List" officielle de 1995, le compte 70289 appartient à la Citibank NA-Colombia AC, domiciliée à Nassau, tandis que le compte 70292 est celui de la Banco Int'l de Colombia Nassau Ltd., elle aussi basée à Nassau. Mais sur le listing des étiquettes-clients, on s'aperçoit que ces deux établissements bancaires sont en réalité domiciliés à Bogota, en Colombie, et qu'ils répondent au même intitulé (Banco Internacional de Colombia), sans mention aucune de la Citibank.

La liste officielle de Cedel laisse ainsi penser aux adhérents qu'ils traitent avec deux banques des Bahamas – dont l'une au moins serait une filiale de la Citibank – alors que le courrier adressé à ces deux établissements prétendument "bahaméens" est en fait expédié directement au pays des cartels de la cocaïne.

Account Number	Name	Abbreviation	Location
58 637	ADLER COLEMAN + CO., INC.	Adlerny	New York
58 691	BARCLAYS CATER ALLEN LIMITED	Barclays	London
58 696	FG VALORES Y BOLSA S.A.,SVB	Fgvalore	Madrid
58 700	EUROP.BK FOR RECONSTR.AND DEVELOP.	European	London
58 705	BANCA POPOLARE DI CASTELFRANCO VEN.	Castelfr	Castedlfranco Veneto
58 713	CREDIFINANCE SECURITIES LIMITED	Credifin	Toronto
58 734	SIN HUA BANK LTD HONG KONG BRANCH	Sinhuatr	Hong Kong
58 739	ORIX IRELAND LIMITED/O.E.L	Orixsub1	Dublin
58 807	SOVAC	Sovac	Paris
58 828	DAEWOO SECURITIES (EUROPE) LTD	Daewoose	London
58 840	P.E. SECURITIES	P.E.Sec.	Bruxelles
58 845	CASSA RISP.UDINE E PORDENONE SPA	Udiporde	Udine
58 874	UNITED WORLD CHINESE COMMERCIAL BK	Unitedta	Taipei
58 882	BANK OF CHINA (LUXEMBOURG) S.A.	Bofchina	Luxembourg
58 887	TRANSBOURSE S.A.	Transpar	Paris
58 909	BANCA CATALANA S.A.	Bancagyu	Barcelona
58 947	THE NIPPON CREDIT BANK LTD	Nipponcr	Tokyo
58 968	WESTPAC BANKING CORPORATION	Westradi	Hong Kong
58 976	BANCO DE CASTILLA S.A.	Bancocas	Salamanca
58 980	BANK OF AMERICA NT&SA PRINCIPAL A/C	Boaprin	London
70 033	BRONDGEEST & SPRINGER B.V.	Brondgee	Amsterdam
70 038	NATIONAR	Nationar	Woodbury Ny
70 050	CASSA DI RISP.DI VER.VIC.BELL.A.SPA	Cdrdvvba	Verona
70 063	BANKERS TRUST INT CLIENT COLLATERAL	Bticoll	London
70 076	BRIDPORT & CIE S.A.	Bridport	Geneve
70 097	DARLTON LIMITED	Darlton	Rarotonga
70 101	WESTBOURNE LIMITED	Westbour	Tortola
70 127	MORGAN STANLEY + CO INTL LTD FIXED	Msilfix	London
70 144	MORGAN STANLEY + CO INTL LTD EQUITY	Msilequi	London
70 157	WILLIAMS DE BROE A/C INTL. BONDS	Williams	London
70 173	UBS FRANCE S.A.	Ubsfranc	Paris
70 178	SAUDI HOLLANDI BANK	Saudihol	Riyadh
70 190	SSANYONG SECURITIES EUROPE LTD	Ssanyong	London
70 262	PFIZER INTERNATIONAL BANK EUROPE	Pfizdubl	Dublin
		Banroma	
289	**CITIBANK N.A.-COLOMBIA AC**	Citibank	**Nassau**
292	**BCO INT'L DE COLOMBIA NASSAU**	Bcointlc	**Nassau**
		Worldsec	
70 314	CORYO INTERNATIONAL (UK) LIMITED	Coryoltd	London
70 335	CREDITO SUBALPINO DI LUGANO S.A.	Csllugan	Lugano
70 356	LTCB ASIA LTD	Ltcbhk	Hong Kong
70 365	CITIBANK N.A.	Citidubl	Dublin
70 381	BANCO FINANTIA S.A.	Bancofin	Lisbon
70 386	HBK-SPAARBANK N.V.	Hbkantw	Antwerpen
70 394	SVENSKA HANDELSBANKEN LONDON BRANCH	Svenska	London
70 403	HAMILTON BANK N.A.	Hamilton	Miami
70 408	BANKERS TRUST INT JERSEY CUSTODY	Btijsy	London
70 437	ADAM & COMPANY PLC - TREASURY	Adam	London
70 488	BANCO FRANCES E BRASILEIRO S.A.	Bfbsub1	Sao Paulo
70 496	BANQUE INDOSUEZ D.L.M.	Indosuez	Paris
70 513	WARBURG SECS/EQUITIES/CONV/WTS	Warequit	London
70 521	JEAN-PIERRE PINATTON SA	Jppinatt	Paris
70 561	CENTRAL REGISTRATION HONG KONG LTD	Central	Hong Kong
70 569	BANK OF YOKOHAMA (EUROPE) S.A.	Byokobel	Bruxelles
70 653	CITIBANK N.A.	Citibk	San Juan
70 670	TAIWAN COOPERATIVE BANK	Taicoop	Taipei
70 691	DRESDNER BK LDN BR.FUTURES DELIVERY	Dresdner	London
70 718	BNP TOKYO CUSTODY ACCOUNT	Bnpcusto	Tokyo
70 742	BANCO RIO DE LA PLATA /BUENOS AIRES	Rioplba	New York
70 764	KBW EFFECTENBANK BV - SYND ACCOUNT	Kbw	Amsterdam
70 769	CHASE MANHATTAN NASSAU NIGERIA	Chasenn	New York
70 793	BANK OF INDIA	Bindia	Hong Kong
70 802	NIEDEROESTER.LANDESBK-HYPOTHEKENBK	Landeshy	Vienna
70 807	FIRST COMMERCIAL BANK	Hufir	Taipei
70 810	BARCLAYS DE ZOETE WEDD LTD (FID)	Barz	London
70 823	SANWA INTERNATIONAL PLC FUTURES DEL	Sanintfd	London
70 836	BANCO PORTUGUES DO ATLANTICO CAY.IS	Portugat	Grand Cayman

L'explication la plus plausible de cette substitution est la très mauvaise réputation, sur la place financière internationale, des banques colombiennes. Selon Ernest, les raisons du camouflage de ces comptes colombiens en comptes bahaméens pourraient également s'expliquer par le fait qu'à l'époque a été instruite, puis jugée, à Luxembourg l'affaire Jurado, du nom d'un intermédiaire colombien qui blanchissait, à partir du Grand-Duché, des narcodollars en provenance du cartel de Calí.

Ces deux banques colombiennes ne sont pas autonomes. Elles sont toutes deux l'émanation d'une banque américaine parmi les plus importantes de la planète : la Citibank. À l'époque, le gouvernement américain se lançait dans une lutte farouche contre les narcodollars colombiens, et plusieurs enquêtes étaient en cours, en 1995, sur les pratiques de cet établissement.

Cinq ans plus tard, l'arrêt sur image montre que le paysage a changé. Dans la liste d'avril 2000, 37 comptes colombiens sont gérés par Clearstream, dont 3 seulement sont publiés.

Une opacité est visiblement organisée par Cedel-Clearstream. Ernest l'explique : *"Quand le client voit un crédit titre sur son compte, soit il est au courant de la nature de sa contrepartie, soit il appelle Cedel pour connaître le bénéficiaire qui se cache derrière le code. L'employé de Cedel ne se posera pas la question de savoir si ce code correspond à un compte publié ou non... À partir du moment où il voit qu'un compte existe en Cedel, il n'a plus de souci à se faire. Il sait que des comptes non publiés existent pour des besoins techniques, et que l'ordinateur ne peut jamais indiquer un numéro non listé en mémoire centrale. Quel serait l'intérêt d'avoir un compte seulement dans la liste des non publiés ? Un non publié pour une seule filiale ? Pour quoi faire ? Quels sont les motifs, pour la Bank of England, de posséder plusieurs douzaines de comptes non publiés dans Cedel, alors qu'elle est par définition une banque sans filiales ? Elle n'est même pas une banque participant directement aux marchés servis par les systèmes de clearing, puisqu'elle est une banque centrale ! Cette liste, tenue si secrète, recèle de grands mystères..."*

La liste des comptes 2000 de Clearstream recense *16 121* comptes dans 105 pays

Cette liste 2000 nous a été transmise pendant la rédaction de ce livre. Nous avons évidemment cherché à savoir si les pratiques étranges apparues dans le listing de 1995 s'infirmaient ou se confirmaient [1].

Pour cette seconde liste de comptes, les chiffres ont considérablement évolué. Selon ce document, et après avoir interrogé nos sources, nous pouvons estimer à environ 15 000 le nombre de comptes gérés chez Clearstream au printemps 2000. La moitié ne sont pas publiés.

---

1. La liste des comptes de Clearstream en notre possession date du premier semestre 2000. Cette seconde liste, beaucoup plus conséquente que celle de 1995, vise d'une manière exhaustive le fichier interne de tous les comptes de Clearstream. En cinq années, les méthodes et les critères de publication de comptes ont changé. Nous avons eu davantage de difficultés à interpréter les données de cette seconde version. En 2000, la "bible" des codes clients sur support papier n'est plus expédiée qu'aux adhérents qui en font la demande. Il est beaucoup plus simple de la télécharger, grâce à Internet, sur le site de Clearstream (www.clearstream.com).

Clearstream affiche désormais 2 484 clients répartis dans 105 pays. D'après cette liste interne, la firme totaliserait 16 121 comptes, dont 7 603 sont publiés officiellement. En fait, après avoir interrogé divers informaticiens, il nous a fallu pondérer ces données. Sur ces 16 121 comptes, environ 500 ne seraient que des comptes internes à Clearstream. Par ailleurs, suite à la fusion de la firme luxembourgeoise avec la société de clearing allemande, environ 500 comptes appartenant à des clients de la Deutsche Boerse-Clearing auraient rejoint les listes de Clearstream (ceux dont le code commence par 4). Ceux-ci ne peuvent, selon nos sources, être comptabilisés dans la liste des comptes clients. Il ne reste donc approximativement que 15 000 comptes, sur lesquels des transferts transfrontaliers sont réellement opérés.

L'augmentation massive du nombre de pays en cinq années (+ 28) est due à l'arrivée de banques ou de sociétés d'investissement basées dans des pays de l'Est comme la Slovaquie, la Croatie, la Lituanie ou l'Estonie ; de pays d'Amérique du Sud comme le Pérou ou le Salvador ; et même d'Afrique… Des banques marocaines ou ivoiriennes apparaissent en effet dans les listes de Clearstream. Mais l'augmentation du nombre de comptes réside pour beaucoup dans le "débarquement" à Clearstream de clients nouvellement installés dans des paradis fiscaux ou de comptes non publiés ouverts par des banques domiciliées dans ces mêmes micro-États de la finance.

On découvre dans la liste 2000 une multitude de sociétés d'investissement aux noms ronflants, des banques, et surtout des filiales de banques – principalement anglaises, allemandes, américaines, italiennes, françaises ou suisses – ayant trouvé refuge dans des paradis fiscaux. Outre Jersey, Man, Gibraltar, Monaco ou Caïmans, déjà présents en

1995, on découvre dans la liste 2000 des banques domiciliées à Turks et Caicos, Montserrat, aux Bermudes ou à la Barbade. La plupart ont de très nombreux comptes non publiés chez Clearstream. La proportion est de l'ordre de un pour cinq. Un compte publié pour cinq comptes non publiés dans ces paradis fiscaux.

La liste des comptes 2000 ne fait que confirmer, et accentuer, les tendances apparues en 1995. À ceci près que les sociétés ou multinationales qui adhéraient directement à Cedel et possédaient des comptes non publiés passent aujourd'hui, dans Clearstream, à de rares exceptions près, par des institutions financières. Elles continuent à gérer de nombreux comptes non publiés.

71701	SIEMENS AG	MUENCHEN	GERMANY
03387	SIEMENS AG	MUENCHEN	GERMANY
81030	SIEMENS AG/NOMURA INTL.-REPO A/C	MUENCHEN	GERMANY
81099	SIEMENS AG-BQ PARIBAS CAP.MKTS-REPO	MUENCHEN	GERMANY
81188	SIEMENS AG-CS FIRST BOSTON/REPO A/C	MUENCHEN	GERMANY
82371	SIEMENS AG/LEHMAN BROS INTL-REPO	MUENCHEN	GERMANY
80013	SIEMENS AG/MERRILL LYNCH INTL-REPO	MUENCHEN	GERMANY
80644	SIEMENS AG-SIEMENS CAPITAL CORP.	MUENCHEN	GERMANY
41233	DEUTSCHE BANK AG W/SIEMENS KAG MUEN	ESCHBORN	GERMANY
79779	SIEMENS AG OESTERREICH	VIENNA	AUSTRIA
79987	SIEMENS AG-ZFF 4	MUENCHEN	GERMANY
77054	SIEMENS FINANZ.FUER INFOR.TECHNIK	MUENCHEN	GERMANY

C'est le cas de Siemens. En 1995, le groupe allemand possédait quatre comptes non publiés : trois en Allemagne, et un en Autriche. En 2000, le groupe Siemens possède un compte publié à Clearstream, où il est associé à la Deutsche Bank [1]. Les quatre mêmes comptes non publiés existent toujours dans la liste 2000 sous les mêmes codes. On trouve également Siemens associé à des banques comme la Nomura ou Paribas, ou à des compagnies de *bro-*

1. Il s'agit du compte numéroté 41233.

kers comme Merrill Lynch ou Lehman Brother, à la tête de sept autres comptes non publiés domiciliés à Munich.

Le nombre de comptes français géré par Clearstream a été multiplié par six en cinq ans

Au printemps 2000, selon nos sources, Clearstream gérait 1 151 comptes de clients domiciliés en France. Plus de 600 n'étaient pas publiés. Parmi ces derniers, plusieurs gestionnaires de comptes qui n'apparaissent pas dans la liste officielle des clients de Clearstream. C'est le cas du groupe Air liquide et de la Banque arabe internationale d'investissement. C'est également le cas de la Kuwait French Bank, qui possède un seul compte non publié (48828), de la Banque Petrofigaz (compte non publié 39462), de la Caisse nationale des télécommunications (compte 51662), de la Banque française de service et de crédit (51246), d'une Banque de l'entreprise (S0145), ou de la société de bourse Exane (S0559). Nous trouvons également, dans ces listes, de nombreuses sociétés d'agents de change dont certaines n'existent plus de nos jours. C'est le cas de Boscher SA, l'ancien employeur d'Ernest Backes, ou de Buisson et Cie.

Clearstream gère par ailleurs, et par dizaines, des comptes en majorité non publiés pour le groupe BNP-Paribas, le Crédit agricole, le Crédit commercial de France, le Crédit lyonnais, la Natexis Banque ou la Société générale (pour ne citer que les plus nombreux). La SNCF possède également un compte publié en Clearstream.

Plus étonnant encore, on trouve au hasard de cette liste la présence, sous le code B4890, d'un compte non publié intitulé *"Trésor public (ministère du Budget)"* ouvert le 11 juillet 1995. Pourquoi le ministère français du Budget a-t-il ouvert un compte de cette nature dans une société de clearing international ? La logique voudrait que, si un ministère cherche à opérer des transactions internationales, il passe au moins par la Banque de France. Le Parlement a-t-il avalisé ce type de pratique ? Comme dans les listes de 1995, où nous avions débusqué dans les comptes non publiés la présence du ministère luxembourgeois du Trésor, le souci de dissimulation nous apparaît là évident. Mais pour dissimuler quoi ?

| B4890 | TRESOR PUBLIC (MINIST. DU BUDGET) | PARIS | FRANCE |

Le groupe hôtelier français Accor Wagons-Lits a disparu des comptes 2000. Par contre, Air liquide [1] a fait son apparition, avec un compte non publié domicilié à Paris (compte S0847). Le groupe français n'apparaît pas, en revanche, dans la liste des clients. Le Comptoir des entrepreneurs [2] possède, lui, un compte non publié (S0280) et un compte publié.

---

1. Groupe français spécialisé dans les gaz industriels et médicaux. Représenté dans soixante pays, Air Liquide compte un million de clients à travers le monde, 125 filiales, 29 000 salariés. Il totalisait 42,885 milliards de francs de chiffre d'affaires en 1999.
2. Au cours des années 90, l'État a dû apporter son soutien financier à plusieurs banques publiques ou parapubliques, telles que le Crédit lyonnais, le Crédit foncier de France, le Comptoir des entrepreneurs et le Groupe des assurances nationales. Le coût pour les finances publiques de ces opérations est supérieur à 130 milliards de francs en valeur actualisée au 31 décembre 1999. Le Comptoir des entrepreneurs était, au début des années 90, un établissement dont le capital, coté en bourse, était majoritairement détenu par le secteur privé et à 29 % par le secteur public. Il était investi d'une mission d'intérêt général dans le financement du logement social. Au 1er janvier 1993, sa dette obligataire, qui constituait la part prépondérante de son endettement, s'élevait, à près de 20 milliards de francs (source : "L'Intervention de l'État dans la crise du secteur financier", rapport de la Cour des comptes, novembre 2000).

Pour ce qui est du géant hollandais de l'agroalimentaire, Unilever, la situation est la même qu'en 1995. La multinationale possède trois comptes non publiés en Clearstream, dont l'un est associé à la charge d'agents de change Goldman-Sachs. Les ouvriers d'Unilever, en grève depuis de longs mois dans le nord de la France et à Poitiers, suite à l'annonce de la fermeture de leurs usines, seront sans doute intéressés par la publication de ces comptes [1]. Ils verraient ainsi comment une multinationale se sert des comptes non publiés de Clearstream pour faire fructifier (et, vraissemblablement, disparaître) certains bénéfices.

Les comptes non publiés prolifèrent dans les paradis fiscaux

Un des intérêts des listes récentes que nous nous sommes procurées réside dans la découverte des comptes appartenant à des banques installées dans des paradis fiscaux. La domiciliation dans ces refuges financiers ne signifie pas que la banque ou la société ait son siège et son actionnariat dans le pays en question, mais que les comptes gérés par Clearstream y sont localisés. Autrement dit, les ordres bancaires concernant ces comptes viennent de ces pays, et de nombreux virements et produits de placements y atterrissent. Nous avons pu constater que la plupart des comptes gérés à

---

1. De source syndicale, le bénéfice d'Unilever pour l'année 1999 serait de **17** milliards de francs. Unilever possède une vingtaine de marques renommées, comme les soupes Royco et le thé Lipton...

partir des paradis fiscaux, surtout ceux des grosses banques européennes ou américaines, sont des comptes non publiés. Nous pouvons interpréter ce signe comme la recherche du maximum de discrétion. Un double verrou, en quelque sorte. Non seulement on crée une filiale dans un paradis fiscal, mais on la dote de comptes non publiés...

Le petit territoire pyrénéen d'Andorre, 184e membre de l'ONU, possède 20 comptes en Clearstream, dont 16 ne sont pas publiés. Parmi ces derniers, un seul (le compte 82129) appartient à un client – Banca Reig SA – qui n'apparaît pas dans la liste officielle des clients de Clearstream.

50062	BANC INTERNACIONAL D'ANDORRA SA	ANDORRA
15083	CREDIT ANDORRA	ANDORRA
12530	BANC AGRICOL I COMERCIAL D ANDORRA	ANDORRA
80775	BANC AGRICOL COM.ANDORRA-ANDFINANCE	ANDORRA
81233	BANCA PRIVADA D'ANDORRA	ANDORRA
82129	**BANCA REIG SA**	ANDORRA
83156	BANCA PRIVADA D'ANDORRA	ANDORRA
85038	CREDIT ANDORRA CFRF EURO	ANDORRA
86011	CREDIT ANDORRA - C.F.JAPAN EQUITIES	ANDORRA
86012	CREDIT ANDORRA - C.F.R.F. DOLARS	ANDORRA
86059	CREDIT ANDORRA-C.F.MAJOR MARKETS RV	ANDORRA
86090	CREDIT ANDORRA-C.F. ASIA EMERG. MKT	ANDORRA
83669	CREDIT ANDORRA-C.F. TREASURY	ANDORRA
83670	CREDIT ANDORRA-C.F.EUROP MARKET R.F	ANDORRA
83671	CREDIT ANDORRA-C.F.EUROP MARKET R.V	ANDORRA
83672	CREDIT ANDORRA-C.F.EURO OBLIG.CONV.	ANDORRA
83673	CREDIT ANDORRA-C.F.EMERGING MARKETS	ANDORRA
83674	CREDIT ANDORRA-C.F. SWISS EQUITY	ANDORRA
83675	CREDIT ANDORRA-C.F. U.S. EQUITIES	ANDORRA
83825	CREDIT ANDORRA - C.F. TECHNOLOGIC	ANDORRA

Au Panama, 20 comptes passent par Clearstream. Sept sont des comptes publiés, 13 ne le sont pas. La Banque nationale de Colombie y possède un compte publié. Deux clients ne sont visiblement répertoriés nulle part. Il s'agit de la Banco Nacional de Panamá (compte non publié 83324) et de la Banex International SA (compte non publié 57509). Le Crédit lyonnais y a ouvert trois comptes, depuis 1997, dont aucun n'est publié.

75413	CENT.LATINOAMERICANA VAL.LATINCLEAR	PANAMA	PANAMA
57376	BANQUE NATIONALE DE PARIS PANAMA BR	PANAM	PANAMA
57509	**BANEX INTERNACIONAL S.A.**	PANAMA	PANAMA
52995	BANCO CAFETERO (PANAMA) SA	PANAMA	PANAMA
52264	BANCO DE BILBAO (PANAMA) SA	PANAMA	PANAMA
35351	INDOSUEZ O'SEAS FINANCE	PANAMA	PANAMA
32409	BRAZANI S.A. CUSTODY A/C	PANAMA	PANAMA
31208	BANQUE SUDAMERIS	PANAMA	PANAMA
31321	PANASEC CORPORATION SUB A/C 1	PANAMA	PANAMA
28644	PANASEC CORPORATION ACC II	PANAMA	PANAMA
13536	PANASEC CORPORATION	PANAMA	PANAMA
11851	SASSOON J.S. INC. PANAMA	PANAMA	PANAMA
81434	CREDIT LYONNAIS PANAMA BRANCH	PANAMA	PANAMA
80362	BANQUE SUDAMERIS SYNDICATION ACCT	PANAMA	PANAMA
80494	CREDIT LYONNAIS PANAMA-CUST.OF BOND	PANAMA	PANAMA
81589	BANCO UNION/BCO UNION SUCUR. PANAMA	NEW YORK	U.S.A
82442	BANCO DE COLOMBIA S.A.	PANAMA	PANAMA
82468	BANQUE SUDAMERIS-PLEDGE ACCOUNT	PANAMA	PANAMA
80495	CREDIT LYONNAIS PANAMA-INVEST ACCT	PANAMA	PANAMA
83324	**BANCO NACIONAL DE PANAMA**	PANAMA	PANAMA
87130	BO LATINOAMERICANO DE EXPORTACIONES	PANAMA	PANAMA

À Monaco, la tendance est inverse. On privilégie les comptes publiés, avec 28 comptes répertoriés en Clearstream, dont 10 seulement ne sont pas publiés. Parmi eux, la présence, en non publié, de la vieille banque suisse Von Ernst [1] (compte 78918), qui n'apparaît pas dans la liste officielle des clients de Clearstream. Certains autres comptes non publiés dépendent d'un compte principal domicilié hors de Monaco. C'est le cas de la Banque générale du commerce, qui possède un compte client publié à Paris, et un compte non publié (20006) à Monaco, ou de la banque Pallas-Stern.

---

1. Vieille banque familiale bernoise fondée en 1869, spécialisée dans la gestion de (grosses) fortunes. Elle possède des succursales à Berne, Zurich et Genève, et des filiales à Vaduz, Lugano, Londres, Miami, Madrid, Tokyo, Aruba et Monaco. Elle appartient aujourd'hui à 100 % à la Bayrische Hypo und Verensbank, deuxième banque allemande, basée à Munich.

S0396	BANQUE DU GOTHARD (MONACO)	MONACO	MONACO
S0359	PALLAS MONACO	MONACO	MONACO
S0229	CREDIT FONCIER DE MONACO	MONACO	MONACO
78918	**BANK VON ERNST (MONACO)**	MONACO	MONACO
76257	SOCIETE MONEGASQUE DE BANQUE PRIVEE	MONACO	MONACO
71166	BANQUE GESTION EDMOND DE ROTHSCHILD	MONACO	MONACO
70046	NATIONAL WESTMINSTER BANK S.A.	MONTE-CARLO	PRINC. DE MONACO
58394	GLOBAL SECURITIES SAM	MONACO	MONACO
56499	BANQUE DU GOTHARD	MONACO	MONACO
55255	PALLAS MONACO SAM	MONACO	MONACO
31092	CIE MONEGASQUE DE BQUE SYND.ACC	MONACO	MONACO
20006	BANQUE GENERALE DU COMMERCE S.A.	MONACO	MONACO
18040	SOCIETE MARSEILLAISE DE CREDIT	MONACO	MONACO
18511	CIE MONEGASQUE DE BANQUE	MONACO	MONACO
14036	BANCA COMMERCIALE ITALIANA (FRANCE)	MTCARLO	MONACO
14222	CREDIT FONCIER DE MONACO	MONACO	MONACO
81073	CIE MONEGASQUE DE BANQUE-CUSTOMER	MONACO	MONACO
80480	KBL MONACO	MONACO	MONACO
S0088	KB LUXEMBOURG (MONACO)	MONACO	MONACO
81044	BANQUE SUDAMERIS SA MONTE CARLO BR.	MONACO	MONACO
82126	CIE MONEGASQUE DE BANQUE-CUSTOMER	MONACO	MONACO
82423	EFG EUROFINANCIERE D'INVESTISSEMENT	MONACO	MONACO
83125	CREDIT SUISSE (MONACO)	MONACO	MONACO
S0327	CREDIT SUISSE (MONACO)	MONACO	MONACO
83598	CREDIT COMMERCIAL DE FRANCE(MONACO)	MONACO	MONACO
02011	COMPAGNIE MONEGASQUE DE BANQUE	MONACO	MONACO
S0350	COMPAGNIE MONEGASQUE DE BANQUE	MONACO	MONACO
83781	BSI 1873-GERANCE INTERNATIONALE SAM	MONACO	MONACO

Un gros contingent de comptes est inscrit à Georgetown, dans les îles Caïmans : 67 comptes répertoriés, dont un dixième environ sont publiés. On trouve de nombreuses filiales non publiées de la Barclays ou de la Bank of America. La présence aussi du géant milanais Mediobanca. Très peu de noms à consonance française, hormis une certaine Banque internationale de placement (compte non publié 33707).

80659	BANCO ITAMARATI S.A.,GD CAYMAN BR.	GEORGETOWN	CAYMAN ISLANDS
80349	BANK OF AMERICA-NON-DOLLAR SEC TRAD	GEORGETOWN	CAYMAN ISLANDS
79192	I.G. SERVICES LTD - CLIENTS A/C	GEORGETOWN	CAYMAN ISLANDS
77033	BANK OF AMERICA-VALORES MERC.BANC	GEORGETOWN	CAYMAN ISLANDS
77127	BANK OF AMERICA-NASSAU BRANCH	GEORGETOWN	CAYMAN ISLANDS
77130	BANK OF AMERICA-CONT INTL FIN CORP	GEORGETOWN	CAYMAN ISLANDS
77135	BANK OF AMERICA-CONTINENTAL BK INTL	GEORGETOWN	CAYMAN ISLANDS
76282	RIOBANK INTERNATIONAL	GEORGETOWN	CAYMAN ISLANDS
76074	SUL AMERICA INTL.BK-TABRIZA (CAY)	GEORGETOWN	CAYMAN ISLANDS
75421	SUL AMERICA INTL.BANK (CAYMAN) LTD	GEORGETOWN	CAYMAN ISLANDS
73717	BATCAYL-TRADING AS HARBOUR NOMINEES	GEORGETOWN	CAYMAN ISLANDS
73720	BATCAYL-TRADING AS HARBOUR NOMINEES	GEORGETOWN	CAYMAN ISLANDS
73768	BANCO SANTANDER NOROESTE S.A.	GEORGETOWN	CAYMAN ISLANDS
73372	BANCO DO ESTADO DO RIO DE JANEIRO	GEORGETOWN	CAYMAN ISLANDS

73135	BANCO ITAU S.A.-GD CAYMAN BRANCH	GEORGETOWN	CAYMAN ISLANDS
71897	BANCO DO BRASIL S.A.GR.CAYMAN BR.	GEORGETOWN	CAYMAN ISLANDS
72079	BANCO BRADESCO S.A.	GEORGETOWN	CAYMAN ISLANDS
71417	COFIRI INTERNATIONAL INC.	GEORGETOWN	CAYMAN ISLANDS
71515	BANCA CONFIA S.A.,GRAND CAYMAN BR.	GEORGETOWN	CAYMAN ISLANDS
71557	BANK OF AMERICA LDC DEBT TRAD 5432	GEORGETOWN	CAYMAN ISLANDS
70836	BANCO PORTUGUES DO ATLANTICO CAY.IS	GEORGETOWN	CAYMAN ISLANDS
70950	UNITED BANK FOR AFRICA PLC	GEORGETOWN	CAYMAN ISLANDS
58594	MERCURY BANK AND TRUST LTD	GEORGETOWN	CAYMAN ISLANDS
58432	MEDIOBANCA INTERNATIONAL-SYND.ACC.	GEORGETOWN	CAYMAN ISLANDS
57929	BANK OF AMERICA-BAMERINVESTC.A.	GEORGETOWN	CAYMAN ISLANDS
57231	BARCLAYS PRIVATE BANK & TRUST LTD	GEORGETOWN	CAYMAN ISLANDS
57347	MEDIOBANCA INTERNATIONAL LIMITED	GEORGETOWN	CAYMAN ISLANDS
56469	BANK OF BERMUDA (CAYMAN) LIMITED	GEORGETOWN	CAYMAN ISLANDS
56537	I.G. SERVICES LTD	GEORGETOWN	CAYMAN ISLANDS
56367	BANK OF AMERICA NT&SA G.C.BRANCH	GEORGETOWN	CAYMAN ISLANDS
52370	BFC BANK (CAYMAN) LTD	GEORGETOWN	CAYMAN ISLANDS
52523	COMMERZBANK AG, GR.CAYMAN BRANCH8	GEORGETOWN	CAYMAN ISLANDS
49662	BCO ATLANTICO SA	GEORGETOWN	CAYMAN ISLANDS
38657	BARCLAYS PRIVATE BK & TRUST-CLIENTS	GEORGETOWN	CAYMAN ISLANDS
33707	BANQUE INT.DE PLACEM. LTD CAYMAN	GRAND CAYMAN	CAYMAN ISLANDS
31739	NATEXIS BANQUE	GEORGETOWN	CAYMAN ISLANDS
02259	BQUE INTERN. DE PLACEM. LTD CAYMAN	GEORGETOWN	CAYMAN ISLANDS
81048	BANK OF AMERICA NT&SA/OFFSHORE TRAD	GEORGETOWN	CAYMAN ISLANDS
81251	BANCO BOAVISTA INTERATLANTICO SA	GEORGETOWN	CAYMAN ISLANDS
80109	BANCO ITAU SA-ITAU BANK LTD	GEORGETOWN	CAYMAN ISLANDS
80245	BRASEG OVERSEAS BANK LTD	GRAND CAYMAN	CAYMAN ISLANDS
80259	BANCO BMG S.A.GD CAYMAN-SYNDICATION	GRAND CAYMAN	CAYMAN ISLANDS
80585	BANCO BMG S.A.-FUNDO DE INV. NO EXT	GRAND CAYMAN	CAYMAN ISLANDS
80592	BANK OF AMERICA NT&SA-G C/BUEN.AIR.	GEORGETOWN	CAYMAN ISLANDS
80699	BANK OF AMERICA NT&SA - VENCO B.V.	GEORGETOWN	CAYMAN ISLANDS
80988	BA ASSETS COMPANY - 6008	GEORGETOWN	CAYMAN ISLANDS
04987	IG SERVICES TOF PLEDGE ON A/C 56537	GEORGETOWN	CAYMAN ISLANDS
81347	BRASEG OVERSEAS BANK-INCOME FUND	GRAND CAYMAN	CAYMAN ISLANDS
81516	BRASEG OVERSEAS BK-AGF SECURITIES	GRAND CAYMAN	CAYMAN ISLANDS
82637	BRASEG OVERSEAS BK LTD-AGF BR.PR.FD	GRAND CAYMAN	CAYMAN ISLANDS
82656	PATRIMONIO OVERSEAS CORPORATION	GRAND CAYMAN	CAYMAN ISLANDS
82664	BANCO ITAU SA-ITAU SP (PROPRIETARY)	GEORGETOWN	CAYMAN ISLANDS
82992	SUL AMERICA INTL.BK(CAYMAN)-CLIENT	GEORGETOWN	CAYMAN ISLANDS
83160	BANCO BOAVISTA INTERATLANTICO SA	GEORGETOWN	CAYMAN ISLANDS
83161	BANCO BOAVISTA INTERATLANTICO SA	GEORGETOWN	CAYMAN ISLANDS
83162	BANCO BOAVISTA INTERATL.-MONTPAR.	GEORGETOWN	CAYMAN ISLANDS
83257	BANCO INVERLAT SA GD CAYMAN BRANCH	GRAND CAYMAN	CAYMAN ISLANDS
83261	BANCO INVERLAT SA-SUB NO.1	GRAND CAYMAN	CAYMAN ISLANDS
83262	BANCO INVERLAT SA-SUB NO.2	GRAND CAYMAN	CAYMAN ISLANDS
83264	BANCO INERLAT SA-SUB NO.4	GRAND CAYMAN	CAYMAN ISLANDS
84059	BANCO ITAU S.A.-IFE CUSTODY	GEORGETOWN	CAYMAN ISLANDS
85183	BANK OF AMERICA NT&SA-SUC.VENEZUELA	GEORGETOWN	CAYMAN ISLANDS
80040	BANCO BMG S.A. GRAND CAYMAN BRANCH	GRAND CAYMAN	CAYMAN ISLANDS
83152	PRODUBANK - GRAND CAYMAN	GRAND CAYMAN	CAYMAN ISLANDS
81155	BANCO DIBENS S.A.-GRAND CAYMAN BR.	GEORGETOWN	CAYMAN ISLANDS
83263	BANCO INVERLAT SA-SUB NO.3	GRAND CAYMAN	CAYMAN ISLANDS
88090	PACTUAL OVERSEAS CORPORATION-CLIENT	GRAND CAYMAN	CAYMAN ISLANDS

Les clients basés à Jersey sont presqu'aussi nombreux qu'à Grand Caïman. La petite île anglo-normande gère 58 comptes, dont 39 ne sont pas publiés. Parmi eux, trois sont rattachés à des clients non répertoriés dans la liste officielle de

Clearstream : la Bermuda Trust, la Sebbco Capital Markets Limited, et Saint-Hellier Trst. Co. Ltd.

Encore une fois, on relève que Clearstream accepte de gérer des comptes isolés, non publiés, ne dépendant d'aucun client connu. On relève aussi de nombreux comptes non publiés, à Jersey, de grosses banques comme la Citibank (4), la Chase Manhattan (2), la Banque nationale de Paris (2), ou l'Union de banques suisses (1).

78446	CITIBANK C.I. RE CORNWOOD-WATERMARK	JERSEY, C.I.
75981	ROYAL BK OF SCOTLAND JSY BRIT GAS	JERSEY, C.I.
74497	SEBBCO CAPITAL MARKETS LIMITED	JERSEY, C.I.
71574	CHASE BANK (C.I.)NOMINEES LIMITED	JERSEY, C.I.
71722	RBS INTL LTD (THE)-CLIENT A/C	JERSEY, C.I.
70828	BBL IDRAX HOLDINGS LIMITED	JERSEY, C.I.
55123	TSB BANK CHANNEL ISLANDS LTD	JERSEY, C.I.
53835	BARCLAYS PRIV BK+TR TERRA NOVA INS.	JERSEY, C.I.
51238	BANQUE BRUXELLES LAMBERT TST CO (J)	JERSEY, C.I.
19810	CHASE MANHATTAN BANK	JERSEY, C.I.
81243	BARCLAYS BANK PLC-BGSS JERSEY	JERSEY, C.I.
81919	BERMUDA TRUST (JERSEY) LTD CLIENTS	JERSEY, C.I.
81246	KBL BROWN SHIPLEY(JERSEY)LTD-CLIENT	JERSEY, C.I.
81409	BERMUDA TRUST (JERSEY) LTD-PLEDGE	JERSEY, C.I.
81943	KLEINWORT BENSON(JER)-A/C JP1816/CL	JERSEY, C.I.
82200	BKAMERICA TR(JE)-7178HERMOSA LTD-CL	JERSEY, C.I.
82297	UBS (C.I.) LIMITED	JERSEY, C.I.
82062	RBS INTL (LTD) THE-TREASURY	JERSEY, C.I.
73517	CITIBANK JERSEY TR.ANGLO AM.ALAS TR	JERSEY, C.I.
73534	CITIBANK JERSEY TR.CASSIDY DAVIS	JERSEY, C.I.
72839	CHASE MANHATTAN BANK JERSEY NO.2 AC	JERSEY, C.I.
72451	RBS INTL LTD (THE)-GENERAL CL.A/C	JERSEY, C.I.
57210	JOCAR NOMINEES LTD	JERSEY, C.I.
51098	BANK OF IRELAND (JERSEY)LTD-CLIENT	JERSEY, C.I.
49697	ST.HELIER TST CO LTD	JERSEY, C.I.
48178	CAPEL JAMES AND CO	JERSEY, C.I.
39438	SODITIC FINANCE LTD	JERSEY, C.I.
39900	C.N.C.A SECURITIES JERSEY LTD	JERSEY, C.I.
37516	SOFIS LIMITED	JERSEY, C.I.
36722	HILL SAMUEL BANK (JERSEY) LIMITED	JERSEY, C.I.
35998	UBS TRUSTEES (CHANNEL ISLANDS) LTD	JERSEY, C.I.
36366	BANQUE NATIONALE DE PARIS	JERSEY, C.I.
35254	CITIBANK (CHANNEL ISLANDS) LTD	JERSEY, C.I.
33588	KLEINWORT BENSON INTL TRUSTEES LTD	JERSEY, C.I.
33723	BBV PRIVANZA BANK (JERSEY) LIMITED	JERSEY, C.I.
32824	BERMUDA TRUST (JERSEY) LTD TRADING	JERSEY, C.I.
31585	CANTRADE PRIVATE BK SWITZ.(C.I.)LTD	JERSEY, C.I.
18686	KLEINWORT BENSON(JERSEY)LTD-CLIENT	JERSEY, C.I.
02399	SOFIS LIMITED	JERSEY, C.I.
02534	CITICORP BANKING CORPORATION JERSEY	JERSEY, C.I.
81680	SODITIC FINANCE LTD-SYNDICATION A/C	JERSEY, C.I.
82444	HSBC BANK INTERNATIONAL LTD-CLIENT	JERSEY, C.I.
80011	HSBC BANK INTERNATIONAL LIMITED	JERSEY, C.I.
80052	HSBC BANK INTERNATIONAL LTD-CLIENT	JERSEY, C.I.
80181	CANTRADE PRIVATE BK SWITZ.(C.I.)LTD	JERSEY, C.I.

80967	LE MASURIER JAMES & CHINN - CLIENT	JERSEY, C.I.
81215	BANQUE NATIONALE DE PARIS	JERSEY, C.I.
01185	BERMUDA TRUST (JER)-CASH DEP. 81409	JERSEY, C.I.
81954	MATHESON INVESTMENT INT LTD-CLIENT	JERSEY, C.I.
81974	MATHESON INVESTMENT INT LTD-TRADING	JERSEY, C.I.
83657	KLEINWORT BENSON (JSY) A/C JP2020	JERSEY, C.I.
02704	STANDARD CHARTERED TRUST CO.(CI)LTD	JERSEY, C.I.
H0432	JEFFSEAL	JERSEY, C.I.
H0433	CANJER	JERSEY, C.I.
H0784	CHARDON NOMS LTD	JERSEY, C.I.
H0785	MAT SEC CI PRIN	JERSEY, C.I.
H1166	AIB NOMS (JSY) LTD	JERSEY, C.I.
H1618	KB (CI) NOMS LTD	JERSEY, C.I.

L'île de Man fait presque figure de parent pauvre, avec 18 comptes seulement gérés en Clearstream. L'île de Guernesey est en tête du hit-parade anglo-normand avec 70 comptes, dont très peu (une dizaine) sont publiés. Une majorité de clients sont anglais et américains. La Lloyds, la banque Rothschild et la Bank of Boston y gèrent de nombreux comptes non publiés pour des clients qu'on imagine soucieux de préserver un grand anonymat.

36137	BARC.PRIVATE BK&TR(IOM)-CLIENT	ISLE OF MAN
H1544	I O M BANK(NOMS)LD	ISLE OF MAN
H1328	ALBANY INT.	ISLE OF MAN
H0140	RAMSEY CROOKALL	ISLE OF MAN
83785	BARC.PRIV.BK&TR(IOM)-BPB(JERSEY)LTD	ISLE OF MAN
82983	ANGLO IRISH BK CORP.(I.O.M.)-CLIENT	ISLE OF MAN
82404	BARCLAYS PRIVATE BK&TR (IOM)-CLIENT	ISLE OF MAN
74964	BARC. PRIVATE BK&TR-509021 CLIENT	ISLE OF MAN
H1545	HEANORVILLE LTD	ISLE OF MAN
72117	ROYAL BANK OF SCOTLAND (IOM)CL A/C	ISLE OF MAN
75196	DUNCAN LAWRIE (IOM) LIMITED/DLFM	ISLE OF MAN
50334	RAMSEY CROOKALL & CO CLIENTS	ISLE OF MAN
53061	BARCLAYS BANK PLC	ISLE OF MAN
57967	BANK OF BERMUDA(ISLE OF MAN)-CLIENT	ISLE OF MAN
71778	BARC.PRIVATE BK&TR-509013 CLIENT	ISLE OF MAN
82481	RAMSEY CROOKALL & CO PRIVATE A/C	ISLE OF MAN
81080	BANK OF BERMUDA(ISLE OF MAN)CSM CL.	ISLE OF MAN
36145	REA BROTHERS (ISLE OF MAN)-CLIENTS'	ISLE OF MAN

49654	CIBC TST CO. (CI)	GUERNSEY, C.I.
80010	ADAM & COMPANY INTL.LTD-A/C CLIENT	GUERNSEY, C.I.
88111	ADAM & COMPANY INTERNATIONAL LTD	GUERNSEY, C.I.
11126	CLOSE BANK GUERNSEY LTD-CLIENT A/C	GUERNSEY, C.I.
76392	COLLINS STEWART (CI) LTD-CLIENT A/C	GUERNSEY, C.I.
02402	TREVOR MATTHEWS & CAREY LIMITED	GUERNSEY, C.I.
15563	KLEINWORT BENSON(GUERN.)A/C CLIENTS	GUERNSEY, C.I.
17884	GEFINA INTERNATIONAL LTD	GUERNSEY, C.I
29012	BANQUE BELGE(GUERNSEY)LTD-CLIENT AC	GUERNSEY, C.I.
32522	REA BROTHERS (GUERNSEY) LTD	GUERNSEY, C.I.
35041	CLOSE BANK GUERNSEY LTD	GUERNSEY, C.I.
36919	ANSBACHER(GUERNSEY)LIMITED	GUERNSEY, C.I.
81211	ROTHSCHILD BK SWITZ(C.I.)-SUB A/C 1	GUERNSEY, C.I.
50151	ROTHSCHILD BANK SWITZERLAND (C.I.)	GUERNSEY, C.I.
81022	MORGAN STANLEY FINANCE (JERSEY) LTD	GUERNSEY, C.I.
50601	MEESPIERSON (C.I.) LTD CLIENT A/C	GUERNSEY, C.I.
53899	CLOSE BANK GUERNSEY LTD	GUERNSEY, C.I.
54917	FINANZIARIA INDOSUEZ INTERNATIONAL	GUERNSEY, C.I.
55425	ROWAN & COMPANY LTD-CLIENT SETT.A/C	GUERNSEY, C.I.
55404	BSI (CHANNEL ISLANDS) LTD	GUERNSEY, C.I.
55234	COLLINS STEWART (CI) LTD-CLIENTS AC	GUERNSEY, C.I.
56928	ADAM & CO. INTL TRUSTEES LIMITED	GUERNSEY, C.I.
57007	CHEMICAL BANK (GUERNSEY) LTD	GUERNSEY, C.I.
72112	CLOSE BANK GUERNSEY LTD-HFT.	GUERNSEY, C.I.
72359	EFG PRIVATE BANK (C.I.) LTD	GUERNSEY, C.I.
72872	RBS INTL LTD (THE)-CLIENT ACCT	GUERNSEY, C.I.
75051	EFG PRIVATE BANK (C.I.) LTD-CLIENT	GUERNSEY, C.I.
38784	BANKBOSTON (GUERNSEY) LTD	GUERNSEY, C.I.
H1288	SCBNOMS	GUERNSEY, C.I.
85069	MEESPIERSON (C.I) LTD - CLIENT	GUERNSEY, C.I.
83058	LLOYDS TSB BANK SECURITIES-GUERNSEY	GUERNSEY, C.I.
04189	MEESPIERSON CI LTD-PLEDGE 50601	GUERNSEY, C.I.
83619	BGL PRIVATE BANK (CHANNEL ISLANDS)	GUERNSEY, C.I.
H0561	BARNOMS	GUERNSEY, C.I.
81854	KLEINWORT BENSON GSY RE CAIRNGORM	GUERNSEY, C.I.
H0733	SAM NOMINEES	GUERNSEY, C.I.
82933	BANCA MONTE DEI PASCHI (CI) LTD	GUERNSEY, C.I.
H1289	GUERNROY LTD	GUERNSEY, C.I.
H1290	SCOTIA NOMS CI	GUERNSEY, C.I.
H1291	PELICAN	GUERNSEY, C.I.
H1615	GNSY NOMS LTD	GUERNSEY, C.I.
H1616	GNSY NOMS LTDGP836	GUERNSEY, C.I.
H1617	GNSY NOMS LTDGP840	GUERNSEY, C.I.
H0732	COLLINS STEWART CI	GUERNSEY, C.I.
82877	GUINNESS MAHON GUERNSEY LTD-CLIENT	GUERNSEY, C.I.
82093	LLOYDS GUERNSEY LTD-CLIENT A/C	GUERNSEY, C.I.
03611	HAMBROS BANK (GUERNSEY) LTD	GUERNSEY, C.I.
81746	CLOSE BANK GUERNSEY LTD-CLIENT	GUERNSEY, C.I.
82588	GUINNESS MAHON GUERNSEY LIMITED	GUERNSEY, C.I.
82437	LLOYDS GUERNSEY LTD V A/C	GUERNSEY, C.I.
82957	EFG PRIVATE BANK (CI) LTD-CLIENT AC	GUERNSEY, C.I.
83179	KLEINWORT BENSON(GSY)LTD RE GP 1130	GUERNSEY, C.I.
83327	CLOSE BANK GUERNSEY LTD	GUERNSEY, C.I.
81296	REA BROTHERS (GUERNSEY) LTD-UNION	GUERNSEY, C.I.
71676	REA BROTHERS (GUERNSEY) LTD TRADING	GUERNSEY, C.I.
75307	MEESPIERSON C.I. GUERNSEY ARBITRAGE	GUERNSEY, C.I.
75485	GUERNSEY ADM.SERV./UIRI LTD CLIENT	GUERNSEY, C.I.
80402	ROYAL BANK OF CANADA (C.I.) LTD	GUERNSEY, C.I.
75480	GUERNSEY ADM.SERV./U.I.R.LTD CLIENT	GUERNSEY, C.I.
75218	BANK UNIGESTION (GSY) LTD CLIENT AC	GUERNSEY, C.I.
58246	KLEINWORT BENS.BONDL./GP415-CLIENT	GUERNSEY, C.I.
51416	MIDLAND BANK FUND MANAG.(GUERN) LTD	GUERNSEY, C.I.
82436	LLOYDS GUERNSEY LTD T A/C	GUERNSEY, C.I.
82438	LLOYDS GUERNSEY LTD W A/C	GUERNSEY, C.I.
82439	LLOYDS GUERNSEY LTD X A/C	GUERNSEY, C.I.
55620	GUERNSEY ADMINISTRATIVE SERVICES	GUERNSEY, C.I.
81297	REA BROTHERS (GUERNSEY) LTD-INVEST	GUERNSEY, C.I.
50075	BANK UNIGESTION (GUERNSEY) LTD	GUERNSEY, C.I.
39012	DAMMARELL DEON (GUERNSEY) LIMITED	GUERNSEY, C.I.
82134	GUERNSEY ADM.SERV./UIRI UNDERWRIT	GUERNSEY, C.I.

213

Quatre confettis, pour finir, sur ces quelques exemples de paradis fiscaux. Gibraltar d'abord, où la Lloyds possède un compte non publié, tout comme la banque Indosuez. Les îles Cook, situées au large de la Nouvelle-Zélande, ont un compte non publié inscrit en Clearstream au nom de la Darlton Limited. Ce compte porte le numéro 70097. À Vanuatu, dans le Pacifique, les pratiques sont plus officielles. Deux uniques clients possèdent des comptes publiés ouvert en février 2000 : la Pacific International Trust Company, et la BNP (compte 81585).

On trouve décidément de tout chez Clearstream, même des comptes inscrits dans la petite île de Montserrat, à une soixantaine de kilomètres des côtes françaises de la Guadeloupe. Ce minuscule territoire, presque entièrement détruit par une récente éruption volcanique, a vu s'ouvrir trois comptes au nom d'un client italien, dont deux ne sont pas publiés. Il s'agit des comptes de l'Italcambio Bank.

| 51972 | LLOYDS BANK (GIBRALTAR NOMINEES)LTD | GIBRALTAR |
| 52949 | BANQUE INDOSUEZ | GIBRALTAR |

| 70097 | DARLTON LIMITED | COOK ISLANDS |

| 16861 | PACIFIC INTERNATIONAL TRUST COMPANY | VANUATU |
| 81585 | BANQUE NATIONALE DE PARIS PORT VILA | VANUATU |

82473	ITALCAMBIO BK+TR-ITALBUR.TIT.VALOR	MONTSERRAT
81995	ITALCAMBIO BK+TR-ITALFIN BCO INVER.	MONTSERRAT
73339	ITALCAMBIO BANK AND TRUST LTD	MONTSERRAT

Au hit-parade des tendances 2000, chez Clearstream, les banques russes...

Nous nous sommes également intéressés aux 37 comptes russes, parmi lesquels 32 ont été ouverts après 1995. Et nous y avons découvert une perle...

80255	INTL CO FIN.&INVEST.INTERSAVINGSBK	MOSCOW	RUSSIA
77580	INTL CO FOR FINANCE AND INVESTMENTS	MOSCOW	RUSSIA
76010	BANK 'ROSSIYSKIY KREDIT'	MOSCOW	RUSSIA
76082	INTL CO FOR FIN+INV-IBEC	MOSCOW	RUSSIA
76087	INTL CO FOR FIN+INV-MFK MOSCOW PART	MOSCOW	RUSSIA
54857	INTERNATIONAL BK FOR ECONOMIC CO-OP	MOSCOW	RUSSIA
54950	INTERNATIONAL INVESTMENT BANK	MOSCOW	RUSSIA
52782	BANK FOR FOREIGN ECON.AFF.OF USSR	MOSCOW	RUSSIA
81019	JOINT STOCK COMMERCIAL BK"TOKOBANK"	MOSCOW	RUSSIA
80518	MEZHCOMBANK INTERBRANCH COM. BANK	MOSCOW	RUSSIA
80731	JOINT-STOCK COMMERCIAL "AVTOBANK"	MOSCOW	RUSSIA
81467	MOST BANK	MOSCOW	RUSSIA
81696	JOINT STOCK BANK-TORIBANK	MOSCOW	RUSSIA
81737	JOINT-STOCK COM. BANK "SOVFINTRADE"	MOSCOW	RUSSIA
81738	**BANK MENATEP**	MOSCOW	RUSSIA
81813	COMMERCIAL BK BK AUSTRIA(MOSCOW)LLC	MOSCOW	RUSSIA
81870	BANK ZENIT	MOSCOW	RUSSIA
81982	MOSCOW BUSINESS WORLD BANK	MOSCOW	RUSSIA
81481	SAVINGS BK OF THE RUSSIAN FEDERAT.	MOSCOW	RUSSIA
81963	EXPORT-IMPORT BK RUSSIAN FEDERATION	MOSCOW	RUSSIA
82293	JOINT-ST.COM.BK SOVFINTRADE-CLIENT	MOSCOW	RUSSIA
82301	BANK ZENIT-CLIENT ACCOUNT	MOSCOW	RUSSIA
82334	COMMERCIAL BANK ALJBA ALLIANCE	MOSCOW	RUSSIA
82380	INTERNATIONAL BK FOR ECONOMIC CO-OP	MOSCOW	RUSSIA
82635	COMMERCIAL BANK ALJBA ALLIANCE	MOSCOW	RUSSIA
82685	**BANK 'ROSSIYSKIY KREDIT' CLIENTS**	MOSCOW	RUSSIA
82994	EXPORT-IMPORT BK RUSSIAN FED-CLIENT	MOSCOW	RUSSIA
82999	MOSCOW JOINT ST.COM.BK VOZROZHDENIY	MOSCOW	1RUSSIA
82950	ABN AMRO BANK A.O.	MOSCOW	RUSSIA
83024	GAZPROMBANK	MOSCOW	RUSSIA
83065	BANK FOR FOREIGN TRADE	MOSCOW	RUSSIA
81466	BANK IMPERIAL	MOSCOW	RUSSIA
83290	THE INTERNATIONAL INDUSTRIAL BANK	MOSCOW	RUSSIA
83737	MOSCOW BUSINESS WORLD BANK	MOSCOW	RUSSIA
86192	BK FOR FOREIGN ECON.AFF.USSR-CLIENT	MOSCOW	RUSSIA
88202	MOSCOW MUNICIPAL BK-BANK OF MOSCOW	MOSCOW	RUSSIA

Nous trouvons, dans la liste des clients russes de Clearstream, presque autant de comptes publiés que de comptes non publiés. À côté de clients inscrits officiellement et liés à l'État, comme la Banque du ministère russe des Affaires étrangères, la Banque de la Fédération de Russie ou la Banque municipale de Moscou, on découvre de nou-velles banques privées comme la Moscow Business World Bank ou la Most Bank. Des "clients" apparaissent également comme gestionnaires occultes – puisque non répertoriés – de comptes non publiés. C'est le cas de la Mezhcombank Inter-branch Com. Bank (compte non publié 80518), de la Bank Rossiyskiy Kredit (comptes non publié 76010 et 82685) ou de la Bank Menatep (compte non publié 81738)[1].

La présence de cette dernière, officiellement en faillite depuis 1998, est intéressante. D'abord, parce qu'elle a été démarchée directement par un représentant de Clearstream qui a rendu une visite à son président à Moscou. Ensuite, parce que cette banque, qui a ouvert un compte en Cedel le 15 mai 1997, s'est trouvée impliquée dans divers scandales en Russie, dont celui – révélé en août 1999 – du "Kremlin-gate" : le détournement vers des paradis fiscaux de quelque 10 milliards de dollars prêtés à la Russie par le Fonds moné-taire international (FMI). Ces détournements ont été effectués avec la complicité d'une autre banque adhérente de Clears-tream, qui y possède de nombreux comptes non publiés : la Bank of New York, un établissement soupçonné par les auto-rités américaines d'avoir, au cours de la seule années 1998, servi à blanchir jusqu'à 15 milliards de dollars en provenance de Russie. Les sommes blanchies ou détournées passaient par des comptes ouverts par une société écran contrôlée par l'un des principaux parrains de la mafia russe.

---

1. On trouve aussi, dans les clients russes non référencés, la Rossiyskiy Kredit, qui possède deux comptes non publiés en Clearstream. Deux dirigeants de cette banque (Lev Levaev, surnommé le "surdoué du diamant", et un conseiller prési-dentiel, Alexandre Livchits) sont régulièrement cités par la presse russe pour leur implication dans diverses affaires troubles, notamment dans le cadre d'un trafic de diamant avec l'Angola (cf. Courrier International du 18 janvier 2001).

Au cœur du scandale, la vice-présidente de la Bank of New York (en charge des relations avec la Russie) et son mari, ancien vice-président de la Menatep et représentant de la Russie au FMI de 1992 à 1995, que le FBI considère comme l'*"associé"* de ce parrain russe. Dans le collimateur de la justice américaine, le couple est soupçonné d'avoir servi à blanchir, via la Menatep et la Bank of New York, entre 4 et 10 milliards de dollars. Les détournements de la société écran partaient en effet de la Menatep, avant de transiter par la Bank of New York et par quatre autres établissements bancaires. *"Les enquêteurs pensent que la Menatep fut le point d'origine principal de l'argent blanchi"*, relate ainsi *Libération* [1].

La Menatep était également la banque préférée de l'homme d'affaires Arcadi Gaydamak, un des personnages clés – avec son partenaire, le marchand d'armes Pierre Falcone [2] – de "l'Angolagate" : une affaire de vente illicite d'armes à l'Angola qui semble avoir donné lieu au versement de juteuses commissions auprès d'intermédiaires français [3]. En 1994, Gaydamak déclarait à une journaliste du *Nouvel Observateur* : *"[En Russie], je peux lever des millions de dollars pour financer mes projets. Aujourd'hui, je suis le Bernard Tapie de Menatep. Sauf que moi, je rembourserai mes dettes."*

Les milliards du "Kremlingate" ont été détournés vers des compagnies *offshore* basées, notamment, dans le Paci-

---

1. "L'écheveau qui vaudrait 15 milliards", Fabrice Rousselot, *Libération* du 31 août 1999.
2. Écroué le 1er décembre 2000, Falcone a été mis en examen pour *"commerce illicite d'armes, fraude fiscale, abus de biens sociaux, abus de confiance et trafic d'influence"*.
3. Le 6 décembre 2000, un mandat d'arrêt international a été délivré contre Arcadi Gaydamak, après que celui-ci a dédaigné sa convocation par les juges parisiens Philippe Courroye et Isabelle Prévost-Desprez.

fique-Sud et les Caraïbes, mais aussi dans les îles anglo-normandes. Jersey, où Clearstream a de nombreux clients, est également cité. Dans ces paradis fiscaux, la société de clearing – mais c'est sans doute une coïncidence – gère justement des comptes non publiés dont les clients ne sont pas répertoriés. Comment imaginer, en tout cas, qu'adhérente occulte à Cedel (ce que nous révélons ici), la Menatep – avec la complicité active de la Bank of New York – n'ait pas utilisé la société de clearing luxembourgeoise pour transférer certains de ses avoirs ?

71943	BANK OF NEW YORK	LONDON	UNITED KINGDOM
71948	BANK OF NEW YORK	LONDON	UNITED KINGDOM
71956	BANK OF NEW YORK	LONDON	UNITED KINGDOM
71960	BANK OF NEW YORK (CUSTODY)/CUST	WILLEMSTAD	NETH. ANTILLES
71965	BANK OF NEW YORK (NOMINEES) LTD	WILLEMSTAD	NETH. ANTILLES
71973	BANK OF NEW YORK (THE)	WILLEMSTAD	NETH. ANTILLES
71978	BANK OF NEW YORK (THE) /2	ARUBA	NETH. ANTILLES
71981	BANK OF NEW YORK (THE)-DEWAAY LUXBG	WILLEMSTAD	NETH. ANTILLES
71986	BANK OF NEW YORK (THE)/IPA	1ARUBA	NETH. ANTILLES
71994	BANK OF NEW YORK - SMITH NEW COURT	ARUBA	NETH. ANTILLES
71999	BANK OF NEW YORK CLEARANCE ACCOUNT	WILLEMSTAD	NETH. ANTILLES
72001	BANK OF NEW YORK CO.,INC.(CLEARANCE	WILLEMSTAD	NETH. ANTILLES
72006	BANK OF NEW YORK CO.INC(ALEX BROWN)	WILLEMSTAD	NETH. ANTILLES
72010	BANK OF NEW YORK CO.INC(PORTFOLIO)	ARUBA	NETH. ANTILLES
72015	BANK OF NEW YORK CO.INC.(ADVEST)	ARUBA	NETH. ANTILLES
72028	BANK OF NEW YORK CO.INC.(CUSTODY)	ARUBA	NETH. ANTILLES
72031	BANK OF NEW YORK CO.INC.(PLEDGE)	WILLEMSTAD	NETH. ANTILLES
72036	BANK OF NEW YORK CORP TR NEW ISSUES	ARUBA	NETH. ANTILLES
72044	BANK OF NEW YORK LONDON ADR ACCOUNT	WILLEMSTAD	NETH. ANTILLES
72057	BANK OF NEW YORK NOMINEES LTD	MANILA	PHILIPPINES
72074	BANK OF NEW YORK NOMINEES LTD GROSS	CAVA DEI TIRRENI	ITALY
72079	BANK OF NEW YORK NOMINEES LTD NET	GEORGETOWN	CAYMAN ISLANDS
72082	BANK OF NEW YORK SECURITIES LENDING	SHANGHAI	CHINA
72087	BANK OF NEW YORK SUB AC ROB FLEMING	BUENOS AIRES	ARGENTINA
72095	BANK OF NEW YORK-ARISTOCRAT.ENDEAV.	LUXEMBOURG	LUXEMBOURG
72104	BANK OF NEW YORK-BDS	LONDON	UNITED KINGDOM
72109	BANK OF NEW YORK-BDS	LUXEMBOURG	LUXEMBOURG
72112	BANK OF NEW YORK-CATER ALLEN LTD	ST PETER PORT	GUERNSEY, C.I.
72117	BANK OF NEW YORK-DAVIDINGTON/OFFIT.	DOUGLAS	ISLE OF MAN
72120	BANK OF NEW YORK-DEWAAY BRUSSEL MGT	NAPOLI	ITALY
72125	BANK OF NEW YORK-INTER MARITIME BK	LONDON	UNITED KINGDOM
72133	BANK OF NEW YORK-INTER MARITIME/PLE	AMSTERDAM	
72138	BANK OF NEW YORK-ITAL.BANK TAX EXEM	WILLEMSTAD	NETH. ANTILLES
72141	BANK OF NEW YORK-ITALIAN TAX	ROTTERDAM	NETHERLANDS
72146	BANK OF NEW YORK-JAMES CAPEL ADR	NEW YORK	U.S.A
72150	BANK OF NEW YORK-JAMES CAPEL LONDON	NEW YORK	U.S.A.
72155	BANK OF NEW YORK-NOYCE FOUND/OFFIT.	NEW YORK	U.S.A
72163	BANK OF NEW YORK-UNITEC MEX.STATES	MILANO	ITALY
72168	BANK OF NEW YORK/BZW SECURITIES	MIAMI FL	U.S.A.
71293	BANK OF NEW YORK/COUNTRYWIDE SEC.	ANTWERP	BELGIUM
71298	BANK OF NEW YORK/CREDIT AGRICOLE	GENT	BELGIUM
71307	BANK OF NEW YORK/DLJ INTL.SERVICES	LUXEMBOURG	LUXEMBOURG0

Nous aurions aimé avoir les commentaires à ce propos d'André Lussi, mais ce dernier n'a pas donné suite à nos demandes d'éclaircissements [1]. Nous ne pouvons donc que nous raccrocher aux explications données lors du seul entretien qu'il nous a accordé, et où il nous a assuré qu'il faisait procéder à des enquêtes *"très sérieuses"* sur chacun des clients souhaitant entreprendre des transactions transfrontalières grâce à Clearstream. À l'évidence, la gestion des comptes non publiés relève d'une très curieuse gymnastique. Et que dire quand ces comptes sont la propriété de clients non référencés ! Qui les contrôle ? Qui les gère ? Comment une autorité judiciaire peut-elle y avoir accès ? La question des raisons qui incitent une banque, un groupe industriel ou un *broker* à ne pas apparaître sur la liste des comptes publiés de Cedel-Clearstream reste entièrement posée.

Vers la fin de nos entretiens, alors que je m'inquiétais une fois de trop de la qualité et de la véracité de ces listes de compte non publiés, Ernest m'avait expliqué : *"Quand j'ai quitté Cedel, je me suis dit que si un jour un tel système était détourné de son but originel, cela pouvait aller très loin. Rien n'a changé jusqu'au début des années 90, où les premiers dysfonctionnements ont commencé. Même chez Cedel, personne n'a su m'en expliquer la raison. La plupart des gens qui y travaillent ne connaissent que la liste officielle. Ils ne savent pas vraiment comment sortir cette liste de l'ordinateur. Je l'ai eue parce que j'étais là quand on a construit le système. Ce type de liste est une liste qu'on ne demande pas. Elle était réservée au directeur général. Je connaissais encore la procédure. C'est comme ça que je l'ai obtenue. Personne ne se doute que nous avons ce type de document..."*

---

1. Dans notre dernière lettre recommandée, expédiée le 25 janvier 2001, nous l'avons à nouveau interrogé à ce sujet.

8

L'outil de travail des banquiers et des criminels organisés

C'était en décembre pendant le tournage du film qui a accompagné la sortie de ce livre. J'étais dans le bureau d'un des cadres importants de la treizième banque au monde : Jacques-Philippe Marson est le PDG de BNP Paribas Securities Services. Il présente la particularité intéressante d'avoir été le directeur général de Cedel jusqu'en 1992. Il est aujourd'hui administrateur d'Euroclear. Sur les raisons de son départ de Cedel, Jacques-Philippe Marson ne souhaite pas s'étendre : *"Incompatibilité d'humeur avec Lussi. Si j'avais eu le sentiment une seconde que le système avait pu servir à masquer des opérations troubles, je serais parti avant...* [1]*"*

Entre Clearstream et Euroclear, la concurrence est toujours aussi vive. Tous les acteurs des marchés financiers que nous avons rencontrés jugent cette rivalité néfaste. Chacune des deux sociétés affiche des chiffres qui font d'elle le leader du clearing international. L'imminence d'une fusion ne fait pas

---

1. Jacques-Philippe Marson a quitté Cedel à l'été 1992, au même moment que le secrétaire général, Gilbert Lichter. À l'époque, ce départ conjoint a fait l'effet d'une bombe dans le secteur financier. Un argumentaire confidentiel d'André Lussi à l'attention de certains membres du personnel détaillait les réponses à donner en cas de questions venant de l'extérieur sur ces démissions.

de doutes : *"On ne pourra plus se permettre longtemps le luxe de deux sociétés"*, résume Pierre Francotte, le PDG d'Euroclear. L'argument aurait pu sortir de la bouche d'André Lussi. Le problème vient du fait que, en cas de fusion, les deux sociétés, leurs actionnaires et leurs PDG respectifs briguent le leadership.

L'affaire s'est compliquée depuis mai 1995 : la firme dirigée par André Lussi a changé de statuts et de forme juridique, sans doute pour accommoder ses gros clients industriels, de plus en plus nombreux à ouvrir des comptes en leur nom propre (donc, à enfreindre la règle qui obligeait tout client potentiel à passer par l'intermédiaire d'une banque ou d'un agent de change pour être admis dans la société de clearing. Le conseil d'administration de Cedel a voté l'éclatement de la firme en trois sociétés [1].

Cette nouvelle organisation permet de maintenir éloignés de toutes les instances de décision du nouveau groupe les représentants des salariés. Au-delà de six cents employés, la loi luxembourgeoise impose en effet la présence de représentants du personnel au conseil d'administration. Aucune des trois sociétés n'a atteint ce quota. Selon Armand Drews [2], le responsable de la principale centrale syndicale du secteur bancaire au Luxembourg, ce serait même pour cette unique raison que Cedel aurait opéré cette mue, empêchant ainsi toute personne extérieure de mettre son nez dans les affaires intimes de la firme.

---

1. La première, Cedel International, continue à s'occuper de clearing. La seconde, Cedel Global Services, est la société de gestion du groupe. La troisième, Cedel Bank, fait office de banquier pour les clients de Cedel.
2. Entretien dans les locaux de l'OGBL, le syndicat bancaire le plus à gauche, le 19 juillet 2000.

Cette volonté de protéger le conseil d'administration de tout intrus semble une obsession à Clearstream. Les nouvelles admissions se font par cooptation, et un habile système de roulement des actionnaires – sur un, deux et trois ans – permet à un petit cercle proche d'André Lussi de conserver le pouvoir réel, à côté de représentants des banques interchangeables. Nous avons eu une conversation avec un banquier français, ancien dirigeant d'une banque participant au conseil d'administration de Cedel. Il nous a confirmé ne pas trop savoir ce qui se déroulait à l'intérieur de la firme de cmearing : *"On est là pour représenter les banques utilisatrices. On fait confiance, mais on ne suit pas de très près ce qui se passe dans l'outil..."*

En janvier 2000, la Centrale de livraison de valeurs mobilières a opéré de nouveaux changements structurels, en devenant Clearstream. Derrière le lifting se cache une petite révolution au niveau de son actionnariat, puisque la principale société de clearing allemande, la Deutsche Börse-Clearing, a fusionné avec Cedel pour créer cette nouvelle structure [1].

Si Cedel a changé de peau, Euroclear s'est également transformé, en fusionnant avec la société de clearing française Sicovam. En quantité de transactions traitées annuellement, les deux nouvelles entités affichent approximativement le même chiffre, autour de cent millions. Pour ce qui

---

1. À la tête du nouveau groupe, on trouve toujours Cedel International qui, à part égale avec la société de clearing allemande, contrôle le groupe Clearstream. Celui-ci se compose de quatre nouvelles entités : Clearstream International, Clearstream Banking Luxembourg (ex-Cedelbank), Clearstream Banking Frankfurt (ex-Deutsche Börse-Clearing) et Clearstream Services (ex-Cedel Global Services).

est du montant des opérations dénouées officiellement par les deux systèmes, la différence, en 1999, se creusait nettement en faveur de Euroclear [1].

Le 20 novembre 2000, dans un communiqué destiné à la presse financière, André Lussi annonçait, à la stupeur générale, 10 000 milliards d'euros déposés en ses comptes. Soit, en langage financier, 10 trillions d'euros... Trois mois plus tôt, lors de l'entretien qu'il nous avait accordé, André Lussi parlait de 9 trillions d'euros, ce qui représente une augmentation – prodigieuse – de 10 %, sur un marché stable. Chez Euroclear, où l'on affiche fièrement 7 trillions déposés sur l'année, on était incrédule. Comment expliquer rationnellement une telle augmentation ?

"Impossible, c'est du bluff, ou de la magie", nous a aussitôt confié un banquier travaillant avec Euroclear.

La confirmation d'un dérapage n'a pas traîné. Le 11 janvier 2001, dans un article d'une vingtaine de lignes du *Financial Times*, Clearstream admettait une erreur... d'un trillion d'euros ! Une surévaluation de 7 000 milliards de francs. On ne rêve pas.

"Clearstream, la société européenne de clearing transfrontalier, a rejeté sur un de ses clients la responsabilité d'une surestimation de la valeur de ses avoirs de presque mille

---

1. Selon les chiffres fournis par Euroclear, la firme implantée à Bruxelles aurait liquidé des opérations pour un montant de 83 milliards d'euros en 1999, contre 26 milliards à sa concurrente luxembourgeoise. Ces chiffres ne sont pas confirmés par Clearstream qui, l'an passé, mettait en avant le montant des dépôts conservés par ses soins pour l'ensemble de ses activités – banque et clearing – à savoir : 7 500 milliards de dollars. Nous avons lu ce chiffre dans un article du *Luxemburger Wort* (du 16 février 2000). Ni l'article ni Clearstream ne précisait si ce calcul prenait en compte l'ensemble des comptes de la firme...

milliards d'euros. (…) Ceci jette un doute sur les affirmations de Clearstream selon lesquelles la société détiendrait des valeurs estimées à plus de dix trillions d'euros, ce qui l'avait catapultée devant son plus féroce rival, la société Euroclear, dans la bataille pour devenir la plus grande société de clearing en Europe", écrivait le journal financier.

Pour justifier cette erreur, le service chargé de la communication de Clearstream ne s'est pas trop embarrassé : *"Nous avons découvert l'erreur, mais c'est un client qui l'a commise. Nous avons reçu une explication qui nous satisfait."* Une marge d'erreur de 10 % due à un seul client ? La ficelle est un peu grosse. En dehors de cet article du *Financial Times*, rien d'autre n'a transpiré dans la presse [1]. Si peu d'émoi pour une si faramineuse erreur. Les mœurs des professionnels de la finance sont décidément insondables… Le désintérêt de la presse pour ces questions de chiffres à douze zéros également. Il s'agissait pourtant, répétons-le, de 1 000 milliards d'euros.

Les mêmes banques sont actionnaires des deux sociétés de clearing international, et de Swift

Tout pourrait être simple dans ce bras de fer, si la répartition de l'actionnariat entre les deux firmes était tranchée. D'un côté, certaines banques. De l'autre, des banques concurrentes… L'ambiguïté, avec Clearstream, Euroclear, et même Swift, réside dans le fait qu'ils se partagent bon nombre d'actionnaires. Le groupe BNP-Paribas, la Deutsche Bank, l'Union

---

1. L'article du *Financial Times* était signé par Vincent Boland, rédacteur en chef de la rubrique "marchés financiers".

de Banques Suisses, la Morgan Stanley, la société de *brokers* new-yorkaise Merrill Lynch... sont à la fois membres du conseil d'administration de Clearstream (17 membres) et d'Euroclear (25 membres). On retrouve également au conseil d'administration de Swift (25 membres) des représentants de banques participant aux décisions des deux sociétés de clearing, comme la Chase Manhattan ou la Barclays Bank (également chez Clearstream), l'ABN Amro ou la Bank of New York (membres d'Euroclear).

L'observation de la composition du conseil d'administration de ces trois sociétés montre qu'un nombre réduit de banques, une petite dizaine, ont une influence et une responsabilité considérables sur les prises de décisions concernant les transferts bancaires internationaux. La concurrence entre Clearstream et Euroclear doit arranger ces banques, puisqu'elle perdure.

À propos des différences, Jacques-Philippe Marson explique : *"Si Cedel et Euroclear étaient des enfants, je dirais que Euroclear a eu des parents sévères qui se sont occupés de son éducation, alors que Cedel a poussé tout seul, livré à lui-même."* Cette remarque nous replonge à l'origine du clearing transfrontalier.

Euroclear est, au départ, la créature d'une banque américaine à l'éthique reconnue, la Morgan Guaranty, alors que Cedel, née en réaction, est l'émanation de dizaines de banques européennes n'ayant pu se mettre véritablement d'accord sur une ligne commune...

Si l'utilisation que fait Euroclear de ses comptes et de ses clients non publiés ne nous paraît pas totalement claire, ce que nous avons entrevu dans les comptes de Cedel-Clearstream, et que nous avons développé dans les chapitres précédents, est tout simplement effrayant.

Nous ne sommes pas au bout de nos découvertes.

Le système a fabriqué, au fil des ans, une opacité utile aux initiés, inaccessible aux autres...

L'opacité du système et ses circuits parallèles ont un sens, et une fonction. Sans doute plusieurs.

Ce qui pose problème, ce n'est pas seulement le nombre très élevé de comptes non publiés, mais surtout le fait que ces comptes se trouvent être régulièrement la propriété de titulaires non inscrits sur la liste officielle des clients de la firme (dont certains n'ont théoriquement pas le droit d'adhérer à un système de clearing [1]). Le "contexte particulier" qui a permis la prolifération de ces comptes et de ces clients invisibles ne s'est pas développé spontanément, mais parce que des hommes l'ont voulu ou ont fermé les yeux ; parce qu'il était aussi utile aux grandes entreprises, aux acteurs financiers, et à des organismes très officiels : un ministère français du Budget, un ministère luxembourgeois du Trésor, un service secret...

Les comptes non publiés peuvent être "une planque", un endroit où l'on dépose des fonds ou des titres en attente... Ils peuvent offrir de nombreuses possibilités, des activités financières subtiles : autocontrôle, OPA surprise, lissage de comptes (on met en attente des gains qu'on réintroduira ensuite en comptabilité), délit d'initiés, constitution de caisses noires, rémunérations parallèles...

Les exemples de banques qui inventent des investissements obligataires très conjoncturels en fin d'exercice

---

1. C'était par exemple le cas, en 1995, de Siemens, Unilever, ou du groupe Accor Wagons-Lits. Nous avons adressé un fax aux directions générales respectives de ces entreprises, mais nos questions sont restées sans réponse.

comptable ne sont pas rares, d'après Ernest et plusieurs témoins, dans le secteur bancaire. *"C'est un schéma classique. Il est fréquent que cent millions d'avoirs se baladent sur des filiales lointaines. On émet des obligations sur un site au nom exotique, et on achète sa propre émission. Ainsi on cache aux yeux du fisc ses bénéfices"*, précise Ernest.

Tout devient possible puisque rien ne peut être véritablement contrôlé.

Le 30 mai 1998, le *Financial Times* publiait une brève à propos d'une affaire d'obligations bidons : *"Trois hommes ont été placés en détention provisoire par le tribunal de Londres. Ils sont accusés d'entente délictueuse visant à écouler des obligations bidons sur le marché euro-obligataire, pour un montant de 3,8 milliards de livres (soit 38 milliards de francs)"*, relatait le journal. Suivaient l'identité des trois hommes, et l'information selon laquelle la manipulation aurait été opérée à partir de la branche londonienne de Cedel. Les trois salariés en question avaient visiblement profité de leur statut à l'intérieur de la firme pour émettre cette obligation bidon qui avait tous les attributs de la légalité et de l'authenticité. Selon nos sources, ils avaient inventé une offre de prêt obligataire au nom d'une capitale scandinave et avaient ainsi ouvert un compte non publié en Cedel, dans lequel n'importe quel investisseur aurait pu investir des fonds [1]. Une obligation étant par essence un investissement à terme, les trois complices avaient visible-

---

1. Imaginons par exemple qu'une ville de la taille d'Oslo veuille construire un métro. Pour cela, elle lance un emprunt à 7 %, qu'elle garantit sur huit ans. Comme c'est une ville bien gérée, aux finances saines, des investisseurs seront aussitôt attirés...

ment le projet de disparaître avec l'argent... Mis en examen pour entente délictueuse et fraude, ils ne seraient restés, toujours selon nos sources, qu'une seule journée en prison, à Londres. André Lussi a sans doute préféré étouffer le scandale plutôt que de le voir étalé sur la place publique, créant ainsi un fort préjudice à la réputation de Cedel. Cette anecdote montre que ce type de montage – l'émission d'une obligation bidon orchestrée de l'intérieur de la firme – est possible. Il aurait pu rapporter très gros si les trois arnaqueurs n'avaient pas exagéré le montant total, et créé ainsi la plus grosse euro-émission jamais enregistrée. Nous ne savons pas ce qu'il est advenu des protagonistes de cette histoire. À part cette brève du *Financial Times*, nous n'avons retrouvé aucune autre trace de l'affaire dans la presse...

La question de l'argent noir se pose inévitablement

Lorsqu'un mafieux russe veut dissimuler ou blanchir [1] 30 millions de dollars gagnés illégalement, quelqu'un est-il au courant dans l'organigramme de la société de clearing ? En quoi l'opacité du système favorise-t-elle ces opérations ? Officiellement il n'y a rien à voir. Le système qui liquide les transactions n'a, dans la plupart des cas, aucune idée de ce qu'il liquide. Seule la banque adhérente au système est susceptible d'être au courant. Mais il apparaît évident que le système de

---

1. Ces notions recouvrent des réalités différentes, voire opposées. Le blanchiment est le moment où l'argent noir n'est plus dissimulé. Si des banques utilisent Cedel-Clearstream pour frauder, ce blanchiment intervient forcément après ou avant le passage par les comptes non publiés.

double liste – celle des comptes publiés et celle des comptes non publiés – est un rideau de fumée supplémentaire.

Le mafieux russe n'est vraisemblablement pas informé lui-même des circuits du clearing. Il suffit que son banquier ait connaissance du système de double liste en cours à Cedel, et l'opération de dissimulation pourra se faire avec un maximum de discrétion. Surtout si l'un des intervenants, à l'instar de la banque russe Menatep, possède des comptes non publiés, et n'est pas inscrit sur la liste officielle des clients de la société de clearing. Le camouflage parfait.

Clearstream aujourd'hui, comme Cedel hier, joue les aveugles et se charge de l'intendance. L'argent devient ainsi invisible.

Le moment du blanchiment reste celui où les fonds ou les titres entrent dans le circuit économique et apparaissent officiellement. La multiplication des paradis fiscaux et le système de double liste permettent des montages infinis, avec des opérations en cascade qui sont un jeu d'enfant pour tout opérateur initié aux finesses du clearing.

Plusieurs témoins rencontrés lors de cette enquête ont mis en cause des banques luxembourgeoises, adhérentes historiques de Cedel. L'un d'eux, un ancien de la firme dont le "travail" consiste désormais à aider ses clients étrangers à frauder le fisc (ce qui n'est pas illégal au Luxembourg), nous a expliqué la mécanique d'un simple *"back to back"* [1]. Il cite le cas d'un entrepreneur français voulant utiliser, pour lui et sa famille, 10 millions de francs gagnés au noir. Le seul risque, pour cet entrepreneur, est de se faire contrôler avec

---

1. Traduction littérale : "dos-à-dos". L'emprunteur emprunte une somme qu'il garantit avec un compte pourvu d'argent noir, grâce auquel il rembourse sa dette.

l'argent sur lui par un service douanier. Après, nous confirme notre témoin, *"c'est du billard..."* Il apporte ses dix millions en liquide à la banque luxembourgeoise, et obtient dans la foulée un prêt du même montant qu'il pourra toucher intégralement dans sa banque française (la mise de départ en liquide sert de caution).

Parallèlement, grâce au clearing, la banque luxembourgeoise place l'argent noir de l'entrepreneur sur le marché obligataire. Elle obtient pour son client français un *"numéro Cedel"*. En fait, la preuve qu'il a prêté de l'argent sur le marché obligataire. Et qu'il récupérera sa mise, avec intérêt, dans un délai donné (dans notre exemple, ce délai est de huit ans). Chaque mois, l'entrepreneur français qui a obtenu son prêt remboursera normalement des traites à sa banque française.

À la clôture de l'emprunt obligataire, il pourra récupérer sa mise de départ doublement blanchie. Ce moment est appelé la *rédemption* chez les adeptes du *"Back to back"*. La remise des compteurs à zéro. La banque luxembourgeoise aura empoché un généreux pourcentage (7 % des sommes prêtées, dans notre exemple), la banque française une petite commission. Et la chambre de compensation aura perçu un intérêt sur le temps d'immobilisation de l'argent en ses comptes. Dans notre exemple, le bénéfice est minime, mais à grande échelle il est beaucoup plus conséquent.

Nous pouvons évidemment reproduire cet exemple avec un mafieux italien et une banque slovaque, ou un mafieux russe avec une banque des îles Samoa (les Russes aiment beaucoup les banques samoaises en ce moment). Peu importe que la banque d'entrée soit ou non membre de la société de clearing, il suffit qu'elle soit, à un moment donné, en contact avec une banque adhérente pour que le système, quasi indécelable, fonctionne...

Si les fonds sont placés sur les comptes non publiés d'une banque non inscrite, le système est encore plus imparable

Il ne faut jamais perdre de vue que les mafias du monde n'ont qu'une obsession : blanchir leurs gains. L'argent des trafics doit être recyclé. Le principal souci des mafieux est toujours le même. Rentrer dans l'économie officielle. Ils ont alors besoin de banquiers habiles et peu regardants. Et ces banquiers ont besoin de l'anonymat des chambres de compensation, s'ils veulent noyer leurs transactions douteuses dans la masse des opérations passant quotidiennement dans le clearing.

On peut donc dire que le clearing aide à faire temporairement disparaître des sommes gagnées illégalement. Imaginons qu'une enquête de police soit en cours à propos de notre entrepreneur fictif. Celui-ci pourra justifier pleinement son prêt. Si les policiers ont des doutes et qu'ils fouillent du côté de la banque luxembourgeoise et de Cedel, le dépôt sur un compte non publié jouera son rôle de double verrou. Ni vu ni connu.

C'est ce que nous avait expliqué Ernest Backes : *"Il y a beaucoup de raisons de travailler sur les comptes non publiés. Prenons l'exemple d'une banque établie à Bogota. Un jour ou l'autre, cette banque a de fortes chances d'être visitée par des représentants d'Interpol sur un dossier quelconque de blanchiment d'argent de la drogue. Il faudra alors montrer patte blanche aux autorités, en produisant les extraits de son compte officiel auprès de la société de clearing, tout en ne parlant pas de son compte non publié. Interpol reçoit copie de tous les extraits du compte officiel, qui est le seul connu. Ce qui se passe sur les comptes non publiés, personne ne le saura jamais..."*

En cas de commission rogatoire ou de perquisition (ce qui est très rare à Cedel-Clearstream), les consignes sont simples. Ernest les rappelle : *"Il y a déjà eu des perquisitions et des demandes d'informations bancaires transmises à Cedel Luxembourg. Déjà, avant 1983, j'avais reçu la police financière dans le cadre de commissions rogatoires. Chez Cedel, il y avait déjà une philosophie que tout le monde respectait. Lorsque la police venait enquêter, on te disait toujours : "Montre leur la forêt, jamais l'arbre !" Cette philosophie est la même aujourd'hui…"*

Le système semble s'être emballé au cours des dix dernières années.

Les comptes non publiés ont commencé à se multiplier à partir des années 90. D'après Ernest Backes, jusque-là leur nombre restait peu élevé. Un autre *insider* [1] rencontré à Luxembourg, qui avait été licencié par André Lussi, nous a affirmé qu'il avait compté, en 1991, très exactement 101 comptes non publiés qui *"n'étaient pas comptabilisés dans la comptabilité officielle".*

Nous touchons là une nouvelle et déterminante révélation.

Cet *insider* a aujourd'hui quitté la firme. Il avait été, pendant une dizaine d'années, l'un des responsables de son

---

1. Nous préférons ce terme à sa traduction française : initié. Nos *insiders* sont davantage des "témoins de l'intérieur". Être un *insider* ne signifie pas forcément que l'on soit toujours actif dans une banque ou une société de clearing. Dans le film que nous avons réalisé avec Pascal Lorent parallèlement à ce livre, Marco Mart explique assez justement : *"La place financière luxembourgeoise, soit tu en vis, soit tu en crèves."* En témoignant auprès d'un étranger, on peut ainsi devenir *insider* à son propre pays.

informatisation. Il connaît donc le système. *"Au début des années 90, nous avons été surpris par un certain nombre de bugs : le système "plantait", il fallait réparer. C'est comme ça que nous avons mis le nez où il ne fallait pas. Nous avons découvert que des comptes, non seulement ne figuraient pas dans les listes des comptes publiés, mais étaient codés différemment des autres comptes. Ils avaient un statut particulier. Ils n'entraient pas dans la comptabilité générale de Cedel. Les bénéfices générés par ces comptes étaient virés ailleurs... Il y en avait 101 en 1991. Ce chiffre était facile à retenir."* Notre *insider* est formel. Il se déclare prêt à témoigner devant une autorité judiciaire au cas où on lui en ferait la demande [1].

Pourquoi n'en a-t-il pas parlé avant ? *"Personne n'aurait compris, et je ne voyais pas l'intérêt de me griller encore plus..."*

Les détails qu'il nous donne, et son statut dans la firme, sont suffisamment précis pour qu'on lui accorde un certain crédit.

Plusieurs témoins font état d'une comptabilité particulière pour certains comptes non publiés

À Cedel, deux licenciements (parmi des dizaines d'autres) ont conduit aux départs successifs, en 1992 puis en 1994, de deux personnes chargées de cette comptabilité. Une explication nous a été fournie par plusieurs témoins

---

1. Nous ne citons pas son nom à sa demande, car il travaille toujours en liaison avec le milieu bancaire luxembourgeois. Il a cependant rédigé une attestation selon laquelle il affirme être prêt à témoigner devant un magistrat si nécessaire.

qui travaillaient à l'époque au sein de la firme. Selon eux, l'administrateur délégué André Lussi aurait demandé à au moins un de ces comptables de prendre des bénéfices générés par les comptes non publiés pour les intégrer à la comptabilité des comptes publiés, afin de présenter devant ses administrateurs des résultats bénéficiaires.

Nous avons pu entrer en contact avec un de ces comptables. Par téléphone, il nous a, dans un premier temps, confirmé avoir démissionné suite à des problèmes qui *"pourraient avoir un rapport avec la gestion de comptes non publiés"* [1]. Dans un deuxième temps, il a nié jusqu'à l'existence de ces comptes. Et encore davantage la présence en Cedel, à l'époque, d'une double comptabilité. Sa démission ? Elle serait *"uniquement"* le fait d'une histoire d'amour avec une secrétaire, mal vue par la direction [2]. Selon lui, s'il y avait eu le moindre problème de comptabilité, les auditeurs du groupe KPMG, chargés de la supervision des comptes, l'auraient décelé [3].

Nous avons retrouvé un collègue de cet ancien comptable. Celui-ci nous a assuré que ce dernier lui avait confié (ainsi qu'à d'autres salariés de Cedel) une tout autre version de ce départ forcé plus en rapport avec cette possible double comptabilité.

Nous n'affirmons pas ici que tous les comptes non publiés engendrent une comptabilité occulte. Leur nombre

1. Propos tenus devant témoins le 19 juillet 2000.
2. Entretien du 27 septembre 2000, dans un café de Luxembourg, en présence d'un témoin.
3. On peut douter de cet argument. De 1980 à 1983, alors que les procédures à l'intérieur de Cedel étaient moins complexes qu'aujourd'hui, il a fallu de longues et patientes explications d'Ernest pour que les auditeurs de l'époque découvrent une sombre histoire de crédits non autorisés que Cedel et son manager d'alors accordaient trop généreusement à des amis anglais.

est tel que cela serait impossible et absurde. Les comptes non publiés de nombreuses filiales de banque apparaissent dans la comptabilité générale de Cedel. Selon nos sources, pourtant, certains produits générés par ces comptes non publiés feraient l'objet d'une comptabilité séparée. Celle-ci ne serait pas entièrement *"consolidée"*, selon la terminologie en vigueur, dans celle des comptes publiés.

C'est ce que nous confirme Ernest : *"À la fin de l'année 1991, les livres comptables auraient dû montrer que, sur le total des comptes publiés, Cedel était largement déficitaire. André Lussi aurait dû présenter un résultat négatif, ce qui ne s'était jamais vu en plus de vingt ans d'activités. Dès lors, il aurait demandé au comptable de jouer sur les différents comptes pour faire ressortir un profit, en se servant des bénéfices réalisés sur la gestion des comptes non publiés qui n'étaient pas consolidés. Celui-ci a refusé et a quitté Cedel après une explication animée avec Lussi lors de la fête de fin d'année de Cedel, devant plusieurs témoins. "*

À la question de savoir si cette gestion trouble a posé un problème aux commissaires aux comptes ou aux administrateurs, Ernest précise : *"Si les réviseurs n'en disent rien, les administrateurs ne peuvent pas le savoir. Il ne faut pas oublier que l'auditeur se trouve dans la situation ambiguë de devoir contrôler celui qui le rémunère pour son contrôle. Dans ces conditions, il n'est souvent pas trop regardant, de peur qu'un avis accompagné de réserves ne lui fasse perdre un gros client. Dans cette histoire, après la démission du comptable, l'auditeur aurait lui-même suggéré à Lussi d'engager temporairement un comptable chargé de jouer sur les comptes. Le travail de ce nouveau collaborateur a consisté à faire transiter des bénéfices de la partie non publiée vers la partie officielle, afin de gonfler les chiffres et de générer ainsi un résultat positif à présenter lors de l'assemblée générale annuelle."*

Nous sommes entrés en contact avec le supérieur hiérarchique du comptable démissionnaire de Cedel, Joseph Simmet, qui a quitté Cedel en 1992. Même changement d'attitude de sa part entre la conversation téléphonique (lors de laquelle il admettait l'existence de problèmes de comptabilité à l'époque d'André Lussi) et le moment de notre rencontre (où il a refusé d'évoquer ces problèmes).

Adressé le 9 juin 1992 au président du conseil d'administration de l'époque, un rapport d'une dizaine de pages, signé de Joseph Simmet, aurait fait état de divers dysfonctionnements constatés à Cedel, dont ces problèmes de comptabilité. Joseph Simmet et Jacques-Philippe Marson nous ont affirmé que ce rapport avait été remis au président de l'époque, Hans Angermuller, un ancien président de la Citibank. Ce rapport était, selon les témoignages de ces deux anciens salariés, *"accablant"* pour la gestion d'André Lussi. Il n'a été suivi d'aucun effet.

Jacques-Philippe Marson n'a pu nous en dire davantage sur ce rapport (rédigé en allemand). Il nous a cependant livré une surprenante information : *"Malgré mon statut de directeur général, je n'avais aucune possibilité d'accéder aux comptes de Cedel. Ces comptes, comme les contacts avec les administrateurs, étaient les territoires exclusifs d'André Lussi* [1]*."*

Nous avons cherché à nous procurer le rapport Simmet. Son auteur nous a confirmé son existence, mais a refusé d'en détailler le contenu. Directeur d'une entreprise spécialisée dans la fabrication et le traitement des cartes bancaires, Joseph Simmet ne peut se permettre, selon ses termes, de

---

1. Entretien avec Jacques-Philippe Marson, le 8 décembre 2000.

"se mettre à dos la place bancaire du pays". Il affirme craindre les réactions, et le pouvoir *"de nuisance"*, de celui qui est toujours le patron incontesté de Clearstream – et qui entretient d'excellentes relations avec le milieu bancaire et politique au Luxembourg. *"Il peut encore me faire du tort et me mettre en danger. Il a du pouvoir au niveau de tous les placements d'argent. Il peut ouvrir ou fermer les robinets* [1]*"*, nous a indiqué Joseph Simmet.

Un ancien délégué du personnel licencié par Lussi nous a confirmé, lui, qu'une semaine après son licenciement, tous ses crédits bancaires avaient été suspendus sur la place de Luxembourg [2].

Tout au long de notre enquête, nous avons pu constater que Cedel-Clearstream, au Luxembourg, est une institution intouchable. Nous avons aussi pu tester qu'André Lussi, son *chief executive officer,* est craint, soutenu et respecté.

Le lobbying d'André Lussi auprès du personnel politique luxembourgeois et européen

Une fondation créée par André Lussi, et à la tête de laquelle il a placé le vieux président de Cedel tout en lui donnant son nom – la Fondation Edmond Israël –, l'aide beaucoup dans son travail de lobbying. Cette fondation remet chaque année un prix, baptisé "Vision pour l'Europe", à un leader politique européen. Jacques Santer, ancien Premier

---

1. Entretien avec Joseph Simmet, le 20 octobre 2000.
2. Entretien avec Régis Hempel, le 3 novembre 2000.

ministre chrétien-social luxembourgeois et ancien président de la Commission européenne, l'a obtenu en 1995. Helmut Kohl en a été lauréat en 1997. L'année suivante, il a été décerné à Jean-Claude Juncker, l'actuel Premier ministre chrétien-social luxembourgeois. À cette occasion, Lionel Jospin avait fait le déplacement et prononcé un discours remarqué [1]. *"Cette cérémonie me fournit l'occasion d'effectuer ma première visite bilatérale au Luxembourg, pays dont la France se sent très proche. (...) Pour ne prendre dans l'actualité qu'une seule illustration, nos deux gouvernements partagent l'idée selon laquelle la globalisation de l'économie mondiale exige en retour une régulation mondiale. Comme la France, le Luxembourg compte au nombre des pays fondateurs des Communautés européennes"*, a expliqué ce jour-là le Premier ministre français, avec cette langue de bois chère aux gouvernants lorsqu'ils parlent de la finance, dont on ne sait jamais ce qu'elle recouvre de naïveté ou de cynisme. Il profitait de l'occasion pour se lancer dans un panégyrique à propos du Luxembourg : *"Berceau de l'Europe, le Grand-Duché a toujours apporté à la construction européenne une contribution essentielle. De grands hommes d'État luxembourgeois, visionnaires et déterminés, facilitant le rapprochement de vues entre les grands États voisins, ont joué un rôle décisif qui fait du Luxembourg un acteur de tout premier plan dans le concert européen. Un pays, en effet, se juge moins à sa taille qu'aux missions qu'il s'assigne et au rôle qu'il joue. De ce point de vue, le Grand-Duché est grand."* En effet.

1. Discours du 19 octobre 1998, lors de la première visite officielle de Lionel Jospin au Grand-Duché de Luxembourg.

Dans la foulée, après avoir vanté la force de Clear-stream [1] André Lussi a poursuivi : *"Nous avons besoin d'une régulation, non pas, comme l'a dit un jour le philosophe britannique Herbert Spencer, pour protéger les hommes des effets de la folie, ce qui ne servirait qu'à peupler le monde de sots. Nous avons besoin d'une coopération internationale, ainsi que de transparence, une diffusion plus complète de l'information financière, aux investisseurs comme aux régulateurs. Nous en avons besoin pour garantir un meilleur fonctionnement des marchés, et permettre ainsi aux régulateurs d'assurer une supervision efficace de nos institutions financières. Les performances et les résultats à court terme ont, bien sûr, leur importance. Mais c'est aussi le cas de la réflexion et du comportement à long terme."*

Nous partageons entièrement ce point de vue.

Ce type de propos est assez répandu dans les milieux politiques et bancaires luxembourgeois. Nous avons retrouvé d'autres "perles" illustrant l'ambiguïté du système grand-ducal en Europe. D'un côté, il faut rassurer ses partenaires en promettant des contrôles, d'un autre rassurer ses banquiers en promettant de la souplesse dans ces contrôles. Lors de la cérémonie du 4 mai 1994, célébrant le 75e anniversaire de la Banque générale du Luxembourg, Marcel Mart, président du conseil

---

1. *"Depuis 1990, nous avons créé plus de 500 emplois nouveaux. Nous constituons une force de travail multilingue, multiculturelle, regroupant 32 nationalités s'exprimant au total dans 25 langues, pour la plupart, très bien..."* L'intégralité des discours est accessible sur Internet (www.ei-foundation.lu/eif/vision /index.htm).

d'administration, s'est ainsi fendu d'une métaphore troublante : *"Dans un monde globalisé, où la dernière bourse, aux États-Unis, ferme quelques petites heures seulement avant l'ouverture de la Bourse de Tokyo, l'argent cosmopolite est devenu comme un grand fleuve qui cherche, avec ténacité, la direction de la moindre résistance... Le bon sens de nos gouvernants a su anticiper en quelque sorte l'espace de liberté qui est imposé littéralement au monde entier, mais qu'il faut baliser par un cadre de contrôle souple mais sérieux pour éviter les débordements et dérapages qui, autrement, mettraient en péril le fonctionnement même du système. La Banque générale et toutes les autres institutions financières à Luxembourg sont unanimes à encourager et à soutenir l'action du gouvernement luxembourgeois pour faire prévaloir le bon sens dans les enceintes internationales contre les velléités politiciennes de courte vue qui s'imaginent pouvoir remonter le puissant courant avec des embarcations de fortune qui prennent l'eau dès leur mouillage."*

Clearstream sponsorise ces shows très prisés du gotha politique européen, et organise souvent des conférences où interviennent banquiers et hommes politiques d'envergure planétaire, qu'on sait grassement rémunérés.

En juin dernier, André Lussi a, par exemple, organisé, au titre d'une autre fondation liée au milieu financier dont il est le fondateur, la Fondation Prométhée, un prestigieux cocktail sur une péniche à Paris. Le prétexte de ce pince-fesse où se pressait tout ce que le Luxembourg compte de personnel politique important (Jacques Santer en tête), des banquiers européens de premier plan, et une longue liste de hauts fonctionnaires français..., le prétexte était, donc, la sortie de trois livres présentés dans une (luxueuse) pochette sous le thème générique des *"nou-*

veaux challenges" de la globalisation [1]. Le lendemain, en plus petit comité, une partie de ces invités ont été conviés à une conférence sur le thème : *"L'argent sans frontières"* (*Capital without borders*), à laquelle participait notamment Jean-Claude Trichet, le gouverneur de la Banque de France [2].

André Lussi est friand de ce genre de manifestations qui l'aident à se fabriquer une image de visionnaire et de grand spécialiste de la finance internationale. Clearstream se constitue ainsi un réseau et une réputation en Europe et au Luxembourg, où la presse locale est toujours hagiographique à son égard. Lussi sait aussi remercier le personnel politique luxembourgeois. Jacques Santer fait partie des administrateurs de la Fondation Edmond Israël. Jacques Poos, l'ancien vice-Premier ministre et ministre socialiste des Affaires étrangères luxembourgeois vient, lui, d'être embauché comme consultant à Clearstream.

Depuis qu'André Lussi a pris en main les destinées de Cedel, le nombre des cadres de la firme a été multiplié par dix. Aujourd'hui, Cedel est une armée mexicaine dirigée d'une main de fer par un général aux méthodes autoritaires. Le *turn over* chez les dirigeants de la firme y est impressionnant. La durée de vie d'un cadre ne dépasse pas, en

---

1. La soirée a eu lieu le 21 juin 2000. La pochette avait pour titre "In the Company of Visions" et était composée de trois livres numérotés : Book 1 (*Vision of Arts, Art of Visions*), Book 2 (*Capital Markets without Borders*) Book 3 (*The Network is the Vision*) Outre Prométhée, les sponsors, ayant financé la soirée et les livres, offerts à chaque invité, étaient la Fondation Edmond Israël, Ernst & Young, et Swift...

2. Ce dernier a été mis en examen en mai 2000 pour *"complicité de présentation et publication de comptes sociaux inexacts"* dans l'affaire du Crédit lyonnais.

moyenne, deux ou trois ans. Comme le contrôle des opérations est assuré, dans sa quasi-totalité, par des ordinateurs, un seul cadre contrôle, par exemple, la totalité de la section opérations de la firme. Ce dernier ne peut pas comprendre les astuces du système. Qui lui expliquera le fonctionnement d'une éventuelle comptabilité parallèle ?

L'administrateur délégué de Cedel accapare la supervision de toutes les opérations. Comme il a été formé à utiliser le système, il doit en principe savoir ce qu'on peut en faire. Il faut cependant s'interroger sur ses responsabilités. André Lussi n'est pas le seul maître à bord de Cedel-Clearstream [1]. Il rend des comptes à son conseil d'administration. Lui aussi peut se targuer de n'être aucunement responsable de l'origine des fonds, et des opérations, liquidés dans Cedel. Nous sommes confrontés ici à un problème de taille. Tout est fait, dans la chaîne bancaire, pour diluer les responsabilités de chacun.

Quel est le moteur d'André Lussi ? Nous lui avons posé la question ainsi qu'à de nombreux témoins. Les avis restent partagés entre ceux qui nous expliquent que l'insubmersible PDG de Clearstream – onze ans déjà à la barre ! – est instrumentalisé par des banquiers tireurs de ficelles, et ceux qui voient en lui une sorte de Machiavel…

André Lussi s'accommode très bien de ce portrait contrasté et se contente d'égrener ses marottes : *"Je m'identifie à Clearstream. Je ne cherche que le bien de ma société et de mes actionnaires. Je veux en faire l'outil le plus performant des marchés financiers. Nous ne sommes*

---

1. Sur recommandation de l'IML (aujourd'hui "Commission de Surveillance du Secteur Financier"), il aurait dû mettre en place un principe de gestion conjointe (le principe des quatre yeux).

pas une coopérative, nous sommes une entreprise à but commercial." Et ses vœux pieux : *"Nous sommes très bien contrôlés, en interne comme en externe. Nous n'acceptons pas n'importe qui dans nos comptes."* Voire des mensonges de circonstance, pour qui connaît la liste des adhérents : *"Non, nous n'acceptons aucune société ou multinationale, uniquement des banques et des* brokers-dealers". Parfois aussi, parti dans ses rêves de grandeur et une mégalomanie affichée, il se lâche, ne cherchant plus à cacher ce que nous savions déjà : *"Chez nous, tout est traçable. Tout... Absolument tout !"*

À une question apparemment anodine, sur le fait que la société de clearing internationale serait le dernier endroit, dans le monde capitaliste, où l'acte de propriété s'inscrit électroniquement, André Lussi concède : *"Oui, on peut dire que nous sommes comme les notaires du monde* [1]*... "*

Chez Clearstream, comme chez Euroclear, tout en la déclarant *"faisable"*, on est évidemment contre la taxe Tobin

Suite à cette affirmation selon laquelle les sociétés de clearing international seraient en quelque sorte les chambres notariales du nouveau monde, j'ai interrogé le manager de Clearstream sur la taxe Tobin [2].

---

1. Entretien du 18 juillet 2000.
2. Conçue dans les années 60 par le prix Nobel d'économie James Tobin, l'idée d'une taxe réduite sur les mouvements internationaux de capitaux (moins de 0,1 %) a été relancée récemment par de nombreuses associations, en particulier Attac, dans le but de financer des programmes de développement dans les pays du Sud. D'abord considéré comme inapplicable, ce projet reçoit aujourd'hui un accueil favorable de certains pays du G7, notamment la France et le Canada.

À l'heure des débats sur une hypothétique taxation des produits financiers, au moment où plusieurs gouvernements se sont déclarés favorables à cette taxe, les révélations que nous faisons ici offrent d'intéressantes perspectives.

André Lussi n'est pas de cet avis. Il est évidemment opposé à toute taxation des produits financiers. Il reconnaît pourtant que les sociétés de clearing offrent un poste d'observation *"valable"* sur ces mêmes marchés.

Le clearing est une découverte. Dans les prises de position des spécialistes de l'association Attac [1], ou des détracteurs de la taxe Tobin, pas une fois, le nom de Cedel ou d'Euroclear, n'a été évoqué. J'ai souvent entendu des hommes politiques, ou des économistes réputés sérieux, assurer, sous divers prétextes, qu'il était irréaliste – voire *"stupide"* [2] ! – de récolter une telle taxe sur les transactions financières. Certains invoquent le fait qu'il serait, selon eux, impossible d'évaluer ces transactions financières. Tout ce que nous avons écrit jusqu'ici montre qu'il est possible de

1. L'Association pour la taxation des transactions financières d'aide aux citoyens (Attac) a été fondée en France en 1998 autour d'une plate-forme réunissant des associations, des syndicats, des journaux et des personnalités. Cette initiative est née d'un éditorial d'Ignacio Ramonet ("Désarmer les marchés") publié dans *Le Monde Diplomatique* en décembre 1997. L'association a pour objectif le contrôle démocratique des institutions et des marchés financiers, et milite pour la mise en place d'une taxe Tobin. Attac a contribué depuis à la mise en place du Mouvement international Attac et a été à l'origine de nombreuses actions visant à remettre en cause le néolibéralisme.

2. Dans un entretien accordé à *Libération* le 3 juillet 2000, le prix Nobel d'Economie 1999, Robert Mundell, déclarait au sujet de la Taxe Tobin : *"Que viendrait faire une taxe Tobin en Europe alors que tous les mouvements de capitaux entre les onze pays sont désormais justifiés par des activités réelles ? C'est une idée stupide. ... La taxe Tobin ne supprimerait pas la spéculation, elle ne ferait que gêner les transactions."*

chiffrer précisément – et relativement facilement – le montant quotidien des transactions financières internationales. Et ce pour une raison technique évidente : l'essentiel des transactions financières internationales sont liquidées, et archivées, dans deux uniques chambres de compensation internationales. Pour ce qui est des transactions nationales, la réponse est identique puisque les sociétés de clearing nationales enregistrent et archivent leurs transactions de la même manière [1].

Le problème n'est pas la faisabilité technique de ce chiffrage, mais le manque d'intérêt des financiers internationaux actuels pour qu'une telle transparence voie le jour.

"Promouvoir la transparence, c'est trancher la main qui nous nourrit" est une réflexion communément admise dans le milieu. Tous les arguments sont bons pour empêcher qu'une véritable politique transfrontalière en matière de lutte contre le blanchiment ou qu'un contrôle indépendant des flux financiers soit mis en œuvre [2].

Un rapport sur l'argent du crime, resté trop confidentiel, accrédite l'intérêt de nos découvertes

1. Cette information fondamentale nous a été confirmée du bout des lèvres par André Lussi, puis par Pierre Francotte, le PDG d'Euroclear. Ce dernier, pour des raisons similaires à celles d'André Lussi, n'est pas non plus d'accord avec la taxation des produits financiers. Selon lui, *"taxer les produits financiers serait profondément injuste"*...

2. Des initiatives politiques se font jour. Citons notamment, en France, la Mission d'information commune *"sur les obstacles au contrôle et à la répression de la délinquance financière et du blanchiment des capitaux en Europe"*, présidée par Vincent Peillon, avec Arnaud Montebourg comme rapporteur, ou les débats instructifs sur le projet de loi relatif aux *"nouvelles régulations politiques"*, voté au printemps 2000.

En France, en juin 2000, un rapport concernant le *"recyclage se l'argent du crime organisé"* faisait état d'informations inquiétantes concernant les dérives possibles du clearing. Signé par Dominique Garabiol, chef de l'Inspection du Conseil des marchés financiers, et Bernard Gravet, inspecteur général à la Police nationale, ce rapport avait été commandé en octobre 1999 par le ministre français de l'Intérieur, Jean-Pierre Chevènement. Il est resté confidentiel. Quelques lignes dans les journaux, guère plus... Pourtant, on y lit des analyses et des informations alarmantes, confortant nos thèses. D'abord un chiffre : d'après le FMI, le montant des sommes provenant d'activités criminelles investies dans l'économie dite officielle serait de 1 200 milliards de dollars. *"Au taux de rendement actuel, le placement de ce patrimoine produit plus de 500 milliards de francs d'intérêt annuels"*, précise le rapport [1].

Concernant plus particulièrement la France, les auteurs montrent qu'elle n'est pas épargnée par les opérations de blanchiment et que le processus est en voie d'amplification. *"La solidité du système financier et la force de sa monnaie"* offrent *"l'environnement souhaité"*. La France est donc essentiellement exposée à des opérations d'intégration d'argent criminel"*, expliquent-ils, avant d'estimer à 40 mil-

---

1. Selon un autre rapport, publié en avril 2000 par l'Observatoire géopolitique des drogues (OGD), *"les sommes provenant du trafic de drogues réintégrées annuellement dans l'économie mondiale se situent entre 350 et 400 milliards de dollars"*. Les analystes de l'OGD épinglent plus particulièrement certains paradis fiscaux : *"Les derniers paradis du blanchiment utilisés par les organisations criminelles, en particulier les mafias russes, sont un certain nombre d'îles du Pacifique : Marshall, Niue, Samoa, et surtout Vanuatu."* La république de Vanuatu possède des comptes en Clearstream.

liards de francs le montant minimum des sommes provenant de l'argent du crime investies dans notre économie. Soit 160 millions de francs par jour...

Médias et hommes politiques européens ont trop tendance à prendre ces chiffres à la légère, et à toujours considérer que le système financier serait épargné par le phénomène mafieux. Une des raisons pour lesquelles le rapport commandé par le ministre de l'Intérieur a été si peu médiatisé en France tient sans doute à l'image peu flatteuse qu'il donnait de notre pays. Les auteurs insistaient sur la nécessité, pour les criminels, d'opérer une phase de pré-blanchiment. L'argent du crime produit du liquide, des montagnes de cash qu'il faut transformer en actions ou en obligations... La France devient, selon eux, terre de pré-blanchiment : *"Dix pour cent de l'argent des organisations criminelles serait, en 2000, investi en France, autant qu'en Suisse* [1]*."* Secteurs privilégiés, l'immobilier, le BTP et l'industrie du loisir : *"Ce qui a ensuite naturellement conduit les organisations criminelles à tenter de prendre le contrôle des élus locaux dans certaines régions, afin d'en maîtriser les marchés publics."*

Ces 40 milliards investis en France, tout comme les sommes investies parallèlement en Allemagne, en Suisse, en Belgique, en Angleterre et dans toute l'Europe, sont avant tout des agents déstabilisants pour la démocratie. Grâce à eux, des décisions sont forcément achetées, le jeu forcément faussé. Le corps (démocratique) dans lequel est injecté cet argent est fondamentalement, et étymologique-

1. Les auteurs, pour cette comparaison franco-suisse et ce chiffrage, se réfèrent aux travaux de Jean Luc Herail et Patrick Ramael (in *Blanchiment et crime organisé*, PUF, 1996).

ment, corrompu. Altéré, détérioré. Le dictionnaire précise même : *"En voie d'anéantissement [1]."*

Parmi les statistiques accessibles, symptomatiques du malaise, le rapport stipule que 80 % des maigres procédures judiciaires liées à des affaires de blanchiment sont ouvertes, au départ, pour des motifs qui sont sans lien avec le blanchiment.

Depuis treize années, en France, sur 160 affaires instruites, seulement 50 ont débouché sur un jugement. Trois milliards de francs ont ainsi été récupérés, soit 0,5 % de la masse des sommes investies. À titre comparatif, sur la même période, l'Italie a traité 538 dossiers et les États-Unis 2 034. Les sommes recouvrées restent, dans tous les cas, très réduites.

En novembre 2000, lors d'un colloque organisé à Milan par la principale association de commerçants italiens, la confédération des commerçants Conf-Commercio, son président, Sergio Bille, expliquait que *le volume d'affaires des mafias se monte à 155 milliards d'euros, soit 15 % du PIB italien"*. Selon lui, les mafias italiennes contrôleraient environ 20 % des structures commerciales du pays, et 15 % des structures industrielles ! *"Derrière la façade d'une légalité illusoire, la criminalité organisée continue à vendre de la drogue, des armes, des prostituées, mais aussi à acquérir des biens légaux."*

Lors de notre enquête, nous avons rencontré un ex-routier luxembourgeois dont le métier a consisté, entre 1992 et 1995, à amener des camions remplis de lires, qu'il allait chercher dans une ville à la frontière italienne pour les ame-

---

1. *Dictionnaire historique de la langue française*, Robert, 1998, Tome 1, p. 904.

ner dans une banque luxembourgeoise. Il nous a livré le nom de cette banque, ainsi qu'un certain nombre de détails qui rendent son témoignage crédible. L'argent était déchargé de nuit.

Selon le récit d'un autre ex-employé de banque parfaitement au courant de ces pratiques, *"l'argent arrivant par camions"*, compte tenu de sa masse importante, *"n'était plus compté mais pesé par palettes entières."* Avant d'être conservé dans les coffres de la banque : *"Chaque coupure ayant un poids spécifique, on peut facilement en évaluer le montant total..."*

Dès le lendemain, grâce à Cedel, la banque pourra transformer cet argent en obligations. Il sera ainsi blanchi et entrera très vite dans le circuit de l'économie officielle. Le routier touchait un fixe, et un pourcentage sur les sommes transportées. Son "employeur" était membre de Cosa Nostra. L'argent provenait, d'après lui, pour une bonne part, du trafic de cigarettes et de la prostitution. Il ne nous a pas dit le nombre de voyages qu'il avait effectué en trois ans, ni comment et pourquoi il avait arrêté. Cet exemple, élémentaire, montre que la société de clearing n'est pas le seul maillon de la chaîne pour celui qui veut blanchir des fonds. Il faut une banque d'entrée complice du mafieux, qui prenne le risque d'accepter des fonds douteux. Dans des paradis fiscaux, ou des pays comme le Luxembourg, ce risque est minime.

Dans un rapport adressé à son ministère de tutelle, un ambassadeur de Belgique au Luxembourg expliquait très clairement qu'il existait un *"circuit dans lequel l'argent criminel est blanchi"* au Grand-Duché. Ce rapport daté de novembre 1996 a reçu peu d'échos dans le reste de l'Europe [1]. Le diplomate

---

1. Ce rapport a été partiellement reproduit par *Le Soir illustré* (Belgique). Nous en publions des extraits dans le Lexique.

belge épingle pourtant une banque historique de Cedel-Clearstream, la Banque continentale de Luxembourg [1] qui servirait de blanchisseuse à d'autres banques plus honorablement connues comme Paribas, Suez, ou encore la Kredietbank (KB) flamande : *"Via la Continentale, ces grandes banques profitent à leur tour de ce circuit noir."*

Aujourd'hui, la plupart des études publiées sur le sujet chiffrent à au moins 50 % les flux financiers mondiaux qui passent par les paradis fiscaux. Il était d'environ 5 % voici vingt-cinq ans. Le parallèle avec la montée en puissance du clearing international est saisissant. Dans leur rapport, Dominique Garabiol et Bernard Gravet placent en tête de hiérarchie des paradis bancaires les îles Caïmans, où seraient implantées 700 banques – dont 46 parmi les 50 premières banques mondiales – et 50 000 sociétés, pour une population de 33 000 habitants. Ils citent, en second lieu, les îles Vierges britanniques, où 300 000 sociétés sont immatriculées pour 19 000 habitants. Est-ce un hasard si, justement, ces deux paradis fiscaux sont représentés dans Clearstream ?

En avril 2000, la firme luxembourgeoise gérait six comptes pour des clients implantés dans les îles Vierges britanniques. Dans nos listes, nous avons surtout dénombré soixante-huit comptes domiciliés aux îles Caïmans et gérés par Clearstream, dont une majorité ne sont pas publiés. Parmi ces comptes, on retient ceux ouverts par la troisième

---

1. La BCL appartient aujourd'hui à la Kredietbank. Elle a été, de 1982 à 1994, la propriété conjointe de la Paribas et de sociétés appartenant à Nadhmi Auchi. La BCL était alors connue à Luxembourg pour être la banque accueillant les comptes de dictateurs notoires : Saddam Hussein, Bokassa, Houphouët-Boigny, Bourguiba, Kadhafi, et l'inévitable Mobutu. Le 9 février 2001, l'hebdomadaire *VSD* révélait qu'Alfred Sirven avait longtemps possédé 15 % des actions de cette banque…

banque du monde, la Bank of America, ou la vingtième : la Barclays de Londres. On retient aussi des comptes ouverts à Grand Caïman par le groupe italien Mediobanca [1], ou encore par Natexis, le pool bancaire français [2]. On relève également des dizaines de comptes ouverts pour des sociétés au patronyme aussi engageant que *Banque internationale de placement Ltd. Cayman*. Justement, cette dernière possède un compte non publié sans apparaître sur la liste officielle des clients de Clearstream. Elle a ainsi tout le potentiel pour constituer un portail idéal.

Aucune allusion aux sociétés de clearing internationales dans ce rapport. Elles semblent inconnues. Ce détail ne nous surprend pas, il est lié à la discrétion voulue et orchestrée par Clearstream, Euroclear, et le milieu bancaire en général. Vieil adage : moins on parle de nous, mieux nous nous portons.

Les paradis fiscaux n'existeraient pas sans les grandes banques d'affaires et sans les sociétés de clearing internationales, propriétés de ces grandes banques d'affaires...

Après avoir constaté *"l'explosion des centres financiers offshore qui représentent plus de la moitié des flux finan-*

---

1. Première banque italienne, Mediobanca possède des participations dans tous les grands groupes industriels de la Péninsule. Mediobanca a vu défiler à son conseil d'administration tout ce que l'Italie compte comme capitaines d'industrie : d'Agnelli à de Benedetti en passant par Gardini... Elle était dirigée par Enrico Cuccia, qui était considéré, jusqu'à sa mort en 1999 (à l'âge de 87 ans), comme l'homme le plus puissant d'Italie. Cuccia, qui ne parlait jamais à la presse, était aussi l'homme le plus discret d'Italie...

2. Natexis Banques Populaires est issu du regroupement, en 1999, du Crédit national, de la Banque française du commerce extérieur (BFCE) et des activités concurrentielles de la Caisse centrale des Banques populaires (CCBP). Détenu majoritairement par le Groupe Banques populaires, Natexis est coté à la Bourse de Paris.

ciers mondiaux", le rapport, s'il épargne le clearing, s'attaque par contre au système Swift, le seul qui lui soit visiblement connu : *"Le dispositif* [de prévention] *est resté peu performant du fait de l'absence de statut des réseaux internationaux de transferts de capitaux interbancaires, notamment de Swift (...), qui échappe aujourd'hui à tout contrôle d'une autorité quelconque. Il suffit donc qu'une banque transmette un ordre de virement sans identifier le donneur d'ordre pour que la chaîne des flux ne puisse être remontée par la voie du renseignement financier..."*

Un autre rapport, beaucoup plus médiatisé, est sorti en même temps que celui de Dominique Garabiol et Bernard Gravet. Daté du 22 juin 2000, il émane du Groupe d'action financière internationale sur le blanchiment de capitaux (Gafi), une émanation de l'OCDE. Les experts de cet organisme transnational ont classé les paradis fiscaux en trois listes. Sur la liste noire (la pire), 10 pays sur 13 ont des comptes en Clearstream (Bahamas, Caïmans, Panama, République dominicaine, Cook, Nauru, Philippines, Liechtenstein, Israël et Liban), et dans la seconde liste, où les pays sont classés *"sous haute surveillance"*, on en compte également 10 sur 13 (Barbade, Bermudes, îles Vierges britanniques, Chypre, Gibraltar, Guernesey, Man, Jersey, Malte, Monaco). Même si les critères utilisés par le Gafi pour ces classements sont discutables, ces proportions devraient faire réfléchir l'OCDE, où l'on a pris bien soin d'exclure le Luxembourg de ces listes.

Cedel-Clearstream, entité mal contrôlée, se trouve à un carrefour où se fondent argent noir et argent légal

La chute du mur de Berlin, avec l'arrivée massive de clients venant de l'Est et la mondialisation des mafias qui a accompagné la mondialisation des échanges légaux, a sans nul doute une influence sur l'augmentation massive des clients de Cedel, et, chez ces clients, des utilisateurs de comptes non publiés [1].

Lors de cette enquête, nous avons évoqué ces questions avec différents magistrats. Hormis les suisses, tous ceux à qui nous en avons parlé ne savaient pas ce qu'était le clearing et connaissaient à peine l'existence de Swift. Les magistrats suisses nous ont fait savoir que, tant que les banques leur donnaient les renseignements, même si les délais étaient longs, cela suffisait à leurs enquêtes. Un argument économique a aussi été avancé : Swift fait, paraît-il, payer très cher les recherches dans ses archives, contrairement aux banques... Enfin, dernier argument développé par les magistrats suisses : une commission rogatoire internationale doit être très précise dans sa requête. *"On ne peut aller à la pêche aux comptes sans savoir exactement ce que nous cherchons"*, nous a expliqué le procureur général Bernard Bertossa, qui ponctue : *"Ce qui nous intéresse, c'est ce que la société de clearing sait et que nous ne savons pas par d'autres sources... [2]"*

En fait, le seul moyen pour un organisme de contrôle, un policier ou un magistrat d'espérer retrouver la trace d'un investissement douteux, ou de débusquer un acte de blanchiment, est de connaître l'existence du système des comptes non publiés, de connaître les codes en vigueur. Puis de rechercher, dans l'historique de ces comptes, la

---

1. Est-ce un pur hasard ou un symbole si le lauréat 2000 du prix "Vision pour l'Europe" décerné par la fondation Edmond Israel est l'ancien président de la République de Hongrie, Arpád Göncz ?
2. Entretien avec Bernard Bertossa, le 20 août 2000 à Genève.

trace d'une opération précise (il faut, pour cela, en connaître approximativement la date). Rien n'est possible, sauf pour quelqu'un possédant les dessous du clearing.

Le problème crucial qu'avaient soulevé dès 1983 Ernest Backes et Gérard Soisson, reste donc le contrôle des sociétés chargées de faire passer les frontières à l'argent et aux valeurs mobilières. Pour l'instant, même s'il semble mieux organisé et plus sévère pour Euroclear que pour Clearstream, ce contrôle est toujours le strict apanage du milieu bancaire. Les banques se sont arrangées entre elles pour s'autocontrôler.

Dans le cas d'Euroclear, la multiplicité des organismes de contrôle permet de penser qu'un filtrage des banques, de même qu'une auscultation des comptes, ont cours [1]. Pour ce qui est de Clearstream, ces précautions semblent vaines. *"La comptabilité de ces drôles d'animaux est des plus délicates à appréhender"*, nous a confirmé Jacques-Philippe Marson. Clearstream, comme Cedel dans le passé, n'a fait l'objet de contrôle que du seul Institut monétaire luxembourgeois. Aujourd'hui que l'IML vient de prendre le statut de Banque centrale, le CSSF (Comité de surveillance de secteur financier) a pris le relais en tant qu'organisme chargé du contrôle des banques.

Ernest nous a indiqué que depuis 1983 ses contacts dans Cedel-Clearstream n'avaient vu s'exercer aucun

---

1. Euroclear, société de droit belge et anglais, dont la gestion était jusqu'en décembre 2000 entièrement sous-traitée par la banque américaine JP Morgan, voit sa comptabilité contrôlée par au moins quatre organismes indépendants les uns des autres : la Federal Reserve américaine, la Bank of England, la Commission financière et bancaire belge (équivalent de la COB française) et la Banque Centrale européenne.

contrôle probant. Tout juste des questionnaires sont-ils expédiés chaque année par des fonctionnaires peu enclins à se déplacer et à se fatiguer.

Il semblerait que ce fonctionnement ait perduré jusque vers le milieu des années 90. Les fonctionnaires travaillant pour l'Institut monétaire luxembourgeois sont trop peu nombreux, et trop peu qualifiés pour intégrer les finesses comptables d'une société comme Clearstream. Nous n'avons pu obtenir d'informations fiables sur les années qui ont suivi. Nous avons seulement appris que les comptes de l'année 1998 avaient été refusés par les actionnaires en raison d'omissions dans la comptabilité de Clearstream, en particulier concernant la vente d'une société aux États-Unis pour un montant d'environ 10 millions de francs français.

Un organisme de contrôle national, comme l'IML ou aujourd'hui la CSSF, n'est, aujourd'hui comme en 1983, pas outillé pour contrôler un organisme à vocation internationale comme Clearstream, dans la mesure où une opacité est méticuleusement organisée, au sein de la firme.

Il est anormal que des sociétés comme Swift, Euroclear, et surtout Clearstream soient contrôlées par le seul milieu bancaire.

La bonne iidée serait d'avoir à l'intérieur des sociétés de clearing, ou de routage financier des postes d'observations accessibles à des observateurs indépendants...

Hommes politiques, journalistes, et citoyens ont été tenus éloignés – à dessein – de ces sociétés de transport transfrontalier de valeurs. Il serait pourtant aisé de les contrôler démocratiquement. Leur contrôle – c'est-à-dire ce regard qu'on nous annonce comme impossible à poser sur les échanges financiers mondiaux – pourrait être la solution la plus adaptée et la plus juste qui soit à la lutte contre le crime organisé.

Nous sommes en présence d'un système organisé qui a accompagné l'explosion des marchés financiers et s'est adapté, au service d'un nombre réduit d'initiés

Le système qui consiste à voir co-exister en Cedel des comptes et des clients publiés, et d'autres qui ne le sont pas, s'est forcément construit parce qu'il sert les intérêts d'initiés. D'un côté, Cedel aide au paiement d'une rançon pour des otages américains retenus en Iran, ou à financer un mouvement anti-communiste [1], d'un autre il permet à une banque russe ou italienne de blanchir ses devises, ou à un client très privilégié de récupérer des narcodollars... D'un côté, la firme luxembourgeoise aide le gouvernement républicain américain ou le Vatican, d'un autre les mafieux. L'équilibre n'est jamais rompu. Le Luxembourg, et son personnel bancaire et politique, jouent l'entremise et l'éteignoir.

Cedel-Clearstream n'aurait jamais pu prospérer sans la bienveillance de dirigeants politiques luxembourgeois comme Jacques Santer ou Jacques Poos... Ces hommes politiques, non contents de régner sur la septième place financière du monde, ont également eu un rôle clé dans la construction de l'Europe.

Le Luxembourg n'est pas un vulgaire paradis fiscal. Tête de pont des intérêts des États-Unis depuis 1945, le

---

1. Selon de nombreux témoignages liés aux enquêtes menées autour de la faillite de l'Ambrosiano, le Vatican a notamment financé le syndicat Solidarité en Pologne. La CIA, de son côté, a organisé des financements occultes destinés à lutter contre le communisme. On retrouvera la trace de cette double intervention financière, quelques années plus tard, au Nicaragua, où l'Église catholique et l'administration Reagan soutiendront la *Contra*, la rébellion alors en lutte contre le gouvernement sandiniste de Daniel Ortgea.

Grand-Duché est en outre un élément clé de la construction européenne.

Le Luxembourg dispose de six députés à l'assemblée européenne, et de hauts fonctionnaires influents comme l'actuel commissaire à l'Éducation et à la Culture, Viviane Reding. Marcel Mart a été le premier président de la Cour des comptes européenne. Jacques Santer a été le président de la Commission qui a préparé la mise en place du passage à l'euro. Superviser la plus grande opération monétaire que le monde ait jamais connue était une responsabilité historique. Or ce même Santer n'a pas empêché les agissements frauduleux de la BCCI un mois après la liquidation de cette banque. C'est lui également qui, pendant des années, a veillé avec bonhomie au développement d'un système de clearing protéiforme et volontairement opaque. Le passage d'une monnaie à une autre rend, on le sait, les opérations de blanchiment plus sensibles encore. La complaisance de Jacques Santer avec les milieux bancaires aurait dû poser un problème sérieux aux autres pays de l'Union européenne [1].

Apparemment, cela n'en a pas posé.

On peut donc invoquer, pour la vitrine et les médias, la lutte contre le crime organisé, et supporter en coulisse l'opacité d'un système de clearing international vicié.

Quand j'ai évoqué cette question avec des acteurs du monde bancaire luxembourgeois, ces derniers m'ont volontiers expliqué que le personnel politique du pays avait davantage pêché par nationalisme, voire par naïveté, que par cupidité. Autre argument ultime : la planète financière aurait *"besoin de soupapes"* comme Cedel, et du Luxembourg.

---

1. Jacques Santer est entré récemment dans le conseil d'administration de la General Mediterranean Holding, la société de l'homme d'affaires Nadhmi Auchi.

Ces arguments sont fallacieux. La suppression des barrières nationales et l'avènement d'une finance globale, depuis le début des années 70, auraient dû conduire à une transparence absolue des marchés financiers : tout savoir, tout suivre, pour que la fameuse "main invisible du marché" chère aux économistes libéraux puisse arbitrer entre l'offre et la demande... Le schéma idéal d'une "concurrence pure et parfaite" est aujourd'hui encore l'illusion partagée par les petits porteurs et par de très nombreux investisseurs. C'est en son nom que nous sommes invités, chaque jour, à placer nos économies en Bourse et à compter sur les marchés financiers pour garantir nos retraites. Le marché, devenu tout-puissant, repose sur les échanges de valeurs, leur rapidité, leur fiabilité. Le clearing bancaire est, en quelque sorte, la courroie de transmission du libéralisme. Mais derrière cette vitrine technologique, performante, qui vit au rythme des indices boursiers et de règles extrêmement strictes, il existe des circuits parallèles de plus en plus influents. Quelle est la part d'argent noir investie dans la fabrication du Dow Jones, du Cac 40 ou du petit dernier européen, l'Eurostoxx 50 [1] ?

Le développement de places *offshore* et de micro-États au secret bancaire absolu n'est pas un phénomène marginal, une soupape du système financier, comme on le dit trop souvent pour en dissimuler l'influence. L'analyse des listes de titulaires de comptes et des flux recensés à Cedel-Clearstream montre que ces *États financiers* sont, au contraire, un moteur. La finance parallèle n'est pas un appendice, mais une des composantes du système. Le couple infernal clearing international-paradis bancaire offre ainsi des poches d'opacité

1. Les cinquante premières valeurs européennes.

ultra protégées, accessibles aux seuls initiés : des services secrets ou des ministères, mais surtout des banques, des multinationales, des sociétés troubles...

C'est le danger qu'avaient soulevé en leur temps Ernest Backes et Gérard Soisson. L'histoire de leur mise à l'écart, la prise de pouvoir d'André Lussi à Cedel, la valse des cadres et des comptables, le caractère insubmersible du patriarche Edmond Israël, la tyrannie exercée par l'actuel administrateur délégué de Clearstream, l'influence palpable et persistante des banques historiques au sein de Cedel, montrent que le hasard n'a pas sa place ici.

Y a-t-il un ou des tireurs de ficelles, ou le système est-il devenu le plus fort ? La question reste posée. Le système, à l'évidence, a gagné en autonomie. Il développe sa propre force, il est devenu de plus en plus opérationnel. Il apparaît également rodé, et amnésique. On s'en sert entre initiés. C'est un secret jalousement gardé.

En fait, le système avait tout prévu sauf Ernest Backes, ses listes, ses microfiches, ses obsessions. Son anachronisme aussi.

Tout est fait pour détourner la curiosité des citoyens et des organismes de contrôle. Pourquoi ?

Grâce à nos documents, à notre enquête et nos témoins "de l'intérieur", nous avons pu explorer l'arrière-cuisine du village financier. Ce livre apporte des clés, ouvre des pistes inexplorées... Il sera instructif d'évaluer la réaction de la place financière, de découvrir quelles stratégies ont été élaborées pour nous répondre, ou ne pas nous répondre. Nous pourrons aussi juger de la capacité d'action des institutions politiques européennes. Seront-elles silencieuses, impuissantes, complices ? Un espace va-t-il s'ouvrir pour les hommes politiques, les haut fonctionnaires, les magistrats et les associations de citoyens qui refusent l'opacité du village financier, son absence de lois, ses flagrants dénis de justice ?

Nous ne mettons pas en cause une institution marginale. Nous nous inquiétons du fonctionnement d'un nœud de la mondialisation financière : l'une des deux grandes chambres de compensation internationales, qui voit transiter sur ses comptes 47 fois le budget de la France. Un véritable monstre financier.

On pourra objecter que beaucoup plus d'argent transite par d'autres voies, que les flux brassés par les autres sociétés de clearing ou les banques américaines sont dix, ou cent fois supérieures à celle qui passent par Clearstream et Euroclear, et qu'à l'intérieur de ces "usines à gaz", il doit y avoir aussi des dérapages. Et alors ? Nous ne sommes pas suffisamment armés pour juger des quantités, ou des lieux où les financiers internationaux jouent les apprentis sorciers.

Nous touchons, avec nos révélations, à ce qui rend l'économie illisible : le mélange des genres et des fonds.

Nous sommes en présence d'un système organisé qui a accompagné l'explosion des marchés financiers, et s'est adapté au mieux des intérêts de quelques groupes clés. L'autocontrôle des marchés financiers par eux-mêmes, et l'entente de quelques grandes banques et de multinationales cherchant à dissimuler leurs gains, ont conduit à des dérives insupportables, au détriment de la transparence des marchés. Cette transparence qui est pourtant théoriquement le fondement du libéralisme. Personne, à long terme, n'a intérêt à continuer à supporter ça.

Que cachent ces comptabilités devenues inaccessibles, où les sommes déposées sont de l'ordre de la dizaine de trillions (compter douze zéros après l'unité et convertir en dollars ou en euros) ? La découverte des circuits parallèles des sociétés de clearing ou de routing financier nous a fait entrevoir ce qu'il n'était pas prévu de nous montrer. Une faille dans le système. Une face cachée du capitalisme. Un point névralgique où se rencontrent des fonds de toutes natures, et où se nouent des comptabilités, invisibles de l'extérieur. Nous avons mis un œil là où on ne va pas tarder à nous expliquer qu'il ne fallait pas aller voir.

Mais c'est trop tard.

Lexique

Depuis vingt ans, Ernest Backes rassemble des informations
brutes sur la finance parallèle. Ce lexique détaillé revient
sur des événements, des sociétés, des affaires
ou des noms cités dans le récit.

Termes financiers et bancaires

ACTION (économie)

L'action est un titre participatif représentant une fraction du capital social d'une société. Le détenteur de ce titre, l'actionnaire, est en quelque sorte copropriétaire de l'entreprise, mais il n'est pas un créancier. Il a droit au paiement du dividende dans le cas de bénéfices réalisés.

L'action confère à son détenteur le droit de participer à l'assemblée générale de l'entreprise et d'influencer ainsi sa politique. En cas de faillite, la responsabilité de l'actionnaire se limite à la valeur nominale de ses actions. Celles-ci peuvent être émises sous forme nominative ou "au porteur" (sans inscription de nom). Elles sont cessibles ou négociables. Émises, cotées et négociées en Bourse des valeurs, elles permettent aux investisseurs et spéculateurs qui les achètent et les revendent de réaliser des gains spéculatifs sur les différences des cours d'achat et de vente.

ARGENT VIRTUEL

Depuis l'invention de l'ordinateur (à la fin des années 40) jusqu'à celle de l'Internet (1969) et de la puce (1971), les moyens de communication électroniques et informatiques n'ont cessé de se développer, contribution majeure à la mondialisation. Le temps et l'espace s'effacent, on cesse de distinguer économie nationale et internationale. Au cours des dix dernières années, selon l'Office de coopération et de développement économique (OCDE), les échanges commerciaux ont été multipliés par deux. Pendant cette même période, les transactions financières ont été multipliées par quatre. Désormais, les capitaux circulent plus aisément et plus rapidement que les marchandises.

BLANCHIMENT

Le blanchiment est un procédé consistant à recycler de l'argent gagné de manière criminelle. Traduit de l'américain "*money laundering*", le terme trouve son origine dans les années de la Prohibition, quand la mafia new-yorkaise rachetait les blanchisseries, qui brassaient beaucoup de liquidités. Chaque soir on ajoutait à la recette du jour l'argent sale collecté dans la journée, allant jusqu'à déclarer au fisc l'argent ainsi... blanchi.

CERTIFICATS AURIFÈRES

Les certificats aurifères donnent droit à une quantité (variable) d'or. L'investisseur, qui achète le métal jaune par certificat interposé, n'en devient pas le propriétaire direct : il achète le droit à la livraison d'une quantité prédéfinie d'or à un endroit de livraison convenu par avance. L'or ayant perdu beaucoup de son attrait pour les investisseurs, ce type de certificat est actuellement en perte de vitesse. Il y a une vingtaine d'années, il existait un marché très actif entre investisseurs allemands et filiales de banques allemandes établies à Luxembourg. Les transactions sur l'or étaient alors soumises au paiement de la TVA en Allemagne, alors que les transactions sur certificat ne l'étaient pas. Aussi les banques allemandes géraient-elles les comptes-or de leurs ressortissants via Luxembourg. (Pour la petite histoire, notons que le Grand-Duché avait accepté le principe d'une introduction de la TVA dans les transactions sur l'or, mais que le taux de TVA était fixé à... 0 % !)

S'ils ne sont pas générateurs d'intérêts, les certificats aurifères sont cependant négociables. Leur prix est dicté par l'évolution des cours officiels de l'or, diminué des droits de garde et des frais de manipulation le jour de vente du certificat.

DUNCAN / HALL (rapport)

En janvier 1982, à l'initiative commune de la DG XV européenne (la direction générale de la Commission européenne en charge des finances) et du Comité des Bourses de la Communauté européenne, deux spécialistes, Michael Hall et Malcolm Duncan, sont chargés d'élaborer une "Proposition pour un marché européen des actions par voie de l'interconnexion des Bourses de la Communauté européenne". Présenté en juin 1985 (sous la référence XV/299/85-F), leur rapport est désigné depuis sous le nom de "rapport Duncan-Hall".

Ce travail étudiait la perspective d'un "marché européen des actions". Or les systèmes de clearing international Euroclear et Cedel avaient, au départ, été créés pour servir le marché euro-obligataire. Les pouvoirs publics européens espéraient pouvoir rattraper leur retard d'initiative en créant, autour du secteur des actions, cet instrument qui servirait ensuite à ramener sous contrôle public les euromarchés. Espérance déçue, car Euroclear et Cedel disposaient déjà des infrastructures et du *know-how* leur permettant d'inclure le secteur des actions dans leurs activités.

EURO-OBLIGATAIRE (marché)

Le marché euro-obligataire naît de l'annonce par le président Kennedy, en 1963, de la mise en place de la taxe de péréquation des taux d'intérêt (Interest Equalization Tax). Les Américains sous-estiment alors la faculté de l'Europe à créer son propre marché international face aux réglementations qui limitent les possibilités d'emprunt sur les marchés nationaux, et à la tendance de leurs pouvoirs publics respectifs à s'efforcer de conserver dans les limites de leurs frontières leur épargne nationale. De plus, les USA tablaient (comme de nos jours) sur le fait que prêteurs et emprunteurs manifesteraient une préférence marquée pour la (toujours relative) stabilité du dollar.

Le rapide essor de ce nouveau marché, créé à l'initiative du secteur bancaire privé international – y compris les banques privées américaines –, était d'abord passé inaperçu aux yeux du secteur public (les gouvernements de la Communauté européenne). Ceci explique d'ailleurs l'initiative développée entre 1982 et 1985 par la DG XV européenne pour étudier, sous couvert d'un projet d'interconnexion entre les Bourses européennes, la possibilité de création d'un troisième système de clearing international sous contrôle public (voir "Duncan/Hall (rapport)").

L'explosion et la réussite du marché euro-obligataire sont surtout dues au fait que les émetteurs de tous continents, américain compris, sont venus tirer profit de ce marché situé hors de l'emprise de la taxe américaine IET. L'ironie de l'histoire veut que, dès 1965, les entreprises multinationales américaines soient devenues les principales emprunteuses sur ce marché.

Tableaux comparatifs expliquant l'évolution du marché euro-obligataire avant l'installation des systèmes de clearing internationaux

Les émissions d'euro-obligations par nationalités d'emprunteurs
(1966-1970)

	1966		1967		1968		1969		1970	
	(1)	(2)	(1)	(2)	(1)	(2)	(1)	(2)	(1)	(2)
U.S.A.	454	39,8	527	27,1	1 924	61	1 081	36	785	27
C.E.E.	250	33,5	504	40,1	375	16	609	32	899	41
Reste de l'Europe	132		276		198		362		304	
Pays scandinaves	102	8,9	226	11,6	176	7	188	6	277	9
Reste du Monde	101	8,9	291	15,0	467	15	702	24	414	14
Organismes internationaux ...	101	8,9	120	6,2	25	1	70	2	266	9

(1) En millions de dollars
(2) En pourcentage

Source : Banque de France
Direction financière

TABLEAU 2

Emissions d'euro-obligations selon la nature des emprunteurs
(1963-1969)

	1963		1964		1965		1966		1967		1968		1969	
	mill. de $	%	mill. de $	%	mill. de $	%	mill. de $	%	mill. de $	%	mill. de $	%	mill. de $	%
Sociétés U.S.					358	34,6	453	38,1	562	28,1	2 046	58,2	1 047	32,5
Autres sociétés (1)	104	63,4	293	40,6	429	41,3	514	43,3	1 017	50,8	946	26,9	1 513	47,1
Etats (2)	54	32,8	300	41,6	189	18,2	118	10	303	15,1	500	14,2	584	18,1
Institutions internationales	6	3,8	126	17,8	64	5,9	101	9,6	120	6	25	0,7	68	2,3
Total	164	100	719	100	1 040	100	1 186	100	2 002	100	3 517	100	3 212	100

(1) Y compris entreprises publiques
(2) Y compris les collectivités locales

Sources : Morgan Guaranty Trust

Ces tableaux sont tirés de l'ouvrage *Les euro-obligations / Eurobonds*, Volume 1, publié par l'université de Dijon – Institut des relations internationales. Travaux du Centre de recherche sur le droit des marchés et des investissements internationaux (Librairies techniques, Paris, 1972 ; avec le concours du Centre national de la recherche scientifique).

IET - *Interest Equalization Tax*

L'introduction de cette taxe d'égalisation des taux d'intérêt, annoncée devant le Congrès américain par le président Kennedy le 18 juillet 1963, est généralement considérée comme l'acte de naissance des marchés euro-obligataires. L'objectif de la taxe était de majorer le coût des emprunts étrangers émis sur le marché américain. Les États-Unis profitaient à l'époque d'une rente de situation, dans la mesure où New York était le seul véritable marché pour les emprunteurs (qu'ils procèdent via l'émission d'actions ou d'obligations). Ce sont ces emprunteurs résidant hors des USA qui devaient être, dans l'esprit de Kennedy, visés par l'IET.

Étaient exonérés de la taxe les titres émis par des organisations internationales (comme la Banque internationale pour la reconstruction et le développement ou la Banque interaméricaine de développement), ceux émis par les pays les moins développés, ainsi que les titres des sociétés dont 80 % au moins de l'activité principale s'exerçait dans le pays d'origine de ladite société. Le Canada sera, lui aussi, exempté de l'IET par décret présidentiel. La taxe n'aura finalement aucun effet sur les mouvements de capitaux qu'elle cherchait à atteindre, mais elle favorisera, en revanche, le développement d'un marché des capitaux bien structuré hors des États-Unis. À partir de 1965, les entreprises multinationales américaines deviendront les principales emprunteuses sur ce marché – ce qui explique la création en premier lieu d'Euroclear, sous l'influence de la Morgan Guaranty Trust et des intérêts américains, avant la création de Cedel.

FORMULAIRE UNIQUE

Ce formulaire a été développé au début des activités de Cedel pour faciliter la mise en œuvre des instructions passées par un client

SPÉCIMEN DU FORMULAIRE UNIQUE

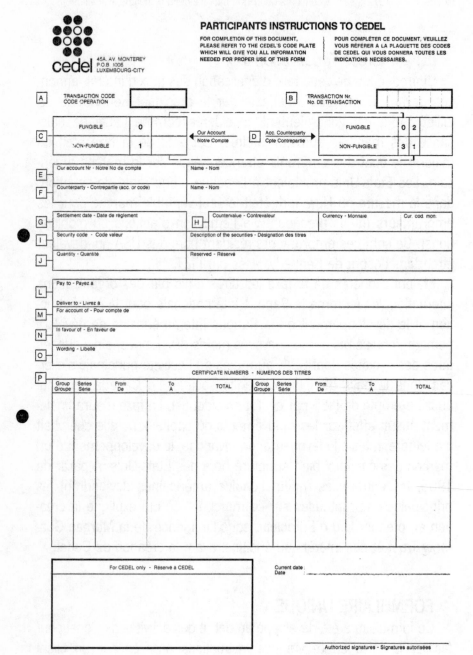

PARTICIPANTS INSTRUCTIONS TO CEDEL

FOR COMPLETION OF THIS DOCUMENT,
PLEASE REFER TO THE CEDEL'S CODE PLATE
WHICH WILL GIVE YOU ALL INFORMATION
NEEDED FOR PROPER USE OF THIS FORM

POUR COMPLÉTER CE DOCUMENT, VEUILLEZ
VOUS RÉFÉRER A LA PLAQUETTE DES CODES
DE CEDEL QUI VOUS DONNERA TOUTES LES
INDICATIONS NECESSAIRES.

cedel
45A. AV. MONTEREY
P.O.B. 1006
LUXEMBOURG-CITY

A TRANSACTION CODE / CODE OPERATION

B TRANSACTION Nr. / No. DE TRANSACTION

C
| FUNGIBLE | 0 |
| NON-FUNGIBLE | 1 |

Our Account / Notre Compte ←

D Acc. Counterparty / Cpte Contrepartie

| FUNGIBLE | 0 | 2 |
| NON-FUNGIBLE | 3 | 1 |

E Our account Nr · Notre No de compte — Name - Nom

F Counterparty - Contrepartie (acc. or code) — Name - Nom

G Settlement date - Date de règlement

H Countervalue - Contrevaleur — Currency - Monnaie — Cur. cod. mon.

I Security code · Code valeur — Description of the securities - Désignation des titres

J Quantity - Quantité — Reserved - Réservé

L Pay to - Payez à

M Deliver to - Livrez à / For account of - Pour compte de

N In favour of - En faveur de

O Wording - Libellé

P CERTIFICATE NUMBERS - NUMEROS DES TITRES

Group Groupe	Series Serie	From De	To A	TOTAL	Group Groupe	Series Serie	From De	To A	TOTAL

For CEDEL only - Réservé à CEDEL

Current date : Date

Authorized signatures - Signatures autorisées

270

membre de Cedel vers le système de clearing. Sur un seul type de formulaire standardisé, le client peut ainsi effectuer toutes sortes d'opérations : entrée de fonds, sortie de fonds, entrée de valeurs mobilières (obligations, actions...), livraison de valeurs mobilières (physiquement) hors système, achats de valeurs, vente de valeurs, transfert franco-valeur entre comptes, etc.

Le formulaire unique, avec ses renseignements sur les opérations à passer par le système de clearing, reste la base même de toute autre voie de transmission de données codées vers Cedel-Clearstream.

INTERNATIONAL SECURITIES MARKET ASSOCIATION (ISMA)
ex-Association of International Bond Dealers (AIBD)

L'Association internationale des négociants en valeurs mobilières, toujours connue sous son nom anglais, a été fondée en février 1969 sous législation suisse. Le marché euro-obligataire, apparu suite à l'adoption aux États-Unis de la taxe de péréquation des taux d'intérêt (Interest Equalization Tax), en 1963, a rendu nécessaire la création de cet organisme autorégulateur, dans un marché qui échappait à tout contrôle public. Sa première assemblée annuelle se tiendra à Londres en avril 1969. L'association s'était fixée pour premier objectif d'étudier et de résoudre les problèmes techniques affectant le marché euro-obligataire. Elle a édicté les règles à respecter par les acteurs de ce marché dans leurs transactions transfrontalières ("Rules and Regulations").

"L'AIBD maintient un contact étroit avec les deux organismes de clearing internationaux (Cedel/Euroclear), responsables de la liquidation de la masse des opérations en valeurs mobilières internationales" (citation extraite d'une publication de l'AIBD parue en avril 1988).

L'AIBD a changé de nom en janvier 1992, et s'appelle désormais l'International Securities Market Association (ISMA). Basée à Zurich, l'ISMA réunit 40 membres (données 1992).

OBLIGATION (économie)

L'obligation représente une fraction d'un prêt consenti à une société ou à une collectivité publique lors de l'émission d'un emprunt. Alors que l'actionnaire est un associé de l'entreprise, l'obligataire reste hors de celle-ci. Il est créancier de l'entreprise, et il a des droits : celui de percevoir un intérêt fixé par le contrat d'emprunt et celui d'être remboursé du capital au plus tard à l'échéance finale. Au fil des dernières décennies sont apparues différentes formes particulières d'obligations, comme les obligations à taux variable, les obligations convertibles en actions, etc.

PARADIS FISCAL

Un paradis fiscal est un État ou un territoire juridiquement indépendant qui offre aux personnes et aux capitaux soit l'exonération de tout impôt, soit des conditions fiscales très favorables. Le plus souvent, les paradis fiscaux se distinguent par un secret bancaire accru et par le refus de leurs autorités de collaborer aux enquêtes pénales.

Comme dans les Grands magasins, on trouve de tout dans les paradis fiscaux. La principauté de Monaco est avantageuse pour les particuliers qui n'y payent pas d'impôt ; par contre, le secret bancaire n'y existe pas. Certains paradis fiscaux comme le Liechtenstein ou Hongkong font payer des impôts faibles aux particuliers mais ont une fiscalité très avantageuse pour les petites sociétés ou les personnes morales. D'autres pays, comme le Luxembourg ou les Antilles néerlandaises, ont mis en place un système de défiscalisation très avantageux pour les holdings ou les grands groupes financiers.

Il existe une sorte de bible du voyageur fiscal, le *Guide Chambost des paradis fiscaux* (Éditions Phéromones, Lausanne).

SICAV - Société d'investissement à capital variable

Sociétés qui revendent aux investisseurs des parts d'un portefeuille de valeurs mobilières qu'elles ont préalablement constitué (parts de Sicav). Les actifs d'une Sicav forment, juridiquement, un fonds unique. Les souscripteurs ont la qualité d'actionnaires et disposent (en théorie) d'un droit de contrôle sur la politique de gestion de la Sicav.

Il existe différents types de Sicav :

– à compartiments multiples, où chaque compartiment est spécialisé dans un certain type de valeurs (obligations, court terme, long terme, actions internationales, valeurs japonaises...) ;

– de capitalisation (les intérêts reçus sur les obligations et autres produits de revenus ne sont pas distribués, mais systématiquement réinvestis) ;

— monétaires (composées uniquement de produits sans risque, comme les bons du Trésor à très court terme, les certificats de dépôt...).

TRACFIN - Traitement du renseignement et action contre les circuits financiers clandestins

Créé en France par la loi du 12 juillet 1990 (dans son article 5), ce service a pour mission de lutter contre le blanchiment de l'argent provenant du trafic des drogues et de l'activité d'organisations criminelles. Rattaché à la Direction générale des douanes, Tracfin dépend du ministère de l'Économie, des Finances et du Budget.

Quatre mille organismes financiers, banques, compagnies d'assurances et mutuelles sont tenus de déclarer leurs soupçons à Tracfin lorsque des montants inscrits dans leurs livres leur semblent provenir de trafics illicites ou d'activités mafieuses. Chaque établissement désigne, parmi ses cadres, un "Monsieur Antiblanchiment" chargé des relations avec Tracfin. Mis à part ces quatre mille établissements, d'autres professions sont susceptibles de déclarer leurs soupçons au parquet, lequel peut alors saisir Tracfin pour expertise. Il s'agit notamment des notaires, huissiers, commissaires-priseurs, commissaires aux comptes...

Tracfin peut recouper ses données avec d'autres organismes nationaux français tels que les douanes (Direction nationale de la recherche et des enquêtes douanières – DNRED – ou fiscales – DNEF) ; l'Office central de répression de la grande délinquance financière (OCRGDF) et l'Office central de répression contre le trafic illicite de stupéfiants (OCRTIS), dépendant tous deux du ministère de l'Intérieur. Mais aussi avec des organismes équivalents situés hors de France, comme la Cash Transaction Reports Agency en Australie ; le FINCEN, organisme américain dépendant du Trésor ; la Guardia di Finanza en Italie ; SICFIN à Monaco...

Banques, organismes de clearing, institutions financières et monétaires...

BCP - Banque de commerce et de placements SA

Cette banque créée à Bâle à la fin des années 50 (sous le nom de Handels-und Anlagebank) a été reprise peu après par l'Union de banques suisses (UBS) qui, en 1963, en a transféré le siège à Genève[1]. En 1968, l'UBS a vendu la majorité des parts de la Banque de commerce et de placements à l'ENI, une société pétrolière appartenant à l'État italien, et à la Banco di Napoli, ne conservant qu'une minorité.

En 1972, l'Italien Florio Fiorini entre au conseil d'administration de la banque en tant que représentant de l'ENI. Il utilisera par la suite la BCP pour effectuer ses spéculations sur les devises. La faillite de la Bank Herstatt, en Allemagne, alertera les autorités suisses, lesquelles interdiront à la Banque de commerce et de placements ce type d'activité.

En 1976, l'UBS rachètera toutes ses actions à l'ENI et essayera de réorganiser la banque. Mais en février 1977, l'Union de banques suisses fait machine arrière : elle vend 85 % des actions de la BCP à Agha Hasan Abedi, le fondateur de la Bank of Credit and Commerce International, qui, grâce à ce rachat, parviendra à introduire la BCCI en Suisse alors que les autorités helvétiques le lui avaient précédemment refusé[2].

---

1. La BCP-Genève dispose de ses propres filiales, à Zurich, Lugano et Luxembourg.
2. Quant à Florio Fiorini, il ne disparaît pas entièrement de ce petit monde. En 1979, il fonde pour le compte de l'ENI une société italienne : Italfinance International Spa. Les cofondateurs en sont Mohammed Swaleh Naqvi, le numéro deux de la BCCI ; Sayed Mohammed Akbar, qui appartient également à la BCCI ; et Maria Cristina d'Alessandro, pour la Kuwait International Finance Company, à Rome.

L'implication continue de l'UBS dans les affaires de la BCCI d'Agha Hasan Abedi peut se lire dans le fait que les présidents de la BCP étaient toujours choisis parmi les administrateurs de l'Union de banques suisses. Ainsi, l'ancien directeur général de l'UBS Alfred Hartmann, qui a repris en 1983 la présidence de la BCP (aussi bien pour la Suisse que pour le Luxembourg), est devenu par la suite administrateur du holding BCCI à Luxembourg. Hartmann avait quitté son poste de directeur général de l'Union de banques suisses plus ou moins sous la contrainte. Il avait alors été nommé directeur général chez Hoffmann-La Roche, à Bâle, poste qu'il a dû abandonner en 1976 suite au scandale de Seveso (une explosion chimique survenue chez Hoffmann-La Roche). Il est réapparu comme directeur général de la Rothschild Bank AG (Zurich), avant de prendre la présidence de la BCP en 1983. Quelques mois après la fermeture de la BCCI, en février 1992, Hartmann démissionnera de cette fonction. Puis, en 1993, il sera forcé d'abandonner son poste chez Rothschild suite à l'affaire Jürg Heer[1]. Il est étonnant de constater que cet homme appartenant à l'élite bancaire a dû, à quatre reprises, chaque fois après un scandale, quitter par la petite porte l'établissement dans lequel il officiait sans être le moins du monde contraint de justifier ses actes.

Les enquêtes diligentées sur le cas de la BCP, à Zurich aussi bien qu'à Luxembourg, ont démontré que ces deux filiales de la BCP avaient été conçues par Abedi comme des "banque noires", sortes de banques dans la banque, reliées à la BCCI. Dans les deux cas, où l'on accueillait de façon systématique des comptes sous de faux noms, des sommes colossales se sont évaporées dans des "trous noirs". Rien que pour Zurich, l'ardoise s'élève à 226 millions de dollars.

Dès 1987, la BCP-Zurich a eu comme directeur Kazem Naqvi, l'ancien administrateur délégué de la Bank of Credit and Commerce International à Luxembourg. Lors d'une commission rogatoire inter-

---

1. Jürg Heer est un ancien employé de la Banque Rotschild qui s'est rendu coupable de diverses malversations.

nationale effectuée par le FBI au Grand-Duché dans le cadre de l'affaire BBCI, Naqvi a été prévenu de l'arrivée des enquêteurs par une fuite émanant du Palais de justice de Luxembourg. Lorsque la Sûreté publique, accompagnée des enquêteurs américains, se présentera au siège de BCCI Holdings, elle s'entendra répondre que Naqvi est parti en *"voyage d'affaires"*. Un voyage dont-il ne reviendra pas de sitôt.

Récemment, Kazem Naqvi est retourné au Luxembourg, où il a créé une nouvelle société. Il a des liens familiaux avec le Pakistanais Altaf Nazerali, le représentant du Canadien Irving Kott dans Alya Holding / AIM-Luxembourg, devenu par la suite Pétrusse Securities. Naqvi et quelques autres citoyens indo-pakistanais sur la place de Luxembourg se sont vantés du fait que l'ancienne ministre des Affaires étrangères, et ministre de la Justice, Mme Colette Flesch, leur ait attribué des passeports luxembourgeois, appelant affectueusement l'ancienne ministre : leur *"marraine"*.

Cinq jours seulement après la fermeture de la BCCI, l'UBS, qui était restée actionnaire minoritaire de la BCP, a réussi à vendre la Banque de commerce et de placement au holding turc Cukurova. Comment, après sa fermeture dans soixante-treize pays, la BCCI pouvait-elle vendre ainsi sa filiale suisse, et quel rôle l'UBS, actionnaire minoritaire, a-t-elle joué dans cette vente ? Ces questions n'ont jamais pu être élucidées...

BGL - Banque générale du Luxembourg (Groupe Fortis)

La Banque générale du Luxembourg SA (BGL) a été créée le 29 septembre 1919 en tant que société de droit belge. Son siège était basé à Arlon (Belgique), et son siège administratif à Luxembourg. À cette époque, la Société générale de Belgique regroupait les co-actionnaires fondateurs parmi des sociétés et des particuliers luxembourgeois, belges et français. Le 21 juin 1935, la banque a changé ses statuts en société de droit luxembourgeois, et en 1962 la majorité des actions sont passées sous contrôle luxembourgeois. La BGL compte parmi les membres fondateurs de Cedel.

À partir du 29 novembre 1984, ses actions sont cotées en Bourse de Luxembourg. En 1990, la BGL ouvre une filiale à Metz[1] et marque ainsi son importance transrégionale. Proche de l'industrie sidérurgique (Arbed) pendant très longtemps, la banque est aussi considérée comme étant sous l'influence du Parti libéral, le DP luxembourgeois.

Son président, depuis le 6 mai 1993, est Marcel Mart : ancien ministre libéral des Affaires économiques, ancien premier président de la Cour des comptes européenne, ancien grand-maréchal de la cour grand-ducale et administrateur des biens du grand-duc. Depuis cette même date, le prince Guillaume, fils cadet du grand-duc Jean, siège au conseil d'administration de la banque. Par une Offre publique d'échange (OPE) en date du mois de février 2000, le groupe Fortis est devenu actionnaire à 97,73 % de la BGL.

BIL - Banque Internationale à Luxembourg (aujourd'hui DEXIA)

Fondée en 1856, alors que le Grand-Duché est sous tutelle néerlandaise et membre du *Zollverein*, la Banque internationale à Luxembourg (BIL) était la première société anonyme du jeune pays. Première banque privée à s'établir à Luxembourg, l'année même où était créée la Caisse d'épargne de l'État, la BIL avait comme principale fonction, dès l'origine, celle d'une banque d'émission : thalers prussiens, florins et francs. Aujourd'hui encore, elle est banque émettrice, une des rares banques privées dans le monde à posséder un tel privilège.

En 1929, la BIL participait à la création de la Bourse de Luxembourg. Elle est membre fondateur de Cedel-Clearstream, et l'un de ses dirigeants, Edmond Israël, sera le premier président de la société de clearing et le restera pendant près de vingt ans. En 1992, le Crédit communal de Belgique a racheté les parts détenues depuis le début des années 80 par la Banque Bruxelles Lambert dans la plus vieille banque du Grand-Duché. Ensuite, en 1996, le Crédit commu-

---

1. Au 5, avenue Joffre.

nal de Belgique s'est associé au Crédit local de France pour former le groupe Dexia, dont la Banque internationale à Luxembourg est alors devenue la représentante à part entière au Luxembourg – la BIL vient d'être rebaptisée Dexia dans le courant de l'année 2000. Gaston Thorn, qui a exercé les fonctions de président du gouvernement, Premier ministre[1] (libéral) luxembourgeois et de président de la Commission européenne, préside la BIL depuis une quinzaine d'années.

BOURSE DE LUXEMBOURG

La Bourse de Luxembourg a été constituée par une loi du 30 décembre 1927. L'arrêté grand-ducal du 22 mars 1928 en confiait l'exploitation, l'administration et la direction à une société anonyme : la Société de la Bourse de Luxembourg SA.

La Bourse a ouvert ses portes le 6 mai 1929, mais ses ambitions de départ ont été freinées par le krach d'octobre 1929. L'occupant allemand a fermé la Bourse le 10 mai 1940 pour la rouvrir peu après, en n'autorisant toutefois le négoce que pour des valeurs allemandes et luxembourgeoises. Fermée une nouvelle fois à la Libération, la Bourse a rouvert ses portes le 1er octobre 1945.

Dans les années d'après-guerre, l'internationalisation du marché des capitaux s'est trouvée contenue, en Europe, du fait des restrictions en matière de circulation de devises. Les émetteurs européens se sont alors tournés vers le marché américain pour y emprunter les capitaux indispensables à la mise en œuvre de leurs investissements. Un premier "euro-emprunt", dirigé par une banque de la place, a été lancé à partir de Luxembourg dès 1961, deux ans avant que l'introduction, aux États-Unis, de la taxe de péréquation des taux d'intérêt ne pousse le secteur bancaire international, et plus particulièrement européen, à créer son propre marché des capitaux. Cet euro-marché prendra son essor grâce aux emprunts internationaux. En raison de son "esprit d'ouverture", la Bourse de Luxembourg (BdL) sera choisie comme la principale place de cotation des euro-obligations.

---

1. Au Luxembourg, ces deux titres sont accolés.

À partir de 1969, la BdL prend la décision heureuse de coter les emprunts internationaux dans leur devise d'émission, un système que Cedel pratique depuis sa création, en 1971. Elle favorisera ainsi ce mode de liquidation et de clearing, et Cedel assumera en quelque sorte les fonctions d'un système de clearing national au Luxembourg.

À partir du 17 mars 1981, la Bourse de Luxembourg élargit la palette des produits d'investissement offerts au public, en introduisant la cotation de l'or sur son marché. La même année est accepté le principe de la cotation en devises des valeurs à revenu variable.

La Bourse de Luxembourg a été l'un des premiers promoteurs, dès le début des années 70, de l'idée d'un rapprochement des bourses de valeurs en Europe, idée qui trouvera sa réalisation en 1980 avec la fondation de la Fédération internationale des bourses de valeur (FIBV).

La Bourse de Luxembourg a lancé son indice, le LuxX, le 4 janvier 1999. En août 2000, elle comptait 104 membres, 32 maisons d'agents de change, 72 membres au statut de banque. Trente-neuf membres sur ce total de 104 sont des *Benelux Cross Members* utilisant la connexion des trois bourses du Benelux (vingt-cinq agents de change ; quatorze banques)[1].

CHAMBRES DE COMPENSATION - ("Clearings" nationaux)

Situation en France :

Yves Bernard et Jean-Claude Colli, dans leur *Vocabulaire économique et financier*[2], définissent ainsi le terme "compensation" : *"Procédé de règlement comptable entre deux ou plusieurs parties qui sont débitrices et créditrices les unes vis-à-vis des autres, et qui permet de limiter l'utilisation des moyens de paiement au règlement du solde net de ces relations."*

---

1. Les Bourses d'Amsterdam, de Bruxelles et de Luxembourg ont signé un accord de coopération le 30 mai 1997.
2. Éditions du Seuil (Points), septième édition.

Les mêmes auteurs nous décrivent la situation en France, où *"la Chambre de compensation des banquiers de Paris (rue des Italiens) effectue la grande majorité des opérations nationales de compensation. En province, les compensations se font généralement au siège de la succursale de la Banque de France, qui tient lieu de chambre. On compte 240 chambres de compensation provinciales. En ce qui concerne la compensation des valeurs mobilières entre partenaires/banques sur le territoire français, il y a lieu de mentionner le "clearing" national français Sicovam (Société interprofessionnelle pour la compensation des valeurs mobilières)"*.

Situation en Europe :

À l'heure actuelle, Il existe en Europe quinze clearings nationaux du type Sicovam. En Allemagne, on parle des "Kassenvereine" régionaux, regroupés à Francfort dans le Deutscher Auslandskassenverein (aujourd'hui rebaptisé Deutsche Boerse-Clearing) pour les transactions transnationales. Ailleurs en Europe, citons Necigef (Pays-Bas), CIK (Belgique), SEGA (Suisse), Crest (Grande-Bretagne)...

Actuellement, on voit se dessiner une tendance à la fusion des clearings, qu'ils soient nationaux ou internationaux (avec d'un côté Cedel-Clearstream et de l'autre, Euroclear). Ainsi, la Deutsche Boerse-Clearing a rejoint Cedel Bank dans ce qui est devenu Cedel International, le holding dans lequel Clearstream est intégré. La Sicovam, de son côté, s'est associée à Euroclear.

KBL - Kredietbank-Luxembourg

La Kredietbank SA luxembourgeoise a vu le jour le 23 mai 1949. C'est une filiale de la Kredietbank NV (Belgique), dont la création remonte au 9 février 1935[1]. La Kredietbank-Luxembourg (KBL) jouit

---

1. Quand l'Algemeene Bankvereeniging et la Bank voor Handel en Nijverheid ont fusionné pour devenir la Kredietbank voor Handel en Nijverheid NV, d'abord implantée à Anvers, et aujourd'hui à Bruxelles.

d'une position dominante au sein du groupe, de telle sorte qu'elle conteste régulièrement à la maison mère son rôle de "chef de famille". L'actionnariat du groupe se recrute avant tout dans les milieux industriels et les PME catholiques flamandes[1]. La Kredietbank luxembourgeoise est à la pointe du "syndicat" international qui s'est créé dès la fin des années 60 pour promouvoir Cedel en concurrence d'Euroclear.

Roberto Calvi, le malheureux banquier de l'affaire Ambrosiano "suicidé" en 1982, a siégé au conseil d'administration de la Kredietbank SA luxembourgeoise au début des années 80. C'est d'ailleurs sur recommandation de ses collègues administrateurs à la KBL que Calvi sera admis en loge maçonnique de Luxembourg[2].

Tout au long des années 90, la KBL sera souvent citée comme un dépositaire privilégié de l'argent des sectes. La Scientologie et la secte Moon disposent en effet de comptes auprès de l'établissement bancaire – de même que l'Opus Dei, qui recrute parmi les catholiques flamands fortunés.

En 1994, la KBL avait licencié un groupe d'employés. Ces personnes ont emmené avec elles des listings d'ordinateurs mentionnant les noms des clients belges les plus fortunés de la banque, listes qui atterriront sur le bureau du juge bruxellois Leys. Depuis lors, la KBL se trouve dans le collimateur du magistrat instructeur, lequel ira jusqu'à arrêter Damien Wigny, président de la KBL, lors d'un déplacement privé en Belgique. L'avenir de la Kredietbank se joue actuellement autour des suites que cette affaire risque d'entraîner.

Les certificats Safemco

Si la KBL a su éviter les remous des premiers scandales qui toucheront la place financière de Luxembourg – tels que les affaires IOS Gramco ou Herstatt –, elle s'est tout de même distinguée en faisant goûter à sa clientèle fortunée, et avide de placer quelques

---

1. Ce qui n'a rien d'étonnant pour qui observe la finance des décennies d'après-guerre.
2. Alors que Michele Sindona, qui souhaitait intégrer cette loge, a vu sa demande d'admission refusée.

petits sous gagnés "au noir", des instruments de placement à très haut risque comme les "certificats Safemco"[1].

Si les "certificats représentatifs d'actions"[2] de Safemco complètent aujourd'hui les albums des collectionneurs de vieux "papier valeur" sans avoir provoqué de véritable cataclysme judiciaire, c'est sans doute parce que les investisseurs grugés étaient moins nombreux et moins intéressés à se faire connaître que dans d'autres affaires similaires. Dans l'affaire IOS, par exemple, les personnes escroquées étaient des dizaines de milliers de petits investisseurs qui, dans leur grande majorité, avaient vidé leur bas de laine – mais n'avaient rien à cacher à l'administration fiscale. Dans l'affaire KBL-Safemco, il s'agissait d'investisseurs plus huppés qui n'avaient pas forcément intérêt à attirer l'attention.

Pour mémoire, nous avons synthétisé ici les références administratives des certificats Safemco.

Safemco : Selected American Funds Enterprise Management Corporation Limited, Panama RP.

Société enregistrée à Panama sous la loi 32 de 1927 par document notarial n°2440, exécuté le 21 août 1963, notaire n°1 enregistré au registre du commerce, volume 468, folio 315, entrée 90740, 23 août 1963 (inscriptions relevées sur un certificat représentatif d'actions du groupe).

La société de gestion du groupe se trouvait à Panama City : Safemco Ltd., Calle Aquilino de la Guardia, n°8, Panama-City.

---

1. Sortes de Sicav avant l'heure, les certificats Safemco ont "bu la tasse", et avec eux les investisseurs.
2. Il ne s'agit pas à proprement parler d'actions "physiques". La différence entre une action et un "certificat représentatif d'action" est un peu la même que celle qui existe entre un certificat aurifère et une quantité physique d'or.

Le conseil d'administration du groupe comprenait :

Jules E. Franklin, Rüschlikon/Zurich, président (conseil d'administration d'Euramerica Corporation, Fort Worth, Texas) ;

Robert S. Borntraeger, Lucerne, vice-président (conseil d'administration d'Euramerica Corporation, Fort Worth) ;

Irving Weiss, Cannes, secrétaire (conseil d'administration Unisec Ltd., Nassau).

La banque dépositaire du groupe :

Kredietbank SA luxembourgeoise, 37, rue Notre-Dame, Luxembourg.

Le commissaire aux comptes du fonds et de la société de gestion :

Dipl. Kfm. Herbert Krank, Wirtschaftsprüfer, Oranienstrasse 16, D-6550, Bad Kreuznach.

Le Service clients était assuré par :

Safemco Establishment, Merkurhaus, POB 328, Vaduz-Liechtenstein.

KPMG

KPMG est l'une des plus grandes sociétés de réviseurs d'entreprises et d'auditeurs au monde. Elle regroupe environ 103 000 collaborateurs dans 825 villes du globe, avec environ 7 000 *"partners"*, copropriétaires en quelque sorte de la société qui les emploie. KPMG International est soumis au droit suisse, avec un siège international à Amsterdam, chaque unité nationale possédant son autonomie juridique. Le total des revenus du groupe pour l'année 1999, dans les 159 pays où il est implanté, est de l'ordre de 12,2 milliards de dollars.

L'origine de l'abréviation KPMG est l'histoire d'une mondialisation avant terme : la globalisation exercée "devant sa porte" avant d'aller la prêcher aux entreprises du monde entier.

Piet Klynveld est le fondateur de la firme néerlandaise Klynveld, Kraayenhof & Co., aujourd'hui KPMG Netherlands. En 1979, Klynveld fusionne avec la Deutsche Treuhandgesellschaft et la société internationale McClintock Main Lafrentz, pour former ainsi le groupe Klynveld Main Goerdeler (KMG).

En 1870, à Londres, William Barclay Peat fonde la société William Barclay Peat & Co.

En 1897, à New York, James Marwick et Roger Mitchell fondent la société de comptabilité Marwick, Mitchell & Co.

En 1911, William Barclay Peat & Co. et Marwick, Mitchell & Co. s'associent pour former Peat Marwick Mitchell & Co., qui deviendra l'une des sociétés internationales les plus importantes au monde en matière de comptabilité et de consultants, sous le nom de Peat Marwick International (PMI).

La méga-fusion de PMI et KMG vers le logo actuel du groupe KPMG date de 1986. L'idée de cette fusion est attribuée au Dr Reinhard Goerdeler, ancien président de la Deutsche Treuhand-Gesellschaft et président de KMG.

KPMG-Luxembourg dispose d'un site Internet (www.kpmg.lu).

MERRILL LYNCH

Merril Lynch fait figure de première société boursière du monde. Les seules salles de marché de Merrill Lynch-New York occupent trois étages, avec leurs 2 400 mètres carrés et leurs 800 *traders* par étage, au sein du World Financial Center[1].

Merrill Lynch & Co, Inc. est une société holding formée en 1973 à New York. Le groupe est représenté sur tous les continents et sous toutes les formes de sociétés juridiques généralement actives sur les marchés financiers, y compris les banques et sociétés d'assurance. Avec des avoirs clients de 1,7 trillions de dollars gérés fin 1999, Merrill Lynch est bien le plus grand *broker* sur le plan mondial. Le groupe a longtemps été connu sous son intitulé américain d'origine : Merrill Lynch, Pierce, Fenner & Smith Incorporated, la plus importante unité du groupe aujourd'hui.

---

1. Situé entre les deux fameuses tours jumelles du World Trade Center, à New York.

PARIBAS (Banque)

Au Luxembourg :

La Banque de Paris et des Pays-Bas pour le Grand-Duché de Luxembourg SA a été constituée le 23 octobre 1964. Dans le contexte du présent ouvrage, notons la présence, parmi ses fondateurs, de Henry J. Leir, dont les parts seront reprises plus tard par Nadhmi Auchi. Le 14 décembre 1982, la banque a changé son nom en Banque Paribas (Luxembourg) SA, pour devenir ensuite, le 5 avril 1989, la Banque Paribas Luxembourg.

En France :

La Banque de Paris et des Pays-Bas SA s'est établie en France en 1968 afin de reprendre les activités d'une ancienne société du même nom (fondée en 1872) qui est devenue, cette année-là, holding du groupe sous le nom de Compagnie financière de Paris et des Pays-Bas. Les branches étrangères du groupe (à Amsterdam, Bruxelles, Genève et Luxembourg) sont établies en filiales de la Compagnie. Le 15 décembre 1969 sera créée une filiale londonienne, la Banque de Paris et des Pays-Bas Limited.

Le 25 juin 1982, un nouveau changement de nom intervient et la Banque de Paris et des Pays-Bas SA devient la Banque Paribas. En 1983, la banque dispose de 26 "branches" à travers la planète – il faut distinguer entre filiales de la Compagnie (le holding) et filiales de la Banque Paribas – avec, par ordre alphabétique : Abu Dhabi, Athènes, Bahrein (2), Barcelone, Le Caire, Chicago, Copenhague, Doha (Qatar), Dubai, Düsseldorf, Francfort, Hambourg, Hongkong, Houston, Londres, Los Angeles, Madrid, Milan, Monte-Carlo, New York, Séoul, Singapour, Stuttgart, Taipei (Taiwan), Tokyo.

En outre, la banque parisienne a ouvert (situation 1993) 22 "bureaux de représentation" dans le monde entier : Bangkok, Pékin, Bratislava, Caracas, Dalian (Chine), Dallas, Guangzhou (Chine), Jakarta (Indonésie), Kuala Lumpur (Malaysie), Luanda (Angola), Manille, Mexico-City, Moscou, New Delhi, Prague, Rio, Rome, San Francisco, Shanghai, Stockholm, Téhéran, Toronto. Pour ce qui est de cette dernière ville, nous y trouvons également, depuis 1981, une Paribas Bank of Canada, filiale à part entière de la Compagnie financière de Paribas.

La liste des "banques affiliées" à la maison parisienne, donnée par le *Bankers' Almanac* pour l'année 1993, comprend :

Australian Bank (Australie)

Banco Amazonas (Équateur)

Société nouvelle de la banque de Syrie et du Liban (Liban)

Banque continentale du Luxembourg (Luxembourg)

Société marocaine de dépôt et de crédit (Maroc)

Banque internationale arabe de Tunisie (Tunisie)

Bank of Sharjah (Émirats arabes unis)

Bank Dhofar Al Omani Al Fransi (Oman)

Merchant Banking Corporation Ltd. (Nigeria)

Une filiale du groupe au Gabon existe depuis le 9 décembre 1971[1].

La même année est créée la Banque Paribas Pacifique, première banque de la place à Nouméa, en Nouvelle-Calédonie.

Une Société nouvelle Paribas international détient 100 % des actions de la Banque Paribas Nederland NV à Amsterdam, dont les origines remontent à 1863 – quand elle fut créée sous le nom de Nederlandsche Credit & Depositobank. En 1872 déjà, son nom avait changé en Banque de Paris et des Pays-Bas NV, filiale de la banque parisienne depuis lors.

Depuis 1872, nous trouvons également une Banque Paribas (Suisse) SA implantée à Genève, avec aujourd'hui une dépendance à Lugano, des filiales à Zurich[2] et Bâle et d'autres filiales hors de Suisse, à Guernesey et aux Bahamas (1993).

En 1993, Paribas était la cinquième banque de France, et la soixante-deuxième banque au niveau mondial.

---

1. Boulevard de l'Indépendance, à Libreville.
2. La Paribas Privatbank AG, ancienne Banque Louis-Dreyfus SA, établie en 1972.

UBS - Union de banques suisses

En 1987, alors que l'Union de banques suisses fêtait ses 125 ans d'existence, les trois auteurs suisses Res Strehle, Gian Trepp et Barbara Weyermann intitulaient leur livre consacré à l'histoire de la banque : *Ganz oben* ("Tout en haut"). Ils ne pouvaient pas prévoir que la décennie qui s'annonçait allait sérieusement entamer la position de la banque... tout en haut de l'affiche.

Après avoir fusionné avec l'autre grande banque suisse, la Société de banque suisse[1] (SBS), le nouveau groupe continuera son existence sous le nom d'UBS. Mais la décennie suivante – marquée par la recherche de l'or juif spolié durant la Seconde Guerre mondiale et du "trésor de guerre" nazi – obligera la banque à descendre de quelques crans de sa position... "tout en haut" !

Le 22 mai 1862, des notables de la ville de Winterthur avaient fondé la Bank in Winterthur qui, le 17 octobre 1912, a fusionné avec la Toggenburger Bank (créée en 1863). Le nom de Schweizerische Bankgesellschaft – Union de banques suisses – date de cette fusion. En 1945, l'UBS a intégré dans ses structures l'Eidgenössische Bank AG de Zurich.

VANCOUVER (bourse de)

"If anyone tries to peddle you anything
listed on the Vancouver Stock Exchange,
hang up fast.
There isn't any gold in Vancouver,
But there's plenty of brass."

"Si quelqu'un tente de vous vendre quoi que ce soit
coté en Bourse de Vancouver,
raccrochez tout de suite !
Il n'y a pas d'or en Bourse de Vancouver,
Mais il y a plein de laiton !"

---

1. Aujourd'hui intégrée dans l'UBS, la SBS a été fondée à Bâle en 1872.

"Capitale mondiale de l'Arnaque" ! (*Scam capital of the world*). Tel est le titre d'un article que le magazine *Forbes* consacrait, en mai 1989, à la Bourse de Vancouver, le Vancouver Stock Exchange (VSE). Le magazine n'hésitait pas à ironiser sur la Ville de Vancouver (qui comptait un million et demi d'habitants à l'époque), présentée comme l'une des principales villes du continent nord-américain devant faire face à un sérieux problème d'évacuation des déchets : *"Pour cette ville, le problème est un peu particulier. Le déchet, c'est le VSE ! Il pollue une grande partie du monde civilisé. [...] Fondé en 1907, le VSE est la farce qui présente la durée de vie la plus longue jamais constatée en Amérique du Nord. Chaque année, cette Bourse aspire des milliards de dollars qui sont soustraits aux marchés légitimes d'Amérique et d'Europe."*

"Il se lève un homme ignorant chaque matin, à nous de le trouver pour en faire notre client !", aimait à répéter, à la fin des années 80, Altaf Nazerali, alors directeur d'Alya Holdings et d'AIM à Luxembourg – aujourd'hui directeur de dix valeurs cotées en Bourse de Vancouver. Son frère Shafiq, qui dirigeait EADI-Montevideo à la même période, possède lui-même des mandats dans pas moins de trente sociétés cotées à Vancouver.

"La moitié des sociétés cotées en Bourse de Vancouver sont des arnaques parfaites !", affirme l'auteur Adrian du Plessis, ancien opérateur en salle de Bourse de Vancouver. Et de préciser : *"Et la plupart de celles qui restent sont des affaires truquées d'une manière ou d'une autre."*

Bien d'autres qualificatifs peu flatteurs sont attribués à la Bourse de Vancouver : Bourse Casino, Bourse des Penny Stocks, Bourse du blanchiment à l'usage des *mobsters (mafieux)*[1].

En 1988, avec 3,3 milliards de dollars canadiens, le VSE comptait pour un tiers du volume total traité dans l'ensemble des bourses canadiennes.

---

1. Dans la liste des *mobsters* et autres indésirables, on a longtemps noté la présence de Ferdinand Marcos, l'ancien dictateur philippin, qui sera défendu bec et ongles par les membres de la Bourse de Vancouver et par les hommes politiques locaux.

Affaires citées

AMBROSIANO (l'affaire)

Au matin du 18 juin 1982, on découvre le corps du banquier milanais Roberto Calvi, patron de la Banque Ambrosiano, pendu à un échafaudage sous le Blackfriars Bridge (le pont des Frères noirs), à Londres. Les poches de son élégant costume sont bourrées de cailloux et de toutes sortes de devises. Pendant des années, la thèse du suicide sera défendue avec obstination, malgré l'avis contraire de la plupart des enquêteurs de la première heure.

Né en 1920, Roberto Calvi était entré au service de la Banco Ambrosiano dès 1946. À la fin des années 60, il avait fait la connaissance du "banquier de la mafia", Michele Sindona, et les relations d'affaires entre les deux hommes étaient devenues florissantes. En 1975, Calvi est élu président du conseil d'administration de l'Ambrosiano. La même année, il devient membre de la loge P2, qui vient d'être fondée par Licio Gelli et dont Sindona est membre, lui aussi.

À Luxembourg, nous retrouvons Calvi non seulement dans les holdings du groupe Ambrosiano, mais aussi comme membre du conseil d'administration de la Kredietbank Luxembourg (qui occupe, à Cedel, une position de premier plan). Par ailleurs, la principale loge maçonnique luxembourgeoise l'accepte dans ses rangs, alors qu'elle en refuse l'accès à Michele Sindona, sachant que celui-ci a fait l'objet d'une condamnation en Italie en 1976 et qu'il a été arrêté aux États-Unis.

La Banque Ambrosiano, dont la création remonte au 27 août 1896, comptait parmi les nombreuses banques privées italiennes liées au Vatican. Recommandée à la protection de Saint Ambroise, la banque se n'était jamais particulièrement fait remarquer en affaires. C'est lorsque le Saint-Siège avait cherché à contourner la législation bancaire italienne – et notamment les restrictions concernant les opérations de changes sur le marché des devises – que les très saints financiers du Vatican avaient utilisé les filières mafieuses de Sindona pour acheminer de gros montants hors du pays, au nez de tous les organismes de contrôle. À l'intérieur du Vatican, c'est l'Istituto per le Opere di Religione (IOR), souvent appelé "la Banque du Vatican", qui organisait ce trafic. À la tête de l'IOR, l'archevêque Marcinkus avait, dans un premier temps, utilisé les filières offertes par Sindona. Puis, lorsque ce dernier était devenu moins fréquentable, suite à ses déboires avec la justice, il s'était servi de Roberto Calvi et de sa banque.

Au début des années 70, Marcinkus a pris une décision dont les répercussions et ramifications pourraient, à elles seules, justifier la thèse qui veut que Jean-Paul Ier, le "pape souriant", ait été assassiné. Marcinkus a en effet ordonné l'arrêt des activités de la Banca Cattolica del Veneto, et son intégration dans la Banco Ambrosiano, sans consulter ni même informer le conseil d'administration de la banque ainsi absorbée. Or la Cattolica del Veneto était la banque privée au service du patriarche de Venise, et son président n'était autre qu'Albino Luciani, le futur pape Jean-Paul Ier.

Le Vatican a évolué : d'un gestionnaire de troncs et d'aumônes, exproprié et ayant vu son patrimoine réduit à sa plus simple expression après les confiscations dont il a été victime dans le cadre du *Resorgimento*, à partir de 1870, le Saint-Siège s'est mué en une puissance financière brassant des moyens aussi colossaux que discrets dans l'économie mondiale. *"Imaginer le pape comme une sorte de président de conseil de surveillance peut en choquer certains. Mais il ne faut pas oublier que le Vatican est une institution vieille de plusieurs siècles, qui, en ce qui concerne l'argent, a toujours su être dans l'air du temps.*[1]*"* Ce n'est donc que justice si, lors de la grande crise éco-

---

1. Nino Lo Bello, *Die Milliarden des Vatikan. Das Wirtschaftsimperium der Römischen Kurie*, Molden, 1970 (traduit de l'américain : *The Vatican Empire*). Les traductions des citations sont de l'auteur.

nomique et financière des années 20, le Vatican a frôlé la faillite. Après tout, c'était dans l'air du temps !

En 1880 déjà, l'aristocratie et la haute bourgeoisie romaines, qui avaient traditionnellement des liens étroits avec l'Église, créaient la Banco di Roma au seul profit du Vatican. Son but : racheter, avec une plus-value substantielle, les immeubles et terrains dont le Vatican devait se séparer pour conserver des liquidités. En outre, cette banque devait prendre des participations majoritaires, en vue de leur rétrocession ultérieure au Vatican, dans des sociétés de services urbains (eau, électricité, gaz, transports publics...). Inutile de dire qu'après dix-huit ans de favoritisme à l'égard du Vatican, la banque s'est trouvée ruinée dès 1898. Le *deus ex machina* des finances vaticanes, Bernardino Nogara, avait sauvé la Banco di Roma de la faillite.

La manne céleste permettant aux financiers du Vatican de revenir à une meilleure fortune arrivera dans le sillon des accords du Latran, conclus en 1929 entre Mussolini et le Vatican. Dans le cadre de ces accords, l'Église recevait une indemnisation de 90 millions de dollars en dédommagement des biens immobiliers confisqués par l'État italien depuis 1870, et de la perte de son pouvoir séculier. Cet argent était confié à un génie de la finance, Bernardino Nogara, ancien vice-président de la Banca Commerciale Italiana. En 1968, dix ans après la mort de Nogara et quarante ans après les accords du Latran, les participations diverses du Vatican dans l'industrie, la finance et les services étaient estimées à huit milliards de dollars. La maxime de Nogara était aussi simple qu'efficace : *"Le programme d'investissement du Vatican ne devrait pas être bloqué par des considérations religieuses."* Ses "héritiers" ont, depuis sa mort, appliqué cette maxime scrupuleusement – mais avec plus ou moins de scrupules.

À la suite de Bernardino Nogara, le Vatican a eu recours aux services de Michele Sindona, puis, lorsque celui-ci est devenu infréquentable, de Roberto Calvi. Il faudra attendre la déconfiture du Banco Ambrosiano, qui suivra la mort de Calvi, pour que soit dévoilée l'implication colossale du Vatican dans les affaires illégales opérées par Sindona et Calvi. Sindona mourra assassiné dans sa cellule de la prison de Voghera le 22 mars 1986, après avoir bu une tasse de café empoisonné au cyanure. Sindona et Calvi ne sont que deux cadavres "exquis" parmi d'autres dans cette affaire.

BCCI (l'affaire)

"The Largest Bank Fraud in World History" (La plus grande fraude bancaire de l'Histoire). C'est ainsi que le *Guardian* londonien titrait son article du 31 juillet 1991 consacré à la faillite de la BCCI. Trois semaines plus tôt, le 7 juillet 1991, la Bank of Credit and Commerce International (BCCI) avait été fermée sur tous les continents au terme d'une enquête intensive entamée depuis plusieurs années aux États-Unis.

Le sénateur démocrate du Massachusetts John Kerry, qui, en tant que président de la commission d'enquête du Sénat, se penchera sur les malversations commises dans les coulisses de cette banque pakistanaise, qualifiera la BCCI, lors de la présentation de son rapport de plus de 800 pages, de *"réseau grossier fait de rapacité et de prises d'influences sévissant sur toute la planète"*[1].

C'est en 1988 que la banque s'est retrouvée sous les feux de la rampe, lorsque sa filiale de Tampa, en Floride, s'est vue épinglée pour avoir servi au blanchiment de l'argent de la drogue des cartels colombiens. Des membres du personnel de cette filiale ont par ailleurs été accusés de participer activement à la distribution de drogue sur le territoire américain. Si une coopération et une coordination transnationale en matière de lutte contre le crime organisé avaient été opérationnelles au moment de ces faits, les choses se seraient passées tout autrement.

Au Luxembourg, la liste des notabilités – appartenant aux divers courants politiques du Grand-Duché – qui sont apparues dans les documents officiels du holding BCCI comme membres de son conseil d'administration, contribuant ainsi à lui donner un semblant de respectabilité aux divers stades de son ascension, est éloquente. L'implantation du holding du groupe à Luxembourg a fait que les regards du monde entier se sont tournés vers le Grand-Duché lorsque le scandale

---

1. "A grotesque network of greed and influence which spans the globe."

a éclaté. Mais avant la fermeture de la BCCI, en juillet 1991, les instances de contrôle luxembourgeoises n'avaient même pas remarqué que deux autres institutions financières de la place étaient étroitement liées à la banque pakistanaise dans la plus grande affaire jamais dévoilée en matière de blanchiment d'argent de la drogue. Il s'agissait en l'occurrence de la BCP (Banque de commerce et de placements)[1] et de l'ITIB (International Trade and Investment Bank)[2].

Une annonce parue au Bankers' Almanac (le *Who's Who* du monde bancaire international) de juillet 1990 montre la répartition en toile d'araignée des filiales du groupe BCCI sur le globe.

Two ends of a transaction – BCC
at both ends

Argentina ○ Australia ○ Bahamas ○ Bahrain ○ Bangladesh ○ Barbados ○ Botswana ○ Brazil ○ Cameroon ○ Canada ○ China ○ Colombia ○ Côte d'Ivoire ○ Cyprus ○ Djibouti ○ Egypt ○ France ○ Gabon ○ Germany (West) ○ Ghana ○ Gibraltar ○ Grand Cayman ○ Hong Kong ○ India ○ Indonesia ○ Isle of Man ○ Italy ○ Jamaica ○ Japan ○ Jordan ○ Kenya ○ Korea (South) ○ Lebanon ○ Liberia ○ Luxembourg ○ Macau ○ Malaysia ○ Maldives ○ Mauritius ○ Monaco ○ Morocco ○ Netherlands ○ Netherlands Antilles ○ Niger ○ Nigeria ○ Oman ○ Pakistan ○ Panama ○ Paraguay ○ Philippines ○ Portugal ○ Senegal ○ Seychelles ○ Sierra Leone ○ Spain ○ Sri Lanka ○ Sudan ○ Swaziland ○ Switzerland ○ Taiwan ○ Thailand ○ Togo ○ Trinidad and Tobago ○ Turkey ○ United Arab Emirates ○ United Kingdom ○ Uruguay ○ USA ○ Venezuela ○ Yemen (North) ○ Zambia ○ Zimbabwe

BCC with Assets of US $20,600 million and Capital Fund of US $1,500 million specialises in promoting and financing international trade with emphasis on quality and speed of service. Its presence in 73 countries around the world, further facilitates handling of international transactions often at both ends. Contact us at any of our offices for any service, market information or financial needs.

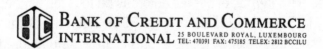

BANK OF CREDIT AND COMMERCE INTERNATIONAL 25 BOULEVARD ROYAL, LUXEMBOURG TEL: 470391 FAX: 475185 TELEX: 2812 BCCILU

---

1. Rachetée en 1977 par Agha Hasan Abedi, le fondateur de la Bank of Credit and Commerce International, la BCP lui permettra d'introduire indirectement la BCCI en Suisse, ce qui lui avait été refusé précédemment par les autorités helvétiques.
2. Créée le 9 novembre 1973 sous le nom de World Banking Corporation SA, l'International Trade and Investment Bank était établie sur le boulevard Royal de Luxembourg jusqu'en 1992. Étroitement liée à la BCCI, la banque était dirigée par la famille égyptienne Ben Mahfouz – Khalid S. Bin Mahfouz en avait été nommé président. Tout comme la Banque de commerce et de placements, l'ITIB sombrera dans l'affaire BCCI.

La BCCI avait été créée en 1972 par le Pakistanais Agha Hasan Abedi. La banque était liée à quelques grandes familles arabes comme les Bin Mahfouz (Arabie Saoudite), les Gokal (Pakistan, trafiquants d'armes à partir de Genève) ou les Geith Pharaon (famille régnante de l'émirat d'Abu Dhabi). Parmi les conseillers grassement indemnisés par Abedi, on trouvait des personnalités comme l'ex-président américain Jimmy Carter et l'ancien ministre britannique des Finances Lord Callaghan. Vers la fin des années 80, le holding luxembourgeois regroupait 29 banques et compagnies financières dans 73 pays.

Les auteurs du livre *False Profits*, Peter Truell et Larry Gurwin, constatent à juste titre dans leur introduction : *"La supercherie commençait avec son intitulé, dans la mesure où la BCCI n'a jamais été une véritable banque. Il s'agissait plutôt, depuis l'origine, d'une gigantesque machine à frauder : derrière une façade présentable, un groupe de financiers de l'ombre originaires du Pakistan et de cheiks du golfe Persique avaient mis sur pied une entreprise criminelle d'une envergure sans précédent.[1]"*

En octobre 1988 déjà, neuf dirigeants du groupe (dont le directeur régional pour l'Europe, les directeurs pour la France et pour les Bahamas, l'administrateur et son adjoint pour l'Amérique latine, ainsi que le responsable de la banque au Panama) étaient accusés aux États-Unis de blanchir d'argent de la drogue au profit du cartel colombien de Medellin. La BCCI gérait également les fonds des Panamian Defence Forces, qui seront dilapidés par le dictateur panaméen Manuel Noriega.

Fermée par Interpol, et par les autorités de tous les pays où il était implanté, le 7 juillet 1991, le groupe BCCI, nous le savons aujourd'hui, a continué ses activités à partir du Luxembourg pendant de longues semaines après sa fermeture officielle. Il s'était installé pour ce faire dans un grand hôtel de la place, l'hôtel Intercontinental, alors que ses bureaux du boulevard Royal étaient officiellement sous scellés.

---

1. Peter Truell et Larry Gurwin, *False Profits. The Inside Story of BCCI, the World's Most Corrupt Financial Empire*, Houghton, Mifflin Company, Boston, New York, 1992.

GRAMCO (L'affaire)

Alors que de nombreux investisseurs de tous pays se remémorent encore aujourd'hui leurs pertes de fortune dans l'affaire IOS, d'autres se rappelleront sans doute longtemps de leurs pertes dans l'affaire mettant en cause la société Gramco, alors concurrent d'IOS.

Installée en son temps dans le quartier de la gare, à Luxembourg-Ville, la filiale Gramco se vante, tout comme les autres filiales du groupe aux Bahamas, à Panama ou à Genève, des garanties qu'elle est en mesure d'offrir à ses investisseurs en comparaison de ce qui se pratique chez IOS. Les investissements seraient, selon la propagande de Gramco, garantis par ses gratte-ciels, tous parmi les plus importants du monde.

En 1969, Gramco a fait coter en Bourse de Luxembourg un million d'actions de la Gramco Management Company. En très peu de temps, le cours de l'action prend son envol de 10 dollars jusqu'à 40 dollars, pour retomber en flèche à 5,50 dollars. Peu de jours avant la fin subite de septembre, l'action cote encore 12 dollars.

Lors de la faillite de l'Istituto per le Opere di Religione, Gramco se porte acquéreur du réseau de distribution intégral de l'IOS en Amérique du Sud. Mais il est trop tard, et même des personnages prestigieux comme Pierre Salinger, ancien collaborateur du président Kennedy, nommé au poste de vice-président de Gramco, ne pourront plus éviter la chute.

Le fondateur de Gramco est un Cubain en exil du nom de Rafael G. Navarro. Celui-ci avait été nommé ambassadeur de Cuba auprès des Nations unies dès l'âge de 21 ans par l'ancien dictateur cubain Fulgencio Batista. Mais ceci est une autre histoire...

HERSTATT (l'affaire)

Le jeudi 26 juin 1974, la ville de Cologne a vécu le plus grand scandale bancaire de l'histoire de l'Allemagne d'après-guerre : la faillite de la banque Herstatt.

Au début des années 70, soumis à des spéculations à très haut risque sur les devises, l'établissement connaît en effet une très grave crise de liquidités. De 450 millions de deutschmarks, le trou grimpera bientôt jusqu'à 1,6 milliards de deutschmarks, finissant par provoquer la faillite pure et simple de la banque Hersatt. Durant l'enquête qu'elle mènera sur cette faillite, une journaliste, Esther Schapira identifiera parmi les clients victimes de cette faillite monstre : les caisses de l'Église catholique rhénane – l'archevêché de Cologne étant, avec celui de Chicago, l'un des deux archevêchés les plus riches au monde – ; l'Eros Center de Cologne ; le groupe des Volksbanken ; le zoo de Cologne ; l'écrivain Günther Wallraff ; la maison d'édition Kiepenheuer & Witsch... !

Iwan Herstatt, dont les ancêtres ont donné leur nom à la banque, refusera pendant très longtemps d'assumer ses responsabilités, et qualifiera ses directeurs de *"clique sans scrupules, qui [l]'a trompé"*. Les milieux financiers allemands savent pourtant que ce bon vivant n'avait jamais acquis les connaissances nécessaires pour comprendre ce qui se passait dans sa banque, qu'il délaissait.

Au moment de la chute de "sa" banque, Iwan Herstatt avait déjà abandonné la majorité de ses parts à d'autres actionnaires. Dans les coulisses, avec 81,4 % du capital, l'actionnaire principal n'était autre que Hans Gerling, alors un des hommes les plus riches d'Allemagne, propriétaire d'un des plus importants groupes d'assurance du pays.

Créée le 22 juillet 1971, la filiale luxembourgeoise de la banque Herstatt s'était établie au n° 64 de l'avenue de la Liberté, d'abord sous le nom de Financière Herstatt, puis sous celui d'Herstatt-Bank. L'affaire aurait pu passer inaperçue à Luxembourg si Iwan Herstatt n'avait acheté, à grand fracas publicitaire, une villa du boulevard Royal pour le montant de 280 millions de francs, un prix plusieurs fois multiple de 100 %. Cette opération immobilière datant de 1973, quelques mois seulement avant la chute de la banque, son nouveau siège sur le boulevard Royal ne sera jamais construit.

IOS (l'affaire)

L'affaire IOS est le premier grand scandale à frapper de plein fouet, à la fin des années 60, le jeune centre financier qu'est alors la place de Luxembourg.

L'Investor's Overseas Services (IOS) a été enregistré le 9 avril 1960 à Panama. La société est créée par Bernard ("Bernie") Cornfeld, un ancien "assistant social" new-yorkais devenu financier malgré ses allures de *playboy* excentrique. Dès la création de l'IOS, Cornfeld conçoit sa société sous la forme d'un "fonds d'investissement", un tout nouveau concept. Il s'agit d'un établissement *offshore*, avec différents sièges installés dans des endroits fiscalement favorables. Genève et Luxembourg sont alors les adresses les plus connues en Europe[1].

À Luxembourg, nombreux sont les avocats, médecins, professeurs et hauts fonctionnaires qui abandonnent leur profession respective pour devenir démarcheurs et vendeurs de parts de l'IOS. En Allemagne, Bernie Cornfeld s'achète la collaboration d'hommes réputés pour leur intégrité, dans le monde de la politique ou des affaires[2]. Lors d'énormes campagnes publicitaires, ces personnalités vantent les mérites des instruments de placement offert par Cornfeld et son IOS. Ceux-ci ont pour nom, entre autres : International Investment Trust (IIT) et Fund of Funds (FOF).

Début 1970, un grave manque de liquidités se fait sentir au sein de l'IOS. En mai, Bernie Cornfeld est accusé de trafics frauduleux sur les devises, de diffusion de fausses informations consistant à sur

---

1. Au Grand-Duché, l'entreprise apparaît sous divers noms : Investors Bank-Luxembourg SA (fondée le 10 mars 1965) ; Investors Overseas Services SA (Luxembourg) (fondée le 28 janvier 1963) ; Overseas, Compagnie de finance et d'investissement SA (fondée le 18 novembre 1961) ; et Overseas Development Bank Luxembourg SA.
2. Parmi les plus connus, mentionnons l'ancien vice-chancelier libéral Erich Mende, et l'ancien ministre de la Construction Victor Emmanuel Preusker.

évaluer le patrimoine de base de ses fonds d'investissement, et d'enrichissement personnel. Le cours des actions IOS chute de 100 %. Les investisseurs qui auront cru au mirage IOS, parmi lesquels des milliers de Luxembourgeois, y perdront des fortunes.

LOGES MAÇONNIQUES LUXEMBOURGEOISES

L'histoire maçonnique luxembourgeoise est étroitement liée à l'histoire de la ville et Forteresse de Luxembourg, convoitée pendant des siècles par les grandes puissances européennes – qui, toutes, y laisseront leur empreinte – avant que, finalement, ce petit pays au cœur de l'Europe n'obtienne sa neutralité et son indépendance.

Selon la littérature qui leur est consacrée, trois loges existeraient actuellement à Luxembourg. Elles sont regroupées au sein du Grand Orient de Luxembourg, fondé en 1959 et réactivé le 2 octobre 1982 :

– la loge L'Espérance, loge traditionnelle ne regroupant que des hommes ;

– la loge Tolérance, qui n'initie que des hommes mais admet la présence de "sœurs" à ses réunions ;

– la loge Liberté, loge mixte dans laquelle les femmes sont admises à tous les grades.

Le 10 janvier 1987, la loge L'Espérance a créé un second *"atelier symboliste et traditionnel"* : la loge Tradition et Progrès, dans laquelle les "sœurs" sont admises aux réunions.

D'autres obédiences sont également représentées dans le Grand Orient de Luxembourg du fait de la forte présence, parmi la population active de la place, de ressortissant originaires de diverses nations. Parmi ces obédiences, relevons :

– la loge mixte L'Arbre et le Cristal, érigée en 1982 par l'Ordre maçonnique mixte international Le Droit humain ;

– la loge Licht und Wahrheit (Lumière et Vérité), de l'Orient de Bonn, qui travaillerait provisoirement sous les auspices du Grand Orient en attendant une ré-affectation au sein d'une obédience allemande.

Trois autres ateliers maçonniques d'expression française se regroupent autour de la Grande Loge de Luxembourg :

– Les Enfans de la Concorde fortifiée représentent à Luxembourg, dans l'esprit des non-initiés, *la* Loge tout court ! Elle est née de l'union, en 1803, de deux branches de la maçonnerie : La Concorde, elle-même fondée le 16 octobre 1802 sur les restes d'une autre loge "militaire"[1] ; et Les Enfans de la Concorde, fondée le 28 mai 1803.

Cette loge jouera un rôle prépondérant dans l'histoire de la franc-maçonnerie luxembourgeoise. Un membre éminent des Enfans de la Concorde fortifiée nous livrait un jour cet amer commentaire : *"Partout dans le monde où les financiers s'infiltrent dans les loges, les loges deviennent "affairistes", elles sont détournées de leurs vrais buts !"*[2]

Roberto Calvi, le malheureux "banquier de Dieu", avait été admis dans cette loge luxembourgeoise alors que celle-ci avait en refusé l'accès au banquier mafieux Michele Sindona, qui jouait le rôle de banquier du Vatican avant Calvi.

– Saint-Jean de l'Espérance : loge militaire fondée à Echternach le 11 mars 1848 par des officiers du contingent luxembourgeois-limbourgeois, alors stationné dans cette petite ville connue pour sa procession dansante. Quand, en 1959, L'Espérance quitte la Grande Loge de Luxembourg pour fonder le Grand Orient de Luxembourg, les frères qui restent dans la Grande Loge fondent "Saint-Jean de l'Espérance" afin de garder le statut de Grande Loge.

– La Parfaite Union : loge militaire fondée en 1770, elle cesse toute activité vers 1793. Les membres civils convertissent la loge en loge civile en 1795 pour la fondre, le 16 octobre 1802, dans la loge La Concorde.

---

1. Il s'agit de "la Parfaite Union", fondée en 1770, qui s'était convertie en loge "civile" en 1795.
2. Le procureur niçois Eric de Montgolfier, commentant l'infiltration des loges dans la région PACA, faisait récemment le même constat.

S'y ajoutent, depuis 1974, un atelier d'expression anglaise, Friendship N.4, et depuis 1997 un atelier d'expression allemande : Zur Bruderkette.

LOGE P2 (Italie)

La loge Propaganda Massonica Due (communément appelée loge P2) comptait parmi les 600 loges composant le Grand Orient d'Italie[1]. La perte de son statut de loge secrète suite à la découverte de la liste de ses membres, un jour de 1981, lui a valu d'attirer vers l'Italie l'attention des médias mondiaux. L'affaire plongera la Péninsule dans une grave crise. Licio Gelli, le Grand maître de la P2, prendra la fuite en l'Uruguay, tandis que la loge sera interdite.

La liste de ses 972 membres, répartie à travers les forces vives de l'État italien, a été découverte par la section de la Guardia di Finanza (police financière) du colonel Bianchi le 17 mars 1981. Bianchi et ses hommes enquêtaient sur le banquier de la mafia, Michele Sindona, qu'ils savaient appartenir à la loge P2. Ce jour-là, ils ont opéré une descente dans la Villa Wanda du Grand maître Licio Gelli à Castiglion Fibocchi (Toscane), où la liste est tombée entre leurs mains. Bianchi résistera courageusement à toutes les tentatives d'intimidation émanant de son supérieur, le général de la police des finances Orazio Giannini, lui-même membre de la loge P2.

L'analyse des noms figurant sur cette liste apporte la preuve que les plus hautes instances de l'État, tout comme les structures des grandes entreprises de l'industrie et du commerce, étaient infiltrées par la loge P2. On y trouve les noms de trois ministres, trois secrétaires d'État, quarante-trois députés de divers partis politiques... Y figurent en outre quarante-trois généraux, huit amiraux – y compris tout l'état-major

---

1. Le Grand Orient d'Italie, dont dépendait la loge P2 jusqu'au jour de sa liquidation, est, avec quelque 16 000 membres en 1994, la plus grande des trois Grandes Loges italiennes. Créée en 1908 lors d'une scission, la Grande Loge d'Italie compte 251 loges et 6 000 membres pour toute la Péninsule. La troisième loge nationale, la Gran Loggia Regolare d'Italia, créée en 1993 suite à des querelles internes au Grand Orient, compte, quant à elle, 1 000 membres répartis sur 35 loges.

des forces armées –, tous les patrons des services secrets, aussi bien civils que militaires, des généraux des Carabinieri (policiers), quelques généraux de la Guardia di Finanze, les chefs de la police des quatre plus grandes villes d'Italie, ainsi que de nombreux diplomates et hauts fonctionnaires issus de tous les ministères. Quant aux capitaines de l'industrie, la liste comprend les noms de Silvio Berlusconi, Roberto Calvi, Michele Sindona ou Umberto Ortolani (banquier privé et conseiller auprès du Vatican)...

Procureur à Rome, Elisabetta Cesqui considère que Bianchi n'a en fait pu saisir qu'une partie de la liste. Selon elle, la liste complète comprendrait autour de 2 000 noms. Gelli a apparemment réussi à transférer une bonne partie de son matériel vers Montevideo, en Uruguay.

En 1984, après trente mois d'enquête qui donneront lieu à la publication d'un rapport de 34 847 pages, réparties sur cinquante-huit classeurs, une commission parlementaire établira que la loge P2 pouvait bel et bien être considérée comme un cercle putschiste cherchant à déstabiliser l'ordre constitutionnel. La commission décrira le montage par un graphique étonnant, avec Licio Gelli comme point de liaison entre deux pyramides. La première pyramide repose sur sa base horizontale. La deuxième repose, par sa pointe, sur la pointe de la pyramide inférieure. La commission considère les 972 noms de la liste comme faisant entièrement partie de la pyramide du bas, Gelli se trouvant au point de jonction des deux pyramides. La pyramide supérieure est, elle, composée de ceux dont le nom figurerait sur "l'autre liste", celle que Gelli a pu emmener à Montevideo – autrement dit, les noms des hommes dont il transmettait les ordres vers la pyramide inférieure.

Cependant, quelques rares membres de la commission exposeront une autre interprétation : d'après eux, il n'y aurait pas eu conspiration, la loge P2 vivant en symbiose parfaite avec les structures de l'État italien !

Dans une interview accordée à *La Repubblica* le 4 février 1989, Clara Canetti, la veuve du banquier de l'affaire Ambrosiano Roberto Calvi, proclamait que le "vrai patron" de la loge P2 était en fait Giulio Andreotti. Andreotti qui, lorsqu'il parlait du Grand maître Gelli, a toujours proclamé *"ne pas connaître cet homme"* jusqu'au jour où la presse a publié une photo montrant les deux hommes côte à côte, lors d'une réception donnée à l'ambassade italienne à Buenos Aires pour l'intronisation du président argentin Juan Domingo Perón, en 1977.

La loge P2 apparaît en toile de fond derrière les grands scandales italiens et les "affaires" vaticanes des dernières décennies.

PENNY STOCKS (affaire des)

Le terme *penny stocks* désigne, au départ, des actions "bon marché". Sont alors considérées comme *penny stocks* des valeurs cotant moins de cinq dollars l'unité. La faible capitalisation de ce type de placement a fait naître le terme de "capital à risque" (en anglais : "*venture capital*"). Bien encadrés et sérieusement organisés, ces marchés pouvaient cependant être générateurs de gros profits.

Dans les années 70 et 80, inspiré par l'existence de valeurs inactives depuis longtemps mais toujours cotées, en particulier en Bourse de Vancouver, au Canada, un marché particulièrement odieux à l'égard des petits investisseurs voit le jour. Il sera exploité par des groupes mafieux de tous bords. Dans la lignée des affaires IOS ou Gramco, ce marché se constitue autour de titres "bidons" : des valeurs inactives souvent cotées au *cent* symbolique (soit un centième de dollar).

C'est ainsi que, pendant un temps, des valeurs concernant des mines inexploitées depuis presque un siècle seront relancées sur le marché par des sociétés boursières et financières peu soucieuses des législations en vigueur[1].

Avant de lancer une valeur bidon, les promoteurs se structurent en un réseau de sociétés financières tissé en toile d'araignée sur plusieurs "places" – essentiellement des paradis fiscaux. Commence ensuite la phase de préparation du lancement. Les sociétés agissant pour le compte du groupe mafieux, créées avec des noms différents en divers points du globe, commencent à jongler entre elles avec les valeurs

---

1. À la fin des années 80, l'auteur canadien Adrien du Plessis dénombrait 1 205 valeurs représentant des compagnies d'exploitation minière cotées en Bourse de Vancouver. Sur ces 1 205 sociétés, seules cinquante exploitaient réellement des mines. Et sur ces cinquante, seules dix à quinze étaient encore profitables !

bidons à promouvoir – elles-mêmes dissimulées parmi des valeurs cotées dans les meilleures bourses et vantées dans des prospectus extrêmement luxueux. Après quelques semaines, tout au plus quelques mois, chaque valeur bidon pourra se prévaloir d'un historique bidon décrivant les phases de son ascension. D'autres brochures luxueuses se chargeront de mettre en scène la flambée soudaine du cours de cette valeur miracle.

Puis des *traders* à la solde du groupe mafieux approcheront d'autres *traders* officiant sur les meilleures places – les Merrill Lynch et autres "grands du marché" – à la recherche des fameux titres bidons, en réalité entièrement sous le contrôle de leur commanditaire. Merrill Lynch (ou une autre *broker company* renommée), informés de la *success story* de cette valeur sortie de nulle part, trouvera une certaine quantité de ces titres (peut-être auprès de la filiale sud-américaine du "groupe") et donnera ainsi satisfaction à son client (une autre filiale du groupe mafieux).

En multipliant ce type de demande auprès d'autres sociétés de bourse tout à fait respectables, le "groupe" engrange le jackpot. Les *brokers* de référence ont commencé à acheter en masse pour satisfaire leurs meilleurs portefeuilles, poussant les enchères sur une valeur bidon à un cours exorbitant. Une valeur de l'ordre de un centième de dollar était déjà montée à 5 ou 6 dollars au moment où le groupe avait invité une première *broker company* à "rechercher du papier". Maintenant le "papier" grimpe, grimpe, grimpe... parfois à plusieurs dizaines de dollars par unité d'action. Au moment où les mafieux sentent le vent tourner, ils appliquent le principe de l'épingle dans le ballon. Et le tour est joué. Le "groupe" sera déclaré en faillite, puis renaîtra, racheté par d'autres hommes de paille.

La meilleure illustration récente de cette pratique[1] nous vient d'un excellent reportage du *Vrai Papier Journal*[2], intitulé "Nasdaq ou Mafiaq ?" :

---

1. Ce genre d'arnaque est toujours pratiqué, bien qu'on veuille nous faire croire que, depuis les opérations de la First Commerce puis de Petrusse Securities, les sociétés d'Irving Kott, ces "marchés de dupes" auraient entièrement disparu.
2. "Nasdaq ou Mafiaq ?", Xavier Muntz et Stéphane Quéré, *Le Vrai Papier Journal*, septembre 2000.

"Sur un marché où les fortunes se font et se défont dans la minute, des malins préfèrent assurer leurs gains en truquant les cartes. C'est là que la mafia vient pointer son nez. Le mécanisme est simple : des associés véreux mettent sur pied une société de courtage avec le plus souvent une *Boiler Room* (littéralement : "salle des machines"), soit, en argot boursier, une salle de marché où s'agitent des *brokers* corrompus. La technique commence avec les *cold calls* : les courtiers démarchent par téléphone un large panel d'investisseurs jugés crédules et facilement influençables. Les actions sont des *microcaps*, généralement des titres Internet de petites valeurs qui s'achètent pour une poignée de dollars. Attirés par la flambée des actions estampillées ".com", les investisseurs se laissent embobiner, croyant pouvoir réaliser un coup et multiplier plusieurs fois leur mise. Le scénario est bien huilé, et tout est bon pour valoriser l'entreprise : lancement de rumeurs sur le Web, fourniture d'analyses financières bidon, fausses coupures de presse et bureaux fantômes. En gonflant artificiellement la demande, les fraudeurs font grimper le cours des actions et, lorsqu'elles atteignent le niveau souhaité, les *traders* dans la combine balancent sur le marché les titres détenus par l'association d'escrocs. Il suffit alors d'un clic de souris pour que plusieurs millions d'actions se retrouvent sur le marché. Le cours s'effondre illico... les investisseurs aussi. La méthode porte un nom évocateur : *pump and dump* (littéralement : "gonfler et balancer")."

SASEA

Inscrite au Registre du commerce de Genève le 3 novembre 1893, la Société anonyme suisse d'exploitations agricoles (Sasea) a été créée par le Vatican pour protéger ses intérêts à l'étranger, et gérer certains de ses actifs agricoles (notamment dans le vin). Son capital social de trois millions de francs suisses est majoritairement détenu par le Crédit suisse et le Crédit commercial de France (CCF) pour le compte de l'Amministrazione del Patrimonio Della Sede Apostolica (l'Administration du patrimoine du Siège Apostolique - APSA), une société qui gère les actifs immobiliers du Vatican. En janvier 1985, la Sasea sera reprise par un holding luxembourgeois, Transmarine, derrière lequel on trouve l'Italien Florio Fiorini et quelques-uns de ses amis. Suite à ce rachat, le Vatican restera tout de même propriétaire d'environ un quart de la société, par l'intermédiaire de l'APSA – aujourd'hui détenue par le Crédit commercial de France[1].

Florio Fiorini est toscan. Il est le fils d'un agriculteur de Grosseto, près de Sienne, "la ville des banquiers, des saints et des voleurs", comme le dit un vieux dicton. Après ses études universitaires, il entre à la banque Monte dei Paschi di Siena. Cette banque d'inspiration vaticane est la plus ancienne d'Italie, et l'une des plus importantes banques régionales de la Péninsule.

Fiorini ne s'éternise pas dans le milieu bancaire. En 1966, nous le retrouvons aux postes de commande de l'Ente Nazionale Idrocarburi (ENI), société d'État spécialisée dans les hydrocarbures[2]. Il y accède, dès 1971, au poste de directeur financier adjoint. Et en 1980, il en est nommé directeur financier. De 1975 à 1980, Fiorini travaille sous l'autorité du directeur opérationnel Di Donna, puis, à partir de 1980, du président Mazzanti (qu'on retrouvera plus tard à l'état-major de la Sasea), deux hommes dont on apprendra par la suite leur appartenance à la loge P2. Pendant sept années, de 1975 jusqu'à son départ en 1982, Florio Fiorini règnera en maître sur les finances de l'ENI. Mais il sera contraint au départ du fait du rôle qu'il avait tenu dans nombre d'affaires. Son nom, il est vrai, sera cité dans les travaux de commissions d'enquêtes parlementaires constituées sur les sujets les plus divers :

— l'implication de l'ENI dans les pays arabes, en particulier la Libye ;
— l'affaire Petromin ;
— l'affaire Sindona ;
— l'affaire de la loge P2 ;
— la déconfiture de la Banco Ambrosiano, dont le président,

---

1. Catholique fervent, le directeur de la filiale zurichoise du CCF, André Curiger, reste membre du conseil d'administration de la Sasea.
2. L'ENI a eté créée par Enrico Mattei.

Roberto Calvi, qui était membre de la loge P2, sera retrouvé "suicidé" à Londres en 1982 ;

— L'affaire relative à des prêts que l'ENI avait consentis à des filiales exotiques de l'Ambrosiano...

Après l'acquisition de la Sasea par Fiorini, on décèle dans les activités de la société la trace des relations d'affaires nouées par l'ancien dirigeant de l'ENI avec les protagonistes de ces différentes affaires. C'est ainsi que la Sasea prendra des intérêts dans Tamoil (dirigée par le Libanais Roger Tamraz), une compagnie italienne de raffinage et de distribution de pétrole dont l'actionnaire principal est... le gouvernement libyen[1]. Fin 1989, Sasea détenait encore 10,5 % de Tamoil, les Libyens possédant le reste des parts. Quant à Roger Tamraz, il se verra recherché par Interpol, accusé d'avoir détourné 150 millions de dollars appartenant à la banque libanaise Almashrek, dont il était le directeur depuis 1983.

TAMOIL

En 1983, la Standard Oil of Indiana (Amoco) vend ses actifs italiens : une vaste chaîne de stations-service, et une raffinerie à Cremone. Le financier libanais Roger Tamraz les rachète et crée ainsi la Tamoil. Mais les affaires tournent mal. Les dettes cumulées se montent déjà à près de 200 milliards de lire quand la Tamoil est mise sous administration contrôlée, en 1985. C'est alors qu'apparaît Florio Fiorini : la Libyan Arab Foreign Investment Company (Lafico), une société d'État libyenne, reprend 70 % de Tamoil, laissant 10 % à Tamraz et 20 % à Fiorini et sa Sasea.

---

1. Lorsque, à la suite du coup d'État de Kadhafi en 1970, les grandes sociétés pétrolières occidentales se sont vues contraintes de quitter la Libye, deux sociétés ont accepté d'acheter le pétrole libyen aux conditions imposées par Kadhafi : l'Occidental Petroleum d'Armand Hammer *(voir "Henry J. Leir")* et l'ENI.

Les intérêts de la Sasea dans le secteur pétrolier se manifestent également dans un paradis fiscal de l'océan Indien, les Seychelles, où l'ancien premier ministre Albert René, après avoir renversé le président James Mancham en 1977, règne en dictateur[1]. Le secteur pétrolier de l'île est entre les mains de Shell quand Albert René, en 1985, nationalise les biens de la multinationale pour en faire la Seychelles National Oil Company (SNOC). Cette nationalisation paraît en fait avoir été montée de toutes pièces dans le but de faire décamper Shell, et de remplacer cette société par un groupe d'investisseurs privés, parmi lesquels on trouve la Sasea

---

LA SEYCHELLES INTERNATIONAL BANK

La Seychelles International Bank Co. Ltd. a été créée pour le compte de Gian Carlo Parretti en 1985, par un certain Giovanni Mario Ricci. Elle bénéficiait du statut offshore des Seychelles. Né à Bargo, en Toscane, Ricci est un escroc de haute volée qui, après bien des péripéties, a atterri aux Seychelles où il est devenu l'homme de confiance du président René. Il avait d'abord été condamné en Italie, pour banqueroute frauduleuse, à un an de prison. En Suisse ensuite, pour usage de faux dollars. Aux Seychelles, où il a été surnommé "Monsieur le vice-président", il a fait son apparition comme ambassadeur d'un faux Ordre des chevaliers de Malte fondé à New York par... Francesco Pazienza !

Fin 1986, Ricci devra quitter en hâte les Seychelles pour l'Afrique du Sud, après le coup d'État manqué du ministre de la Défense Ogilvy Berlouis, dont il était l'ami. Avec Craig Williamson, un ancien des services secrets sud-africains, Ricci créera une société d'import-export experte à contourner l'embargo international visant l'Afrique du Sud.

---

1. Les Seychelles étaient devenues indépendantes seulement un an plus tôt, en 1976.

Fiorini apparaît en outre comme le responsable d'une mystérieuse Seychelles International Bank Co. Ltd., dont le siège se trouve aux Seychelles mais qui a son bureau principal à Monte-Carlo. Cette banque est intervenue dans le montage de l'OPA sur la Metro Goldwin Meyer, au printemps 1990, lorsqu'elle était censée acheter à une filiale de Pathé Communication Corporation 17 millions de dollars d'obligations décotées d'un montant principal de 25 millions de dollars.

Fiorini a eu, en outre, des liens très étroits avec le Parti socialiste italien (PSI), et en particulier avec Gianni de Michelis (dont le frère Cesare sera l'associé de Gian Carlo Parretti dans l'affaire des "Diarios", que nous évoquerons plus loin), ministre des Participations industrielles entre 1978 et 1981, et à ce titre chargé de la tutelle de l'ENI.

Le soir du 9 juin 1982, au siège de la Banco Ambrosiano à Milan, un dîner arrangé par Francesco Micheli, le conseiller de Carlo de Benedetti, réunissait Florio Fiorini, le banquier Roberto Calvi, Pierre Moussa et Karl Kahane[1]. Ce dîner aurait eu pour but d'envisager avec Calvi une proposition de sauvetage de sa banque, la Banco Ambrosiano. Il semble que celui-ci ne se soit pas montré intéressé. Le lendemain, il disparaîtra mystérieusement et sera retrouvé mort huit jours plus tard, soi-disant suicidé.

Dix jours après la mort de Calvi, Florio Fiorini, alors directeur financier de l'ENI, est suspendu de ses fonctions. Officiellement, pour avoir proposé un plan de sauvetage de la Banco Ambrosiano sans en avoir informé ses supérieurs. L'enquête sur la faillite de la banque italienne dévoilera que 1,3 milliard de dollars a disparu, dont 160 millions de dollars déposés par l'ENI. Évidemment, l'argent n'a pas été perdu pour tout le monde. On a appris depuis que les patrons de la loge P2, avec à leur tête Licio Gelli et Umberto Ortolani, avaient constitué une bonne partie de leur magot à partir des nombreuses miettes qui tombaient de la table Ambrosiano.

---

1. Un homme d'affaires autrichien que l'on retrouvera plus tard parmi les fondateurs de la Sasea.

Dans une "proposition de résolution tendant à la création d'une commission d'enquête sur le Crédit lyonnais et sa filiale Crédit lyonnais Netherland Bank, et sur les risques pris par une banque nationalisée dans certaines de ses opérations à l'étranger", qui figure en annexe au procès-verbal de la séance de l'Assemblée nationale du 12 novembre 1990, le député François d'Aubert présente avec force détails le tandem Parretti-Fiorini. Un duo qui a su à merveille tirer profit des incompétences et incongruités ayant présidé, pendant une décennie au moins, à la gestion du Crédit Lyonnais.

À propos de Fiorini :

"Animateur du holding suisse Sasea, lui-même ancien directeur financier de l'ENI, et soupçonné à ce titre par une commission parlementaire italienne d'avoir eu des liens privilégiés avec la loge P2, d'avoir bénéficié des pots-de-vin du scandale politico-financier Petromin, et d'avoir eu des relations financières très privilégiées avec Roberto Calvi, le patron déchu et "suicidé" de la Banco Ambrosiano de Milan, en 1982."

Sur les origines de son partenaire, Gian Carlo Parretti :

"Né à Terni en 1941, mais originaire d'Orvieto, M. Gian Carlo Parretti a commencé sa vie professionnelle dans cette petite ville d'Ombrie comme serveur de restaurant." Le rapport continue par un long descriptif des premiers contacts entre Parretti et le sénateur démocrate-chrétien Graziano Verzotto, "patron" de la Sicile à l'époque, dont le rôle dans "l'affaire Enrico Mattei"[1] n'a jamais pu être élucidé.

Verzotto était devenu secrétaire général de la Démocratie chrétienne pour la Sicile, région dominée par un fort courant favorable à Giulio Andreotti. Des spécialistes de la mafia ont souvent pointé le mariage opéré entre la mafia et les structures politiques dirigées par

---

1. Enrico Mattei était le patron de l'Agip, la compagnie pétrolière italienne (ancêtre de l'ENI). Le soir du 27 octobre 1962, il a embarqué à Catane, en Sicile, mais son avion s'est écrasé un peu plus tard à Bescape, à quelques dizaines de kilomètres de l'aéroport de Milan-Linate. Dans un film sur Mattei, Francesco Rossi montre cette scène où Verzotto (fonctionnaire de l'Agip) s'excuse au dernier moment auprès de son patron de ne pouvoir l'accompagner alors que celui-ci le lui demandait.

Verzotto, mariage qui aurait scellé, au fil des années, une véritable alliance politico-mafieuse. Les relations de Verzotto avec la mafia ont finalement éclaté au grand jour lors du procès à Milan, au milieu des années 70, de Michele Sindona, le "banquier de la mafia". Verzotto avait été administrateur chez Sindona, qui possédait alors la Banca Unione di Milano et la Banco di Milano. Un mandat d'arrêt délivré par les juges milanais provoquera la fuite de Verzotto vers le Liban, en 1975. Il se serait par la suite installé à Paris sous un faux nom : Franco Forte.

Parretti aurait fait la connaissance de Verzotto lors d'une traversée transatlantique, alors que lui-même travaillait comme serveur sur un paquebot. Toujours est-il que lorsqu'il a débarqué à Syracuse, au début 1969, il a aussitôt trouvé un emploi grâce à Verzotto, au grand hôtel Villa Politi. Parretti servira les aspirations de son "patron", qui deviendra rapidement l'un des plus importants investisseurs de toute l'Italie dans le secteur de l'hôtellerie. Parretti, qui a contribué à cette saga, deviendra, lui, président des hôteliers de Syracuse, puis du Syndicat national de l'hôtellerie italienne.

Verzotto en fuite, Gian Carlo Parretti devient, dans les années 75 à 80, un des hommes clés de Syracuse, non sans connaître quelques démêlés avec la justice. Il renforce sa position en rachetant, grâce à un prêt de 235 millions de lires accordé par la Banco di Spirito Santo (la Banque du Saint-Esprit), les quatre hôtels de Verzotto, qu'il dirige alors. Parretti commence alors à se lancer dans l'édition des *Diario*, sorte de presse quotidienne régionale composée de différentes éditions centrées sur l'actualité des villes où il est implanté : Syracuse d'abord, puis Raguse, Catane, Caserte, Naples... Peu de temps auparavant, utilisant ses relations politiques chez les socialistes, Parretti a fait la connaissance du futur ministre Gianni di Michelis, alors député de Venise. Celui-ci souhaitait favoriser l'existence d'un journal qui lui soit totalement dévoué. Le 7 juin 1979, Gian Carlo Parretti lançait le *Diario* de Venise, un journal dévoué la gloire de di Michelis.

À partir de 1980, Parretti commence à rencontrer de sérieux problèmes. Le 12 avril 1981, il se retrouve incarcéré à Syracuse pendant

26 jours pour une affaire de gestion frauduleuse du club de football de la ville, le Syracuso Calcio, dont il avait repris la direction à la suite de Verzotto. En janvier 1981, les éditions du *Diario* à Naples et Caserte sont mises en faillite. Bien plus tard – le 31 mars 1990 ! –, le tribunal de Naples condamnera Gian Carlo Parretti à trois ans et dix mois de prison ferme – peine assortie de la privation de ses droits civiques pour une durée de cinq ans – pour banqueroute frauduleuse et faux bilans dans "l'affaire des *Diario*". En faisant appel du jugement, Parretti évitera momentanément la prison. Mais sa carrière à Syracuse s'était définitivement soldée par un échec total en 1984, lorsqu'il s'était trouvé forcé de vendre ses hôtels, dont certains ont été mis en faillite. Un extrait de casier judiciaire qui sera demandé par le procureur de Naples aux autorités d'Orvieto le 31 mars 1984 fait état d'une quinzaine de condamnations de Gian Carlo Parretti entre le 20 juillet 1968 et le 30 mai 1983. Autour de 1983, Parretti a quitté Syracuse pour s'installer en banlieue parisienne, à Boulogne-Billancourt, boulevard de la Reine.

Dans son rapport parlementaire, François d'Aubert résumait en ces termes – qui n'évoquent pas encore ce qui s'est tramé via la place de Luxembourg à partir de 1983 – la carrière de Parretti :

"Gian Carlo Parretti a été en relations très étroites, dans les années 70, avec l'ex-sénateur Graziano Verzotto, lui-même très lié à la mafia sicilienne. Ce personnage, en fuite et condamné dans le cadre de l'affaire Sindona (le banquier de la mafia), fait encore aujourd'hui l'objet d'un mandat d'arrêt international [nous sommes en 1990]. Rien n'exclut que Gian Carlo Parretti ait encore des relations avec cet individu."

Parretti et le Luxembourg

Le 5 décembre 1983 est constituée à Luxembourg la société Interpart SA. Officiellement, lors de la création de cette société par les membres du cabinet d'expertise comptable Montbrun (MM. Mackel, Ries et Dondelinger), ces personnes agissaient au nom de la Société générale alsacienne de banque SA (Sogenal). Un an plus tard, le 10 décembre 1984, Gian Carlo Parretti "rachetait" Interpart, dont il prenait le contrôle comme président-administrateur délégué. Le lendemain, une assemblée générale extraordinaire décidait une spectaculaire augmentation de capital, lequel passait de 20 000 à 2 millions de dollars !

Curieusement, une autre société Interpart existait en Italie. Créée le 8 avril 1981, dotée d'un capital de 2 milliards de lires, elle était présidée par un célèbre homme d'affaires, Orazio Bagnasco. Quelques semaines seulement avant la mort de Roberto Calvi, celui-ci faisait office de vice-président de la Banco Ambrosiano milanaise. En juin 1982, au moment du "suicide" de Calvi, cette Interpart italienne détenait d'ailleurs un peu plus de deux 2 % du capital de l'Ambrosiano.

Le réseau *offshore* de l'Ambrosiano s'étendait aux Bahamas, au Nicaragua, au Pérou, au Liechtenstein... mais aussi au Luxembourg. En mai 1985, Interpart-Luxembourg détenait 20 % de la World Finance Bank dans le paradis fiscal antillais de l'île d'Anguille. Il devait certainement s'agir de la fameuse World Financing Bank, dont personne ne savait alors localiser l'adresse *offshore*.

Le 31 décembre 1985, les commissaires aux comptes d'Arthur Andersen soulignent des liens peu clairs entre Interpart et une société du nom de Comfinance International SA, immatriculée au Panama et dont Gian Carlo Parretti est le dirigeant depuis le 14 janvier 1985. À la fin 1984 déjà, Parretti avait vendu à Interpart, via Comfinance Panama, le Crédit de San Marin, une petite banque qui devait perdre le droit d'exercer à San Marin le 26 janvier 1987.

Une valse d'administrateurs prestigieux défile au conseil d'administration d'Interpart au cours des douze mois qui suivront l'assemblée générale du 11 décembre 1984. Parmi eux :

— Krikor Bezdikian : citoyen du Qatar ; cité lors du scandale Petromin.

— Lamberto Mazza : industriel italien ; ancien patron de Zanussi, proche des finances du Parti socialiste italien.

— Bakhashab Abubaker : financier saoudien.

— William Barsanti : ancien dirigeant d'Arthur Andersen.

— Antoine Vastenavondt : homme d'affaires belge à la réputation douteuse.

— Luciano Rotondi et Giuseppe Durante : deux anciens conseillers techniques de la Banque européenne d'investissement (BEI) à Luxembourg.

Tous ces administrateurs ont quitté les sociétés de Parretti fin 1985, au moment de l'entrée en scène (et au conseil d'administration d'Interpart) de Florio Fiorini et de deux actionnaires qui comptent parmi ses collaborateurs, le Norvégien Audun Krohn, un ancien de la Banque arabe et internationale d'investissement, et Ivo Calgagni, un ancien de l'ENI tout comme Fiorini.

L'arrivée de Fiorini marque le début des liens institutionnels et financiers entre Parretti et Fiorini d'une part, la Sasea et Interpart d'autre part.

Le 21 août 1985, les réviseurs des comptes d'Interpart (MM. Haupert, Mackel, Dondelinger et Ries), du cabinet Montbrun, préfèrent démissionner *"en raison de l'impossibilité de remplir [leur] mandat"*. Cette démission vaut également pour une autre société, créée le 5 février 1985 par Parretti, Interpart Editions SA – dont Interpart détient 90 % du capital. Parretti y a placé deux journalistes comme membres du conseil d'administration : Antonio Speziale et Salvatore Picciotto[1].

Le cabinet Montbrun sera remplacé par Arthur Andersen Luxembourg, qui démissionnera à son tour le 3 février 1987 *"avec effet immédiat"* – juste après une nouvelle augmentation du capital d'Interpart, à 50 millions de dollars. C'est KPMG qui lui succédera.

Dans les explications fournies par Parretti au sujet de la provenance des fonds qui lui ont permis de se lancer dans Interpart, appa-

---

1. Ce dernier se fera remarquer en 1987 dans le rachat du *Matin de Paris*.

raît, entre autres, le nom de Giuseppe Cabassi, qui fut lui aussi pendant un temps le vice-président de la Banco Ambrosiano[1].

En 1994, alors que Fiorini se trouve déjà en prison depuis deux ans, un rapport d'experts remis au juge suisse Louis Crochet, chargé du dossier Sasea, résume les activités de "l'illusionniste de génie" qu'est Florio Fiorini. Pendant sept ans, de 1985 à 1992, celui-ci est *"parvenu à faire vivre et à développer un groupe en état de surendettement chronique (avec des dettes supérieures aux actifs) au nez et à la barbe de tous."*[2]

En résumé, le rapport constate que Fiorini :

— s'est d'abord construit une honorabilité en mouillant, entre autres personnalités de nombreux pays, la bonne société genevoise ;

— a mis en place *"une liaison irréversible"* avec la Credit Lyonnais Bank Nederland (CLBN)[3] ;

— n'a été mis en contact avec la CLBN qu'en 1987, par l'intermédiaire de Gian Carlo Parretti, compère du "tandem" et client de la CLBN (notamment par le biais de la société cinématographique Cannon, déjà cliente chez CLBN avant sa reprise par Parretti) : *"La CLBN a développé, puis maintenu, des relations de nature perverse avec la Sasea, lui permettant d'un côté de racheter toujours plus d'actifs, dont la cession permettait de maintenir la machine en mouvement..."*

En conclusion, les rapporteurs ajoutaient : *"Florio Fiorini, Gian Carlo Parretti et la CLBN sont, dès 1987, dans le même bateau, frêle esquif qui menace de prendre l'eau de toutes parts et qui chavirera le jour où l'un de ses trois occupants voudra le quitter, ce qui arrivera en 1991."*

---

1. Voir aussi la notice sur "Adnan Khashoggi", et en particulier les relations du milliardaire saoudien avec Roberto Calvi, un partenaire de Cabassi.
2. Cité in *Le Nouvel Économiste*, n° 960, du 26 août 1994.
3. Il faut dire que le Crédit lyonnais ne comptait pas parmi les banques travaillant dès le départ (1985) avec la Sasea.

Sur le "trou" de 19 milliards de francs qui en a résulté pour le groupe Sasea, 9,5 milliards sont venus s'ajouter dans la grande marmite des pertes du Lyonnais. En 1994, la banque française a cru être en mesure de récupérer une partie de ces milliards grâce à l'action en justice intentée contre KPMG – les réviseurs ayant certifié les comptes de la Sasea en dépit d'irrégularités flagrantes. Une autre banque, la Banca Popolare di Novarra – un établissement italien de renom –, a été, selon le même rapport, le *"pivot de la survie financière de Sasea, en 1990, par le système des garanties de dépôt"*. Le Crédit lyonnais se consolera peut-être en constatant qu'il n'a pas été la seule victime bancaire dans la partie de Monopoly dirigée par Fiorini.

Mais le rapport suisse montre du doigt une troisième banque qui, tout en déplorant des pertes moindres, s'est montrée, dans trois opérations contestables au moins, davantage complice que ses pairs. Il s'agit de la Paribas Suisse :

— lors de l'acquisition de la Sasea en 1984, cette banque *"a eu une participation déterminante dans la préparation et l'exécution de l'augmentation de capital frauduleuse du 30 avril 1985"* ;

— même situation en mai 1989, lorsque, bien que *"connaissant tout de la mécanique imaginée par Florio Fiorini pour augmenter fictivement le capital de la Sasea, Paribas acceptera en connaissance de cause un rôle d'écran entre CLBN et Warburg Soditic, les autres acteurs externes de cette gigantesque bulle fictive"* ;

— au passage, les experts révèlent que *"l'un des responsables de Paribas a perçu des honoraires privés de quelque 8 millions de francs, pour trois interventions auprès de Florio Fiorini"*...

Personnes citées

AUCHI, Nadhmi

Nadhmi Shakir Auchi est né le 11 juin 1937 à Bagdad et possède la nationalité iraquienne. Durant la décennie 70, il est considéré comme un *"pilier de la haute bourgeoisie irakienne, ayant fait fortune en gérant les portefeuilles de ses amis pétroliers.[1]"* Après l'avènement au pouvoir de Saddam Hussein, en 1979, Auchi se "réfugie" en Angleterre où il obtient la nationalité britannique. Pendant les années 80, si l'on en croit un rapport d'enquête italien, *"Auchi poursuit ses activités d'import-export vers l'Irak et le Moyen-Orient, notamment dans le domaine des fournitures militaires, et entretient des relations étroites avec les services de renseignement de l'Irak".* Ses relations avec le régime de Bagdad sont donc extrêmement ambiguës, comme le relèvent les journalistes Fabrizio Calvi et Leo Sisti : *"Dans sa demande de naturalisation britannique,* [Auchi] *affirme avoir quitté l'Irak parce qu'il ne pouvait pas y développer ses affaires. Il prétend aussi n'avoir aucun contact politique avec Bagdad. Pourtant, à l'époque Nadhmi Auchi bâtit une fortune en servant d'intermédiaire entre le gouvernement irakien et des firmes étrangères, principalement italiennes.[2]"*

Le 28 décembre 1980, deux contrats ont été conclus entre le ministère de la Défense irakien et les Cantieri navali riuniti, les Chantiers navals réunis italiens. Le premier portait sur la livraison à l'Irak de quatre frégates, six corvettes et un bâtiment de soutien logistique, pour

1. "Elf. L'empire d'essence", *Les Dossier du Canard enchaîné*, mars 1998.
2. In Fabrizio Calvi et Leo Sisti, *Les Nouveaux réseaux de la corruption. L'Europe de la combine et des pots-de-vin*, Albin Michel, 1995.

un total de 968 millions de dollars ; le deuxième contrat portait sur la fourniture d'une base logistique et d'un bassin flottant, pour 280 millions de dollars. En outre, les Chantiers navals italiens ont signé à cette occasion quatre contrats de courtage dont un, pour une valeur de 23 millions de dollars, avec la Dowal Corporation, une société ayant déclaré son siège au 11, boulevard du Prince-Henri à Luxembourg-Ville. Ces contrats seront assortis de juteuses commissions.

En 1982, une commission d'enquête du Parlement italien s'intéressera au paiement de dizaines de millions de dollars en pots-de-vin à des intermédiaires par des sociétés d'État. Cette commission parlementaire constatera que la Dowal Corporation a demandé – sous la signature de Nadhmi Auchi – que les courtages soient crédités sur le compte courant n° 50482 auprès de la Banque de Paris et des Pays-Bas pour le Grand-Duché de Luxembourg (Paribas Luxembourg). Afin d'identifier le véritable bénéficiaire de ces 23 millions de dollars, les commissaires italiens feront procéder à plusieurs commissions rogatoires à Luxembourg. C'est ainsi que les autorités luxembourgeoises procèderont à des vérifications auprès de :

– la fiduciaire Montbrun, au n° 11 boulevard du Prince-Henri, siège déclaré de la Dowal Corporation ;

– la société Figed, siège de la Dowal après son départ de chez Montbrun ;

– l'avocat Nico Schaeffer, en charge de la Dowal Corporation et étroit collaborateur d'Auchi[1] ;

– la banque Paribas, qui gère plusieurs comptes courants de la Dowal Corporation.

La principale difficulté à laquelle se heurteront les parlementaires italiens, dans le cadre de cette première véritable enquête sur Nadhmi

---

1. Nico Schaeffer était connu pour ses contacts avec Michele Sindona et Roberto Calvi, respectivement anciens banquiers de la mafia et du Vatican (*cf.* Fabrizio Calvi et Leo Sisti, *op. cit.*, p. 288), et il était soupçonné d'avoir noué des contacts avec le crime organisé, notamment aux États-Unis. Il entretenait en outre d'excellentes relations personnelles avec Giulio Andreotti, qui datent de l'époque ou il était président de l'Association européenne des étudiants démocrate-chrétiens. Grand-maître de la principale loge maçonnique luxembourgeoise, c'est lui qui a admis Roberto Calvi en ses rangs.

Auchi, consistera à percer le rideau de fumée derrière lequel s'est abrité le financier irako-britannique, Auchi faisant lui-même office de prête-nom au service de puissants intérêts engagés dans le financement de la guerre Iran-Irak – et dans d'autres crises par la suite. Les autorités de divers pays déploieront, à leur tour, maints efforts pour détecter dans les relations personnelles d'Auchi la filière menant vers ces puissants intérêts.

Les premiers regards se porteront sur la société anglaise Italgrade Limited, fondée le 6 septembre 1982 par la fiduciaire Freeman & Partners[1].

L'actionnariat d'Italgrade est réparti entre :
– Nadhmi Auchi   25 000
– Saab Muchsin Abdel Hadi[2]   20 000
– Iptisan Auchi, épouse de Nadhmi[3]   20 000
– Atlantic Real Estate SA Luxbg.   130 000

Atlantic Real Estate SA Luxembourg a été fondée le 24 juillet 1980. La société existe toujours et fait partie du vaste réseau financier qu'Auchi a construit à partir de Luxembourg. Selon le rapport de la commission d'enquête italienne, *"ce réseau dépasse de loin l'activité d'intermédiaire pour des ventes d'armes à l'Irak, et comprend en premier lieu un réseau de recyclage d'argent dont l'origine reste mystérieuse".*

Jusqu'au 27 décembre 1986, Nadhmi Auchi habite au n° 71 Queen's Road, Richmond, Surrey, en Angleterre ; puis à Upstream Towpath, Shepperton, dans le Middlesex. Il possède un compte en banque auprès de la Bank of Credit and Commerce International (BCCI) au nom de la Dowal Corporation. En 1986, il essaye d'acheter l'hôtel York, à Queensberry Terrace (Londres), projet qui échoue.

Aujourd'hui encore, il est impossible de dire à partir de quelle date Auchi a élu domicile à Luxembourg, à l'hôtel Le Royal. On sait pourtant qu'il y a résidé pendant un certain temps avant que le registre civil de la

---

1. Dotée d'un capital de 200 000 livres, la société était domiciliée au n° 364-366 Kensington High Street, à Londres.
2. Abdel Hadi indiquait comme domicile le Central Park Hotel à Bayswater (Londres).
3. Née Iptisan M. Said.

capitale grand-ducale ne soit informé de sa prise de résidence dans cet hôtel dont il est le principal actionnaire.

Parmi les nombreuses sociétés qui seront créées à Luxembourg par Nadhmi Auchi, les deux les plus importantes sont :

– General Mediterranean Holding SA, enregistrée le 16 janvier 1979 devant le notaire Elter.

– La Compagnie internationale de participations bancaires et financières SA Holding (Cipaf), enregistrée le 20 octobre 1982 devant le même notaire.

Mais revenons à la Dowal Corporation, cette société qui se trouve épinglée dans le rapport parlementaire italien de 1982. Chargé de l'enquête suite à une commission rogatoire, le juge luxembourgeois André Lutgen – qui s'est, depuis, recyclé comme avocat au barreau – constate que la Dowal a été enregistrée à Panama le 15 octobre 1978, auprès des avocats Fabrega y Fabrega. Tous ses administrateurs sont luxembourgeois, et tous appartiennent à la société civile d'expertises fiscales, comptables et financières Montbrun Charles et Cie[1]. En 1982, le domicile de la Dowal est transféré auprès de la Fiduciaire internationale de gestion et de développement (Figed)[2], société qui apparaît dans pratiquement toutes les sociétés d'Auchi. La gestion journalière de la Dowal reste entre les mains de l'avocat Nico Schaeffer, dont nous avons parlé plus haut.

Le juge Lutgen insistera auprès de la Banque Paribas pour que celle-ci produise les extraits du compte courant de la Dowal Corporation. Paribas transmettra les documents relatifs au compte n° 050482 de la Dowal, mais ceux-ci s'arrêtent soudainement en mai 1982, date à laquelle la société aurait quitté Paribas. La confiscation ultérieure de pièces relatives à la Dowal auprès de Nico Schaeffer démontrera cependant que la société possédait toujours des comptes chez Paribas après cete date, et que la banque avait couvert Auchi. Ainsi, le compte

---

1. Dont le président est Fernand Dondelinger ; le secrétaire, Edmond Ries ; et le trésorier, Marc Mackel.
2. La Figed est domiciliée 30, boulevard de la Foire à Luxembourg.

n° 2-100-600/68073-47 de la Dowal (découvert chez Schaeffer), où la justice luxembourgeoise pensera un moment trouver la trace des 23 millions de dollars de commissions évaporés, ne comporte en fait aucune inscription de ce montant – qui semble dès lors avoir été viré à un autre compte auprès de la Paribas. Ce compte donne en revanche de précieux renseignements sur les relations entretenues par la Dowal et d'autres sociétés, dont General Mediterranean Holding SA Luxembourg (Auchi) et Vectorose (une société dont Nadhmi Auchi est actionnaire qui est domiciliée auprès de la BCCI).

La General Mediterranean Holding figure parmi les actionnaires de la Cipaf, cette société qui se trouve être l'actionnaire principal de la Banque continentale du Luxembourg et qui servira les ambitions de Nadhmi Auchi dans le raid contre les actions du groupe Paribas en 1989-1990.

Les actionnaires de la Cipaf sont General Mediterranean Holding ; Grandin Holding ; Denebola Holding ; Saudi-Arabian Investment Company ; Manama Holding ; Royal Wings Holding ; Beston Services (enregistrée à Panama)[1] ; Agemar SA[2] ; la Compagnie de participations internationales[3].

---

1. General Mediterranean Holding, Grandin Holding, Denebola Holding, Saudi-Arabian Investment Company, Manama Holding, Royal Wings Holding et Beston Services sont domiciliés chez Figed.
2. Enregistrée à Luxembourg et Panama, Agemar existe également à Lugano et Monaco. Agemar SA Lugano est alors dirigée par Carlo Gilardi et Luigi Ottaviani, de la Banque du Gotthard – ancienne propriété de Roberto Calvi. Agemar à Monaco (27, boulevard de Belgique) est alors présidée par François Liot et dirigée par Enrique de la Puente. Son objet social à Monaco : courtage d'affrètement maritime, vente et gérance de navires. Agemar SA Luxembourg est constituée en 1972 chez Montbrun et Cie sous la dénomination d'origine Paribas Associates, nom qui sera changé en Agemar en 1982. Durant la première partie des années 90, Agemar est domiciliée chez la Compagnie fiduciaire, alors que l'actionnaire principal en est alors la Fidepa SA de Bruxelles.
3. Société d'origine belge enregistrée à Luxembourg et Panama, la CPI est fondée en 1979 sous le nom de Silbra Holding. En 1982, année où elle change de nom, la société est dotée d'un capital dépassant les 250 millions de francs suisses. Parmi ses actionnaires, on compte alors Albert Frère, le holding Pargesa, Gevaert, le groupe Pallas de Pierre Moussa (ancien PDG de Paribas, Moussa – dont on se demande comment il a pu maintenir ainsi des contacts avec son ancien établissement– avait dû quitter la banque dans des conditions plutôt houleuses, après avoir cherché à transférer des actifs vers des filiales luxembourgeoises et suisses afin des les soustraire à la nationalisation), mais aussi des intérêts canadiens, indiens, australiens...

Mais la pièce maîtresse d'Auchi est sans le moindre doute la Banque continentale du Luxembourg SA (BCL), dont il est devenu propriétaire conjointement avec Paribas. En 1982, Auchi a racheté la part détenue par Henri J. Leir dans la BCL. Homme de confiance de Leir et d'Auchi, président du Parti socialiste luxembourgeois pendant de longues années, Jacques F. Poos[1] – qui œuvrait pour l'abolition du mot "ouvrier" dans l'intitulé de son Parti ouvrier socialiste luxembourgeois – sera nommé directeur de la BCL à cette date.

Avant l'opération de reprise de la Continentale, en 1982, la Banque internationale à Luxembourg (BIL) en avait été pendant un temps l'actionnaire majoritaire. Dans *L'Annuaire des sociétés anonymes et des établissements financiers* (n° 15), la BIL explique : *"Depuis le début du mois de février 1982, la Banque internationale à Luxembourg, SA (BIL), après avoir racheté la participation du groupe de l'Oesterreichische Länderbank à Vienne (OLB) dans la Banque continentale du Luxembourg SA (BCL) a cédé la totalité du capital de cette banque* [la BCL]. *Ce capital est souscrit de façon majoritaire par des investisseurs internationaux[2], et de façon minoritaire par le groupe de la Compagnie financière de Paris et des Pays-Bas.[3]"*

---

1. Jacques F. Poos est né le 3 juin 1935 à Luxembourg. Docteur en Sciences commerciales et économiques (Lausanne, 1961), il a été attaché au ministère de l'Économie nationale à Luxembourg de 1959 à 1962. Chargé d'études au Statec de 1962 à 1964, le Service d'études et de statistiques du Grand-Duché, il est directeur de l'imprimerie Coopérative et du *Escher Tageblatt* de 1964 à 1976. Il sera ministre des Finances de 1976 à 1979 (pendant cette période, il est gouverneur de la Banque mondiale, du FMI et de la BEI). Il passera de la direction de la Banque continentale du Luxembourg SA (1980-1982) à la direction de Paribas (Luxembourg) SA (1982-1984), avant de devenir vice-président du gouvernement et ministre des Affaires étrangères, du Commerce extérieur et de la Coopération, ministre de l'Économie et des Classes moyennes, ministre du Trésor (de 1984-1989). Puis, de 1989 à 1999, il sera vice-Premier ministre, à nouveau ministre des Affaires étrangères, du Commerce extérieur et de la coopération, ministre de la Force publique.
2. Il s'agit de Nadhmi Auchi et de sa clique.
3. Où apparaît également Auchi.

Dans un article du *Soir illustré*[1], les journalistes Jean-Frédérick Deliège et Philippe Brewaeys avancent une explication au retrait de la BIL : *"Au début des années 80, la BIL et la Conti se trouvent mêlées à une opération de blanchiment aux États-Unis* [ce fait est relaté dans un rapport – que nous reproduisons partiellement – envoyé par l'ambassadeur de Belgique au Luxembourg, Baudouin de la Kethulle de Ryhove, au ministre des Affaires étrangères de son pays]. *Les autorités américaines dénoncent officiellement cette opération derrière laquelle agit un holding luxembourgeois dont les administrateurs semblent fort proches de Guy Mathot. On y retrouverait ainsi le nom d'Eliane Van Vreckom. On est en plein dans le fameux dossier de l'escroquerie de la raffinerie de Feluy. Dossier dans lequel apparaissait effectivement le nom de Guy Mathot. Toujours est-il que la BIL décide alors de se séparer de la Banque continentale en raison de la désormais mauvaise réputation de cette dernière aux États-Unis."*

L'actionnaire principal de la Banque continentale du Luxembourg devient alors le holding Cipaf, créé par Nadhmi Auchi en 1982 et dont la majorité des actions est détenue par la General Mediterranean Holding, que nous croiserons plus loin.

Auchi et le holding Cipaf

Le conseil d'administration de la Cipaf regroupe Hubert de Saint-Amand, (Compagnie financière Paribas) ; Nadhmi Auchi ; Abid Nasir[2], l'homme de main d'Auchi dans les relations avec la BCCI ; Nasser Al Saawy (Riyad, Arabie Saoudite) ; Camillus Boeykens (Oelegem, Belgique) ; Jean-Pierre Laurent-Josi, directeur de sociétés (avenue de Tervuren, Bruxelles) ; Omar Zawawi (Wilton Crescent 30, Londres, et Muscat) ; Adrien Ries ; Jean Dupong, ancien ministre chrétien-social

---

1. "Cocktail explosif autour de la KB et Paribas", *Le Soir illustré* du 14 mai 1997.
2. L'Irakien Abid Nasir est le premier représentant d'Auchi sur la place de Luxembourg. Il est administrateur d'une multitude de sociétés situées dans l'orbite de ce dernier : Metameco, Medihold, Fotraco, Luxembourg Trading Company, Continental Real Estates, l'hôtel Royal, Cipaf, la Banque continentale, Real Estate Luxembourg, CV Investments Corporation, le Luxembourg Financial Center, General Mediterranean Holding, Orifarm, etc.

luxembourgeois et fils d'un ancien Premier ministre ; Tito Tettamanti[1] (Lugano) ; Iptisam Said-Auchi, épouse de Nadhmi Auchi.

Note concernant la liste des administrateurs de la Cipaf, tirée du Memorial, le registre du commerce luxembourgeois :

"Au 31 décembre 1989, nous trouvons dans la liste des adminis- trateurs le nom de Madame Colette Flesch, ancienne ministre des Affaires étrangères du Grand-Duché, ancienne ministre de la Justice, ancienne présidente du Parti libéral, ancienne directrice (après 1989) d'une DG [Direction générale] à Bruxelles (médias), députée euro- péenne. Sans vouloir être exhaustif dans l'énumération d'hommes et de femmes politiques luxembourgeois administrateurs dans les sociétés d'Auchi, nous insistons sur le fait que les partis au pouvoir alternative- ment depuis la Deuxième Guerre mondiale au Grand-Duché (chrétiens- sociaux, socialistes, libéraux) ont eu "l'honneur" de siéger dans les sociétés d'Auchi. Les personnes politiques ainsi "récompensées" ont eu droit depuis toujours aux "gratitudes" accordées par Henry J. Leir, avant et après les temps ou Leir céda ses participations dans Paribas et dans la Banque continentale à Auchi."

Dès 1983, initiative surprenante, la Banque continentale crée, en Afrique centrale, deux filiales à 51 % : la Banque continentale afri- caine (Rwanda)[2], fondée le 31 mars 1983, et la Banque continentale africaine (Zaïre)[3], qui voit le jour le 22 novembre 1983.

---

1. Tito Tettamanti est alors président d'une société basée à Lugano, Investment Company of North Atlantic Ltd. (Icona). Il est en outre président de la très puissante Fidinam, qui opère en Suisse, au Luxembourg, aux Pays-Bas, au Canada, aux États-Unis, à Hongkong et à Londres – où Tettamanti à élu domicile entre-temps. Il gère le St. Peter Trust dans les îles anglo-normandes, Fidirevisa en Italie et la Fidina Anstalt à Vaduz, au Liechtenstein. Il était l'ami intime du banquier mafieux Michele Sindona.
2. En 1993, la Banque continentale africaine (Rwanda) est domiciliée 20, boulevard de la Révo- lution, BP 331, à Kigali. Classée 3e banque du pays, son président est alors Nasir Abid ; son directeur général, Marc Tempels ; et son directeur général adjoint, Pasteur Musabe.
3. La Banque continentale africaine (Zaïre) est domiciliée 4, avenue de la Justice, BP 7613, Kinshasa, Gombe. Le président du conseil d'administration est Paul Lenoir ; le vice-prési- dent, Nasir Abid. Son actionnariat se compose comme suit : Banque continentale du Luxembourg SA = 51 % ; Paribas international SA = 15 % ; Senika SA = 15 % ; Villers Hol- ding = 12 % (source : *Bankers' Almanac*, juillet 1993).

Dans son rapport annuel pour l'année 1992, la Banque continentale donne l'information suivante sur ses participations :

Participation	Pourcentage détenu	En millions de francs lux.
Continentale de participations financières (Codepafi)	100	450
Blewbury Ltd. (société de leasing)	100	253
Carque Holdings (société de leasing)	100	272
Banque continentale africaine (Rw.)	51	-
Banque continentale africaine (Zaïre)	51	-
Autres	-	3
Total		978

General Mediterranean Holding, le sommet de la pyramide Auchi

Nous avons vu que l'actionnaire principal de la Cipaf était une autre société d'Auchi, la General Mediterranean Holding SA (GMH ou GenMed), créée en 1979. Des figurants de la Banque Paribas ont œuvré, en tant qu'administrateurs, comme représentants des fondateurs de la GMH, qui préféraient rester anonymes. Parmi les premiers administrateurs de la General Mediterranean Holding, on trouve un des directeurs de la Banque de Paris et des Pays-Bas d'alors, Alphonse Schmit.

Nadhmi Auchi apparaît pour la première fois au conseil d'administration de la GMH à la date du 28 juin 1985. Sa nomination est ratifiée le 10 avril 1986, date à laquelle une personnalité du Liechtenstein, le Dr Yvo Beck, apparaît pour la première fois dans les rangs du conseil d'administration de la GMH. Décédé depuis, le Dr Beck était, à bien des égards, l'un des plus importants personnages du Liechtenstein. Ses activités seront reprises par le Dr Herbert Batliner qui, depuis 1999, fait figure de pierre angulaire dans les affaires liées à l'ancien chancelier allemand Helmut Kohl et au Parti chrétien-démocrate allemand[1]. Le fait que Batliner ait repris la majeure partie des activités de Beck vient de leurs liens familiaux forgés au temps du premier mariage de Batliner.

Au conseil d'administration de GenMed, nous trouvons, comme pour la Cipaf, des hommes politiques luxembourgeois de premier plan, comme Nicolas Mosar, député social-chrétien, ancien ambassadeur du Luxembourg en Italie et au Vatican et commissaire de la CEE de 1985 à 1988. Le groupe GenMed pèse plusieurs centaines de millions de dollars et devient, au lendemain de la guerre du Golfe, l'un des plus importants actionnaires dans la Banque Paribas (Paris), la Banque Paribas (Luxembourg), la Compagnie financière Paribas ou la Compagnie de navigation mixte.

Le groupe Paribas devient alors le principal allié de Nadhmi Auchi dans le capital de la Banque continentale du Luxembourg. À lui seul, Auchi détiendra, au travers de GenMed, 40 % du capital de la BCL jusqu'en octobre 1994, date à laquelle Paribas lui rachètera ses parts[2].

---

1. Mais aussi dans les transactions du marchand d'armes allemand Karl-Heinz Schreiber, qui vit au Canada et lutte contre son extradition, aidé dans ses efforts par l'ancien président canadien Mulroney.
2. Vingt mois plus tard, le rachat par la Kredietbank Luxembourg (KBL) de la Banque continentale du Luxembourg – alors détenue par Paribas – étonnera fortement l'establishment financier grand-ducal.

Mais revenons-en à la situation de GenMed avant 1994. La personnalité la plus importante au sein de la société d'Auchi est sans doute le fameux diplomate américain John Gunther Dean : dernier ambassadeur en poste au Cambodge avant l'arrivée des Khmers rouges, il a été ministre plénipotentiaire en France, en Belgique, au Danemark, au Liban, en Thaïlande, au Laos, au Togo, au Mali et en Inde.

GenMed possède alors deux compagnies aériennes : GMAirlines et GMFreight, dont la flotte aérienne – qui se compose alors de neuf Boeing 727-300 et de trois Boeing 707 – est louée aux grandes compagnies américaines.

Tirée d'une plaquette luxueuse publiée par Nadhmi Auchi à l'occasion de la célébration du 15e anniversaire de la GenMed, le 5 mai 1994, l'une des photographies que nous reproduisons en annexe montre, regroupés devant un panneau d'information présentant les investissements aéronautiques de la société, les représentants du pouvoir politique luxembourgeois (Jacques Santer, alors Premier ministre, et Jacques Poos, alors vice-Premier ministre et ministre des Affaires étrangères), ainsi que les deux principaux représentants du pouvoir économique au Grand-Duché, Henry J. Leir et Nadhmi Auchi. Les extraits qui suivent sont tirés des discours prononcés à cette occasion.

Le discours de Nadhmi Auchi

"GenMed est un groupe d'investissement à facettes multiples, avec des intérêts divers allant du secteur bancaire et financier à des secteurs tels que le transport maritime et aérien. Lorsque j'ai fondé la société, ses activités principales étaient limitées à des secteurs tels que le commerce spécialisé, le conseil et l'étude de projets, ainsi que la gestion de portefeuilles.

Après avoir considéré plusieurs autres possibilités, nous avons choisi Luxembourg pour la domiciliation de GenMed. Son environnement fiscal particulièrement favorable, ainsi que sa politique libérale, ont été favorables au développement de notre société, et je remercie le Luxembourg d'être un hôte aussi accueillant.

[...] Nous avons toujours été animés par une philosophie de bonne foi dans nos actions, l'aptitude à distinguer les opportunités d'investissement, et la faculté de prendre des décisions opportunes. À travers cet axiome, nous avons développé de solides associations d'affaires, en particulier avec le groupe Paribas. Nous avons approfondi cette relation en investissant dans la Banque continentale du Luxembourg, et plus tard dans la Banque Paribas Luxembourg. Le véhicule créé pour investir dans la Banque continentale était la Cipaf, également domiciliée à Luxembourg. Ce fut, en 1982, un événement important pour GenMed, car il annonçait notre entrée officielle dans le secteur bancaire et financier.

Actuellement, nous sommes l'un des cinq plus importants actionnaires de Paribas et nos intérêts dans le secteur bancaire comprennent un engagement de 50 % dans la Banque continentale, 20 % dans la Banque Paribas Luxembourg et 1,5 % dans le groupe français Navigation mixte, qui lui-même possède la Via Banque.

[...] [En ce qui concerne] notre département immobilier [...], nous travaillons pour le moment sur divers projets qui sont à différents stades de développement. Par exemple : un complexe résidentiel et commercial de 35 millions de dollars en Tunisie, le World Trade Center de 80 millions de dollars à Casablanca, et un complexe de loisirs de 30 millions de dollars au Liban. Nous avons également investi dans la construction, par l'intermédiaire de Soludec. [...]

En 1984, nous avons acheté un terrain sur lequel nous avons construit l'hôtel Le Royal afin de nous diversifier dans l'hôtellerie. [...] Plus tard, nous avons étendu nos investissements à la Riviera française. Quelque quatre ans plus tard, nous avons établi un partenariat de 100 millions de dollars avec le groupe espagnol Occidental, qui possède et administre des hôtels internationaux de luxe. [...] En 1989, notre groupe a acquis une participation de contrôle dans Regent Laboratories, un laboratoire pharmaceutique anglais.

[...] Nous n'avons pas seulement cherché à thésauriser, mais nous avons aussi investi dans des projets de démarrage qui nous semblaient réalisables. Notre investissement de 35 millions de dollars dans Meat and Food International, basé en Belgique, fut réalisé il y a deux ans. Cette usine moderne a eu sa part de difficultés de départ, mais nous sommes confiants dans les profits qu'elle ne manquera pas de générer dans le futur[1].

[...] Finalement, quelle est la situation de GenMed aujourd'hui ? Le capital de base, qui était de 2,5 millions de dollars en 1979, est à présent de 280 millions de dollars (en incluant les emprunts subordonnés). La valeur nette d'inventaire est aux alentours de 750 millions de dollars. Si on inclut les actifs intangibles et la valeur marché des autres actifs, notre valeur nette excède 1 milliard de dollars."

Le discours de Jacques Santer, Premier ministre luxembourgeois

"Permettez-moi, au nom du gouvernement, au nom de mon collègue le vice-Premier ministre, Monsieur Jacques Poos ici présent, en mon nom personnel et au nom des autorités luxembourgeoises qui ont bien voulu se joindre à cette manifestation commémorant le quinzième anniversaire de General Mediterranean Holding, de vous souhaiter à tous nos meilleurs vœux pour ce quinzième anniversaire.

Comme vous le savez très bien, le Luxembourg est aujourd'hui devenu un grand centre financier international. Il est devenu la troisième place financière d'Europe et la septième place financière internationale, avec 221 banques qui se sont établies ici à Luxembourg et 1 175 fonds d'investissements, banques totalisant 15 000 milliards de francs luxembourgeois en sommes de bilans – pas des dollars, mais n'empêche... Je ne sais pas compter le nombre de zéros qu'il faudrait pour atteindre 15 000 milliards de francs ! Avec égale-

---

1. Concernant ce dernier investissement, laissons la parole aux journalistes du *Soir illustré* (article cité) : *"En février 1988, [GenMed] figure parmi les actionnaires fondateurs de Meat and Food International (MFI), plus connu sous le nom d'Abattoir islamique de Gembloux. GenMed y figure aux côtés de deux holdings panaméens, Union Bridge Inc. et Finatra Investments Inc., représentés au conseil d'administration par des collaborateurs de la fiduciaire luxembourgeoise Montbrun. MFI apparaît ainsi comme la partie émergée d'une structure de blanchiment d'argent noir. Et, en effet, durant ses sept premières années d'existence, elle accumulera des pertes frôlant le milliard de francs. Une ardoise effacée, sans rechigner, par ses mystérieux actionnaires."*

ment 193 sociétés de réassurance, 63 sociétés d'assurances et, *last but not least*, une flotte marchande de 63 navires de haute mer battant pavillon luxembourgeois.

Vous pouvez donc voir que le Luxembourg s'est grandement développé en tant que centre international. Et s'il a pu le faire au cours des quinze dernières années, c'est précisément grâce à la confiance et à la perspicacité, mais à la confiance surtout, que des gens comme vous, Monsieur Auchi, ainsi que vos administrateurs, avez su lui témoigner, par votre foi en l'avenir du Luxembourg, en continuant d'y implanter vos activités. *[...]*

Vous venez d'évoquer vos remarquables affaires à l'échelle mondiale. Mais le monde n'est-il pas devenu actuellement ce *Global Village*, ce grand village planétaire où il s'agit maintenant de reconstruire ?

[...] Nous souhaitons que vous puissiez connaître pendant les... disons, quinze autres années qui vont suivre, le même déploiement d'efficacité dont vous avez fait preuve dans vos activités à partir de Luxembourg. Nous vous en serions très reconnaissants bien entendu, car là, je crois, se rejoignent tous nos centres d'intérêt : vos intérêts en tant qu'investisseurs, mais également nos propres intérêts et ceux des autorités luxembourgeoises, car je crois que si vos intérêts se portent bien, les intérêts de l'État luxembourgeois, du gouvernement luxembourgeois et surtout le portefeuille du ministre de Finances se portent bien..."

Le discours d'André Lévy-Lang, ancien président de la Compagnie financière de Paribas, lu par Christian Manset

"*[...]* Il y a quinze ans, nos deux groupes se connaissaient déjà et entretenaient des relations bancaires courantes. Mais qui aurait pu alors imaginer que ces relations allaient profondément changer de nature en raison des bouleversements politiques qui allaient intervenir en France ?

Tout d'abord, la nationalisation de la Compagnie financière de Paribas, en février 1982, qui a conduit nos deux groupes à s'associer au sein de la Banque continentale du Luxembourg – qui a connu depuis un développement remarquable sous l'impulsion de ses deux actionnaires. La privatisation de la Compagnie financière de Paribas, en 1987, a permis au groupe GenMed-CIPAF de prendre une participation importante dans le capital de la Compagnie financière de Paribas, dont il est aujourd'hui l'un des principaux actionnaires.

D'autres liens unissent encore les deux groupes. Paribas possède une participation significative dans le capital de la filiale luxembourgeoise Cipaf, qui est elle-même actionnaire à 20 % de la Banque Paribas Luxembourg..."

Le discours de Jacques Poos, vice-Premier ministre luxembourgeois

"Il m'apparaît assez délicat de prendre la parole après notre Premier ministre. En effet, comme vous le savez sans doute, nous entrerons prochainement en compétition à l'occasion des élections générales à Luxembourg. Mais sûrement pas ce soir ! Et surtout pas en ce qui concerne les questions financières : en effet, nous avons la même opinion en ce qui concerne la "forteresse de Luxembourg".

[...] Je voudrais aussi vous remercier pour avoir invité à cette soirée tous les amis de GenMed à Luxembourg, toutes les sociétés avec lesquelles vous êtes en relation. Et j'ai pu apercevoir ici bon nombre d'amis : de vieilles connaissances du groupe Paribas, de la Banque continentale du Luxembourg ou de l'hôtel Royal..."

Nadhmi Auchi et l'or des dictateurs

Citons une nouvelle fois l'article de Jean-François Deliège et Philippe Brewaeys, du Soir illustré *:*

"Sous "l'ère Auchi", la Banque continentale du Luxembourg a accueilli les comptes en banque de dictateurs notoires : Saddam Hussein, Bokassa, Houphouët-Boigny, Bourguiba, Khadafi, et l'inévitable Mobutu. Selon la note de l'ambassade de Belgique, au départ des placements de Mobutu à la Conti, plusieurs holdings de droit luxembourgeois auraient été créées par un de ses hommes de confiance : Jeannot Bemba. Il s'agit, sans conteste, de Jean-Pierre Bemba, le fils du patron des patrons zaïrois : Saolona Bemba. Ce dernier est, notamment, le patron de la compagnie d'aviation Scibe Zaïre, soupçonnée par les services de renseignements militaires belges (SGR) d'avoir transporté, en mars 1994, les missiles qui servirent à abattre l'avion du président rwandais Habyarimana. Ces missiles auraient été achetés en France et transférés au Zaïre au départ de l'aéroport d'Ostende. Info ou intox ? La vérité n'a jamais pu être établie. Mais relevons au passage que la tristement célèbre Radio des Mille Collines, qui émettait à cette époque au Rwanda, était financée par des capitaux provenant de comptes ouverts auprès de la Banque continentale du Luxembourg qui possède, soit dit en passant, des filiales au Zaïre et au Rwanda. Encore une simple coïncidence...[1]"

Et Le Soir illustré *de poursuivre :* "La Conti semble donc être le passage obligé, depuis une quinzaine d'années, d'opérations de blanchiment à l'échelle internationale. Le rapport de l'ambassade de Belgique à ce sujet est très clair, et les accusations qu'il porte sont extrêmement graves, notamment sur les agissements de certaines banques belges. Cela explique peut-être le fait que, transmis au Parquet général de Bruxelles, il y ait fait un long séjour dans le bureau de l'avocat général Thys. Quant au ministre des Finances, il en avait transmis copie au directeur général de l'ISI (Inspection spéciale des impôts) qui l'avait soigneusement conservé dans son coffre jusqu'à ce que les enquêteurs du juge d'instruction Leys l'y découvrent, lors d'une perquisition, en février dernier. On imagine la stupéfaction du juge Leys à la lecture du document, lui qui a précisément en charge l'instruction sur les agissements frauduleux de la Kredietbank ! Surtout lorsqu'on y apprend que la KB négocie actuellement très discrètement avec ses clients "luxembourgeois" poursuivis par le fisc, afin qu'ils ne se constituent pas partie civile contre elle. Un bel aveu, en quelque sorte."

---

1. *Art. cité.*

France :
Auchi et les autres marchands d'armes – L'affaire Elf/Ertoil – Helmut Kohl

Au début des années 80, sous la présidence de François Mitterrand, la France continue ses livraisons d'armes à l'Irak. Ce fait pourrait expliquer la connivence entre la Paribas nationalisée et Nadhmi Auchi. Le principal intermédiaire pour les ventes d'armes françaises à l'Irak, durant ces années-là, est le Saoudien Al Madani. Ce dernier est le propriétaire, entre autres, du fameux Marbella Club, en Espagne. Il est un ami d'Adnan Khashoggi, autre trafiquant d'armes notoire, originaire, tout comme Al Madani, d'Arabie Saoudite. Un troisième homme, Francesco Pazienza[1], est alors sous les ordres de Khashoggi et d'Akram Ojjeh. Tous trois sont étroitement liés à la place financière de Luxembourg, via leur ami l'avocat Nico Schaeffer.

Dès juin 1996, Auchi est soupçonné par la justice française d'avoir servi d'intermédiaire pour des opérations financières douteuses montées par la Garantie mutuelle des fonctionnaires (GMF) et Elf, notamment dans l'affaire du rachat par Elf du raffineur espagnol Ertoil. Des commissions de plusieurs dizaines de millions de francs auraient été versées à Nadhmi Auchi à cette occasion.

Nadhmi Auchi apparaît comme le dénominateur commun entre l'affaire Elf-Ertoil et le scandale ENI-Petromin, que nous évoquons dans ce Lexique. Du coté saoudien, cette gigantesque affaire est orchestrée par le milliardaire Adham Kamal, ancien chef des services secrets du royaume. Apparaissent aussi dans ce scandale une série de personnalités liées à la Sasea : Pierre Moussa, lié à Manfredi Lefèbre d'Ovidio[2] ; le cabinet Charles Montbrun, lié à l'Interpart de

---

1 Francesco Pazienza est cet incontournable spectre qui apparaît dans l'affaire Ambrosiano comme "garde du corps de Roberto Calvi". Son nom est lié à bien d'autres affaires depuis : Licio Gelli et la loge P2, les agissements du tandem Parretti-Fiorini, Gladio, l'attentat contre le président des Seychelles Albert René, les réseaux de l'Ordre de Malte ou de l'Opus Dei, les affaires de la CIA, etc.

2. Issu d'une ancienne famille de la noblesse napolitaine, il est le fils d'Antonio Lefèbre d'Ovidio, qui a joué un rôle de premier plan dans l'affaire Lockheed.

Gian Carlo Parretti ; Florio Fiorini, ancien directeur de l'ENI ; le financier libanais Roger Tamraz et sa société Tamoil[1], dans laquelle Fiorini est engagé comme administrateur, tout comme il l'est dans la Sasea...

Derrière cet enchevêtrement d'intérêts croisés, on détectera peut-être un jour les véritables financeurs et intermédiaires (pas seulement arabes) de l'effort de guerre irakien, ainsi que leurs assistants – tant en France et en Italie que dans d'autres pays de l'Union européenne.

On peut en tout cas se demander pourquoi, dans le cadre de l'instruction sur l'affaire Elf (débutée en 1996), le nom de Nadhmi Auchi a mis quatre ans pour faire son apparition dans le dossier, alors que l'achat par Elf de la société Ertoil remonte à janvier 1991...

LE RAPPORT DE L'AMBASSADEUR BELGE À LUXEMBOURG
Texte publié par *Le Soir illustré*, Bruxelles[2]

Luxembourg : le rapport complet

Voici donc le texte intégral du rapport confidentiel envoyé par l'ambassade *[de Belgique à Luxembourg]* au ministre *[belge]* des Affaires étrangères en novembre *[1996]*. Nous avons simplement expurgé ce rapport d'un certain nombres de références et de détails qui ne faisaient qu'en compliquer la lecture. Nous avons également supprimé les trois passages qui auraient permis de découvrir qui étaient les informateurs à la base de ces révélations.

---

1. Associé depuis longtemps à Khashoggi, Tamraz a domicilié une autre de ses sociétés, la First Arabian Corporation, chez la Figed.
2 L'intégralité du rapport est disponible sur le site Internet du Soir illustré (www.soirillustre.be).

Ambassade de Belgique
00113-01047
Luxembourg, 26/11/96
Monsieur Baudouin de la Kethulle de Ryhove
Ambassadeur de Belgique
à
P11
Copie : S/G Monsieur Erik Derycke
Distribution via le secrétaire général *[du]* ministre des Affaires étrangères
Numord : 547 à Bruxelles
Annexes : 2
Concerne :
– Le monde *[bancaire]* luxembourgeois sous pression à l'approche de l'Union monétaire européenne.
– La transparence difficile

Ce rapport, rédigé par le ministre conseiller H. Van Dijck, se base sur des communications ultra confidentielles de top managers de la KB-Luxembourg *[Kredietbank Luxembourg]* et de la BIL *[Banque internationale à Luxembourg]*, qui se sont spontanément *[...]* adressés à cette ambassade en raison des relations de confiance que ce poste, et entre autres mon premier collaborateur, a pu établir. *[...]* En raison de la nature des communications et de leur contenu, j'ai décidé de vous transmettre ce rapport sous le label "secret". *[...]*

Faisant suite à mon télex 138 du 30/10/96, ce rapport contient une analyse du système bancaire luxembourgeois et met l'accent sur le secret bancaire, ses fondements juridiques et les "routes d'évasion". Dans la situation financière actuellement tendue (l'application de l'UME et l'utilisation de l'euro), ce n'est sans doute pas un hasard si, ces derniers mois, entre autres dans le dossier KB, une série de pratiques bancaires douteuses sont remontées à la surface. *[...]*

En renvoi au dossier KB *[...]* et, plus précisément, en ce qui concerne les conclusions de ce dossier, les points suivants peuvent y être actuellement ajoutés :

Il existe deux types de listes dans ce dossier, toutes deux en possession du fisc belge.

La première liste comporte environ 250 noms. Mon collaborateur a pu en prendre connaissance durant quelques minutes. On y trouve des données intéressantes concernant certaines personnalités de la finance, de la diplomatie et de la magistrature. Le sommet de la KB y est bien représenté, de même que ce que l'on qualifie ici de "PME intellectuelles", à savoir les notaires et les cabinets d'avocats. *[...]*

La direction de la KB-Luxembourg ne sait pas précisément ce que ces messieurs ont encore en main pour pousser plus loin le chantage à l'égard de la KB.

La deuxième liste contient le nom de quelque 4 000 clients. C'est une clientèle PME typique allant des coiffeurs, garagistes, boulangers aux entreprises moyennes de construction principalement basées au Limbourg. Apparaît entre autres le nom de Luc Wallyn, qui est cité dans le dossier Agusta, qui a passé quelques semaines en prison et qui est toujours inscrit sur la liste des personnes rémunérées par la Commission européenne (DG Environnement).

Si les 4 000 clients (deuxième liste) devaient effectivement être accusés par le fisc, et que ce groupe de "dupés" se constituait partie civile, ce serait une catastrophe financière pour la KB-Luxembourg. Dans l'espoir que cela ne se passe pas, la KB a fait appel à un bureau d'avocats bien connu, pour aboutir à un compromis entre les différentes parties concernées. Ces tractations sont en cours depuis fin septembre et se déroulent dans la plus grande discrétion.

BANQUE CONTINENTALE ET ARGENT CRIMINEL

La Banque Continentale

La dénomination officielle de cette banque est "Banque continentale du Luxembourg SA".

Cette banque a été fondée le 1er août 1967 et, jusqu'au début des années 80, elle était entre les mains de la BIL. Ensuite, elle a été reprise par le groupe français Paribas jusqu'au début de cette année, où elle a été reprise par la KB-Luxembourg. [...]

1. Il existe bien effectivement au Grand-Duché de Luxembourg un circuit dans lequel de "l'argent criminel" est blanchi. Cela ne passe pas par les grandes banques connues comme KB, GB, Paribas, BIL, Suez, mais par une "filiale" bien moins connue.

2. Une telle "filiale" est la Banque continentale susmentionnée. Fondée le 1er août 1967, cette banque est restée une filiale de la BIL jusqu'au début des années 80. [...]

C'est de cette période qu'il existe à la BIL un dossier de "Guy Mathot", ancien vice-Premier ministre belge, avec un volet concernant le dossier de la raffinerie de Feluy. Une construction financière établie sous la forme d'un holding dans lequel on retrouve une série de noms de "dames" provenant de l'entourage de Guy Mathot, entre autre Éliane Van Vreckom. [...] La création de tels holdings est couverte par le secret bancaire luxembourgeois. Ambabel *[l'ambassade de Belgique au]* Luxembourg a l'impression que ces données ont été fournies à dessein, parce que la BIL a été trompée dans ce dossier.

3. A la suite des investissements de fonds de Guy Mathot auprès d'une filiale de la BIL en Californie, les autorités américaines ont découvert que des fraudes ont été commises dans ce dossier. La BIL (Grand-Duché de Luxembourg) a encouru de gros préjudices financiers avec ce dossier, et a également vu son image ternie aux États-Unis. La BIL a alors contraint M. Mathot à retirer tous ses dépôts endéans les 24 heures.

À la suite de ce scandale, la Continentale est passée dans les mains de la Paribas (100 % France). De cette période – sous la présidence de Mitterrand – existent des dossiers avec quelques dirigeants africains d'anciennes colonies françaises (Bokassa, Houphouët-Boigny, Bourguiba). Ces dossiers ont également des ramifications avec le régime de Mobutu, qui a naturellement des prolongements à Bruxelles. Avec les capitaux de Mobutu, des holdings ont été créés dans lesquelles apparaît le nom d'un homme de confiance de Mobutu, à savoir Jeannot Bemba.

4. Début 1996, la KB est devenue propriétaire de cette banque de sinistre réputation à la grande surprise du milieu bancaire luxembourgeois. Les dépôts à cette banque proviennent entre autres de Saddam Hussein, Khadafi, Mobutu.

L'entourage irakien de Saddam Hussein a mis sur pied un holding qui leur permet d'acquérir d'importants hôtels au Luxembourg, comme le Royal et l'Intercontinental.

De l'argent a également été investi dans le secteur de la construction, entre autres dans le Civil Engineering Consulting. La reprise de cette banque par la KB ne peut s'agir d'un hasard. Des analystes financiers au Luxembourg ont l'impression que, via la Continentale, de grandes banques telles que la BIL, KB, Paribas, Suez... profitent chacune à leur tour de ce circuit noir.

5. On nous a rapporté confidentiellement, aussi bien du côté des banquiers que du côté des sociétés de construction (holding Pan Méditerranée), qu'un diplomate belge, Marc Thunus, montrait un grand intérêt à la création d'un holding voici deux semaines. À cette occasion, il a une nouvelle fois été fait mention d'une future désignation comme diplomate au Grand-Duché de Luxembourg. Thunus était accompagné d'un homme d'affaires arabe et d'une dame qui était présentée comme associée.

LE FINANCEMENT DES PARTIS

Fondations - Stiftungen - Stichtingen

Les banques allemandes ont introduit cette formule sur la place financière luxembourgeoise.

Il va de soi qu'au premier abord, ces institutions innocentes (principalement CVP-CDU) ont trouvé un bon terreau dans le monde conservateur luxembourgeois. Dans ces fondations, on trouve surtout des représentants de la branche extrêmement conservatrice de l'Église catholique, à savoir l'Opus Dei.

D'anciens étudiants de Bologne jouent le plus souvent un rôle actif dans ces organisations.

[...] À la lumière des événements récents dans notre pays, cela pose à tout le moins quelques questions. Ces fondations sont surtout actives sur les campus des universités catholiques, dans le monde de l'imprimerie, etc.

Le caractère fiscalement avantageux (déductions fiscales) et le sponsoring de partis politiques de premier plan (CDU, CVP, etc.) participent du rayonnement de ces organisations.

ALPHONSE SCHMIT ET LA GMH

Alphonse Schmit quitte Paribas quelque temps après la création de GMH[1], pour un court séjour à l'Industriekredietbank allemande au Luxembourg. Il fonde ensuite sa propre société, la Compagnie luxembourgeoise de gestion financière (Colugefi). En parallèle, en tant que membre effectif de la Commission de la Bourse, il s'emploie à faire entrer Irving Kott et sa société Asset Investment Management (AIM) en Bourse de Luxembourg. Avec l'avocat Albert Wildgen, le Pakistanais Altaf Nazerali et l'Irakien Sinan A. Raouff (ancien diplomate à Washington, Bonn et Tokyo), Schmit se présentera aux autorités boursières grand-ducales comme l'administrateur délégué d'AIM – alors qu'il n'occupait pas encore cette fonction – afin d'offrir des garanties. Par la suite, il ouvrira des comptes pour AIM auprès de la BCCI...

En vue d'augmenter ses chances d'accéder à la Bourse de Luxembourg, AIM rachètera une charge d'agent de change inactive fondée deux années auparavant (sous le nom de Fintrust International SA) par un agent de change néerlandais du nom de Baldwin Ottervanger. Au moment de l'affaire dite des *penny stocks*,

---

1. Sa démission de Paribas et de la GMH date du 26 juillet 1979.

pour laquelle la société néerlandaise de Kott (la First Commerce Securities) se retrouvera sur la sellette, Schmit et Wildgen démissionneront en hâte d'AIM sans pourtant abandonner "Monsieur Irving" – qui tente de remettre son système sur les rails. AIM changera d'hommes de paille et de nom, pour devenir Petrusse Securities. Mais Kott et sa nouvelle société referont parler d'eux à l'occasion de l'affaire Péchiney.

Alphonse Schmit, lui, vend Colugefi à Amrobank-Luxembourg (aujourd'hui ABN-AMRO) et devient *managing director* auprès de cette banque. Il emmène avec lui un ancien cadre de la Krediet-bank Luxembourg, Jean-Luc Amez, qui, avant de travailler pour Schmit à Colugefi, était directeur chez Parretti et dans les sociétés de celui-ci à Luxembourg[1]. Le fait que Schmit ait continué à occuper son ancien bureau à AIM pendant la période Petrusse Securities n'est qu'un des nombreux éléments qui semblent conforter la thèse du *windowdressing*[2] : Petrusse Securities n'était que le prolongement d'AIM, en dépit de ce "ravalement de façade". Toujours est-il que Schmit et Amez seront virés d'Amrobank. Des sources internes à l'établissement – en contact avec certaines autorités néerlandaises – en avanceront le motif : les deux hommes auraient orchestré un système de "banque dans la banque" en faveur de leur client canadien Irving Kott. Le duo ne se contentait pas d'utiliser nuitamment les équipements d'Amrobank (telex...), mais puisait surtout dans la trésorerie ! Jusqu'à ce qu'on leur indique la sortie.

---

1. Son nom apparaît notamment dans les affaires Crédit lyonnais, Crédit lyonnais Neder-land, MGM...
2. Autrement dit, le fait de constituer une "belle vitrine" pour la gallerie...

BATISTA, Fulgencio

Fulgencio Batista y Zaldivar[1] était le prédécesseur de Fidel Castro à la tête de l'État cubain. Il a accédé pour la première fois au pouvoir dès 1933. Président de l'île de 1940 à 1944, il a ensuite vécu en exil aux USA de 1944 à 1952, avant de revenir au pouvoir en 1952 grâce à un coup d'État appuyé par l'armée, les grands propriétaires terriens et les États-Unis. La dictature qu'il met en place s'effondrera en 1959, et Batista quittera l'île deux ans plus tard. Il mourra en exil le 6 août 1973 à Guadalmina, près de Marbella (Espagne).

Dès 1937, appuyé par Meyer Lansky – le banquier de toutes les mafias –, Bugsy Siegel et Lucky Luciano, Batista avait organisé à Cuba la reprise de l'industrie des jeux, courses hippiques et casinos, et en avait fait la principale source de revenus de l'île, avec la canne à sucre – qui se vendait alors à des prix records. Déchu de ses droits à Cuba pendant le premier départ en exil de Batista, Meyer Lansky reviendra en force au moment du retour au pays du dictateur, en 1952. En 1953, Batista le nommera conseiller personnel, le chargeant de la réforme de la législation sur les jeux.

Autour de Meyer Lansky, s'ensuivront quelques années fastes pour la coalition regroupant le dictateur et ses alliés mafieux. Mais, délaissant le petit peuple cubain asservi par les grands propriétaires terriens, Batista va provoquer la montée en puissance de ce qui deviendra la révolution cubaine, emmenée par Fidel Castro et Che Guevara. En décembre 1958, la révolution s'approchant de plus en plus de la Havane, Batista commence à préparer sa fuite hors du pays. Le 9 décembre, le président américain Eisenhower informe le dictateur, par messager personnel, qu'il lui offre l'asile politique dans sa propriété particulière de Daytona Beach à la condition que celui-ci quitte Cuba sans délai. Cette offre sera confirmée officiellement le 17 décembre par l'ambassadeur Earl T. Smith en personne.

Dans la nuit de la Saint-Sylvestre, aux premières minutes de l'année 1959, Batista prend la route vers Camp Columbia, où l'armée

---

1. Né le 16 janvier 1901 à Banes, Oriente, Cuba.

met trois avions à sa disposition. Il embarque sa femme, sa famille, quelques adjudants et de nombreux bagages, et quitte Cuba en ce jour de l'An 1959. Quelques jours auparavant, le soir de Noël, il a alerté par téléphone Meyer Lansky de la nécessité de prendre la fuite.

Des archives récemment exhumées ont dévoilé une importante documentation sur une affaire, liée à Batista, jusqu'alors très peu connue. Les quelques initiés au fait de ces trouvailles en parlent comme de "l'affaire des pesos d'or cubains". De quoi s'agit-il... ?

Avant de quitter Cuba, Batista a non seulement transféré hors du pays – et hors de portée des révolutionnaires – ses propres richesses, accumulées avec l'aide de Meyer Lansky, mais aussi des tonnes d'or (sous forme de pesos d'or) représentant la "cassette" de l'État cubain. À la mort du dictateur, en août 1973, les nouveaux propriétaires de ce magot (c'est sous ce nom que ses héritiers apparaissent dans la documentation) essayeront de faire transférer cet or en Suisse. Alors en dépôt aux États-Unis, il semble que le trésor en question ait fait bouger beaucoup de monde.

Avant la chute du régime Batista et la fuite du dictateur, une autre partie de l'or avait été déposée auprès de l'American Bank Note Company, en contrepartie de l'émission de billets de 1 000 et de 500 pesos – pour une contre-valeur de 250 millions de pesos cubains – à imprimer par cette même banque émettrice américaine (billets datés des années 1950 à 1958). Ces liasses nouvellement imprimées reposaient encore aux États-Unis à la mort de Batista, et faisaient partie du trésor à sortir vers la Suisse. Mais, alors que, pour les billets, une filière de revente à Castro semble avoir été mise sur pied, via des pays du Comecon, il n'en va pas de même pour l'or.

Certains s'étonneront peut-être que de hauts représentants du Vatican se soient retrouvés coordinateurs de ces transactions, aidés par différents banquiers suisses dont l'une ou l'autre banque apparaîtra plus tard comme étant impliquée dans l'affaire Ambrosiano. Le transport de la caisse de l'État cubain des États-Unis vers la

Suisse aura finalement lieu, et des ventes d'or auront lieu par la suite hors dépôts[1]. Un des acheteurs de cet or cubain que les chercheurs travaillant sur le dossier arriveront à localiser avec certitude est le révérend Moon C. Park[2] qui, au début de 1975, achètera *"315 tonnes métriques d'or, d'une pureté minimum de 999,5 pour mille"* représentant une contre-valeur de cinq millions de dollars.

L'affaire dite des "pesos d'or cubains" est loin d'être élucidée à l'heure actuelle. Elle promet encore bien des révélations une fois que les documents retrouvés auront été analysés[3].

BERLUSCONI Silvio

Homme d'affaires italien, Silvio Berlusconi est né à Milan le 29 septembre 1936. Fils d'un employé de la Banca Rasini, il est connu sous différents surnoms comme Sua Emittenza, Mister Télé, le Grand Frère, le Chevalier noir...

Berlusconi, dès 1963, se lance dans l'immobilier. En 1968, il crée sa société immobilière Edilnord. En 1972, il lance la construction de Milano Due, grand complexe immobilier dont la construction durera sept ans. Le 24 septembre 1974, c'est au tour de "Telemilano Câble", première émission de télévision privée en Italie. Trois ans plus tard, le président de la République nomme Berlusconi Cavalieri del Lavoro (Chevalier du travail). Le réseau par câble de *Telemilano* est transformé en réseau hertzien.

Le 8 juin 1978 est créée la société financière d'investissement Fininvest, que l'on retrouvera plus tard impliquée dans plusieurs affaires judiciaires. Silvio Berlusconi, cette même année, rejoint les rangs de la loge P2. Il publie une série d'éditoriaux au *Corriere della Sera*, dans lesquels il défend la libre entreprise.

---

1. C'est-à-dire qu'il s'agira d'une livraison physique d'or, et non pas de certificats aurifères.
2. Passeport n° kf-328 Korea.
3. Précisons que l'actuel grand-duc du Luxembourg a épousé la petite-fille du dictateur Batista.

À cette époque, plus de cinq cents chaînes de télévision privées naissent en Italie, sans aucune réglementation. En décembre démarrent les premières émissions de la chaîne privée Canale Cinque.

Berlusconi achète le journal *Il Giornale* en 1981. Le 17 mars 1981, la Guardia di Finanza saisit les listes des membres de la loge P2 dans la villa du grand maître de la loge, Licio Gelli.

En 1982, Berlusconi rachète Italia Uno au groupe Rusconi, la fusionne avec Rete Dieci, et fonde Programma Italia. Sa tentative de racheter le *Corrierre della Sera* échoue. C'est l'époque de la faillite de la Banco Ambrosiano, avec le corps du banquier Roberto Calvi trouvé pendu sous le Blackfriars' Bridge (le "Pont des Frères Noirs"), à Londres.

Le 16 octobre 1984, sur requête de divers magistrats régionaux, les émissions des chaînes du groupe Fininvest sont interrompues, la diffusion de programmes de télévision privée à l'échelle nationale étant interdite par la loi italienne. Quatre jours plus tard, le président du Conseil, Bettino Craxi, signe un décret-loi qui légalise la situation des télévisions privées. Les émissions des télévisions du groupe Fininvest reprennent aussitôt. Berlusconi rachète la chaîne privée Retequattro au groupe Mondadori.

En janvier 1986, Silvio Berlusconi se paye la réalisation d'un rêve d'enfant. Il achète le Milan AC. L'affaire avait failli échouer. Gian Carlo Parretti venait d'acquérir le club pour Gianni De Michelis. Craxi intervient aussitôt et contraint Parretti à le céder à Berlusconi.

En février 1986, grâce à une concession accordée par le gouvernement socialiste, La Cinq, chaîne privée de Berlusconi et de Jérôme Seydoux, commence sa diffusion sur territoire français. L'aventure ne durera que six mois, un décret ministériel de la droite française du 2 août résiliant la concession accordée.

En 1989 : fusion entre ENI, entreprise pétrochimique d'État, et la Montedison pour créer la société à économie mixte Enimont.

En janvier 1990, Berlusconi accède à la présidence du groupe de presse et d'édition Mondadori.

Le 6 août 1990 est votée au parlement italien la loi Mammi, qui permet à Berlusconi de poursuivre son ascension télévisuelle mais lui défend en même temps de posséder des journaux. Il cède *Il Giornale* à son frère Paolo. C'est l'époque, où en France, Parretti et Fiorini tentent de racheter Pathé Cinéma et, aux États-Unis, la Metro-Goldwyn-Mayer (MGM).

Le 15 décembre 1990, à la mairie de Milan, sont célébrées les noces de Veronica Lario et de Silvio Berlusconi. Témoin : Bettino Craxi.

1991 voit naître l'opération *Mani Pulite* des juges milanais sur la base de découverte des vastes réseaux de *tangente* au bénéfice de la Démocratie chrétienne. Début de l'enquête sur la corruption des partis politiques. Début mai 1992, arrestations de hauts dignitaires de la Démocratie chrétienne, le trésorier Sergio Chittaristi et le secrétaire général Arnaldo Forlani.

23 mai 1992 : assassinat du juge Falcone.

15 décembre 1992 : Bettino Craxi, secrétaire général du Parti socialiste italien, reçoit son premier avis de mise en examen pour corruption, recel, violation de la loi sur le financement des partis, mais aussi pour avoir apporté son concours à la banqueroute de la Banco Ambrosiano. Dans les quelque dix-huit mois après cette première mise en examen, Craxi en recevra encore plus d'une centaine d'autres.

15 janvier 1993 : Toto Riina, parrain de la mafia sicilienne, est arrêté.

11 février 1993 : Bettino Craxi démissionne de son poste de secrétaire général du parti socialiste.

24 février 1993 : démission du ministre de la Justice, Claudio Martelli, socialiste, suite à de multiples mises en examen.

25 février 1993 : démission de Giorgio La Malfa, secrétaire du Parti républicain, après mise en examen.

15 juillet 1993 : Début du procès Enimont. Le 20 juillet, l'ex-président de l'ENI, Gabriele Cagliari, se suicide dans la prison de San Vittore à Milan. Le 23 juillet, Raul Gardini, ex-président de la Montedison, se suicide à son tour à l'annonce de son arrestation imminente.

2 novembre 1993 : Carlo de Benedetti, accusé de corruption à son tour, se rend à la police.

Aux élections municipales du 21 novembre 1993, les vieux partis disparaissent presque partout. Montée en puissance du MSI (Alessandra Mussolini à Naples). Berlusconi déclare aussitôt que, s'il avait pu voter à Rome, il aurait voté pour le MSI Gianfranco Fini. Dès le 25 novembre, Berlusconi crée ses clubs Forza Italia. Gianfranco Fini, le 26 novembre, présente à la Chambre son nouveau mouvement, Alleanza Nazionale, regroupant toute une série d'anciens membres DC autour de son MSI.

Le 15 janvier 1994, devant le tribunal correctionnel de Milan, Mauro Giallombardo subit un premier interrogatoire de 4 heures.

Voici ce qu'écrivent à son propos Calvi et Sisti dans Les Nouveaux Réseaux de la corruption : *"[...] Dont on connaît le rôle au sein de "l'Internationale socialiste des pots-de-vin". [...] Au départ fonctionnaire au groupe socialiste du Parlement européen de Strasbourg, il a été nommé secrétaire général de l'Union des partis socialistes de la Communauté européenne sur proposition de Lionel Jospin, à l'époque secrétaire du Parti socialiste français. [...] Le gardien du trésor de Bettino Craxi, c'est lui qui centralise les "oboles" versées par les industriels dans ses comptes luxembourgeois, avant de les transférer en Italie..."*

"Pour moi, Mauro Giallombardo est l'affairiste type. Il est la liaison entre un système politique (Craxi) *et un système industriel* (Berlusconi et d'autres)*"*, telle était une des conclusions tirées ce matin-là par le procureur Antonio di Pietro. Giallombardo, installé depuis 1991 à Luxembourg/Limpertsberg, rue Seimetz, avait profité des amitiés socialistes entre Craxi, de Michelis et Jacques Poos pour établir la plaque tournante d'une machine financière servant les intérêts du groupe Enimont. La BIL, Banque internationale à Luxembourg, la filiale de la BIL à Lausanne et la Fiduciaire Faber à Luxembourg domiciliaient les sociétés créées à cet effet.

LA FIDUCIAIRE FABER

(citations : Calvi/Sisti : *Les Nouveaux Réseaux de la corruption*)

"[...] Les bibliothèques regorgent de classeurs aux noms abscons : TEAL, IMOFIN, MERCHANT. Les dos de gros dossiers qui

occupent les étagères portent des noms de banques : UBS, SBS, BIL. Nous sommes dans un lieu qu'une poignée de juges belges, italiens et suisses rêvent de perquisitionner : les bureaux de la fiduciaire Jean Faber, en plein centre de la capitale du Grand-Duché de Luxembourg, au 15, boulevard Roosevelt. [...] Le Luxembourg n'est pas l'Italie. Le Grand-Duché est le paradis des sociétés fiduciaires, pas des juges."

Au début 1994, la RAI transmet en direct de la salle du tribunal les plus importantes audiences de l'affaire Enimont qui mettra en cause Craxi, et à un degré moindre Berlusconi. Le 16 janvier, Oscar Luigi Scalfaro, président de la République, dissout les Chambres. Les élections sont fixées aux 27 et 28 mars. Le 18 janvier la DC (Démocratie chrétienne) est dissoute.

Silvio Berlusconi, le 26 janvier, annonce sa candidature sur toutes les chaînes du réseau Fininvest. Trois jours après cette annonce il renonce à toutes ses charges sauf à la présidence du Milan AC.

Le 10 février, la LEGA d'Umberto Bossi, et Forza Italia (Berlusconi) signent un accord électoral qui marque la naissance de la coalition baptisée : "Pôle des libertés".

Le 12 février, Paolo Berlusconi, frère de Silvio, est arrêté pour distribution de pots-de-vin. Il fait un bref séjour en prison avant d'être remis en liberté sous contrôle judiciaire. Berlusconi et le "Pôle des libertés" sortent vainqueurs (43 %) des élections de fin mars. Le 28 avril Silvio Berlusconi reçoit l'investiture du président de la République. Aux élections européennes du 12 juin, Forza Italia augmente son score de 9 points à 30,6 %. Le 10 juillet a lieu à Naples le sommet du G8.

Letizia Moratti, une proche de Berlusconi, est nommée président de la RAI par le Conseil des ministres en date du 12 juillet. Le 13 juillet, le gouvernement ratifie le "décret Biondi", appelé aussitôt "decreto salva-ladri" (décret sauve-voleurs): 189 personnes accusées de corruption sortent de prison. L'indignation monte dans toute l'Italie, y compris dans les rangs du "Pôle des libertés". Le 15 juillet, devant les caméras de télévision, le juge Antonio di Pietro et son équipe demandent à être démis de leurs fonctions. Les députés votent le retrait du décret-loi Biondi. Le 23 juillet, les juges de Mani Pulite lancent 23 mandats d'arrêt contre des dirigeants de Fininvest. Le 24, Berlusconi réunit ses troupes en toute hâte à Arcore. S'agissant d'une réunion des *hommes Fininvest,* le groupe dont Berlusconi avait remis tous les mandats en date du 29 janvier, on peut s'étonner de voir un Premier ministre organiser une telle réunion. Le responsable du service fiscal de la Fininvest, Salvatore Sciascia, interrogé par di Pietro dans les jours suivant la réunion d'Arcore, finira par admettre que corrompre des policiers était presque devenu pour lui une seconde nature. Sciascia : *"J'ai toujours joui de la plus grande estime et de la confiance de la famille Berlusconi. Aussi bien de Silvio que de Paolo Berlusconi qui n'ont jamais pensé que je puisse garder par-devers moi les sommes que je demandais pour faire face aux exigences (des policiers)*[1]*."*

Silvio Berlusconi a été condamné à trois reprises à la suite de ces affaires :

- Condamnation, le 3 décembre 1997, à seize mois d'emprisonnement et 60 millions de lires d'amende, pour falsification aggravée de bilan, peine couverte par l'amnistie.

- Condamnation, le 7 juillet 1998, à deux années et neuf mois de prison pour corruption. La sentence n'étant applicable qu'après épuisement de tous les recours, on peut se demander, si elle sera vraiment appliquée, des délais d'au moins dix ans nous séparant de l'aboutissement de ces procédures.

- Condamnation, le 13 juillet 1998, a deux ans et quatre mois de réclusion pour financement illicite du Parti socialiste de Bettino Craxi, lui-même condamné à quatre ans. (Craxi est décédé.) L'Appel interjeté laisse quelques années de répit au "Cavaliere".

Plus récemment, les tribunaux italiens ont blanchi Berlusconi dans deux autres affaires, le 9 mai 2000 dans une affaire de corruption de trois hauts fonctionnaires de la police financière, le 19 juin 2000 dans une affaire de versement d'un pot-de-vin à un magistrat afin d'obtenir une décision favorable dans un conflit qui l'opposait à

---

1. Cit. in Fabrizio Calvi et Leo Sisti : *Les Nouveaux Réseaux de la corruption en Europe.*

Carlo de Benedetti dans leur bataille pour la prise de contrôle de la maison d'édition Mondadori.

Le mercredi 21 juin 2000, le juge d'instruction madrilène Baltasar Garzón, cosignataire de l'Appel de Genève et connu, entre autres, pour avoir fait arrêter Augusto Pinochet à Londres, a adressé un document de trente pages au Parlement européen pour demander la levée de l'immunité parlementaire de l'ancien Premier ministre italien Silvio Berlusconi, ainsi que de l'un des collaborateurs les plus proches de ce dernier, Marcello Dell'Utri, lui aussi député européen.

Le juge Garzón accuse Berlusconi et Dell'Utri de fraude fiscale en rapport avec des malversations pour 5 milliards de pesetas dans les comptes de Telecinco, chaîne espagnole dont la Fininvest de Silvio Berlusconi contrôle environ 40 %.

JURADO, Franklin

Né en 1947, le Colombien José Franklin Jurado Rodriguez est diplômé de Harvard, où il avait comme compagnon d'études un étudiant américain du nom de Al Gore – candidat malheureux à l'élection présidentielle américaine de 2000. Économiste, Jurado aurait lui-même été pendant un temps chargé de cours à Harvard. Par la suite, après avoir exercé les fonctions de vice-président de la Bourse de Bogota, il créera la Bourse de Cali.

En mars 1990, les douanes américaines informent les autorités luxembourgeoises que Franklin Jurado, qui habite alors au Grand-Duché, a attiré sur lui l'attention des douanes françaises qui le soupçonnent de blanchiment de fonds provenant du trafic de drogue. Jurado est arrêté par la police grand-ducale le 29 juin 1990, en compagnie d'un autre ressortissant colombien. L'enquête prouvera qu'il était le responsable financier du cartel colombien de Cali. Cinquante-cinq millions de dollars provenant du trafic et du blanchiment de l'argent de la drogue seront saisis à cette occasion.

Les débats devant le tribunal de Luxembourg dureront quatre mois, du 14 octobre 1991 au 10 février 1992, et le jugement sera rendu le 2 avril 1992 : Jurado est reconnu coupable, et condamné à quatre ans et demi d'emprisonnement ainsi qu'à une amende de 5 millions de francs luxembourgeois *"pour avoir, dans la période du 23 juillet 1989 au 29 juin 1990, sciemment facilité la justification mensongère de l'origine des ressources des auteurs du trafic de la cocaïne, et avoir conçu et exécuté une opération de blanchiment portant sur 36 millions de dollars américains provenant de ce trafic"*. L'autre Colombien condamné avec Franklin Jurado s'appelle Edgar Garcia Montilla. Il écopera de cinq ans de prison et d'une amende de 10 millions de francs luxembourgeois[1]. Garcia Montilla était l'ancien trésorier de la First Interamerican Bank, une banque panaméenne fermée par les autorités locales en 1985.

Le 15 mai 1994, à 4 heures du matin, Jurado et Garcia Montilla sont réveillés dans leurs cellules par leurs gardiens. Ils apprennent qu'ils ont deux heures pour plier bagages avant d'être extradés vers les États-Unis. L'avocat de Jurado à Luxembourg ne sera mis au courant de l'expédition que deux heures après le décollage de l'avion vers les USA !

KHASHOGGI, Adnan

Adnan Khashoggi est né le 25 juillet 1935 à la Mecque, en Arabie Saoudite[2]. Son père, le Dr Mahomet Chalid Khashoggi, était le médecin personnel du roi Abdul Aziz Ibn Saoud Ier. Jusqu'en 1952, Adnan fréquentera le prestigieux Victoria College d'Alexandrie, en Égypte. Parmi ses camarades de classe, il compte le futur roi Hussein de Jordanie. À partir de 1953, et pendant trois semestres, il étudiera les sciences économiques à la Chico State University, en Californie, puis poursuivra les mêmes études pendant encore un semestre à Palo Alto, à l'Université de Stanford.

En 1953, son père lui fait parvenir 10 000 dollars afin qu'il

---

1. Les peines de prison seront confirmées en appel.
2. Plusieurs orthographes de son nom de famille ont cours : "Kashoggi", "Khashoggi", ou même "Khashuqji, Adnan Muhammad".

s'achète une voiture. Adnan profite de l'occasion pour se lancer dans les affaires. Avec cet argent, il achète un poids lourd qu'il louera ensuite – avec chauffeur – à des entreprises américaines opérant dans son pays natal. Dans un document publié en 1994[2], le Département d'État américain date de l'année 1953 les premiers contacts noués entre Adnan Khashoggi et la famille d'Oussama Bin Laden. À cette époque, Muhammad Bin Laden, qui est l'un des entrepreneurs en construction les plus importants du Royaume saoudien, a un besoin urgent de camions pour son entreprise. Il en parle à son médecin, qui n'est autre que le père d'Adnan, lequel vient de faire fructifier ses 10 000 dollars. Toujours étudiant, Adnan Khashoggi arrange alors pour le compte de Bin Laden l'achat de cinquante poids lourd[2]. Pour remercier le jeune homme d'avoir mené à bien cette transaction, Bin Laden lui adressera un chèque de 50 000 dollars.

Adnan Khashoggi met prématurément un terme à ses études. En 1956, il est de retour au Royaume, où il arrange l'achat de camions américains pour le compte de l'armée saoudienne. Il fonde sa première société, Al Naser Trading Co, qu'il renommera plus tard, lorsqu'il s'établira à Luxembourg, Triad Holdings. Très vite, Khashoggi diversifie ses activités et fait fortune dans le trafic d'armes, en tant qu'intermédiaire. Il devient le représentant saoudien de plusieurs firmes américaines telles que Lockheed, Raytheon, Grueman, Northrop Corporation... Dans les années 60 et 70, ces sociétés lui verseront des commissions énormes pour négocier l'achat d'avions et de matériel aéronautique par le royaume saoudien. Parmi les firmes pour lesquelles Khashoggi fait office de représentant figurent encore Chrysler, Westland Helicopters, Fiat ou Rolls-Royce. Un peu plus tard, il deviendra le correspondant exclusif pour la région des plus grandes firmes allemandes, anglaises et françaises.

Les gigantesques revenus pétroliers engrangés durant ces années-là ont incité nombre de dirigeants du Golfe Persique à inves-

---

1. Intitulé : "Issues Factsheet on Bin Laden".
2. Auprès de la Kenworth Truck Company de Bellevue, dans l'État de Washington, cette même firme où il avait acheté son premier camion.

tir d'énormes sommes dans les achats d'armes et de matériel de guerre américain. Dès 1964, on parle d'Adnan Khashoggi comme de l'un des hommes les plus riches du monde. La plus grande partie de ses revenus est constituée d'honoraires, de commissions (souvent occultes) et de pots-de-vin. Rien que ses médiations au service de l'industrie américaine de l'armement lui auraient rapporté 500 millions de dollars en commissions entre 1965 et 1975. Une commission d'enquête du Sénat américain établira qu'à cette époque, 80 % des livraisons d'armes des États-Unis vers l'Arabie Saoudite passaient par l'intermédiaire de Khashoggi.

L'ami de la *jet set*

Grand ami des présidents américains Richard Nixon et Ronald Reagan, Khashoggi contribuera au financement de leurs campagnes électorales pour les élections présidentielles. On sait notamment qu'en 1972, il a offert 2 millions de dollars pour la campagne de Nixon. Soucieux de couvrir ses flancs aux États-Unis, il saura également s'adjoindre les services bienveillants de hauts fonctionnaires et d'agents de la CIA. Parmi ces hauts gradés de la Central Intelligence Agency, citons le patron du secteur Moyen-Orient, James Critchfield, le "super-agent" Kim Roosevelt[1], ainsi que Bebe Rebozo, un "ami" de Richard Nixon. Khashoggi, il faut le reconnaître, a très vite compris comment pénétrer les cercles du pouvoir, dans son pays natal aussi bien qu'aux États-Unis et dans bien d'autres pays par la suite.

Nous savons aujourd'hui qu'Adnan Khashoggi a, dès le milieu des années 60, considéré le Luxembourg comme une base tactique et stratégique de premier plan pour ses opérations. Toutefois, la plupart des commissions qui lui étaient versées atterrissaient sur des comptes en Suisse et au Liechtenstein. Ces multiples comptes apparaissaient et disparaissaient au gré des transactions, une tactique qui rend très difficile toute enquête ultérieure.

---

1. Celui-ci s'arrangera pour faire parvenir un petit pourboire à Hashem Hashem, le chef des forces aériennes saoudiennes, lors de transactions en faveur du groupe Northrop.

De son premier mariage, Adnan Khassoggi eut cinq enfants : une fille et quatre garçons (nés entre 1961 et 1974). Un cinquième fils naîtra de son deuxième mariage, conclu en 1978 avec Lamia Biancolini, une Italienne. Notons que la sœur d'Adnan fut – brièvement – l'épouse de l'Égyptien Mohamed al-Fayed, le patron du magasin londonien Harrod's.

KHASHOGGI ET MARBELLA

En 1986, Altaf Nazerali (l'homme de main d'Irving Kott à Luxembourg), ses amis de la BCCI et diverses personnalités du monde bancaire luxembourgeois — ainsi que leurs conseillers juridiques — ont fréquenté Khashoggi sur son yacht, ou à sa résidence La Baraka, alors qu'ils passaient leurs vacances dans une propriété d'Irving Kott située à proximité.

Khashoggi est passé maître dans l'art de flatter le narcissisme de ceux qui se croient indispensables. En 1985, pour fêter son 50e anniversaire, il avait convié le gratin du show biz et des affaires à Marbella. Quatre cents invités venus de tous les coins du monde y furent acheminés par avion, tous frais payés par le maître de cérémonie. Parmi ces hôtes de prestige : Sean Connery, Shirley Bassey, Brooke Shields, George Hamilton... et la "crème" de la jet set européenne. La fête avait duré quatre jours et coûté plusieurs millions de dollars. Elle s'était achevée par le "couronnement" du Roi Adnan Ier, à l'occasion duquel Lamia, sa deuxième épouse, avait revêtu une robe Chanel à 100 000 dollars et portait à son doigt un diamant de 21 carats. "La plus malsaine démonstration de mauvais goût et de vulgarité de tous les temps..." Tel fut le commentaire écœuré livré par un observateur présent à cette fête.

De fait, Adnan Khashoggi doit sa notoriété davantage aux "unes" de la presse *people* qu'aux articles de la presse financière. La *jet set* se sent obligée de briller à ses côtés lors des gigantesques fêtes qu'il organise au domaine de La Baraka, sa propriété de deux mille hectares située à Marbella, en Espagne ; ou sur son yacht de 86 mètres, le Nabila, qui porte le nom de sa fille ; ou encore dans sa demeure new-yorkaise de la 5e avenue, dans l'Olympic Tower, la Tour des million-naires[1]. Au sommet de sa carrière, au milieu des années 70, le budget des dépenses journalières d'Adnan Khashoggi était estimé à 300 000 dollars. Basée sur le trafic d'armes ou de pétrole, sa fortune était alors imposée à quelque quatre milliards de dollars. Le milliardaire possède diverses résidences, à Marbella, Paris, Cannes, Rome, Madrid, Bey-routh, Riyad, Monte-Carlo ou aux îles Canaries...

Au cours des années 70, la crise du pétrole ainsi que des contrôles plus aigus sur les trafics d'armes internationaux forcent Khashoggi à diversifier ses activités. Rêvant de faire de sa Triad Holdings le plus important conglomérat d'affaires dans le monde, il commence alors à acheter, pêle-mêle : des banques, des raffineries, des fermes à bétail en Argentine, des terres au Soudan et aux États-Unis, une société maritime finlandaise, OY Finline, qu'il rebaptise Saudi Ship-ping Company, etc. Mais bientôt, cette diversification poussée à l'ex-trême tourne à la débâcle, Khashoggi ne parvenant pas à recruter le personnel nécessaire à la gestion de ces entreprises nouvellement acquises. Parmi les projets qui tournent mal, il y a celui du Triad Cen-ter, à Salt Lake City, par lequel le milliardaire saoudien comptait s'im-poser comme un interlocuteur incontournable dans le domaine de l'immobilier nord-américain. Khashoggi en tirera la leçon : il ne peut réussir qu'en solitaire, et dans le seul domaine qu'il connaît à fond, le trafic d'armes.

Le flop subi par le projet de Salt Lake City lui a cependant causé un très sérieux problème de liquidités. Ne pouvant assumer ses nombreux engagements, Adnan Khashoggi sera forcé d'invoquer, pour sa société Triad America, la protection de l'article 11 de la loi sur les faillites. Ne pouvant rembourser ses dépenses mensuelles, il se voit retirer tempo-

---

1. Dans laquelle il occupait les 46e et 47e étages.

rairement sa carte de crédit par American Express. Les doutes sur sa solvabilité s'accentueront en 1986, lorsque son nom apparaîtra pour la première fois dans les tractations liées au scandale de l'Iran-Contragate.

Khashoggi et l'Irangate

Révélé fin 1986, l'Irangate est le surnom donné au scandale des livraisons d'armes secrètement effectuées par les États-Unis au profit de Téhéran – avec l'aide d'Israël – durant la première moitié des années 80. Les bénéfices dégagés par ces livraisons illégales ont par ailleurs servi à financer clandestinement la Contra nicaraguayenne, un mouvement de guérilla en lutte contre le gouvernement sandiniste en poste à Managua. Les armes en question étaient des missiles antichar TOW et des missiles anti-aériens de type HAWK – armes que les Américains avaient placées sous embargo d'exportation pendant la guerre Iran-Irak. Politiquement, l'opération a illustré le mépris des dirigeants américains envers leur peuple, qui venait d'essuyer l'offense des otages retenus à l'ambassade américaine à Téhéran par les Iraniens. Sur un plan géopolitique, l'attitude de l'Arabie Saoudite – qui, sollicitée pour participer à ce trafic, a collaboré avec Israël – a été considérée dans le monde arabe comme un acte de trahison de la part du royaume saoudien.

Adnan Khashoggi était en fait à l'origine de ce trafic qu'il avait élaboré avec Manucher Ghorbanifar, lequel y a joué, du côté iranien, un rôle clé. Ghorbanifar avait été présenté à Khashoggi au tout début des négociations que ce dernier avait entreprises aux États-Unis en faveur de la famille Bin Laden. Les deux hommes avaient été présentés par un des plus grands marchands de pétrole américains, Roy M. Fuhrmann, un ami du patron de la CIA, William Casey.

L'Irangate battait son plein aux États-Unis[1] quand Adnan Khashoggi sortit de sa réserve pour expliquer *sa* version de l'affaire.

---

1. Une procédure d'*impeachment* menaçait le président Ronald Reagan ; le lieutenant-colonel Oliver North faisait face à des poursuites disciplinaires et à des interrogatoires serrés devant le Congrès américain ; Robert Mac Farlane, collaborateur de Reagan à la Maison Blanche, venait de commettre une tentative de suicide...

Selon lui, il ne s'agissait de rien d'autre qu'une "petite affaire entre amis" : ses "amis américains" voulaient voir leurs otages libérés ; ses "amis iraniens" avaient un besoin urgent de se procurer des armes ; ses "amis saoudiens" étaient désireux d'aider leurs "amis américains" ; et Rabin faisait office de "nouvel ami" apte à faciliter l'affaire...

Adnan Khashoggi fit, à cette occasion, la démonstration de deux grandes "qualités" : sa faculté à faire de l'argent, et sa loyauté envers ses amis. Mais, si la célébration fastueuse de son 50ᵉ anniversaire, en 1985, a marqué l'apogée des fêtes qu'il avait données durant la décennie précédente, l'Irangate sonnera le glas des ambitions dévorantes de "l'Onassis de La Mecque". Car rien, malgré l'entregent du milliardaire saoudien, ne pourra plus calmer ses créanciers, devenus de plus en plus nombreux.

Le 18 avril 1989, Adnan Khashoggi est arrêté en Suisse. Il est incarcéré pendant 90 jours avant d'être extradé vers les États-Unis, le 19 juillet. Les autorités américaines l'accusent d'avoir aidé le dictateur philippin Ferdinand Marcos, et son épouse Imelda, à placer sur les marchés financiers internationaux les sommes qu'ils avaient soustraites illégalement au Trésor de l'État philippin. Khashoggi sortira de prison dès le 27 juillet 1989, moyennant le dépôt d'une caution de dix millions de dollars. Et le 2 juillet 1990, sur décision d'un jury new-yorkais, Khashoggi et Imelda Marcos seront disculpés des accusations portées contre eux un an auparavant...

En 1992, Dame Fortune sourit encore une fois à Adnan Khashoggi. Ce dernier fait office d'intermédiaire pour le compte du chef d'État libyen Kadhafi lorsque ce dernier décide d'acquérir une participation dans la chaîne d'hôtels Metropole, en Grande-Bretagne. Sur les 170 millions de livres déboursés par Kadhafi pour cette opération, Khashoggi aurait gagné, selon ses propres indications, une commission de 14 millions de livres.

Mais en mars 1997, nouveau revers : les autorités thaïlandaises saisissent, sur la fortune de Khashoggi, des actions représentant une contre-valeur de 9 millions et demi de dollars. D'après la presse thaïlandaise, le Saoudien aurait acquis ces titres de manière frauduleuse, après la faillite de la Bangkok Bank of Commerce, en 1996.

En juin 1998, *bis repetita* : Khashoggi doit se justifier devant un tribunal anglais après avoir essayé de payer, par des chèques non provisionnés, ses dettes au casino de l'hôtel Ritz, à Londres, à hauteur de 8 millions de livres anglaises.

Khashoggi et le Luxembourg

Étant donnée les maigres possibilités de recherche sur les acteurs du monde du commerce et de la finance offertes par le Registre du commerce luxembourgeois, nous avons dû nous contenter, au sujet des activités luxembourgeoises de Adnan Khashoggi, de trouvailles fortuites effectuées au hasard de nos recherches sur les affaires les plus diverses.

Nous avons ainsi découvert qu'au moment des premières nationalisations en milieu bancaire survenues en France, au début du premier septennat de François Mitterrand, Adnan Khashoggi et Pierre Moussa avaient agi ouvertement, et souvent de concert, sur la place de Luxembourg. L'un, Khashoggi, avec son International Bankers Incorporated (IBI) ; l'autre, Moussa, avec son groupe Pallas. Depuis un certain temps déjà, Khashoggi enregistrait discrètement ses sociétés sur la place de Luxembourg par le biais de sa Triad Holdings, alors que celle-ci opérait en réalité à partir de son siège de Beyrouth, au Liban.

Voici exposées quelques-unes de nos trouvailles : des combines derrière lesquelles se dessine la présence de Adnan Khashoggi...

1) Khashoggi et la First Arabian Corporation (FAC)

La First Arabian Corporation (FAC) a été fondée à Luxembourg le 12 octobre 1973[1]. Le président de son conseil d'administration était le Libanais Roger Tamraz, un ami de longue date de Khashoggi[2]. Une filiale de la société, FAC Management & Financial Services Ltd., s'était établie à Londres[3], mais ce bureau sera fermé sur ordre des

---

1. Elle était domiciliée au 10A, boulevard de la Foire, à Luxembourg.
2. Qui fera parler de lui un peu plus tard à l'occasion de l'affaire Péchiney.
3. Domiciliée à l'Imperial House, Dominion Street, Londres EC2.

autorités britanniques au début des années 80. Curieusement, à la même adresse londonienne, l'annuaire téléphonique pour l'année 1978 recensait une autre société : la WFC Ltd., Investment Bankers.

En composant le numéro de téléphone de WFC[1], en octobre 1979, on était accueilli par la formule : *"First Arabian..."* On vous précisait aussitôt que WFC venait de quitter l'adresse et que vous deviez vous adresser directement au Dr H. L. Tiefenthaler, le représentant de cette société sur la place de Londres, ou bien contacter directement le bureau de la WFC à Miami[2]. La WFC Ltd était en fait la filiale d'une société holding immatriculée au Delaware, un État parfois présenté comme une sorte de paradis fiscal au sein des États-Unis. Cette société présente un historique bien particulier qu'il convient d'étudier de plus près.

World Finance Corporation Inc. (WFC)

La World Finance Corporation Inc. a été fondée en 1971, aux îles Caïmans, par un exilé cubain du nom de Guillermo Hernandez-Cartaya. Banquier à Cuba sous le régime du dictateur Batista, Hernandez-Cartay était étroitement lié aux syndicats mafieux et aux milieux américains régnant sur l'industrie des jeux. À la prise du pouvoir par Castro, sa famille s'est réfugiée aux États-Unis et a élu domicile dans la région de Miami. Guillermo a participé à l'invasion ratée de la Baie des cochons, organisée par l'administration Kennedy. Il a été fait prisonnier à Cuba et, après sa libération, a rejoint sa famille en Floride.

En 1971, la WFC démarre avec un capital de 500 000 dollars, un bureau à Miami et cinq employés. Moins d'un an plus tard, la société accorde des prêts pour un total de 50 millions de dollars – dont 10 millions à la seule République du Panama. En 1973, le volume total des prêts fait plus que doubler, et la même année, l'Unión de Bancos (Panama) – également connue sous le nom d'Unibank – entre dans le capital de la WFC.

---

1. Le (01) 638 4311.
2. À l'époque : (001) 448 5000.

En 1974, la World Finance Corporation Inc. est enregistrée au Delaware comme société holding. Elle ouvre des bureaux à New York, Londres, Madrid, Mexico City, Panama City, Caracas (Venezuela), Bogota (Colombie), Lima (Pérou), San José (Costa Rica) et Kingston (Jamaïque). En 1975, la WFC accorde un emprunt syndiqué de 100 millions de dollars à la Colombie. La compagnie se lance en outre dans d'importantes affaires immobilières en Floride, au Nevada et au Texas.

Dès 1974, WFC a orienté une partie de ses ambitions vers le Moyen-Orient. La société apparaît, avec la First Arabian Corporation, aux côtés du gouvernement de l'émirat d'Ajman (Émirats arabes unis) dans la formation de l'Ajman Arab Bank.

En jetant un coup d'œil à la liste des associés de Guillermo Hernandez-Cartaya, on comprend très vite l'origine de la manne financière disponible dès le lancement de la WFC, comme en témoignent ces quelques exemples :

Juan Romanach, directeur de WFC : associé du mafieux américain Santos Trafficante, il est suspecté de trafic de drogues ;

Salvador Aldereguia-ORS, directeur chez WFC : il est connu comme l'associé de différents trafiquants de drogue ;

Mario Escandar : associé de Juan Caesar Restoy[1], il passe lui aussi pour un trafiquant de drogue ;

Richard ("Dick") Fincher : ancien sénateur de l'État de Floride, c'est un associé reconnu de divers mafieux américains et canadiens.

En 1978, alors qu'il est en visite dans l'émirat d'Ajman, Hernandez-Cartaya se voit placé en observation par les autorités de l'émirat. Le gouvernement du cheikh d'Ajman a constaté que Hernandez et ses associés étaient en train de "traire" l'Ajman Arab Bank. Hernandez parviendra à s'évader de la maison d'arrêt en utilisant un faux passeport

---

1. Juan Caesar Restoy était un associé de Marcello Hernandez-Cartaya, le père de Guillermo. En octobre 1970, à Miami, il fut tué par balle lors d'un raid des forces de l'ordre contre des trafiquants. Figure de proue du syndicat des drogues cubain opérant sur le territoire américain, il était étroitement lié à un groupe d'exilés cubains qui se livrait au trafic d'armes.

– que son associé, Alder Eguia-Ors, lui a obtenu. Les deux hommes seront par la suite arrêtés à Miami, mais sous la seule inculpation d'avoir utilisé un faux passeport. L'affaire semblait close. Mais le dossier sera rouvert en 1979-1980. Guillermo Hernandez-Cartaya et ses associés seront, cette fois, inculpés pour fraudes et évasion fiscale. Quant à l'Ajman Arab Bank, elle sera sauvée *in extremis* de la faillite par... la Bank of Credit and Commerce International !

Au cours de recherches effectuées sur les dossiers WFC et FAC, on a encore découvert des documents relatifs à une banque *offshore* du nom de World Financing Bank (WFB), dont 20 % des parts sont entre les mains d'Interpart SA-Luxembourg, une société reliée à la Sasea SA de Genève – elle-même étroitement liée à la First Arabian Corporation. On a appris à cette occasion, de sources bancaires italiennes, que cette WFB était contrôlée conjointement par Adnan Khashoggi et Akhram Ojjeh.

La Sasea et Khashoggi ont un autre dénominateur commun, puisque le vice-président de la Sasea SA n'est autre que l'Italien Antonio Lefebvre d'Ovidio. Or Antonio et son frère Ovidio étaient les représentants en Italie de Lockheed au moment du scandale et des affaires de corruption auxquels cette firme sera associée[1]. Khashoggi, de son côté, était le représentant de Lockheed pour l'Arabie Saoudite !

2) Quand Khashoggi et Calvi étaient partenaires

Le Saoudien Adnan Khashoggi et l'Italien Roberto Calvi ont été associés en affaires. Le 24 septembre 1973, tous deux ont créé à Luxembourg une société holding du nom de Elysees Capital Development Corporation. Parallèlement, ils ont fondé le même jour Elysees Capital Repurchase Company SA Holding. Ces deux sociétés se sont établies au 37, rue Notre-Dame, à Luxembourg. Elysees Capital Development Corporation sera dissoute en 1991[2].

---

1. Ovidio se fendra d'un séjour en prison.
2. Il semble – nous n'avons pas été en mesure de recouper cette information – que Khashoggi se soit par la suite retiré de la société pour se faire remplacer par Akhram Ojjeh.

Le parcours de Richard "Dick" Fincher mérite quelques développements. Durant les dernières années de règne de Fulgencio Batista, nous le retrouvons en effet comme directeur de l'Universal Resorts SA, une société panaméenne fondée[1] par l'autre banquier de la mafia : John ("Jack") Pullman[2]. Au début de la décennie 1970, Fincher a très souvent fait la navette vers la Handelskreditbank de Zurich, qui fera parler d'elle quelques années plus tard pour son implication dans l'affaire Ambrosiano. En 1974, Universal Resorts SA fait différentes "offres" pour obtenir des concessions dans le nouveau Casino Ruhl de Nice, contrôlé par Jean-Dominique ("Jeando") Fratoni et ses associés mafieux italiens. Sans succès, puisque les licences seront finalement attribuées à un compétiteur américain. Avant d'être fermé par les autorités françaises, quelques années plus tard, le "syndicat" de gérance du Ruhl s'était vu accorder un prêt de 5 millions de dollars par la Banco Ambrosiano — en l'occurrence, sa filiale de Nassau, aux Bahamas. On dit que Roberto Calvi aurait lui-même arrangé les détails de cet emprunt. Or Roberto Calvi était le partenaire d'Adnan Khashoggi dans Elysees Capital Development Corporation Luxembourg. Il faut savoir que Khashoggi compte parmi les plus éminents clients du Ruhl. Et que Samir Traboulsi — qui, lui aussi, se rendra célèbre au moment de l'affaire Péchiney — passe pour son "aide de camp". Un rapport britannique le qualifie en effet de "paymaster" de Khashoggi lorsqu'il s'agit d'apurer les dettes laissées par son mentor sur les tapis verts du Ruhl[3].

---

1. Sous le nom de Universal Resorts & Casinos SA.
2. Connu comme l'héritier de Meyer Lansky, Pullman lui avait servi de "porteur de valises".
3. Les autorités françaises trouveront ainsi, dans la comptabilité du Ruhl, la trace d'un chèque d'un montant de 4 millions de francs (daté du 28 octobre 1975) que Traboulsi a tiré sur son propre compte (n° 411407, auprès de la filiale niçoise du Crédit du Nord). De l'aveu de Fratoni, ce chèque était censé couvrir les dettes de jeu de Khashoggi à cette date.

Ce partenariat entre Khashoggi et Calvi aurait dû inspirer des recherches supplémentaires quant au prêt de cinq millions de dollars accordé à Socret SA, la société holding détentrice du Casino Ruhl, à Nice. Pour garantir ce prêt, les deux sociétés du groupe Ruhl s'étaient mises "en collatérales" : 51 % des actions de Socret, 50 % des actions de Seit, plus des garanties personnelles aux noms de Jean-Dominique Fratoni, Cesare Valsania et Arrigo Lugli[1].

Avant sa fermeture par les autorités françaises, le Casino Ruhl était connu pour servir au blanchiment de l'argent de la drogue et des sommes provenant du kidnapping.

3) Khashoggi, Traboulsi et l'"Italian Connection"

Adnan Khashoggi et Samir Traboulsi auraient lié connaissance avant même le début des années 70. Traboulsi, qui était connu des autorités françaises pour ses implications dans les trafics d'armes internationaux – et, en particulier, pour ses bonnes relations avec des groupes extrémistes palestiniens –, avait été déclaré *persona non grata* dans l'Hexagone. Cela ne l'a pourtant jamais empêché de circuler librement sur le territoire français, ni même de prendre résidence à Paris. Selon certaines sources françaises, Samir Traboulsi devait ses protections à l'ancien ministre UDR et ancien ambassadeur Charles-Louis de Chambrun, qui s'enlisa plus tard dans les transactions douteuses de Jean-Baptiste Doumeng, grand argentier du Parti communiste français.

Vers 1980-1981, l'industriel et financier milanais Carlo Cabassi est approché par Khashoggi, qui l'implore de venir en aide à son ami Samir Traboulsi, lequel fait l'objet d'une enquête des autorités italiennes sur une affaire de drogue. Carlo et Giuseppe Cabassi sont alors connus pour leurs excellents contacts avec Roberto Calvi et la Banco Ambrosiano (on dit même que Khashoggi aurait rencontré

---

1. Les Italiens Valsania et Lugli étaient connus pour leur appartenance à la mafia, tandis que Fratoni était étroitement lié à Samir Traboulsi.

Cabassi par l'intermédiaire de Roberto Calvi). Cabassi était en outre associé avec Francesco Pazienza, un ancien agent des services secrets italiens qui sera extradé des USA vers l'Italie pour y être entendu sur l'affaire de l'attentat de la gare de Bologne, et sur bon nombre d'opérations mafieuses. Cabazzi et Pazienza rencontreront Khashoggi sur son yacht, le Nabila, dans le port de Cannes. Pazienza offrira ses services pour obtenir que l'enquête visant Traboulsi soit suspendue du côté italien. Sa note de frais pour ce service rendu aurait avoisiné le million de dollars. Carlo Cabassi se serait, lui, vu offrir un étui à cigarettes en or massif pour son "amicale" prestation.

4) Khashoggi, Abdo Khawagi et les *call girls* de la Riviera

En marge d'autres affaires plus importantes où apparaît le nom d'Adnan Khashoggi, signalons les turpitudes du Libanais Abdo Khawagi. Figure bien connue de la Riviera française, ce dernier était le secrétaire particulier de Khashoggi. Mais du côté de Nice, la brigade des stupéfiants le soupçonnait surtout d'être un distributeur occasionnel de cocaïne. Le 22 février 1984, ce n'est pas pour trafic de drogue, mais pour avoir organisé et dirigé le racket d'un groupe de *call girls* basé sur la Côte d'Azur, que Khawagi sera condamné, à Nice, à trois ans de prison dont 18 mois avec sursis, ainsi qu'à une amende d'un million de francs.

5) Khashoggi et les diamants du Congo-Zaïre

Dans les années 1982-1983, Khashoggi souhaitait se lancer dans l'exploitation d'une mine de diamants au Zaïre[1], ce projet pouvant ensuite aboutir à l'exploitation d'une mine d'or. Carlo Cabassi, dont nous avons parlé plus haut, était impliqué dans un projet similaire en République Centrafricaine (RCA), à la frontière zaïroise. À cette époque, Cabassi était cité dans toute une série de *busi-*

---

1. Rebaptisé, depuis 1997, République démocratique du Congo.

ness illégaux : trafic de diamants en Angola, trafic d'ivoire au Zaïre et en RCA... Dans son édition datée de décembre 1983, le mensuel *South* publiait une interview de Victor Danenza, le coordinateur de ces projets africains nouvellement lancés par Khashoggi – et qui, on le sait aujourd'hui, ne démarreront jamais. L'affaire ne mériterait pas d'être mentionnée, n'eût été ce Victor Danenza.

Car ce citoyen américain qui travaillera pour Khashoggi avait fait l'objet de plusieurs condamnations pour fraude aux États-Unis, avant de venir frapper à la porte du milliardaire saoudien. Plus tard, fin 1986-début 1987, nous le retrouverons à Londres comme partenaire de Thomas F. ("Tommy") Quinn, un ancien avocat new-yorkais devenu fraudeur qui passera quelque temps en prison à Monte-Carlo, où l'affaire "Tommy Quinn" a défrayé la chronique.

Nous n'avons pu évoquer ici l'ensemble du réseau d'Adnan Khashoggi. D'autres sociétés (telles que la Libyan Arab Foreign Investment Company ; Lafico, Trans African Pipeline Corporation ; Tapco, Afro-Asian Consultants...) et personnalités (comme le Dr Ashraf Marwan[1], ancien officier des services de sécurité du président égyptien Sadate marié à la fille du président égyptien Nasser ; les Grecs Nicos Minardos ou Basil (Vassilos) Tsakos ; le général israélien Bar-Am ; l'ancien procureur américain Samuel Evans...) auraient mérité de figurer dans cette notice consacrée à l'une des plus intéressantes figures de "l'économie parallèle" de cette deuxième moitié du XXe siècle. Mais nous avons préféré nous limiter aux seules affaires présentant des ramifications vers les autres "entrées" de notre lexique...

---

1. Qui réside à Londres et Monaco.

DU LUXEMBOURG À LA SUISSE...

Le subtilités du Registre du commerce

Qui se donne la peine d'étudier, à longueur d'année, *Le Memorial*[1] – le *Journal officiel* du Grand-Duché – est susceptible d'y dénicher les surprises que réserve aux chercheurs le Registre du commerce luxembourgeois. De telles recherches, toutefois, ne sont pas facilitées par les éditeurs de cette publication, tant il est vrai que, lorsqu'il s'agit de justifier la défense du secret bancaire grand-ducal, le gouvernement luxembourgeois a l'habitude de considérer la Confédération helvétique comme le "compétiteur de comparaison". Avec ses quelque 60 000 pages annuelles, *Le Memorial* paraît depuis 1996 en version numérique. Disponible sur CD-Rom, cette édition présente pourtant quelques lacunes, puisqu'elle ne permet pas, par exemple, de procéder à une recherche en *"cross referencing"*[2]. C'est ainsi que les versions de 1996 à 1999 sont dotées de l'outil de recherche Acrobat Reader, qui permet de rechercher les seuls noms de sociétés dans un index accommodé pour être lu par ce programme. Les dizaines de milliers de pages annuelles sont en fait compilées en "mode graphique", et non en "mode texte", ce qui a pour effet d'empêcher toute recherche sur le nom des actionnaires, dirigeants, avocats d'affaires et autres réviseurs liés aux entreprises immatriculées au Luxembourg. Dans le cas qui nous occupe, la méthode choisie par *Le Memorial* ne permet pas de répondre à cette simple question : "Quelles sont les sociétés du registre du commerce dans lesquelles M. Adnan Khashoggi possède un quelconque intérêt ?"

L'Accès aux informations du Registre du commerce suisse[3]

Basé à Zurich, l'éditeur attitré du gouvernement helvétique, Orell Fuessli, publie depuis de longues années le *Schweizerisches Ragio-*

---

1. En particulier sa partie C.
2. Possibilité élargie de rechercher, dans des textes, des noms de personnes, d'institutions, etc., d'après des mots clés.
3. Si le Luxembourg permettait un accès à son registre du commerce aussi large que la Suisse, l'entraide internationale ne s'en porterait pas plus mal. Au contraire...

nenbuch ("L'Annuaire suisse du Registre du Commerce"). Parallèlement, un *Répertoire des administrateurs* ainsi qu'un *Atlas suisse des participations* sont publiés chaque année. Le *Répertoire des administrateurs* permet de savoir qui gère quelle société, avec quelles fonctions, et facilite les recherches croisées destinées à connaître l'ensemble des sociétés auxquelles appartiendrait le même administrateur.

En association avec Teledata, Orell Füssli publie ces trois registres sur CD-Rom. En matière de transparence, le Registre du commerce helvétique fait figure de modèle, avec cette publication entièrement ouverte à la recherche. Même si le prix élevé du *CD-Rom de l'économie suisse* (1 280 francs suisses pour l'édition 1999/2) résout une partie du problème. Voisins curieux, s'abstenir...

KOTT, Irving David

Irving Kott est né à Montréal le 12 octobre 1930, au sein d'une famille d'origine polonaise. Il se fera d'abord connaître sur les marchés canadien et américain, puis en Europe et en Amérique latine, par ses montages autour des *"penny stocks bucket shops"*[1]. À 32 ans, il est condamné une première fois par la Commission boursière du Québec à une amende de 10 000 dollars, pour s'être livré au commerce de titres non cotés. La police le soupçonne alors de travailler pour le compte du patron de la mafia de Montréal, Vincent Cotroni. En 1967, la même autorité boursière interdit à Allegheny Mining & Exploration Co. of Quebec de procéder à la promotion et à la vente de titres pour l'unique raison que cette société s'était adressée à Kott pour la mise sur le marché de ses valeurs – alors que celui-ci faisait l'objet, dans le même temps, d'enquêtes menées en Floride, à New York, Denver, Toronto, Vancouver et Montréal.

---

1. Terme ne pouvant être littéralement traduit en français, mais signifiant à peu près : bureau de négoce de titres bidon – de titres sans réelle valeur.

En 1973, alors qu'il s'est installé à New York, Irving Kott est accusé d'escroquerie boursière par la US District Court dans une affaire qui l'oppose au *tycoon* anglais Iain Jones, pour un montant dépassant 8 millions de dollars. Au Canada, la même année, la police opère une descente dans une société canadienne de Kott : la L. J. Forget Brokerage Firm. Sa licence est retirée à la société, dont les statuts et le capital illustrent une tactique que Kott appliquera par la suite sur d'autres continents : il ne détient pas la moindre action dans les sociétés qu'il "contrôle" !

Un an plus tard, Irving Kott est arrêté, avec huit autres personnes, pour des fraudes commises dans la vente des actions d'une certaine Somed Mines Ltd. à des investisseurs basés en Ontario, au Québec et en Europe. L'un des huit personnages arrêtés avec Kott, Stanley Bader, lui aussi fraudeur notoire, deviendra un informateur de la police contre Vincent Cotroni et un autre patron de la mafia de Toronto, Johnny "Pops" Papalia. En mars 1982, Bader sera tué par balles devant son domicile, pourtant gardé par la police, au nord-est de Miami.

En 1976, Kott plaide coupable dans le dossier de la Somed Mines Ltd. Il est condamné à payer une amende de 500 000 dollars, soit la plus forte amende jamais prononcée jusqu'alors par un tribunal canadien. En même temps, avec dix-huit autres personnes, il est accusé d'être impliqué dans une nouvelle fraude portant sur 5,5 millions de dollars. Cette énième affaire concerne la Continental Financial Corp., à Montréal, filiale d'une société d'origine américaine, l'Industrial National Corp., elle-même propriétaire de l'Industrial National Bank of Rhode Island.

En 1978, alors que Kott est toujours suspecté par les autorités canadiennes de travailler pour les Cotroni, ses relations avec le clan mafieux se gâtent lorsque certains de ses membres sont épinglés à l'occasion d'un raid des autorités contre les affaires de Kott. Les Cotroni suspectent ce dernier d'avoir intrigué contre eux. Michael Pozza, garde de corps d'Irving Kott, est abattu par balles alors qu'il était convoqué par la police dans le cadre d'une enquête portant sur le contrôle par la mafia de l'industrie vestimentaire de Montréal.

Le 28 août 1978, Kott échappe à un attentat monté par la mafia. Une bombe était placée sous sa voiture, dans le parking de l'immeuble où étaient installés ses bureaux (chez Highland Knitting Mill Inc.). Un gardien du parking chargé de balayer touchera au détonateur, il sera blessé ainsi qu'un client. La Mercedes de Kott, elle, n'est plus qu'un amas de ferraille.

En 1979, Irving Kott est à nouveau sévèrement condamné pour avoir, sept ans auparavant, diffusé des informations erronées dans un prospectus d'émission[1] qui avait suscité l'intérêt des investisseurs pour une valeur (Fallinger Mining Corp.), distribuée via sa société L. J. Forget. En 1981, sa condamnation à quatre années de prison sera annulée en appel.

Les activités de Kott hors des États-Unis et du Canada

Aux Pays-Bas

En 1983, la First Commerce (Securities[2]) BV, alors au centre du montage de sociétés établies par Kott sur le territoire européen, ouvre ses bureaux à Amsterdam, dans le prestigieux World Trade Center (près de l'aéroport de Schiphool)[3]. Elle deviendra en 1986 le plus important client de la société de téléphonie d'Amsterdam, avec des factures mensuelles de 400 000 dollars ! Les employés y font les "trois huit", à raison de quarante personnes par équipe se relayant au téléphone pour tenter de séduire, sur la base de mailings professionnels, les investisseurs des cinq continents[4].

---

1. Il s'agit d'une brochure vantant les mérites d'une nouvelle valeur mobilière.
2. *Securities* est le terme anglo-saxon désignant les valeurs mobilières (actions, obligations...).
3. Il faut cependant noter que le holding du groupe, Alya Holdings, était établi à Luxembourg (à l'instar du réseau de la BCCI). En réalité, seuls les bureaux d'Amsterdam exerçaient une réelle activité, le holding luxembourgeois n'étant qu'une "coquille vide". Au moment où les affaires de Kott commenceront à sentir le roussi aux Pays-Bas, une pseudo-comptabilité d'Alya Holdings sera créée de toutes pièces pour simuler une activité réelle sur la période 1983-1986.
4. La devise d'Irving Kott, véhiculée par Altaf Nazerali, vaut son pesant de cynisme : *"Il se lève un idiot chaque matin, à toi de le trouver !"*

Le 9 mai 1986, la police néerlandaise ferme les bureaux de la First Commerce Securities (FCS) pour escroquerie. Le montant des factures de téléphone non payées par la société s'élève alors à 750 000 dollars, preuve que les efforts visant à attirer les investisseurs ont été intenses. À la suite de cette première alerte, la First Commerce Securities change d'adresse et continue ses opérations jusqu'en novembre 1986, date à laquelle la police investira à nouveau ses bureaux, dans le centre d'Amsterdam. La faillite de la FCS sera finalement proclamée en janvier 1987.

Entre-temps, dans le courant de l'année 1985, Irving Kott a échappé à une deuxième tentative d'attentat. Il commence alors à voyager sous de faux noms : Dr Sanchez, M. Sanchez, Irving David... Lorsqu'il voyage vers l'Europe, il achète toujours deux billets d'avion : l'un à destination de Paris et l'autre d'Amsterdam. Ce n'est qu'au tout dernier moment qu'il décide quel vol il empruntera.

Signalons que, quelques années après avoir eu affaire aux autorités néerlandaises, Kott réapparaîtra à Rotterdam derrière le Rotterdam Investment Group (RIG), une société se présentant comme experte en production cinématographique. RIG s'est d'ailleurs assuré la collaboration de Francis Ford Coppola, dont les relations avec certains milieux mafieux ne datent pas seulement de l'époque du *Parrain*. Kott co-financera la production du *Parrain III* via RIG, comme nous le confirmeront des membres du personnel de la société.

Si la First Commerce (Securities) BV reste la société la plus fameuse du groupe mis sur pied par Kott à Luxembourg, Alya Holdings, les autres sociétés qui le composent doivent être mentionnées pour permettre de cerner les structures tentaculaires du système de distribution des *"penny stocks"*.

Au Luxembourg

- Alya Holdings SA (le holding du groupe de Kott)
- Interalya SARL (une société de services travaillant pour le compte du groupe)
- Asset Investment Management and Brokerage SA (AIM)

Après avoir racheté la société d'agents de change Fintrust International[1] (du Néerlandais Baldwin Ottervanger), Asset Investment Management and Brokerage SA (AIM) s'est établi comme membre de la Bourse de Luxembourg et de la Bourse européenne des options, à Amsterdam. Cette pirouette a permis à cette société contrôlée en sous-main par Irving Kott d'obtenir son siège en Bourse.

Au sein du conseil d'administration d'AIM à Luxembourg, plusieurs hommes de paille agissent pour le compte d'Irving Kott.

Altaf Nazerali. Ce Pakistanais dispose d'un passeport canadien, sa famille vivant à Vancouver. Nazerali entretient des contacts étroits avec le marchand d'armes saoudien Adnan Khashoggi.

Sinan A. Raouff. Diplomate irakien demeurant alors à Genève, il est, comme Nazerali, actif dans le trafic d'armes pour le compte de la Gulf International (impliquée dans l'affaire de la Bank of Credit and Commerce International). Il a passé la majeure partie de sa carrière diplomatique dans les ambassades irakiennes à Washington, Tokyo et Bonn.

Alphonse Schmit. Ce Luxembourgeois a été le directeur de Paribas-Luxembourg, et celui de l'Industriekredietbank allemande à Luxembourg. Il a également dirigé sa propre société de Bourse, la Compagnie luxembourgeoise de gestion financière (Colugefi SA). Il siégeait en outre à la Commission de la Bourse au moment de la reprise de Fintrust par AIM.

Albert Wildgen. Avocat luxembourgeois.

Quand Irving Kott, suite aux événements d'Amsterdam, s'est trouvé contraint de plier bagages vers Luxembourg, il a fait entrer en scène un agent de change déchu venu de la Bourse de Boston, Michael T. Harte (patron d'une société du nom de Nautilus), pour "racheter" AIM... en homme de paille. Mais lorsque les condamnations de Harte à Boston ont été connues à Luxembourg, Kott a dû élaborer un nouveau plan pour parvenir à ses fins. Finalement, AIM

---

1. Celle-ci était devenue inactive.

sera rebaptisé Petrusse Securities SA, et les hommes de paille introduits après les démissions de Schmit et Wildgen, fin 1986, seront remplacés par de nouveaux figurants. Joseph El Gamal, un ancien cadre de la BCCI/BCP (Banque de commerce et de placement), sera engagé par Nazerali pour devenir le nouvel administrateur délégué d'AIM-Petrusse.

AIM a étroitement collaboré avec la BCCI, dont l'administrateur délégué, Kazem Naqvi, est lié à la famille d'Altaf Nazerali. Sous son nouveau nom de Petrusse Securities, la société de Kott a également fait une apparition remarquée dans l'affaire Péchiney. En effet, le financier israélien Leo Arie From, qui agissait pour le compte – et au nom – de Petrusse dans l'affaire Péchiney, n'était autre qu'un étroit, et ancien, collaborateur d'Irving Kott[1].

Comme aux Pays-Bas, le Rotterdam Investment Group (RIG) a fait son apparition sur le territoire luxembourgeois au début des années 90, à un moment où le gouvernement grand-ducal venait de créer un environnement favorable à la production cinématographique. Aussitôt après apparaissent, en divers lieux du Grand-Duché, en particulier dans la vieille ville de la capitale, les premières équipes cinématographiques. On engage de nombreux figurants pour un film sur Dracula, avec en vedette Christopher Lee. Mais les figurants ne seront jamais payés de leurs efforts. On apprendra plus tard que RIG avait déjà utilisé le même projet et les mêmes stratagèmes pour soutirer des financements à un groupe bancaire néerlandais.

À Luxembourg, RIG sollicitera du gouvernement 300 millions de francs luxembourgeois en subsides pour un projet de construction de studios cinématographiques à Steinsel, petite commune au nord de la capitale, dans la vallée de l'Alzette. Le pire sera évité au dernier moment, RIG ayant, entre-temps, été détecté par les autorités néerlandaises comme une société-écran d'Irving Kott.

---

1. From, entre autres états de service, avait eu maille à partir avec les autorités allemandes pour vente illicite de titres.

Dans les autres pays

Si les premières tentatives d'Irving Kott pour s'établir en Europe sont antérieures aux années 80, c'est durant cette décennie qu'elle ont été les plus massives. Différentes sociétés sont alors regroupées sous l'entité Alya Holdings, créée le 9 novembre 1984 auprès de la Fiduciaire Faber :

- Interalya Services SARL - Luxembourg ;
- Asset Investment Management and Brokerage SA (AIM) - Luxembourg ;
- First Commerce Securities BV (FCS) - Amsterdam ;
- Investors Discount Brokerage (IDB) - Londres ;
- Euroamericana de Inversiones (EADI) - Montevideo, Uruguay.

Il était également prévu d'ouvrir une société allemande, dont le nom avait déjà été fixé : Invent AG.

Irving Kott et son lieutenant Leo Arie From avaient déjà opéré en Allemagne quelques années auparavant. Leur société Capital Consultants, basée à Francfort, y avait même défrayé la chronique. Leo From avait, en effet, géré pendant un temps un établissement de nuit de la fameuse Reeperbahn, le quartier chaud de Hambourg : le Caesar's Palace. Après l'incendie de cet établissement, From avait eu affaire aux autorités, qui parlaient d'escroquerie à l'assurance. L'homme de Kott n'avait pas insisté.

À en croire l'histoire que Nazerali racontait au Tout-Luxembourg lors de ses repas d'affaires au Cercle Muenster, c'est en Allemagne que Kott aurait disposé de ses plus solides appuis politiques. Celui de Willy Brandt, alors maire de Berlin, qui deviendra plus tard chancelier social-démocrate[1]. Toujours selon Nazerali, Kott aurait soutiré à Willy Brandt 200 millions de deutschmarks pour financer des usines de production de voitures automobiles "amphibies" aux alentours de Berlin.

---

1. Irving Kott aurait profité de ses relations particulièrement amicales avec Golda Meir pour être introduit dans le cercle restreint des dirigeants de l'Internationale socialiste, et être ainsi mis en contact avec Brandt.

Nazerali affirmait que BMW et NSU (aujourd'hui Audi) auraient joué le rôle de constructeurs. Mais qu'après avoir produit 4 000 véhicules de ce genre, le projet aurait été abandonné faute d'avoir trouvé une clientèle intéressée par l'achat d'une "amphibie" qui, sur terre comme dans l'eau, ne faisait que du 40 km/h de vitesse de pointe[1].

Alya Holdings comme AIM entretenaient des relations bancaires privilégiées avec la Bank of Credit and Commerce International (BCCI) ; la Banque de commerce et de placement (affiliée à la BCCI) ; Attel et Cie, à Genève ; et la Republic National Bank of New York à Luxembourg, New York et Montréal[2]. Il est cependant impossible de décrire ici toute l'étendue des activités internationales d'Irving Kott. La multitude de sociétés qu'il a créées, puis rebaptisées, pour les besoins de causes peu avouables rend quasiment impénétrable la jungle ainsi constituée par Kott pour se soustraire au regard de tout enquêteur éventuel. Un de ses collaborateurs canadiens, qui avait été délégué comme "vendeur" chez AIM à la fin des années 80, a décrit ainsi la politique appliquée par Kott dans l'environnement bancaire et financier international : *"Irving applique un des principes de Che Guevara : créer un, dix, cent Vietnam, et plus !*[3]*"*

---

1. Nous n'avons pu obtenir confirmation de cette histoire racontée par l'un des plus étroits collaborateurs de Kott. Mais nous avons trouvé, dans la littérature consacrée aux voitures amphibies, assez d'indications pour croire qu'il pourrait s'agir du modèle "Amphicar", développé à partir de "l'Alligator" du fameux ingénieur automobile allemand Hanns Trippel (*cf.* Hasso Erb, *Schwimmwagen, PKW & LKW – Motorbuch Verlag*, Stuttgart – ISBN : 3-613-01165-4).
2. Cette banque est alors la propriété du banquier Edmond Safra, décédé fin 1999 dans l'incendie de l'appartement qu'il occupait dans sa banque à Monaco. Edmond Safra et Irving Kott s'étaient livré bataille, au début des années 80, dans l'affaire de la Trade Development Bank à Genève. Le résultat de ce duel avait consisté dans la reprise par Safra de la Republic National Bank of New York, alors que Kott apportait ses faveurs au groupe American Express (quelques années plus tard, on découvrira dans l'annexe au bureau du directeur d'American Express à Paris, un laboratoire clandestin de raffinage d'héroïne).
3. *"Irving is following the Che-principle : Create one, ten, and more Vietnam !"*

Pour donner une petite impression de cette "forêt vierge" plantée par Kott, reprenons la liste de ses sociétés présentée dans un rapport de la police canadienne, sous le titre : "Principales sociétés de façade utilisées par M. Irving Kott" (à noter que cette liste ne fait aucune mention des sociétés alors connues en Europe).

Belgium Standard Ltd. – Ontario, Canada
Berncam International Industries Ltd.– Québec, Canada
De Voe Holbein International Inc. – Curaçao, Antilles néerlandaises
First Commerce Securities B.V. – Bahamas ; Amsterdam
Highland Knitting Mills Inc. – Québec
Ikama Industries Co. –Bermudes
Janus Financial Consultants Inc. – Québec
Kildonan International – Bermudes
Mandrake Securities Ltd. – Bermudes
Mac Heath – Stanin Ltd. – Bermudes
Ocean Center Management Ltd. – Bermudes
Panavision Canada Ltd. – Québec
Schreiber Ltd. – Bermudes
Sogevex Inc. – Québec
The Great Canadian Knitwear Co.Ltd. – Québec
Turret Consultants Inc. – Québec
W.S.P. Marketing International Ltd. – Québec
80355 Canada Ltd. – Québec
102473 Canada Ltd. – Québec
109195 Canada Ltd. – Québec

Il ne faut pas croire qu'Irving Kott se serait retiré du business depuis l'époque de la First Commerce Securities, d'AIM, de Petrusse Securities... ou de l'affaire Péchiney. Au contraire, la presse financière internationale nous renseigne de temps à autre sur ses nouveaux montages. Mentionnons quelques-unes des sociétés de Kott citées depuis le début des années 90, dont certaines ont déjà donné leur nom à de nouvelles "affaires" :

Tjoeroeg Beheer NV – Rotterdam, Pays-Bas

Bridgewater International Inc.– Connecticut, USA

actionnaire dans Petrusse Securities International (PSI) SA, tout comme :

Optiekantoor-Rotterdam

Effectenkantoor-Rotterdam

Greentree Securities Corporation à New York, Boca Raton, Amsterdam

Rotterdam Investment Group (RIG)

Convoy Capital Corporation (CCC), anciennement Western Allenbee Oil & Gas

J.B.Oxford – Bâle, Suisse

Financial Network International Corp. (FNIC) – Bruxelles

Cimm Inc. – USA

Europlacements Ltd. – Bahamas (créée avant Alya, AIM et FCS ; elle aurait détenu des actions de ces sociétés !)

Tricor Holdings Co. Inc. – Québec, Canada

Global Asset Management Inc. – Vancouver, Canada

Financial Stategies International – La Haye, Pays-Bas

Nulle part au monde, aucune autorité n'a jamais osé rechercher le détail des liens existant entre des personnages comme Irving Kott, Altaf Nazerali, Kazem Naqvi, Henry J. Leir, Nadhmi Auchi, Adnan Khashoggi... Avait-on peur de risquer sa carrière, alors qu'on commençait à entrevoir les relations établies par ce petit monde avec les plus hauts cercles politiques ? Sans parler de l'implication des milieux politiques luxembourgeois, nous pouvons faire le même constat dans beaucoup d'autres pays. Aux Pays-Bas, Altaf Nazerali avait toujours coutume de s'adresser à l'ancien ministre Van der Stee (Affaires étrangères) par un chaleureux : *"Dear Fons !"* En Angleterre, un ancien diplomate excentrique de Sa Très Gracieuse Majesté, Tony Rushford, avait été choisi par Kott pour présider l'Investors Discount Brokerage, à Londres. Quand Kott avait dû plier bagages et quitter Londres, dans la foulée de l'affaire First Commerce, Tony Rushford s'était déclaré acquéreur d'IDB.

Des protections en fer forgé...

LANSKY, Meyer

Le "parrain des parrains", consacré par Francis Ford Coppola dans *Le Parrain II*, de son vrai nom Meyer Suchowljansky, est né à Grodno, sur la frontière russo-polonaise[1], vers 1902 – sa date de naissance exacte n'est pas connue. À sa naissance, Meyer était un sujet de sa majesté Nicolas II, dernier tsar de toutes les Russies. Le 8 avril 1911, avec sa mère et son frère Jacob, il débarque à Ellis Island, dans le port de New York, où Max Suchowljansky, leur père et mari, les attend. Max, devenu entre-temps Max Lansky, avait quitté Grodno dès 1909 pour préparer l'émigration de sa famille vers les États-Unis.

Dès ses jeunes années, Meyer rencontre, dans les rues de New York, ceux qui vont devenir plus tard ses plus proches associés : "Lucky" Luciano et "Bugsy" Siegel. Les trois commencent leur "carrière" en s'imposant comme les caïds du marché noir. Dans les années 30, Lansky se fait le spécialiste de l'organisation de toutes sortes de jeux illégaux, et développe ces activités à une échelle industrielle. Le dictateur cubain Fulgencio Batista fera de lui son conseiller particulier en matière d'arnaque – via les casinos installés à Cuba –, aux fins de *"plumer ces riches américains*[2]*"*, les principaux clients des casinos.

Au début de la Seconde Guerre mondiale, Lansky travaille pour les services de renseignement de la marine américaine. Les États-Unis ont recours à ses services, comme à ceux de "Lucky" Luciano, pour préparer l'invasion de la Sicile. Certaines sources font même état de son rôle de conseiller dans les coulisses de la conférence de Bretton Woods ! À cette époque déjà, il est connu sous l'étiquette de *"banquier de toutes les mafias"*. D'autres titres "honorifiques" lui seront attribués par la suite, comme *"le Cerveau de la pègre"*, *"l'Inventeur du crime organisé"*, etc.

---

1. Grodno était tantôt situé en Russie, tantôt en Pologne, parfois aussi en Allemagne.
2. Citation tirée de *Meyer Lansky. Der Gangster und sein Amerika* (traduit de l'américain : *Little Man. Meyer Lansky and the Gangster Life*, par Robert Lacey), Ed. Gustav Lübbe-Verlag, Bergisch-Gladbach, 1992.

En 1951, une commission d'enquête du Sénat américain s'intéresse à lui, le suspectant d'être la tête pensante du crime organisé aux États-Unis. Lansky essaye de se racheter une conduite en développant des activités plus légales. Trop tard, il est rattrapé par son passé. L'État d'Israël lui refuse même le droit d'immigrer.

Meyer Lansky mourra le 15 janvier 1983, laissant derrière lui une fortune supposée qui se chiffrerait autour de 300 millions de dollars. Fortune dont personne, à ce jour, n'a retrouvé la trace.

HENRY J. LEIR

De son vrai nom Heinrich Hans Leipziger, Henry J. Leir est né dans une famille juive le 28 janvier 1900, à Rossberg / Beuthen, en Silésie supérieure (près de Cracovie)[1], grand centre de l'industrie lourde. Son père s'appelle Isidor Michalkowitz, et sa mère, Johanna Bergmann. Lorsque son père décède, en 1911, sa mère se retrouve seule avec six enfants : son fils aîné, Heinrich Hans, et cinq filles. Une fondation privée s'occupera de financer les études du jeune garçon, qui quittera l'enseignement avec un diplôme d'études secondaires. Très vite, celui-ci devra contribuer à la survie matérielle de sa famille.

Dès 1919, Heinrich exerce son premier emploi connu chez les aciers Wolf Netter, à Ludwigshafen, en Allemagne[2]. Sa progression y est rapide, puisque deux ans plus tard il en sera nommé fondé de pouvoir. Il restera sous contrat chez Wolf Netter jusqu'en 1931, et ses premiers voyages d'affaires le conduiront à Luxembourg où, dès 1921, il achète pour son patron de l'acier produit par la firme Arbed.

Le 24 janvier 1929, Heinrich Leipziger épouse Erna Doris Schloss[3]. Du 1er septembre 1931 au 7 juin 1933 le couple habite Bonn[4], où Heinrich travaille comme directeur de la firme Magnesit-

---

1. Alors en Prusse, aujourd'hui Bytom en Pologne.
2. Du 10 janvier 1919 au 1er septembre 1931, il réside à Mannheim (rue Richard-Wagner, n° 21).
3 Née à Framersheim le 2 juin 1902.
4. Siebengebirgstrasse, n° 12.

GMBH. Le 8 juin 1933, changement de cap : Leipziger se présente devant l'état civil de la ville de Luxembourg, et déclare avoir pris résidence au Grand-Duché depuis la veille. Il signe sa déclaration sous le nom de Hans Leipziger. Le couple réside d'abord à l'hôtel Brasseur, Grand'Rue, à Luxembourg-Ville, avant d'emménager dans sa première demeure luxembourgeoise à partir du 22 juin 1933[1]. Trois mois plus tard, le couple déménagera à nouveau[2].

Le 11 août 1933, deux mois après son arrivée à Luxembourg, Heinrich Hans Leipziger crée la Société anonyme des minerais, dont il est le premier président. C'est à partir de cette entreprise qu'il bâtira son empire.

En août 1937, sous le pseudonyme de "Tom Palmer", Leipziger-Leir publie, aux Éditions luxembourgeoises Malpartes-Verlag Evy Friedrich, un livre dont le titre est tout un programme : *La Grande Compagnie de colonisation*. Alors que le titre est formulé en français, le sous-titre – *Dokumente eines grossen Plans* (*Documents d'un grand projet*) – est en allemand. Quant au contenu de l'ouvrage, une succession de correspondances fictives entre cette Société de colonisation et différents interlocuteurs, il est rédigé indifféremment en français, en anglais ou en allemand.

Tom Palmer-Leipziger disait de son livre qu'il s'agissait *"d'une histoire sur un avenir meilleur"*. L'histoire en question commence le 2 mai 1938 avec la création d'une société utopique, et se termine le 28 janvier 1970 avec l'annonce du décès de l'industriel Henry Linger (un autre *alter ego* de Leir). Dix-huit pays sont actionnaires de la Grande Compagnie de colonisation, dont les objectifs sont la colonisation de l'Europe et d'autres continents[3].

---

1. Au n° 4, rue J.-B.-Fresez.
2. Et s'installera rue de Crécy, au numéro 28, le 31 septembre 1933.
3. Au moment de sa sortie, plusieurs critiques verront dans cet ouvrage l'inspiration de l'homme politique allemand Walter Rathenau (1867–1922). Président du trust Allgemeine-Elektrizitäts-Gesellschaft (électricité), celui-ci a publié en juillet 1914, dans un quotidien berlinois, un long article préconisant – dans l'espoir de parvenir à éviter la guerre – la création d'une sorte d'Union économique européenne.

La guerre

En décembre 1939, celui que nous appellerons désormais Henry J. Leir[1] quitte le Luxembourg pour New York, avec son épouse Erna. La même année, le Grand-Duché de Luxembourg a fêté le premier centenaire de son existence. À cette occasion, la grande-duchesse Charlotte (1896-1985) a élevé l'industriel Henry Leir au rang d'officier de la Couronne de Chêne, dans les ordres nationaux. Ce dernier précédera en exil la cour grand-ducale et son gouvernement, qui quitteront le Luxembourg dans la matinée du 10 mai 1940, jour de l'invasion allemande.

Les liens d'amitié intimes – datant d'avant la Seconde Guerre mondiale – qui unissent le président américain Franklin Delano Roosevelt aux membres de la famille grand-ducale favoriseront, pour les décennies à venir, les échanges entre la superpuissance et l'un des plus petits États au monde. Il est vrai que Sara Delano (1854-1941), la mère du président des États-Unis, avait des ancêtres luxembourgeois. Durant ces années d'exil se forgeront des liens très forts entre la Maison Blanche, la cour grand-ducale et le gouvernement en exil, et l'homme d'affaires "universel" que devient Henry Leir.

Dès son arrivée aux États-Unis, Leir a obtenu un passeport. En 1939, il fonde sa première société américaine, la Continental Ore Corporation[2]. Il en sera président jusqu'en 1968, année où il cédera cette entreprise à l'International Minerals and Chemical Corporation Chicago, tout en s'assurant une large participation dans son capital.

L'après-guerre

Ancien commissaire luxembourgeois à Bruxelles, ancien grand-maréchal de la cour grand-ducale et historien, Christian Calmes a été

---

1. Il ne nous a pas été possible d'identifier avec certitude la date à laquelle Heinrich Hans Leipziger est devenu "Henry J. Leir". Tout laisse à penser que ce changement de nom s'est opéré après 1939.
2. En 1962, cette société était domiciliée au n° 500, 5th Avenue, à New York.

l'un des initiateurs de la réédition, en 1980, du livre de Palmer-Leir par la Clark University américaine. En préambule à cette édition, il nous informe que Henri Leir a publié le 11 février 1946, dans le journal belge *La Meuse*, un article dans lequel il préconise des solutions "à l'américaine" pour relancer l'économie européenne. Il y évoque notamment le problème de la Sarre, ou encore le rôle à jouer par le Luxembourg dans la reconstruction de l'Europe... Calmes est d'avis que les idées de "Tom Palmer" ont préparé le chemin aux Marshall (et son plan du même nom) et autres Monnet (un des pères de l'Europe), et livré les visions théoriques du Club of Rome et du Club de Paris. Les théories développées au Club de Paris pouvaient se résumer ainsi : "Aider les autres à s'aider eux-mêmes, c'est aussi se rendre service à soi-même".

Dès 1946, HJL retourne régulièrement à Luxembourg pour des séjours de plus en plus longs. C'est à partir du Grand-Duché qu'il mettra sur pied, dans trente cinq pays, des "bureaux de vente" pour sa Société des minerais.

Entre 1948 et 1952, un portrait de Henry Leir serait apparu en "une" d'un grand magazine américain de type *Newsweek* ou *Time*. HJL y aurait été présenté comme *"le plus grand marchand d'armes au monde"*. Cette information nous a été confiée par une personnalité très proche à la fois de la cour grand-ducale et de Leir. Si nous n'avons pas été en mesure de retrouver le magazine en question, nous avons en revanche rencontré, dans différents coins du monde, des personnages importants liés aux trafics d'armes – officiels aussi bien que parallèles – pour nous confirmer l'information.

1961 à 1991

Henry J. Leir joue un rôle important dans l'implantation de firmes américaines à Luxembourg. Déjà en 1949, on le retrouve actif dans les tractations qui amènent Goodyear au Grand-Duché. En 1962, il convainc Du Pont de Nemours d'installer une de ses usines – parmi les plus importantes au monde – sur le territoire luxembourgeois[1]. Le 29 août 1963 est constituée la Monsanto Cie SA, implantée pendant quelques années seulement à Echternach, une ville située au cœur de la "Petite Suisse luxembourgeoise" – la région touristique par excellence du Grand-Duché. Au 30 juin 1967, la Monsanto apparaît, dans les statistiques du ministère de l'Économie nationale du Luxembourg, au quatrième rang des entreprises basées sur le territoire (au regard de la population active par secteur industriel), après l'Arbed (sidérurgie), la MMRA (sidérurgie) et Goodyear (pneus). Monsanto quittera pourtant le Luxembourg en 1979, en période de plein essor. Aujourd'hui encore, on est en droit de se poser des questions sur ce départ précipité, même si le ministère de l'Économie de l'époque écrit, dans *L'Économie luxembourgeoise en 1978 et 1979* : *"En raison des surcapacités existant sur le marché européen, résultant en majeure partie des importations massives de produits manufacturés en fibres synthétiques et naturelles, la plus grande entreprise de ce secteur (Monsanto) a arrêté ses activités."*

Pourquoi une entreprise industrielle ayant la mainmise sur son secteur prendrait-elle une telle décision au moment où elle obtient les plus juteux bénéfices depuis son implantation ? Pourquoi, face à cette situation de "surcapacité", Monsanto a-t-elle simplement transféré son usine du Luxembourg vers le Royaume-Uni ? On a appris depuis qu'entre autres activités, Monsanto avait fabriqué du napalm, dont une part significative a servi au Vietnam...

Henry J. Leir ne s'est pas contenté de favoriser l'implantation au Luxembourg des trois mastodontes industriels que nous avons cités plus haut. Dans le secteur financier et bancaire, il a contribué à l'installation de banques américaines comme la Wells Fargo Bank, la Bank of America, la Bank of Boston, l'Overseas Development Bank (la banque de l'IOS), etc. Il a siégé au conseil d'administration de la

---

1. En cette année 1962, l'édition du *Who's Who ?* consacrée au Luxembourg donne les adresses suivantes pour Henry J. Leir : 115, Central Park West, New York, 23 NY ; 55, Branchville Road, Ridgefield, Connecticut, USA ; 11 B, boulevard du Prince-Henri, Luxembourg.

Banque de Paris et des Pays-Bas pour le Grand-Duché de Luxembourg (Paribas), et on peut le considérer comme le fondateur de la Banque continentale du Luxembourg (BCL).

En 1967, pendant la "guerre des Six jours", un incident est venu illustrer la diversité des activités commerciales de Leir sur le plan international. À l'aéroport de Luxembourg, les douanes inspectent le contenu d'un avion faisant escale entre le Canada et la Jordanie – ce dernier pays étant à ce moment-là en guerre contre Israël. Les douaniers luxembourgeois y trouvent des armes et des équipements destinés à des hélicoptères de combat. Il se trouve que cette cargaison de choc en partance pour Amman a été expédiée par une société canadienne appartenant à Henry J. Leir (Lux Ore & Smelting Ltd.), société dont le président n'est autre que Charles J. Bech, le fils de l'ancien premier ministre luxembourgeois Joseph J. Bech. Charles Bech devra démissionner par la suite de son poste de président de la région Centre du Parti chrétien-social luxembourgeois (CSV).

Lentement mais sûrement, Henry Leir renforce son assise au Grand-Duché[1]. Le 1er août 1967, il crée la Banque continentale du Luxembourg SA. À la fin des années 60, il fait construire à Luxembourg un nouveau siège pour sa Société des minerais, au 3-5, place Winston-Churchill. C'est également à cette adresse qu'il établira sa résidence jusqu'en avril 1991. À cette date (soit deux mois avant la fermeture de la BCCI) il transfère son domicile à New York, où il emmène sa collection d'art, réputée comme l'une des plus prestigieuses au monde. Quelques mois plus tôt, la Société des minerais avait déjà quitté le siège de la place Churchill pour de nouveaux bureaux situés aux abords de la ville.

---

1. Mais l'homme sait diversifier ses implantations : à partir de 1972, il apparaît comme consul honoraire du Luxembourg pour les cantons suisses de Vaud et du Valais, avec résidence à Lausanne, et plus tard (1978) à Venthône.

C'est alors que de nouveaux locataires font leur entrée à l'adresse laissée vacante par Henry Leir, au 3-5 de la place Churchill : il s'agit de Cedel et de la banque finlandaise Skopbank, impliquée dans l'affaire Jurado[1]. Au milieu des années 80, les mêmes locaux avaient été loués à un groupe d'acteurs du scandale BCCI : la Gulf International de la famille Gokal, entreprise pour laquelle avaient travaillé comme marchands d'armes Altaf Nazerali, Walter Bonn et d'autres dirigeants des sociétés d'Irving Kott[2]. Comme le monde est petit, à Luxembourg !

Le plus important personnage du groupe Gokal, qui est apparu dans diverses sociétés de Kott et dans les relations avec la BCCI, s'appelle Sinan A. Raouff. Ancien diplomate irakien demeurant à Genève, Raouff s'était retiré des sociétés de Kott dès 1986. Il aurait été impliqué dans divers dossiers "chauds", en particulier une affaire de "vol" d'uranium dans diverses centrales européennes – uranium qui aurait été livré clandestinement au Pakistan. Éminent criminologue, professeur à l'université de Mayence, le Dr Armand Mergen me confirmera un jour que, dans ses investigations sur le cas Barschel[3], il avait croisé le nom de Raouff.

Henry J. Leir, la Banque continentale du Luxembourg et Nadhmi Auchi

En 1982, au cours de leur enquête visant à déterminer les bénéficiaires d'une commission de 23 millions de dollars payée par l'Italie dans le cadre d'une livraison d'armes à Bagdad – via des socié-

---

1. Comme la Kansallis-Osake-Pankki, une autre banque finlandaise, la Skopbank devra bientôt quitter les lieux.
2. Lire à ce sujet *False Profits...*, Larry Gurwin et Peter Truell, chez Houghton Mifflin Company, Boston et New York, 1992.
3. Ancien président du Land du Schleswig-Holstein, Uwe Barschel sera retrouvé mort dans la baignoire de son hôtel, à Genève. La version officielle entérinera la thèse d'un suicide bien que de nombreux doutes subsistent. Les transferts d'uranium vers le Pakistan partaient en fait d'un port situé au Schleswig-Holstein...

tés de l'Irakien Nadhmi Auchi –, les enquêteurs d'une commission parlementaire italienne sont tombés sur un compte de la Dowal Corporation auprès de la banque Paribas. À cette même époque, Auchi (actionnaire majoritaire de la Dowal) s'était rendu acquéreur, conjointement avec Paribas, des parts détenues dans une autre banque de la place de Luxembourg, la Banque continentale du Luxembourg (BCL), par le fondateur de cette banque : Henry J. Leir.

Dans le rapport d'enquête italien, nous apprenons que, dès l'origine, la BCL présentait une part de mystère :

"Elle est constituée en 1967 par un financier américain d'origine allemande, Henry J. Leir, qui établit des sociétés de trading au Luxembourg servant d'écran à des exportations illégales, notamment d'uranium, vers Israël et l'Afrique du Sud. Leir aurait ainsi été le cerveau de la célèbre affaire de trafic d'uranium enrichi vers Israël, à la fin des années 60, baptisée l'affaire Plumbat. Encore récemment, une enquête d'Interpol sur l'exportation de matières fissiles vers l'Afrique du Sud a mis en cause Leir [1].

Dans ce contexte, une autre coïncidence mérite d'être signalée : Leir a fondé la Banque continentale en 1967, à partir de sa base de New York, avec des administrateurs qui étaient tous originaires de cette ville, alors qu'une banque avec exactement la même dénomination y existait déjà : la Banque Continentale, 758 Fifth Avenue. Quelle coïncidence de voir une banque américaine avec un nom français identique à celui d'une banque luxembourgeoise constituée par des New-Yorkais ! Le propriétaire de la banque de New York n'était autre qu'Arthur Roth, qui en avait le contrôle à travers la Franklin Bank, rendue tristement célèbre par sa faillite en 1974, après avoir été vendue en 1972 à Michele Sindona. Aucune enquête n'a jamais été faite sur cette relation."

---

1. En réalité, l'histoire de la prolifération nucléaire montre que les USA ont eu besoin de camoufler la plupart de leurs transferts de technologie, que leur législation prohibait. C'est dans ce cadre que des hommes tels que Henry J. Leir ont joué le rôle d'intermédiaires – ou de protecteurs – dans ces trafics ultra sensibles...

Un rapport anglais de 1987 nous apporte quelques précisions supplémentaires :

"La Banque continentale a été enregistrée en 1967, par l'inter-médiaire d'une société suisse basée à Lausanne, la Société ano-nyme d'importations (Sadi). La Sadi était dirigée par un Suisse du nom de Marcel Duboux, qui devint également par la suite directeur de la banque. Ses codirecteurs dans la Sadi et dans la banque étaient, au départ, quatre résidents américains qui, tous, donnaient comme adresse le n° 245, Park Avenue, New York. L'actionnaire principal à l'époque de la création de la banque était un certain Henry J. Leir, un citoyen américain d'origine allemande dont le nom fut associé à un certain nombre de transactions illicites d'uranium.

Les quatre citoyens américains en question étaient Louis Lipton, Allen Doctor, Jacques Lennon et Edgard Eisner. Étant donné qu'ils utilisaient tous les quatre la même adresse new-yorkaise, on peut supposer qu'il s'agissait là du bureau de représentation new-yorkais de la banque ou d'une de ses branches[1]."

Et le rapport anglais de poursuivre :

"L'actionnariat de la banque a subi une série de changements qui, à l'heure actuelle, ne sont pas encore tous connus. Nous savons pourtant que les implications étroites de la banque dans les affaires de la Franklin National Bank et de Sindona, au début des années 70, ont amené la Banque continentale dans des relations d'affaires com-parables avec la banque ouest-allemande Hessische Landesbank Zentrale (Helaba).

En fait, un certain Albert Oswald, ancien premier ministre du Land de Hessen, apparaît dans la liste des administrateurs de la Banque continentale. À la suite d'un important scandale qui mit au jour les relations de la Helaba avec le groupe de Sindona, et amena la fin de

---

1. Sur ce point, le rapport anglais est imprécis. Pas plus que nous, les enquêteurs de 1987 n'ont trouvé trace de la Banque continentale dans les annuaires bancaires de l'époque. Même dix ans après sa création à Luxembourg, la banque s'efforçait toujours d'apparaître le moins possible dans de telles publications.

l'International Credit Bank à Genève[1], la direction de la Helaba fut entièrement remplacée. Oswald fut forcé de démissionner."

Henry J. Leir et la SLAI

Dwight (Ike) Eisenhower, qui fut président des États-Unis de 1953 à 1961, est le premier d'une longue liste d'hommes politiques américains à être venus, assidûment, rendre visite à Henry J. Leir à Luxembourg. Eisenhower, qui quittait régulièrement son poste sans que son entourage ne sache où il se trouvait, aurait séjourné au Luxembourg jusqu'à six fois en une seule année. Grand amateur de golf, sans doute préférait-il le green de l'Aérogolf, près de l'aéroport luxembourgeois du Findel, à tout autre au monde ! Lors de telles visites, organisées en cercle plus que restreint et sans en avertir la presse, Henry J. Leir préparait de petites conciliabules entre quelques initiés de la place et ses hôtes. Les sources américaines qui m'ont fait partager leurs informations relatives à ces visites d'éminentes personnalités de la vie politique US m'ont également appris quel slogan avaient utilisé les milieux républicains, un jour de l'après-guerre, pour qualifier le Grand-Duché de Luxembourg : "Le 51e État des États-Unis" !

Toujours est-il que Henry J. Leir a inspiré – et financé – la création à Luxembourg d'un forum destiné à accueillir ces nombreuses conférences en cercle restreint. À la suite d'Eisenhower, toutes les personnalités républicaines américaines y sont un jour passées. Des

---

1. L'International Credit Bank appartenait à Tibor Rosenbaum, un juif orthodoxe rabbi de formation. Celui-ci était, à Genève, le banquier attitré du jeune gouvernement d'Israël. Son bras droit n'était autre que le banquier John Pullman. À la recherche de comptes discrets (de préférence numérotés) en Europe, celui-ci était entré en liaison avec Rosenbaum au milieu des années 60, lorsque l'évasion fiscale à partir des États-Unis atteignait des sommets jusqu'alors inconnus. Lié a Meyer Lansky depuis les années 20, Pullman s'était fait la main, durant la Prohibition, dans le commerce des alcools. En juin 1961, il avait fondé à Nassau (aux Bahamas) une banque dont il était devenu le président : la Bank of World Commerce. En juin 1965, Pullman avait introduit Meyer Lansky auprès de Tibor Rosenbaum à Genève. Rosenbaum avait alors accordé à Lansky les mêmes faveurs qu'il accordait à Pullman. Dans l'entourage de Rosenbaum, nous retrouverons également un personnage qui s'est fait connaître entre-temps, Bernie Cornfeld, de l'IOS.

hommes comme Henry Kissinger, Caspar Weinberger ou George Bush y ont défilé en orateurs devant un public sélectionné pour l'occasion. Les conférences se tenaient à la maison de Cassal, petite demeure médiévale restaurée par le gouvernement luxembourgeois pour y accueillir ses hôtes de marque.

L'association sans but lucratif (asbl) créée sous l'impulsion de Henry J. Leir porte le nom de SLAI (Société luxembourgeoise pour les affaires internationales). Elle a vu le jour officiellement le 26 janvier 1979. À la présidence de l'association, Leir a installé Marcel Mart, ancien ministre libéral de l'Économie, ancien ministre des Transports et de l'Énergie, ancien grand-maréchal de la cour grand-ducale, administrateur des biens du grand-duc, président de la Banque générale du Luxembourg (aujourd'hui groupe Fortis)[1]...

Henry Leir, la politique américaine et les maisons royales d'Europe

Des chercheurs que j'ai eu l'occasion de rencontrer et qui connaissent l'histoire du milliardaire américain Armand Hammer – lequel a construit sa fortune dans l'ancienne Union soviétique – s'accordent pour dire que Henry J. Leir disposait d'un entregent au moins équivalent à celui de Hammer au sein du monde communiste. Les relations de Leir avec les dirigeants de l'ex-URSS n'étaient pas moins fructueuses que celles de Hammer, et Leir avait aussi ses entrées dans la Chine de Mao et l'Asie orientale en général. Mais s'il est un domaine où Henry Leir devançait largement Armand Hammer, c'est dans la qualité de ses relations avec la classe politique américaine, et surtout avec le Parti républicain.

Cette symbiose avec la Maison Blanche, nous l'avons dit, s'est instaurée dès les années d'exil de la maison royale grand-ducale et de son gouvernement, pendant la Seconde Guerre mondiale. C'est

---

1. Marcel Mart avait été nommé ministre en 1969 sans avoir jamais été élu par le biais d'élections publiques. Il est l'oncle de Marco Mart, qui a mis en contact des deux auteurs de ce livre.

pendant ces année-là, en étroite collaboration avec le président Roosevelt et la grande-duchesse Charlotte de Luxembourg, que Leir a pu construire sa fortune américaine. Est-il, dès lors, étonnant d'entendre un chercheur américain récemment, à l'occasion d'un entretien qu'il m'a accordé, prétendre que Henry J. Leir serait ce *"banquier des maisons royales d'Europe"* qui, au cours de la deuxième moitié du XXᵉ siècle, *"a remplacé les Rothschild"* dans ce rôle ? Il existe bien des preuves à l'appui de cette thèse, mais les exposer nous obligerait à sortir du cadre de ce livre.

"Industriel et philantrope"

À quelques rares occasions, comme les initiatives de mécène de "HJL", la presse luxembourgeoise, qui ne pouvait passer l'évènement sous silence, offrait un aperçu de ces réjouissances à ses lecteurs. Les Luxembourgeois avaient toujours droit aux même qualificatifs pour décrire la personnalité de leur *"citoyen le plus inconnu du grand public"* : *"industriel et philantrope"*. Cela inspira un jour à un "homme de la rue" cette question : *"Philantrope ? Où apprend-on ce métier ?"*

Reste que Leir a subventionné nombre de "bonnes œuvres", au Luxembourg comme aux États-Unis, dans les secteurs social, médical, culturel, ainsi que dans le domaine des sciences humaines. En matière culturelle, il a financé la restauration de châteaux médiévaux, en particulier du château de Bourscheid, dans les Ardennes luxembourgeoises. Nombre de ces initiatives étaient coordonnées par une asbl créée en 1972 : la Fondation (Henry J. & Erna D.) Leir.

Les activités philantropiques financées par les époux Leir s'exprimaient, outre-Atlantique, dans une fondation du nom de Ridgefield Foundation. Ville du Connecticut, Ridgefield était le lieu de résidence des Leir aux États-Unis.

Le 22 novembre 1997, moins de huit mois avant son décès, Leir inaugurait la Leir House, un centre culturel qu'il a offert à son "autre pays". À sa mort, le 14 juillet 1998, on a pu mesurer, rien qu'au vu des condoléances exprimées dans la presse américaine, l'étendue du soutien financier dont il avait fait bénéficier toute une série d'universités américaines. La Fletcher School of Law and Diplomacy, Tufts University, de Medford (Boston) au Massachussets, qui avait élu HJL docteur *honoris causa*, a annoncé avoir reçu de lui, par legs testamentaire, un don de cinq millions de dollars[1]. En hommage à son généreux bienfaiteur, l'université a créé une *"chaire Henry J. Leir pour les études humanitaires"*.

À Luxembourg, nombreux étaient les citoyens de tous bords (politiques et économiques) qui profitaient des "largesses" de Henry J. Leir. Celui-ci allait jusqu'à "parrainer" la naissance des enfants de certains hommes politiques[2]. Il semble qu'en ces occasions, Leir rejouait au petit monde luxembourgeois cette pièce de théâtre du Suisse Friedrich Durrenmatt, *La Visite de la vieille dame*. Et comme chez Durrenmatt, les "largesses" de "Monsieur Leir" déclenchaient jalousies et discours revanchards entre les bénéficiaires "arrosés". La dernière distribution de Leir aurait pu passer inaperçue si tel enfant d'ancien ministre ne s'était plaint (presque en public) d'avoir reçu une somme inférieure à celle de telle ancienne secrétaire...

La dernière information qui nous est parvenue, deux ans après la mort d'Henry J. Leir, semble donner raison à ceux qui voit en Nadhmi Auchi son principal héritier. On nous a en effet rapporté que la plus ancienne société de Leir, la Société des minerais SA, fondée en 1933, était passée sous le contrôle de l'Irakien...

---

90. Dans son bulletin *Fletcher News* de juin 1999.
91. Une ultime "distribution de millions" eut lieu en 1995, trois ans avant la mort de Leir. Son épouse Erna était elle-même décédée le 17 janvier 1996.

L'EMPIRE LEIR

Liste des principales sociétés créées par Henry J. Leir

11 août 1933 : Société anonyme des minerais.

1939 : Continental Ore Corporation (New York).

3 septembre 1955 : International Ore Corporation SA.

30 juillet 1959 : International Metals SA.

18 janvier 1961 : Overseas – Compagnie de finance et d'investissement SA.

30 avril 1965 ; Continental Fertilizer Corporation SA.

1er février 1966 : La Continentale SA.

1er août 1967 : Banque continentale du Luxembourg SA.

15 juillet 1970 : La Continentale nucléaire SA.
                  Lux-Catalyst SA.

31 juillet 1974 : Continental Resources SA.

22 décembre 1973 : Taillerie de pierres précieuses-Bascharage SARL.

Lux Ore & Smelting Ltd. (Montreal, Canada)

Interore – International Ore and Fertilizer Corporation (Société américaine de HJL citée dans l'autobiographie de Armand Hammer)

Liste de sociétés dont Leir était le partenaire, certaines sources allant jusqu'à affirmer qu'il était propriétaire de l'une ou l'autre (liste non exhaustive) :

3 août 1961 : Alcuilux SA Clervaux.

23 octobre 1964 : Banque de Paris et des Pays-Bas pour le Grand-Duché de Luxembourg.

11 juillet 1969 : Continental Alloys SA.

15 juillet 1969 : Sogéco – Société générale pour le commerce de produits industriels.

30 décembre 1971 : Sogéco-bâtiment SA.

7 février 1975 : Sogecom SA.

HENRY LEIR ET ARMAND HAMMER

Longtemps considéré comme l'homme le plus riche de la planète, Armand Hammer, né à New York en 1898, a fait fortune au "pays des Soviets". Le sous-titre de la biographie qui lui sera consacrée le décrit comme *"un capitaliste américain à Moscou, de Lénine à Gorbatchev[1]"*.

À 19 ans, Hammer reprend une société pharmaceutique. Pendant la Prohibition, il fait fortune en commercialisant de la teinture au gingembre. Il sera, jusqu'à la fin de sa vie, le propriétaire d'Occidental Petroleum (Oxy).

Dans son autobiographie, Armand Hammer décrit ainsi son premier contact avec Henry J. Leir :

"La première grande acquisition d'Oxy *[...]* fut la plus importante société d'engrais du monde, l'International Ore and Fertilizer Corporation, ou Interore. Avec des succursales dans vingt-sept pays et des contrats dans cinquante-neuf pays, les ventes d'Interore représentaient plus de cinquante pour cent du chiffre atteint par l'ensemble des exportations américaines d'engrais. Une Rolls-Royce blanche avait fait la différence. Sans cette voiture, je n'aurais pas eu Interore.

" Interore appartenait à un homme d'affaires incroyable, Henry Leir, qui la dirigeait lui-même. Une fois qu'il fut décidé que nous voulions sa société, je commençai à réfléchir au meilleur moyen de l'approcher et de le convaincre. Je fis des recherches, je posai des questions à des amis communs, et je lus les coupures de presse qui le concernaient. Il émergeait clairement de tous ces renseignements que Leir était terriblement snob. Je devais trouver le moyen de le piéger sur ce terrain.

---

1. Extrait de *The Secret History of Armand Hammer*, par Edward Jay Epstein, Random House Ed., New York, 1996. Le texte du télégramme (page 208) est traduit de l'américain par Ernest Backes. Le 25 septembre 1963, Jimmy Roosevelt informera Hammer que le président, qui prépare une tournée à travers différents États, ne pourra le recevoir dans un proche avenir. Il s'agissait de la tournée fatale qui amènera le président Kennedy à Dallas, le 22 novembre.

" Henry passait l'automne 1962 à Montecatini, une ville d'eaux italienne de renommée mondiale, où il frayait avec des grands manitous européens et des millionnaires à la retraite. J'organisai une rencontre avec lui à Montecatini et je pris l'avion pour Londres.

" À peine arrivé au Claridge, je marchai jusqu'à Berkeley Square, tout près, et j'entrai chez Jack Barclay, le plus célèbre concessionnaire de Rolls-Royce au monde. Je dis au vendeur que je voulais voir la plus belle des Rolls-Royce. Jack Barclay ne faillit pas à sa réputation. On me montra une magnifique Silver Cloud Mark II convertible, un coupé blanc aux sièges de cuir rouge et à la carrosserie réalisée sur commande par Park Ward. Je décidai de l'acheter sur-le-champ. Je ne me souviens pas du prix ; tout ce que je sais, c'est que c'était la voiture la plus chère du garage, et les Rolls-Royce neuves ne sont jamais bon marché. Frances, qui était avec moi, me dit : *"C'est moi qui te l'offre !"*

" Ensuite, j'engageai un chauffeur en livrée et demandai que la voiture soit envoyée par bateau sur le continent. Frances et moi, nous devions la retrouver à Paris d'où nous partîmes pour l'Italie en prenant notre temps pour bien profiter de la voiture. Nous arrivâmes à Montecatini un vendredi, juste avant le déjeuner. J'avais déjà télégraphié à Henry, qui nous attendait pour déjeuner. La Rolls-Royce blanche causa une telle sensation quand elle vint se ranger devant le perron de l'hôtel qu'un des invités posa son apéritif et sortit pour la voir. C'était Olaf V, roi de Norvège !

" Une arrivée de ce style, plus l'attention du roi, rendit mon affaire avec Henry infiniment plus facile. Marchant avec lui dans les jardins de l'hôtel après le déjeuner, je réglai la plupart des points essentiels de notre marché, qui fut rapidement conclu pendant le reste du week-end. Je ne pouvais lui offrir d'argent liquide. À cette époque, Occidental n'avait pas de réserves, et tout ce qu'elle achetait était payé en actions.

" Après nous être mis d'accord sur les points essentiels, la conversation prit un tour très détendu. Plusieurs plans furent imaginés pour l'expansion d'Occidental, et Henry me donna quelques bons conseils : *"Vous devez éviter d'être trop familier avec vos* employés, vous savez. Ma philosophie est : la familiarité entraîne le mépris. Vous et moi, nous devons nous considérer comme des empereurs, et nos employés sont là pour nous servir." J'avais beaucoup de mal à ne pas éclater de rire !

" Interore fut une affaire encore meilleure pour Occidental que la Rolls-Royce ne l'avait été pour moi. Sans Interore, nous n'aurions pas pu proposer des engrais dans notre dossier de demande de concession pétrolière en Libye. Sans engrais, notre soumission n'aurait pas été acceptée. Et sans le pétrole libyen, Occidental serait probablement restée une petite compagnie ridiculisée par les "majors", les compagnies géantes.[1]"

Qu'il est étonnant de relire aujourd'hui cet épisode tiré des mémoires d'un homme considéré, en cet automne 1963, comme l'un des personnages les plus influents au monde. Notons au passage que Hammer, suite à l'acquisition de la société de Leir, écrivait à John Fitzgerald Kennedy, dans un télégramme daté du 21 septembre 1963 :

"Ma compagnie a récemment acquis le plus grand fournisseur indépendant américain en matière d'engrais dans le monde, avec 23 branches opérant dans 59 pays, et un chiffre d'affaires de 65 millions de dollars. Je crois que notre organisation sera ainsi capable de fournir le savoir-faire américain en vue d'aider les gens affamés, partout dans le monde, à élever leur niveau de vie, ce qui est la bonne réponse au communisme et autres systèmes oppressifs qui mettent en danger la paix. J'ai demandé à Jimmy Roosevelt [un conseiller du président Kennedy, nda] *de solliciter une réunion avec vous à Washington la semaine prochaine, pour expliquer mon plan plus en détail."*

Dans son livre *Armand Hammer : The Untold Story*[2], un troisième auteur, Steve Weinberg, nous livre une version bien plus nuancée du

---

1 Extrait de : *Hammer. Un capitaliste américain à Moscou, de Lénine à Gorbatchev*, Éditions Robert Laffont, Paris, 1987.

2. Paru chez Abacus, une division de Little, Brown and Company (UK) Ltd., Londres, 1992.

deal conclu à Montecatini entre Hammer et Leir. Weinberg a pu contacter un ancien collaborateur de Leir à Interore, Hugh Ten Eyck. Celui-ci confirme avoir été l'hôte de Hammer sur le yacht du milliardaire, et avoir été "sensibilisé" par la perspective d'un "package" Occidental au cas où il aiderait Hammer à conclure ce contrat. Car, selon Ten Eyck, *"chacun des deux hommes avait peur de tomber dans un piège tendu par l'autre"*.

L'avocat américain Joseph Alioto, qui allait bientôt devenir maire de San Francisco, se trouvait en vacances avec sa famille dans le même hôtel. Conseiller en affaires de Leir, Alioto a affirmé à Weinberg : *"Leir n'était pas snob ! Monsieur Leir pensait que* [la Rolls] *était un coup maladroit. Lui roulait en Bentley, rien que pour être moins visible."* Et Henry J. Leir de préciser, dans une interview donnée le 20 avril 1988 à Weinberg : *"Je connais Armand Hammer personnellement depuis 1963. J'ai l'impression que nous nous entendons bien. Mais quand j'ai vu dernièrement ses explications sur la transaction Interore, je me suis senti offensé. Ce n'est tout simplement pas vrai."*

NORIEGA, Manuel

Manuel Antonio Noriega Moreno est né au Panama le 11 février 1934, de la liaison d'un père créole alcoolique (veuf avec quatre enfants) et de Maria Moreno, qui travaillait pour lui comme femme de ménage. Son père délaissera le ménage après la naissance de Manuel. Avant de mourir, six ans plus tard, Maria Moreno confiera son fils à une institutrice célibataire, Luisa Sanchez, qui l'élèvera et deviendra la seule personne de confiance qu'il connaîtra dans sa vie. Dans le livre de classe de l'Instituto Nacional, une des meilleures écoles du pays, se trouve inscrit au-dessus de son nom : *"Son ambition est de devenir soit président de la République, soit psychiatre. Est en outre un leader syndical potentiel et un coureur de jupons patenté."*

C'est finalement par hasard, et par impossibilité de financer de hautes études, que Manuel Noriega atterrit à l'Académie militaire

Chorillos de Lima, au Pérou – son demi-frère Luis Carlos, de cinq ans son aîné, était en poste à l'ambassade du Panama au Pérou et lui avait obtenu une bourse d'études. C'est à Lima que les agents locaux de la CIA vont remarquer celui qu'ils surnommeront "Face d'ananas", à cause de la vérole qui grêle son visage. Noriega est recruté comme agent par la CIA – au "tarif étudiant" de 50 dollars par mois – jusqu'à son retour au Panama, en 1962, lorsqu'il quittera avec succès l'Académie militaire. Par la suite, la CIA continuera à financer son ascension. Au faîte de sa carrière d'espion, il recevra des Américains un salaire annuel de 200 000 dollars.

En 1968, Noriega aide son supérieur hiérarchique, le général de brigade Omar Torrijos Herrera, à organiser un putsch contre le président élu Arnulfo Arias, et à établir la dictature militaire. Il devient d'abord le chef des services secrets G-2, intégrant ainsi le cercle des hommes les plus puissants du pays, surnommés par le petit peuple : *"The Dirty Dozen"* ("Les Douze salopards").

Mais l'euphorie américaine autour de Noriega ("Notre Homme au Panama", comme ils le surnomment) s'atténuera bientôt. En effet, croyant interpréter les vœux d'une majorité de Panaméens, Torrijos opte pour un anti-américanisme primaire. Il charge Noriega de nouer des contacts avec Cuba, l'Union soviétique, le Chili d'Allende... Les Américains suspectent aussitôt leur protégé de jouer à l'agent double pour le compte de La Havane. De plus, ils savent depuis 1971 que Noriega joue un rôle important dans le trafic de drogues, et qu'il a "offert" Panama aux cartels colombiens pour en faire la plaque tournante de leur trafics vers la Floride. D'après le journaliste américain Frederick Kempe, le président Nixon aurait, avec la CIA, envisagé de faire assassiner Torrijos et Noriega. Il en aurait été dissuadé par le scandale du Watergate...

Pendant les quinze ans qui suivent, Noriega réussit à se refaire une réputation auprès des Américains : il leur rend de petits services[1] et

---

1. Entre décembre 1979 et mars 1980, à la demande des Américains, il offre l'asile politique au shah Reza Pahlavi, -3,5 qui vient d'être chassé du trône d'Iran.

leur donne de temps à autre des informations sur le trafic international de stupéfiants que ceux-ci peuvent alors présenter au grand public comme des réussites de la CIA ou de la Drug Enforcement Administration (DEA), la police des drogues américaine. Noriega profite de la situation pour élargir ses activités criminelles. À ses contacts élargis avec les barons des cartels colombiens vient s'ajouter le trafic d'armes ; en outre, il fait de Panama une gigantesque machine à laver l'argent sale de toutes provenances. Le 31 juillet 1981, le général Torrijos trouve la mort dans un mystérieux accident d'avion, jamais élucidé. Noriega parviendra, lui, à rester en place pendant encore une dizaine d'années.

Dès l'arrivée au pouvoir de Ronald Reagan, en 1980, la CIA a remis Noriega sur sa liste des salaires, liste dont il avait été rayé sous Jimmy Carter. Lors d'un entretien avec Oliver North – spécialiste des "guerres sales" du gouvernement américain et grand coordonateur de l'Iran-Contragate – le "parrain" de Panama aurait offert à ce dernier de faire assassiner toute l'équipe sandiniste du *Commandante* Daniel Ortega (au pouvoir au Nicaragua). North, qui n'est pas vraiment réputé pour ses états d'âme, aurait décliné la proposition. Il reste qu'en décembre 1983, le vice-président américain – et ancien patron de la CIA, donc de Noriega – George Bush s'envole vers Panama pour s'y entretenir avec Noriega. Nul ne sait sur quel(s) sujet(s) leur conversation a porté.

Début 1985, Noriega est invité aux États-Unis pour y présenter, devant la prestigieuse John F. Kennedy School of Governement, à Harvard, un exposé sur le thème : "Le processus de paix en Amérique centrale". L'égocentrique Noriega se croit dorénavant inattaquable[1].

Le 15 septembre 1985, un cadavre sans tête est retrouvé à la frontière entre le Panama et le Costa Rica, enfermé dans un sac postal américain. Ce cadavre, dont la tête ne sera jamais retrouvée, est malgré tout identifié comme étant celui du médecin Hugo Spadafora,

---

1. Certains prétendent que son "égomanie" aurait été renforcée par la pratique du vaudou.

ennemi intime de Manuel Noriega. La dernière fois que Spadafora a été vu en vie, il venait d'être arrêté par les Panama Defence Forces. Quand le président en exercice Barletta, une marionnette mise en place par Noriega, promettra aux Américains de lancer une enquête, Noriega l'invitera à démissionner de son poste. Noriega, qui, pour la forme, installera une nouvelle marionnette du nom de Delvalle en lieu et place de Barletta, règne alors en dictateur militaire absolu.

Il a pourtant compté sans la presse écrite américaine. Tout au long de l'été 1986, *Time* et *Newsweek*, le *Washington Post* et le *New York Times*..., les titres les plus prestigieux rivalisent d'ardeur pour exposer, avec moult détails, les exactions de "Face d'ananas". Quand un officier supérieur, le colonel Roberto Diaz Herrera, confirmera ouvertement les faits décrits par les médias américains, Noriega le fera torturer. Le peuple panaméen, excédé, commence à se révolter...

En réaction, Noriega envoie ses "dobermans" – le surnom donné à sa police secrète – dans toutes les directions. Une série de sabotages contre des installations américaines installées à Panama suivront. En décembre 1987, les États-Unis annulent leur aide économique et militaire au pays. En février 1988, les juges de Miami et de Tampa (Floride) qui enquêtent sur l'affaire de la BCCI trouvent la trace de Noriega, dont ils connaissent depuis longtemps les relations fructueuses qu'il entretient avec les barons de la drogue, qui comptent parmi les clients privilégiés de l'établissement mafieux. Ces juges inculpent Noriega pour blanchiment de l'argent de la drogue, fait extraordinaire dans la mesure où il s'agit d'un chef d'État.

Le 3 octobre 1989, après un putsch manqué mené par des membres de la Garde nationale, Noriega aurait fait appeler le chef des putschistes dans son bureau, où il l'aurait personnellement abattu d'une balle. Le 15 décembre suivant, Noriega se fait proclamer *"maximum leader"* par l'Assemblée nationale panaméenne. Au printemps 1989, les Américains lui avaient pourtant suggéré de se *"retirer dans un exil hispanique honorable"*...

Le 20 décembre 1989, le président George Bush choisit de passer à l'offensive contre son "ancien agent" devenu trop encombrant.

Il lance l'attaque militaire américaine sur Panama, baptisée "Juste Cause". Le 24 décembre, Noriega trouve asile à l'ambassade du Vatican. Utilisant l'état psychique labile de son hôte, Mgr Laboa, nonce apostolique à Panama et ancien membre de l'Office de l'Inquisition au Vatican, réussira à convaincre Noriega de se livrer aux Américains plutôt que de risquer la même fin que le Roumain Ceauscescu – consamné à mort et exécuté, avec son épouse, le 25 décembre 1989. Noriega se rendra aux Américains le 3 janvier 1990. Condamné à 40 ans de prison, il porte la matricule 41568 au Metropolitan Correction Center de Miami en Floride.

Documents

PROSPECTUS

IOS

INVESTORS OVERSEAS SERVICES

I.O.S., Ltd. 5,600,000 Common Shares

Certificates for the Common Shares will be issued and transferred only in registered ⟨...⟩ the close of business on November 29, 1969. Thereafter, if requested by the holder, the Common ⟨...⟩ exchanged free of charge for Bearer Share Warrants which may be transferred by delivery.

Prior to this offering there has been no market for the Company's ⟨...⟩ made to list the Common Shares on the Montreal and Toronto Stock ⟨...⟩ to the filing of required documents and evidence of satisfactory dis⟨...⟩ Shares will be called for trading on these exchanges 90 days f⟨...⟩ the Agreement Among Underwriters entered into in connecti⟨...⟩ list the Common Shares on the Luxembourg Stock Exch⟨...⟩ in the Luxembourg Official Gazette on October 4, 1969 ⟨...⟩ Stock Exchange.

Per Share	$9.675
Total	$54,180,000

In addition to the ⟨...⟩ Underwriters' Repres⟨...⟩ ⟨...⟩ g management fees to the approximately U.S⟨...⟩ ⟨...⟩ g, which together amount to in connection ⟨...⟩ ⟨...⟩ and the total expenses incurred are estimat⟨...⟩ ⟨...⟩writers, other than their counsel fees,

⟨...⟩stered under the United States Securities Act of ⟨...⟩ or any of its territories or possessions or any areas ⟨...⟩a or Mexico; or to nationals or citizens of or persons ⟨...⟩to certain other persons and organizations described under ⟨...⟩s are not being offered in this offering to directors, officers, ⟨...⟩Ltd., its subsidiaries or affiliates or their immediate families.

⟨...⟩bject to prior sale, when, as and if issued by the Company and accepted by ⟨...⟩approval of certain legal matters by counsel for the Underwriters, and to the ⟨...⟩ons. It is expected that the Common Shares will be delivered to the Underwriters ⟨...⟩ The Bank of New York, 147 Leadenhall Street, London E.C.3, England.

DREXEL HARRIMAN RIPLEY
INCORPORATED

BANQUE ROTHSCHILD	GUINNESS MAHON & CO. LIMITED
HILL SAMUEL & CO. LIMITED	PIERSON, HELDRING & PIERSON

SMITH, BARNEY & CO.
INCORPORATED

September 24, 1969

Supplement to Prospectus

On September 23, 1969 the United States Securities and Exchange Commission ("SEC") issued a series of orders attempting to hold a number of management companies and brokerage firms liable for channeling brokerage commissions back to mutual fund managements, including an order directing that a public hearing be held before an examiner of the SEC involving proceedings against IOS, Bernard Cornfeld, Edward M. Cowett, Investors Planning Corporation ("IPC") and two officers of IPC, one of whom, Robert Sutner, is also a director of IOS. The order alleges various violations of laws administered by the SEC based primarily on the alleged improper retention by IPC of "give-ups" in respect of brokerage commissions paid by four mutual funds (only one of which was required to be registered with the SEC) in connection with their portfolio transactions. A wholly owned subsidiary of IPC acted as investment advisor of the mutual funds. It is alleged that disclosure of such give-ups was not made to the shareholders of the funds. The total amount of the give-ups so retained by IPC and not paid to the funds involved was approximately $1,600,000. In the opinion of Messrs. Willkie Farr & Gallagher, counsel to IOS, no violations of then existing law were involved and this proceeding, even if lost, will not result in any material adverse financial consequences to IOS and its subsidiaries.

Cette plaquette de l'Investors Overseas Services datant de septembre 1969 annonce l'émission de 5,6 millions d'actions IOS (au prix de 10 dollars l'unité). La veille de sa parution, un supplément d'une dizaine de lignes a dû être collé sur le document à la demande expresse de la Securities and Exchange Commission (SEC) américaine (l'équivalent de la Commission des opérations de bourse en France). Il s'agit d'une mise en garde à l'intention d'éventuels investisseurs, les alertant sur les risques de ce type de placement hautement spéculatif. La SEC venait en effet d'engager des procédures contre l'IOS et ses principaux dirigeants, dont Bernie Cornfeld.
Gérard Soisson avait été, de juillet 1969 à septembre 1970, le fondé de pouvoir de l'Investor's Bank à Luxembourg, la banque de l'IOS.

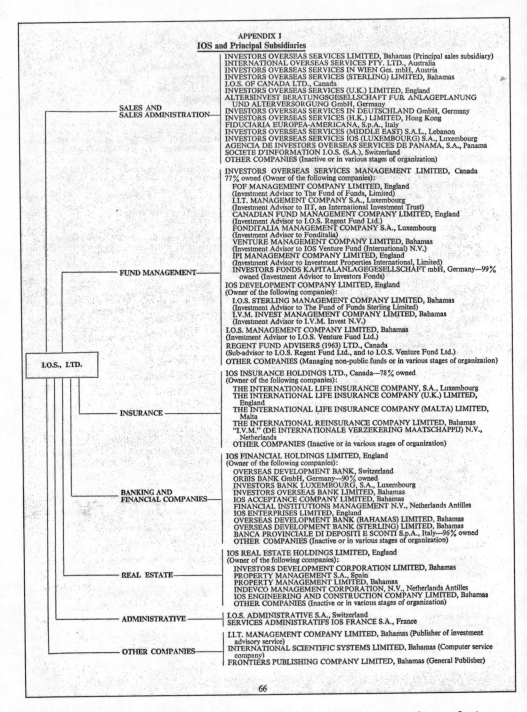

I.O.S., LTD.

SALES AND SALES ADMINISTRATION

INVESTORS OVERSEAS SERVICES LIMITED, Bahamas (Principal sales subsidiary)
INTERNATIONAL OVERSEAS SERVICES PTY. LTD., Australia
INVESTORS OVERSEAS SERVICES IN WIEN Ges. mbH, Austria
INVESTORS OVERSEAS SERVICES (STERLING) LIMITED, Bahamas
I.O.S. OF CANADA LTD., Canada
INVESTORS OVERSEAS SERVICES (U.K.) LIMITED, England
ALTERSINVEST BERATUNGSGESELLSCHAFT FUR ANLAGEPLANUNG
    UND ALTERVERSORGUNG GmbH, Germany
INVESTORS OVERSEAS SERVICES IN DEUTSCHLAND GmbH, Germany
INVESTORS OVERSEAS SERVICES (H.K.) LIMITED, Hong Kong
FIDUCIARIA EUROPEA-AMERICANA, S.p.A., Italy
INVESTORS OVERSEAS SERVICES (MIDDLE EAST) S.A.L., Lebanon
INVESTORS OVERSEAS SERVICES IOS (LUXEMBOURG) S.A., Luxembourg
AGENCIA DE INVESTORS OVERSEAS SERVICES DE PANAMA, S.A., Panama
SOCIETE D'INFORMATION I.O.S. (S.A.), Switzerland
OTHER COMPANIES (Inactive or in various stages of organization)

FUND MANAGEMENT

INVESTORS OVERSEAS SERVICES MANAGEMENT LIMITED, Canada
77% owned (Owner of the following companies):
    FOF MANAGEMENT COMPANY LIMITED, England
    (Investment Advisor to The Fund of Funds, Limited)
    I.I.T. MANAGEMENT COMPANY S.A., Luxembourg
    (Investment Advisor to IIT, an International Investment Trust)
    CANADIAN FUND MANAGEMENT COMPANY LIMITED, England
    (Investment Advisor to I.O.S. Regent Fund Ltd.)
    FONDITALIA MANAGEMENT COMPANY S.A., Luxembourg
    (Investment Advisor to Fonditalia)
    VENTURE MANAGEMENT COMPANY LIMITED, Bahamas
    (Investment Advisor to IOS Venture Fund (International) N.V.)
    IPI MANAGEMENT COMPANY LIMITED, England
    (Investment Advisor to Investment Properties International, Limited)
    INVESTORS FONDS KAPITALANLAGEGESELLSCHAFT mbH, Germany—99%
        owned (Investment Advisor to Investors Fonds)
IOS DEVELOPMENT COMPANY LIMITED, England
(Owner of the following companies):
    I.O.S. STERLING MANAGEMENT COMPANY LIMITED, Bahamas
    (Investment Advisor to The Fund of Funds Sterling Limited)
    I.V.M. INVEST MANAGEMENT COMPANY LIMITED, Bahamas
    (Investment Advisor to I.V.M. Invest N.V.)
I.O.S. MANAGEMENT COMPANY LIMITED, Bahamas
(Investment Advisor to I.O.S. Venture Fund Ltd.)
REGENT FUND ADVISERS (1963) LTD., Canada
(Sub-advisor to I.O.S. Regent Fund Ltd., and to I.O.S. Venture Fund Ltd.)
OTHER COMPANIES (Managing non-public funds or in various stages of organization)

INSURANCE

IOS INSURANCE HOLDINGS LTD., Canada—78% owned
(Owner of the following companies):
    THE INTERNATIONAL LIFE INSURANCE COMPANY, S.A., Luxembourg
    THE INTERNATIONAL LIFE INSURANCE COMPANY (U.K.) LIMITED,
        England
    THE INTERNATIONAL LIFE INSURANCE COMPANY (MALTA) LIMITED,
        Malta
    THE INTERNATIONAL REINSURANCE COMPANY LIMITED, Bahamas
    "I.V.M." (DE INTERNATIONALE VERZEKERING MAATSCHAPPIJ) N.V.,
        Netherlands
    OTHER COMPANIES (Inactive or in various stages of organization)

BANKING AND FINANCIAL COMPANIES

IOS FINANCIAL HOLDINGS LIMITED, England
(Owner of the following companies):
    OVERSEAS DEVELOPMENT BANK, Switzerland
    ORBIS BANK GmbH, Germany—90% owned
    INVESTORS BANK LUXEMBOURG, S.A., Luxembourg
    INVESTORS OVERSEAS BANK LIMITED, Bahamas
    IOS ACCEPTANCE COMPANY LIMITED, Bahamas
    FINANCIAL INSTITUTIONS MANAGEMENT N.V., Netherlands Antilles
    IOS ENTERPRISES LIMITED, England
    OVERSEAS DEVELOPMENT BANK (BAHAMAS) LIMITED, Bahamas
    OVERSEAS DEVELOPMENT BANK (STERLING) LIMITED, Bahamas
    BANCA PROVINCIALE DI DEPOSITI E SCONTI S.p.A., Italy—96% owned
    OTHER COMPANIES (Inactive or in various stages of organization)

REAL ESTATE

IOS REAL ESTATE HOLDINGS LIMITED, England
(Owner of the following companies):
    INVESTORS DEVELOPMENT CORPORATION LIMITED, Bahamas
    PROPERTY MANAGEMENT S.A., Spain
    PROPERTY MANAGEMENT LIMITED, Bahamas
    INDEVCO MANAGEMENT CORPORATION, N.V., Netherlands Antilles
    IOS ENGINEERING AND CONSTRUCTION COMPANY LIMITED, Bahamas
    OTHER COMPANIES (Inactive or in various stages of organization)

ADMINISTRATIVE

I.O.S. ADMINISTRATIVE S.A., Switzerland
SERVICES ADMINISTRATIFS IOS FRANCE S.A., France

OTHER COMPANIES

I.I.T. MANAGEMENT COMPANY LIMITED, Bahamas (Publisher of investment
    advisory service)
INTERNATIONAL SCIENTIFIC SYSTEMS LIMITED, Bahamas (Computer service
    company)
FRONTIERS PUBLISHING COMPANY LIMITED, Bahamas (General Publisher)

Tiré de la même brochure, cet organigramme présente les principales filiales de l'Investors Overseas Services par domaine d'activités.

The Hambro EUROMONEY Directory 1983

Edited by
Ian Swanton

Published by
Euromoney Publications Ltd in association with Hambros Bank
Nestor House, Playhouse Yard, London EC4V 5EX
Telephone: 01-236 3288
Telex: 8814985/6 EURMON G

© Euromoney Publications Limited, London 1983
ISS N 0306-3933

Typeset, origination and printed in England by Lonsdale Universal Printing Limited. Bath 317911

1

Publié dans l'édition 1983 de *The Hambro Euromoney Directory*, un annuaire qui fait autorité sur le secteur du marché euro-obligataire, cet organigramme présente les trois principaux cadres de Cedel occupant des fonctions liées aux activités internationales de la firme : Joseph B. Galazka, Gérard Soisson et Ernest Backes.

Cedel SA
67 Boulevard GD Charlotte, PO Box 1006, Luxembourg
Telephone: 475931-1   **Telex:** 2791, 2792, 2793, 2794, CEDEL LU

Managing Director General Manager	Joseph B. Galazka Gerard Soisson
Customer Service Assistant Manager	Ernest Backes

Cedel is the leading Clearing System in ECU denominated securities.

Highlights 1982

• Number of participants	1,169
• Turnover	$332 billion
• Securities held on deposit	$47 billion
• Interest payments on credit balances	$46 million

cedel

67 Bd Grande Duchesse Charlotte, P.O. Box 1006 LUXEMBOURG
Tel: 47 59 31-1 Telex: 2791
Representative Office: 77 London Wall, London EC2N 1BU
Tel: 01-628 0642 Telex: 894628

Founded by the market <u>for</u> the market.

Publicité parue dans *The Banker* en mars 1983. "Cedel est le système de clearing leader pour les valeurs mobilières libellées en ECU*". En bas, le slogan de la firme : "Créé par le marché <u>pour</u> le marché."

*L'ECU est le prédécesseur de l'euro.

CURRENCY   02   U.S. DOLLAR

ACCOUNT	NAME	TOWN	TRCD	TRANS.NO	VAL.DATE	COUNTERPARTY	AMOUNT DEBITED	AMOUNT CREDITED
			FEES	90	HANDFEE 17.03.83		1.00	
37630 BANCA DEL GOTTARDO LENDING A/C	LUGANO			SWITZERLAND *** NEW BALANCE ***				3.820.45 *
37664 QUADREX SECURITIES	LONDON			GREAT-BRITAIN *** OLD BALANCE ***			4.081.282.99 *	
			IN	10 0005107	17.03.83			197.500,00
				10 0005120	17.03.83			197.250,00
				10 0005168	17.03.83			58.500,00
				10 0362623	17.03.83			353.500,00
				10 0371303	17.03.83			3.184.532,99
								1.000.000,00
			CLR.	41 0005022	17.03.83	12874 FRACOHEX	98.875,00	
				41 0005252	17.03.83	14354 SOGLUM	28.587,32	
				41 0005263	17.03.83	37826 QUADRHG	297.611,11	
				41 0005264	17.03.83	37826 QUADREX	297.611,11	
				41 0005275	17.03.83	12874 FRACCHEX	54.397,92	
				416 0005300	17.03.83	60288 BACHENY	221.203,13	
				416 0005301	17.03.83	97816 BKNYLON	25.429,51	
				416 0005303	17.03.83	90288 BACHENY	251.408,75	
				416 0005306	17.03.83	94818 SCANDINA	14.846,70	
				416 0005310	17.03.83	98254 CONTINIL	494.581,96	
			CLR.	515 0005023	16.03.83	95922 RESS		89.000,00
				515 0005190	16.03.83	91641 SKANDILO		298.296,00
				515 0005208	16.03.83	91641 SKANDILO		295.612,50
				515 0005233	16.03.83	90745 SBSBASEL		119.745,31
				515 0005276	16.03.83	94915 HUTTON		657.921,25
				515 0005280	16.03.83	90258 BAERZUR		44.354,88
				515 0005281	16.03.83	91479 DEUTSCHE		542.649,88
				515 0005283	16.03.83	90745 SBSBASEL		22.180,00
				515 0005286	16.03.83	90745 SBSBASEL		35.862,50
				515 0005287	16.03.83	90745 SBSBASEL		21.219,00
				515 0005289	16.03.83	90745 SBSBASEL		10.326,06
				515 0005291	16.03.83	91479 DEUTSCHE		9.252,15
				515 0005293	16.03.83	90745 SBSBASEL		38.193,72
				51 0005255	17.03.83	11564 LYNCH		38.864,82
			FEES	90	HANDFEE 17.03.83		53,50	
			EXT.	90 0419590	17.03.83		3.184.532,99	
37664 QUADREX SECURITIES	LONDON			GREAT-BRITAIN *** NEW BALANCE ***			1.835.293,43 *	
37826 QUADREX SECURITIES CORPORATION	NEW YORK			U.S.A. *** OLD BALANCE ***			595.222,22 *	
			CLR.	51 0008003	17.03.83	37664 QUADREX		297.611,11
				51 0008004	17.03.83	37664 QUADREX		297.611,11
			FEES	90	HANDFEE 17.03.83		3,00	
37826 QUADREX SECURITIES CORPORATION	NEW YORK			U.S.A. *** NEW BALANCE ***			3,00 *	
CURRENCY 02 U.S. DOLLAR		*** T O T A L S ***		*** OLD BALANCE ***				321.025.227,81
				*** TOTAL DEBITED ***			374.685.586,26	
				*** TOTAL CREDITED ***				325.186.846,60
				*** NEW BALANCE ***				272.326.488,13

CURRENCY   02   U.S. DOLLAR

ACCOUNT	NAME	TOWN	TRCD	TRANS.NO	VAL.DATE	COUNTERPARTY	AMOUNT DEBITED	AMOUNT CREDITED
			CLR.	41 0008043	18.03.83	11169 DELAMBRU	112.700,00	
			CLR.	51 0000042	18.03.83	33570 HARVAPAR		113.024,24
			FEES	90	HANDFEE 18.03.83		13,50	
37947 BELMAVUBEL S.A. SOC.POUR L'INVEST.	BRUXELLES			BELGIQUE *** NEW BALANCE ***				1.212.32 *
37630 BANCA DEL GOTTARDO LENDING A/C	LUGANO			SWITZERLAND *** OLD BALANCE ***				3.820.45 *
			RED.	10 0181512	18.03.83			44,84
37630 BANCA DEL GOTTARDO LENDING A/C	LUGANO			SWITZERLAND *** NEW BALANCE ***				3.865.29 *
37664 QUADREX SECURITIES	LONDON			GREAT-BRITAIN *** OLD BALANCE ***			1.835.293,43 *	
			CLR.	41 0005218	18.03.83	12874 FRACOHEX	294.753,69	
				41 0005312	18.03.83	14621 CUC	807.082,69	
				416 0005315	18.03.83	91479 DEUTSCHE	57.716,32	
				416 0005316	18.03.83	90044 ORION	24.780,21	
				416 0005318	18.03.83	92896 EBGLON	132.151,90	
				416 0005322	18.03.83	90258 BAERZUR	39.264,93	
			CLR.	515 0005200	17.03.83	92884 SYPHL		100.000,00
				515 0005211	17.03.83	94763 PIERSON		65.064,78
				515 0005242	17.03.83	90535 FIDESZCH		703.437,22
				515 0005295	17.03.83	90745 SBSBASEL		196.625,00
				515 0005296	17.03.83	90258 BAERZUR		24.787,12
				515 0005248	18.03.83	94915 HUTTON		727.781,25
				515 0005330	17.03.83	90949 NOMURA		25.479,02
				515 0005311	17.03.83	90258 BAERZUR		293.727,59
				51 0005246	18.03.83	17027 OYENSNF		495.031,96
								6.745,65
			FEES	90	HANDFEE 18.03.83		68,50	
			EXT.	90 0410755	18.03.83		393.509,00	
			SPEC	90 0399108	17.03.83		1.000.000,00	
				90 0410754	18.03.83		131,17	
37664 QUADREX SECURITIES	LONDON			GREAT-BRITAIN *** NEW BALANCE ***			1.786.211,54 *	
CURRENCY 02 U.S. DOLLAR		*** T O T A L S ***		*** OLD BALANCE ***				272.326.488,13
				*** TOTAL DEBITED ***			324.011.042,70	
				*** TOTAL CREDITED ***				330.685.973,86
				*** NEW BALANCE ***				284.901.419,29

Ces listings font partie des papiers que Gérard Soisson avait apportés en Corse juste avant de décéder. Ils ont été retrouvés par sa famille après sa mort. On voit que l'ancien collègue d'Ernest Backes avait entouré le montant des facilités de caisse accordées par Cedel à Quadrex Securities, une société qui, pourtant, ne présentait pas les garanties requises par le règlement de la société de clearing. À Cedel, en effet, les banques étaient classées à l'époque en quatre catégories (A, B, C, D) en fonction de leurs résultats annuels et des garanties qu'elle présentaient. Or Quadrex Securities figurait dans le bas du tableau, la catégorie D. Cela n'avait pas empêché Cedel de lui octroyer des crédits importants – avec l'aval de l'administrateur délégué Joe Galazka –, au risque de léser ses actionnaires si, d'aventure, la société Quadrex s'était trouvée dans l'impossibilité de rembourser.

Dans le texte qu'il avait rédigé le 20 avril 1983, Gérard Soisson s'inquiétait, parmi d'autres irrégularités constatées à Cedel, de cette pratique : *"Le Comité exécutif* [de Cedel, qui] *classe le participant "Quadrex" dans la catégorie "D", lui accorde un* technical overdraft [dépassement technique] *de 2 millions de dollars – ce qui est déjà une contradiction en soi. Au-delà de cette facilité, ce participant est renfloué journellement par l'Administrateur à coups de millions de* [dollars]. *À quoi servent les classifications et les limites de* technical overdrafts *?"*

Dans ce document interne présentant les transactions en espèces par devise, on voit que Quadrex commence la journée comptable avec un débit espèces (en d'autres termes : un découvert) en dollars de 4 millions et quelque (4 081 282,99$) alors que le débit normalement autorisé pour ce client est de zéro !

Durant la journée du 17 mars 1983, plusieurs opérations de débit/crédit sont opérées sur le compte de Quadrex. En fait, trois des rentrées portées au crédit de la société (393 500 $; 3 184 532,99 $; 1 000 000 $) sont des crédits fictifs qui, par un jeu d'écritures, simulent des rentrées de fonds. En débit, l'équivalent d'une des rentrées (3 184 532,99 $) est, elle, réellement déboursée par Cedel en faveur de Quadrex.

Le lendemain, 18 mars 1983, les deux autres rentrées fictives sont débitées sans être déboursées. Ces manœuvres consistent en un habillage comptable (Ernest Backes parle de "cosmétique" du compte) permettant à l'administrateur délégué de cacher à son conseil d'administration et aux réviseurs l'étendue du véritable découvert de ses amis de Quadrex.

cedel

QUELQUES REFLEXIONS

Après douze ans de service, la quittance m'a été remise. J'ai été éliminé des circuits actifs de Cedel par la politique de coucou de M. Galazka. Le viol, au delà de ma personne a laissé à l'intérieur aussi bien qu'à l'extérieur de la firme, un sentiment d'insécurité et de malaise.

Je tiens à reconfirmer, si c'était encore nécessaire, que pendant ces 12 années, j'ai investi en Cedel toute ma personne, toute mon énergie et même au delà, pour faire naître Cedel, la faire survivre et la développer, j'ai joué toute ma carrière professionnelle, opéré dans des conditions non définies et floues et crois avoir réussi à éviter tout accident à Cedel, qui s'est développée du point de vue technique à un point tel qu'elle faisait peur au géant de concurrent qu'est la Morgan. Ce dernier a été forcé de mettre tout le paquet, malgré son énorme supériorité commerciale et de marketing.

L'efficacité et la justesse des décisions prises ont été confirmées par les résultats techniques obtenus, souvent malgré de sérieux obstacles et boulets qui m'étaient accrochés aux pieds par notre organisation. A moins que les commentaires et critiques soient tous mensongers, Cedel est devenue un exemple de réussite opérationnelle. Si l'on peut croire le slogan "Quality is never an accident, it is always the result of intelligent effort", j'estime que ma "promotion" au titre fantaisiste de "Conseiller Général" est une drôle de façon de rémunérer quelqu'un, qui au prix de sa santé, en négligeant sa vie privée, a peiné pour la réussite de Cedel. Le nid bâti présente l'endroit idéal pour un mégalomane pour s'installer d'après le principe: "Ich will keine fremden Götter neben mir haben". Je veux briller seul, ne pas être contredit et faire selon ma guise; en d'autres termes "César". Je me demande si je suis le dernier dans la lignée de ceux qui doivent être éliminés pour satisfaire la mégalomanie de M. Galazka qui m'a en maintes reprises confirmé: "I do not want your job". Il n'y a pas de doute, le show business ne va pas durer toujours, néanmoins "die Geister, die ich rief". Permettez-moi au moins de douter de la valeur et de la logique de la citation: "The Executive Committee of Cedel has to rely on what it is told by the Managing Director", surtout si ce dernier se qualifie lui-même de "cold nosed son of a bitch", c'est à dire quelqu'un à qui tous les moyens sont bons pour arriver à ses fins.

...../2

Ce texte de six pages rédigé par Gérard Soisson fait lui aussi partie des papiers retrouvés par sa veuve parmi les documents qu'il avait apportés en Corse. Rédigé le 20 avril 1983 à Luxembourg – un mois avant le licenciement d'Ernest Backes et trois mois avant la mort suspecte de Gérard Soisson –, intitulé "Quelques réflexions", il expose les griefs (de valeur inégale) du "conseiller général" contre la société dans laquelle il a *investi toute* [sa] *personne, toute* [son] *énergie, et même au-delà*".

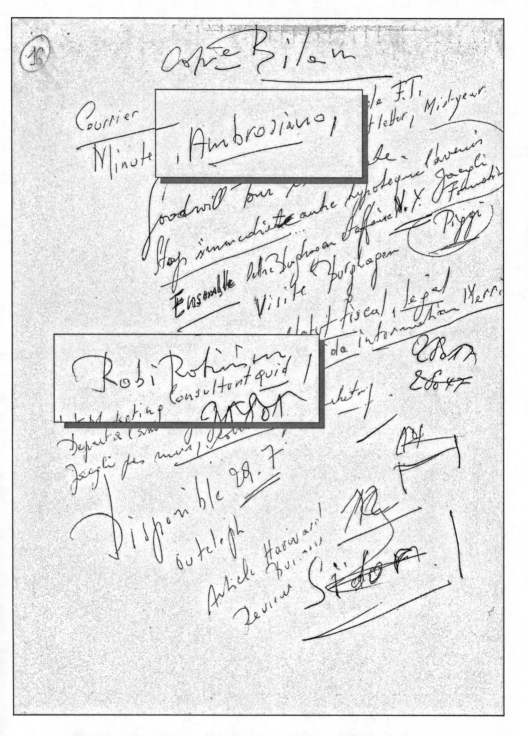

Cette note manuscrite compte parmi les documents que Gérard Soisson conservait avec lui en Corse au moment de sa mort. Gérard Soisson écrit : "Ambrosiano", mais à cette date le scandale lié à la faillite de la banque dirigée par Roberto Calvi n'a pas encore éclaté officiellement.

Figure aussi le nom de "Robi Robinson". Ancien chef du personnel chez Merrill Lynch, cet homme avait été utilisé par l'administrateur délégué de la firme, en tant que consultant extérieur, pour écarter Ernest Backes.

ELVINGER & SCHILTZ
Avocats à la Cour

Victor Elvinger
Pierrot Schiltz
James Junker

Résidence Lys Royal II
4, rue Tony Neuman
2241 Luxembourg-Limpertsberg

Téléphone 46.29.29
Téléfax 47.40.47

LETZEBURGER JOURNAL
a.m. de Monsieur Rob ROEMEN
Rédacteur en Chef
16 rue d'Epernay

L 1490 LUXEMBOURG

Luxembourg, le 2 février 1989

01AV71-VE

Monsieur le rédacteur en chef,

Je suis le conseil de "PETRUSSE SECURITIES INTERNATIONAL S.A.", qui me charge de protester vivement contre l'article signé nd. (Nic Dicken je suppose) et paru le 25.01.89.

Ma partie accepte évidemment l'information courante sur l'affaire PECHINEY et elle se félicite d'ailleurs de l'information objective dont vous avez fait preuve jusqu'à présent.

L'article précité cependant n'est plus objectif et fourmille de faussetés. Comme tout initié y reconnait de suite la plume d'un certain Erny BACKES, ma partie n'entend pas cependant engager les poursuites que M. BACKES escompte pour se mettre à l'évidence.

Ma partie se limite plutôt à ce stade de vous demander à ne plus reproduire, sans recherches approfondies et à la légère, des racontards d'un colporteur, qui agit dans un esprit qui n'a rien à voir avec le journalisme de qualité.

Il est cependant un fait que ma cliente ne pourra plus accepter d'être accusée d'activités illicites ni de faire l'objet d'un rapprochement avec les activités de la BCCI et ou encore de la Banco Ambrosiano.

La présente ne constitue pas un exercice du droit de réponse et n'est donc pas destinée à la publication ou à l'utilisation publique.

J'adresse copie de la présente à M. Yves MERSCH, commissaire de Gouvernement à la Bourse et à M. Michel MAQUIL, secrétaire général de la Société de la Bourse.

Veuillez agréer, Monsieur le rédacteur en chef, l'expression de mes sentiments les meilleurs.

s. Me Vic ELVINGER

Ce courrier d'intimidation daté du 2 février 1989 est adressé par l'avocat de Petrusse Securities (successeur d'AIM) au rédacteur en chef du *Letzeburger Journal*, le journal libéral luxembourgeois. Tout en reconnaissant l'implication de Petrusse dans l'affaire Pechiney, l'avocat conteste la filiation, établie par l'article du *Letzeburger Journal*, entre Petrusse et AIM. En outre, il menace le rédacteur en chef, au nom de son client, d'une éventuelle poursuite judiciaire s'il était à nouveau fait état de liens entre Petrusse et les affaires BCCI et Ambrosiano. L'avocat, Me Vic Elvinger, voit – à juste titre – derrière cet article la marque d'Ernest Backes, dont les informations qu'il a transmises au journaliste du *Letzeburger* sont qualifiées de *"racontards d'un colporteur"*.

Le vilain petit canard de la Bourse perd son indépendance

« A VEC mon originalité, je pensais avoir un rôle à jouer, mais je suis obligé de céder mon affaire. Et croyez-moi, c'est dur de se vendre contraint et forcé. » Amer et déçu, Alain Boscher n'a pas pour autant perdu son franc-parler en reconnaissant l'échec de sa stratégie d'indépendance. Avec la prise en main de la société par la BNP et l'abandon de la présidence de sa firme, Alain Boscher renonce à son image d'« empêcheur de tourner en rond » qu'il cultivait depuis près du vingt ans au grand dam de ses confrères agents de change.

« Il exagère ! » « Encore lui ! » Ses pairs ont toujours accueilli avec gêne, voire hostilité, les déclarations fracassantes de cet enfant terrible qui rompaient avec la tradition de silence de la profession. Issu du sérail, fils et petit-fils d'agents de change, cet homme râblé de cinquante-six ans, au crâne dégarni, aurait fait les délices du caricaturiste Daumier au siècle dernier. Physicien de formation, il devient agent de change en 1972 et s'affirme comme un fonceur, se gardant au passage de belles inimitiés.

Pour faire de sa charge l'une des plus importantes de la place parisienne, il reprend successivement celles de deux de ses anciens confrères, en 1976 et en 1977. A l'époque, il sera l'un des premiers à introduire la notion de risque dans cette profession alors bien protégée : « Nous exerçons un métier à haut risque, aime-t-il à répéter au début des années 80, il faut savoir l'assumer, et le meilleur moyen est encore d'accumuler des fonds propres pour y faire face. C'est ce que nous faisons dans cette charge depuis plusieurs années. » Il annonce alors ce qui deviendra une évidence à la fin de la décennie, avec l'explosion des marchés financiers et leur ouverture aux banques et aux assurances.

L'affaire Montupet

D'entrée de jeu, Alain Boscher se spécialise dans le commerce des « blocs » (gros paquets d'actions), servant d'intermédiaire ou de porteur dans de grandes opérations financières de restructuration comme la prise de contrôle du groupe Révillon par Cora. Ces pratiques, assimilables à celles d'une banque d'affaires, ne sont pourtant pas admises par la profession. Bien que ce ne soit un secret pour personne, elles sont néanmoins tolérées jusqu'à ce qu'éclate au grand jour l'affaire Montupet en 1982.

Accusé d'avoir outrepassé ses fonctions d'officier ministériel et de commerçant pour se retrouver, bien malgré lui, actionnaire principal d'une importante entreprise industrielle, les Fonderies de Montupet, Alain Boscher est suspendu de ses activités pour une durée de deux mois...

En 1980, il avait conseillé à sa clientèle de capital de cette firme. Six mois plus tard, suite à la crise automobile, les cours s'effondrent et les clients, furieux, se retournent vers leur agent de change, le contraignant à reprendre au prix fort les actions dépréciées. Au bout du compte, Alain Boscher se retrouve premier actionnaire de la société avec 25 % du capital, dont il ne sait que faire. Sans parler de la perte exceptionnelle engendrée par cette opération. « J'ai été trompé », reconnaît-il, en évoquant ses relations avec Jean-Claude Montupet, président de l'époque.

Véritable Cassandre

En 1988, Boscher occupe à nouveau le devant de la scène, épinglé cette fois-ci par la COB, pour avoir réussi à accumuler 10 % du capital de La Redoute pour la proposer au Printemps. La Commission des opérations de Bourse lui reproche d'avoir violé le principe de neutralité qu'il doit respecter lors d'achats de titres. Cette accusation provoque immédiatement de vives réactions dans le milieu boursier. A l'encontre du gendarme de la Bourse. Et la Chambre syndicale des agents de change confirme ce sentiment en le blanchissant.

La suppression du monopole de change corporatiste et l'ouverture du marché boursier décidée par la loi du 22 janvier 1988 transforment Alain Boscher en véritable Cassandre, tirant sans cesse le signal d'alarme sur les dangers des contrecoups de la réforme boursière. Pour participer à l'évolution, sa firme sera le principal actionnaire direct de la Société des Bourses françaises, organisme chargé du fonctionnement des marchés. Mais cette participation de 2,4 %, la plus importante pour une ex-charge, sera finalement de pure forme, la firme n'étant pas admise au conseil d'administration et donc écartée des décisions.

Alors Alain Boscher, pour se faire entendre et réaffirmer ses principes sur la transparence financière, n'hésite pas à publier un rapport annuel d'activité, initiative rare dans la profession. Il prend également la plume dans les journaux, accorde des entretiens et intervient régulièrement sur les ondes. Ardent défenseur de l'indépendance, il ne manque pas une occasion pour dénoncer les contraintes excessives du nouveau système qui, selon lui, pénalise les intermédiaires non adossés à de grands établissements financiers. Sans parler au passage des coups de patte à ce milieu auquel il n'a jamais voulu s'assimiler et aux autorités du marché. « Le fait que plusieurs membres de cet establishment soient à l'origine de certains sinistres de ces dernières années ne manque pas de sel ! », déclare-t-il en juillet à l'hebdomadaire Valeurs actuelles. Rien de tel pour se faire des amis... Un an auparavant, sa vindicte s'était portée sur ceux conférés à Thierry Tuffier et plus particulièrement sur ses comptes.

« Il y a vraiment de quoi s'inquiéter. » Prémonition ? S'ensuivit alors une polémique entre les deux personnalités les plus médiatiques de la Bourse parisienne. L'hiver dernier, Alain Boscher évoquait à qui voulait l'entendre les difficultés de la société de Bourse Meeschaert Rousselle. Il envisageait même de la reprendre.

Mais la détérioration de la conjoncture boursière ramène rapidement au premier rang les préoccupations de rentabilité, devenues le souci majeur de tous les intervenants. Un « accident » sur les actions Michelin, dû à la défaillance d'un client cet été, provoquera des pertes importantes pour la société, obligeant Alain Boscher à renoncer à son rêve d'indépendance pour s'adosser à la BNP. Cette fois-ci, le vilain petit canard de la profession a pris une sérieuse volée de plombs, qui l'a cloué au sol. Et contrairement au conte d'Andersen, il n'a pas eu le temps de se transformer en cygne.

DOMINIQUE GALLOIS

Alain Boscher, agent de change français à la réputation sulfureuse, sera l'employeur d'Ernest Backes de 1987 à 1990. Ce dernier aura pour mission de créer une société d'investissement destinée à attirer les investisseurs allemands, puis de tenter de l'introduire en Bourse de Luxembourg.

À l'hiver 1989-1990, Boscher sera, avec le financier Nadhmi Auchi, l'un des deux plus importants raiders cherchant à prendre le contrôle de Paribas et de sa Compagnie financière. Dans cette opération, Alain Boscher perdra plus de 200 millions de francs sur un coup de dés, ce qui précipitera sa chute. Personne n'évoquera le donneur d'ordre pour le compte de qui Boscher agissait. Ernest Backes affirme qu'il s'agissait *de l'argent des institutions des régimes sociaux en France*. En octobre 1990, la société de Boscher, alors en faillite, sera rachetée par la BNP.

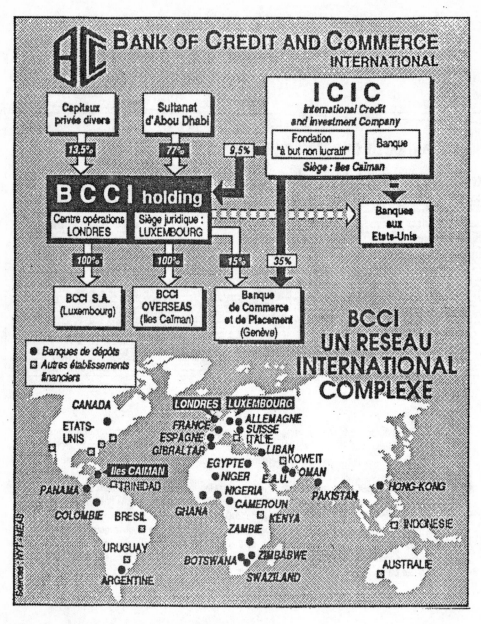

L'organigramme de la BCCI tel qu'il était connu en juillet 1991.
(Source : *NY Times.*)

S M. SWALEH NAQVI
CHIEF EXECUTIVE OFFICER

BANK OF CREDIT AND COMMERCE INTERNATIONAL S.A.

Dear Family member,   February 7, 1990

Late at night on February 5, 1990 I was informed that Judge Hodges in Tampa, Florida,
has finally and formally accepted the plea agreement reached between two BCC entities
and the U.S. Attorney's Office in the Middle District of Florida and all outstanding legal
disputes now stand settled.

My first thoughts travelled to you and the other nearly 14,000 BCC family members, who
became the medium of that Divine Will which determines and resolves all issues relating
to the process of life - whether individual, organisational or social in nature.

It was your determination and your will which gave BCC the moral and material vitality
which it needed in its most difficult times.

It was your conviction and commitment to the values of BCC which sustained its
development and growth in the face of exceptional adversity.

Our conscience is clear, our intention is clean, our resolve is genuine. We shall through
individual and joint effort, achieve what we have set out to achieve. The Divine forces
lead towards common good, towards universal good, towards good of all humanity.

Service to humanity is an essential ingredient of our major purpose. Contribution to the
health and progress of humanity is our ultimate service. What further assurance is
needed except that we act in true BCC spirit to achieve our professed goal.

There are not any words which I could use to convey in any meaningful sense the
gratefulness which I and the collective conscience of BCC feels for your support and
contribution - silent or express, visible or invisible, tangible or intangible. With BCC and
in BCC, you are one identity, your own entity. Live and enjoy and enhance this identity,
the integrated entity you are.

With my fondest regards,

Sincerely Yours,

SWALEH NAQVI

Ce courrier daté du 7 février 1990 a été envoyé au personnel de la BCCI par le grand patron
de la banque, Swaleh Naqvi, à la suite de l'affaire de Tampa. On appréciera le terme de
Family member employé par Naqvi pour s'adresser à ses employés. Une connotation sub-
tilement mafieuse...

Madame Erna Hennicot-Schoepges
Président de la Chambre des Députés
LUXEMBOURG

CHAMBRE DES DÉPUTÉS
ENTRÉE LE
2 1 FEV. 1990
232

2.90

Luxembourg, le 21 février 1990

Madame le Président,

Suite à des informations récentes concernant le blanchiment d'argent provenant du trafic de drogue par des institutions financières qui ont reconnu leur culpabilité, j'aimerais savoir de la part de Monsieur le Ministre du Trésor:

1) Est-il envisagé de retirer à une institution financière manifestement impliquée dans le blanchiment d'argent sa licence bancaire, étant donné qu'une telle activité nuit sérieusement à la bonne réputation de la place financière où par ailleurs le Gouvernement a jusqu'à présent fait valoir le principe de sélectivité dans les autorisations accordées en vue de l'établissement de nouvelles institutions financières?

2) le Gouvernement dispose-t-il de moyens juridiques pour obtenir en cas d'implication dans une affaire de blanchiment d'argent la dissolution d'une société comme par exemple d'une société holding? Si oui, est-ce qu'une telle décision a dores et déjà été envisagée?

Veuillez agréer, Madame le Président, l'expression de ma très haute considération.

CHAMBRE DES DÉPUTÉS
ENTRÉE LE
1 2 MARS 1990

Réponse de Monsieur Jacques SANTER, Premier Ministre, Ministre du Trésor, à la question no 232 posée par l'honorable député Jean REGENWETTER

Quant à la première question, j'ai requis en date du 19 janvier 1990 un dossier complet à l'établissement visé. Ce dossier, transmis le 20 février 1990, est actuellement à l'examen tant du point de vue judiciaire par le Ministère de la Justice, que du point de vue administratif par l'Institut Monétaire Luxembourgeois en tant qu'autorité de surveillance, et ceci conformément au communiqué publié par le Gouvernement luxembourgeois.

La deuxième question relève du domaine de compétence du Ministre des Finances auquel j'ai transmis la deuxième partie de la question parlementaire no 232.

Par un courrier daté du 21 février 1990 *(document du haut)*, le député socialiste Jean Regenwetter transmet au ministre luxembourgeois du Trésor, Jacques Santer (par l'intermédiaire de la présidente de la chambre des députés), une question parlementaire dans laquelle il lui demande ce que comptent faire les autorités grand-ducales au sujet de l'affaire BCCI (qui est encore en devenir). Jacques Santer lui répondra deux semaines plus tard, de façon aussi laconique qu'elliptique *(document du bas)*. À noter qu'aucun des deux hommes ne mentionne le nom de l'établissement bancaire en question. Une merveilleuse illustration du langage feutré en usage au Grand-Duché.

BANK OF CREDIT AND COMMERCE INTERNATIONAL
SOCIÉTÉ ANONYME
25 BOULEVARD ROYAL 2449 LUXEMBOURG P.O. BOX 46 L–2010 LUXEMBOURG

Mr Felix Walisch   July 9, 1991
BCCI Luxembourg

Dear Sir,

Account Ref.: 5277

With reference to your letter/fax dated 9th July, 1991, it
is with regret we have to inform you that as from 5th July,
1991 this bank is subject to the respite for all payments,
as provided for by Article 38 (1) of the law of 27th
November, 1984, regarding access to the financial sector and
its supervision.

Consequently, we are not in a position to make any payment
nor to undertake any act, except with the authorisation of
Mr Brian Smouha, Commissioner appointed by the Luxembourg
Court on 8th July, 1991.

Further announcements concerning creditors' rights and
obligations vis-a-vis this bank will be made in the
appropriate manner by the Commissioner appointed by court.

We deeply regret this development, which is beyond our
control. We hope this matter will be solved rapidly and you
will be kept informed about further developments.

Yours faithfully,

AJMAL AFZAL

Le 9 juillet 1991, Ajmal Afzal, un cadre de la Bank of Credit and Commerce International,
informe le représentant syndical de la BCCI à Luxembourg que tous les comptes de la banque
ont été bloqués.
Il faut savoir que les salariés de la BCCI étaient fortement incités à faire gérer leur compte
personnel par la banque dans laquelle ils travaillaient. Premières victimes de la faillite frauduleuse, ils ne pouvaient plus, dès lors, ni percevoir leur salaire ni récupérer leurs économies.

ENTRINGER & DECKER
Avocats à la Cour

FERNAND ENTRINGER
Docteur en Droit

MARTINE DECKER
Maître en Droit

2011 LUXEMBOURG
Boîte postale 129
2, rue du Palais de Justice
Tél. 46.23.47, 47.12.37 et 46.26.65
Teléfax: 47.07.96

Monsieur Brian SMOUHA

c/o TOUCHE ROSS LUXEMBOURG SàRL
21, rue Glesener
L-1631 LUXEMBOURG

c/o TOUCHE ROSS LONDON
33, Chancery
LA WC2 LONDON

10.VII.1991

PAR TELEFAX NO 46 28 04
            NO 0044 71 583 85 17

Conc.: B C C I   S.A. Luxembourg

Cher Monsieur,

Je vous prie de noter que je défends les intérêts des
employés de la B C C I Luxembourg, qui sont gravement touchés par la
décision judiciaire prise en exécution de l'article 38 de la loi luxembourgeoise relative à l'accès au secteur financier et à sa surveillance.

1. Mes clients entretiennent des comptes auprès de leur employeur.
Il s'agit soit de compte courant, c'est-à-dire de dépôts à vue,
soit de dépôts à terme, soit d'avoirs versés au "BCCI employees
provident fond", alimenté au moyen d'une portion des salaires des
employés.

Par le blocage de toutes les opérations sur tous les avoirs de
B C C I, mes clients ne peuvent pas disposer soit de leurs salaires,
soit de leurs économies. Ils n'ont pas de moyen de subsistance.
Il faudra très rapidement, c'est-à-dire au plus tard dans les 48
heures, trouver une solution à cette problématique.

* *

Je reste volontiers à votre disposition pour de plus
amples renseignements et je vous prie d'agréer, cher Monsieur, l'expression de mes salutations distinguées.

Fernand ENTRINGER

P.S. J'adresse copie de la présente à la direction de l'Institut Moné-
      taire luxembourgeois.
FE/JK

Delegation office
B C C I
25c Bld Royal
L-2449 LUXEMBOURG
Tel.: 470391

Dans cette lettre datée du 10 juillet 1991, l'avocat des salariés de la BCCI s'inquiète auprès
du liquidateur, Brian Smouha, de la possibilité pour ses clients d'accéder aux comptes qu'ils
ont ouvert auprès de la banque qui les emploie. L'avocat écrit notamment : *"Par le blocage
de toutes les opérations sur tous les avoirs de la BCCI, mes clients ne peuvent pas disposer
soit de leur salaire, soit de leurs économies. Ils n'ont pas de moyen de subsistance."*

Monsieur Fernand RAU
Président de la Commission
des Finances et du Budget
Chambre des Députés

Luxembourg

Monsieur le Président,

J'ai l'honneur de vous informer que lors de la réunion de la Commission des Finances et du Budget du 2.8.91 à propos de l'affaire BCCI je souhaite obtenir clarification des représentants du Gouvernement et de l'Institut monétaire luxembourgeois (IML) sur les points suivants:

1) Il est reproché au Luxembourg d'avoir été le maillon faible dans le mécanisme international de contrôle et de surveillance des activités de la BCCI. Les pays concernés en premier lieu par les enquêtes qui ont permis d'établir au-delà de tout doute les agissements frauduleux de la banque, ont-ils informé le Gouvernement et les autorités de surveillance luxembourgeois? Si oui, à quel moment et dans quelle mesure cette mise au parfum a-t-elle eu lieu? Une fois informés, quelle a été l'attitude du Gouvernement et de l'IML? Indépendamment de cette question, je souhaiterais avoir des précisions sur l'attitude que le Gouvernement entend adopter pour répondre aux attaques massives dont le Luxembourg fait l'objet dans cette affaire, tant de la part de responsables politiques de pays "amis et alliés" que de la presse internationale?

2) Est-il vrai que plusieurs banques, établies de longue date au Luxembourg, ont, avant même le procès de Miami de 1990 démontrant l'implication de cadres de la BCCI dans le blanchiment d'argent provenant du trafic de drogues, alerté les autorités luxembourgeoises sur les risques que certaines activités de la BCCI faisaient courir au Luxembourg et d'ailleurs à elles-mêmes, et que ces banques ont itérativement recommandé aux autorités locales de prendre à temps les mesures nécessaires?

3) Quelle a été, au cours des dernières années la politique du Gouvernement en ce qui concerne l'IML? Cette politique a-t-elle permis à l'IML de faire face, du point de vue des ressources tant humaines que techniques, à la complexité croissante des missions qui lui incombent au Luxembourg et dans le réseau mondial de surveillance et de contrôle des activités bancaires?

4) Comment se fait-il que certaines leçons n'ont toujours pas été tirées du scandale de la Banco Ambrosiano Holding (Luxembourg), dans la mesure précisément que la BCCI agissait sous le couvert juridique d'une société holding à partir du Luxembourg et qu'à l'époque les autorités s'étaient engagées publiquement à ne plus tolérer l'exercice d'activités bancaires ou quasi-bancaires sous le couvert d'une société holding?

5) Pourquoi les autorités luxembourgeoises se sont-elles contentées de nommer un seul liquidateur pour la BCCI Luxembourg, ce liquidateur se trouvant être le même que celui de BCCI Londres? Le Gouvernement ne craint-il pas qu'il puisse y avoir conflit d'intérêts, voire risque de collusion?

6) Quelles sont les répercussions pratiques de la liquidation de la BCCI sur la place financière de Luxembourg? En particulier j'aimerais avoir des éclaircissements sur les points suivants:

- Quel est le montant des dépôts menacés à la BCCI Luxembourg?
- Quels sont les dépôts de résidents luxembourgeois ainsi menacés?
- A combien se chiffre l'intervention qui sera demandée aux banques de la place dans le cadre du fonds de solidarité et de garantie?

7) Quelles sont les répercussions prévisibles sur notre législation bancaire des critiques qui se font entendre partout dans le monde contre les failles actuelles du réseau international de surveillance et de contrôle?
En particulier, quelle attitude le Gouvernement luxembourgeois entend-il adopter à l'égard des déclarations du vice-président de la Commission des CE, sir Leon Brittan, qui vient de suggérer la semaine dernière "d'interdire certaines structures de société si les procédures ne sont pas sûres et si elles sont utilisées pour cacher des opérations douteuses". Par ailleurs, sir Leon a souhaité "l'ouverture de discussions au niveau international pour éliminer les obstacles à l'échange d'informations" entre les autorités bancaires compétentes.

Salutations distinguées

Henri GRETHEN
Député

Le député libéral Grethen s'inquiète auprès du président de la commission des Finances et du Budget du Parlement luxembourgeois de l'état d'information des autorités de son pays avant que n'éclate le scandale de la BCCI.

Dans ce dessin de presse relatif à l'affaire BCCI, on voit deux représentants de la Banque d'Angleterre tenant un ouvre-boîtes face à une boîte d'où sortent des vipères symbolisant les différentes ramifications du scandale BCCI : Corruption, Ventes d'armes, Drogue, Terrorisme, Fraude... L'un d'eux s'exclame : *"Je crois que nous avons ouvert la boîte de Pandore..."*

Ces pages sont tirées de l'annuaire 1995 des clients de Cedel (la "Code List"), envoyé régulièrement à chaque adhérent du système de clearing. Il recense les établissements possédant des comptes publiés officiellement. En comparant ce listing à celui des étiquettes figurant sur le fichier postal recensant les clients de Cedel à la même date, nous sommes parvenus à reconstituer la liste des comptes non publiés.

Il existe deux "Code Lists". La première, très fournie, présente l'ensemble des valeurs mobilières pouvant faire l'objet d'une transaction via Cedel, avec leurs codes respectifs. La seconde recense, elle, les établissements bancaires en relation avec le système de clearing, classés par catégorie : les banques adhérentes du système ; les banques non adhérentes qui peuvent se retrouver contreparties de banques adhérentes, mais uniquement pour des transactions se déroulant sur les marchés boursiers nationaux (on les appelle *"Domestic Counterparties"*) ; les banques dépositaires servant de banques de dépôt pour les valeurs mobilières ; les banques dépositaires servant de banques de dépôt pour les espèces ; enfin, les actionnaires de Cedel.

TABLE OF CONTENTS

Introduction

Account Number	Name	Abbreviation	Location
57 576	NEW SOUTH WALES TREASURY CORP.	Newsouth	Sydney
57 584	CHEMICAL CUSTODY & TRUSTEE SERVICES	Chemicus	Dublin
57 589	BANCO DI NAPOLI SPA SUCC.ESPANA	Banconap	Madrid
57 592	NOMURA GILTS LTD	Nomgilts	London
57 597	NACIONAL FINANCIERA-NAFIN II	Nacnafin	Mexico City
57 601	MULTIBANCO COMMERMEX S.N.C.	Multiban	New York
57 606	CREDIT NATIONAL (LUXEMBOURG) S.A.	Creditna	Luxembourg
57 673	BANCO EXTERIOR INTERNACIONAL S.A.	Bcoexter	Madrid
57 678	CASSA DI RISPARMIO DI VOLTERRA	Cavolter	Volterra
57 681	BANQUE FINANCIERE GROUPAMA	Bguegrou	Paris
57 686	CENTROBANCA SPA BCA CENT.DI CR.POP	Centrobc	Milano
57 690	TRADE & FINANCE COMPANY S.A.	Tradefin	Luxembourg
57 822	MULTIBANCO COMERMEX-SNC GD CAYMAN	Multiban	New York
57 827	BANCO HISPANO DE INVESTIMENTOS S.A.	Hispano	Lisbon
57 835	CITIBANK LUX SUB AC QUANTUM FUND NV	Quantum	Luxembourg
57 856	NAT.WESTM.BK.GSS BK.RE GUINNESS FL.	Natbkgss	Bristol
57 873	NEW JAPAN SECURITIES CO.LTD-CLIENT	Newjapan	Tokyo
57 916	BANCO TOTTA & ACORES	Batotta	Lisbon
57 924	EBC SECURITIES LIMITED	Ebcsecur	London
57 929	BANK OF AMERICA-BAMERINVEST.C.A.	Bkofamer	Grand Cayman
57 959	TRIGONE CAPITAL FINANCE S.A.	Trigonec	Geneve
57 967	BANK OF BERMUDA (ISLE OF MAN) LTD	Bkfberm	Isle Of Man
57 970	PHIBRO-SALOMON FINANCE AG	Phibrosa	Zug
57 975	TOWA INTERNATIONAL LTD	Towaltd	London
57 988	BANCO DI SARDEGNA EPTAF.FO.EPT.INTL	Bdsepta	Milano
57 991	BANCO DI SARDEGNA EPTAF.FO.EPTA92	Bdsept92	Milano
58 084	CHASE MANHATTAN-ARGENTINA	Chasmanh	New York
58 092	KDB INTERNATIONAL(SINGAPORE) LTD	Kdbintll	Singapore
58 106	WESTLB (EUROPA) AG COPENHAGEN BR.	Westlbdk	Copenhagen
58 119	CHEUVREUX DE VIRIEU	Cheuvreu	Paris
58 122	BBV INTERACTIVOS S.V.B. S.A.	Bbvsvb	Madrid
58 127	FRIEDBERG MERCANTILE GROUP CLIENTS	Friedber	Toronto
58 149	MULTIBANCO COMERMEX CMX INTL&TRUST	Cmxintl	New York
58 165	SBCI SWISS BANK CORP. INVEST. BANK.	Sbcibank	New York
58 173	SINN MUNTERS PORTELLO & CIE S.N.C.	Sinnmunt	Bruxelles
58 211	COFIGEST SPA SIM	Commissi	Milano
58 225	BANCO TOTTA & ACORES S.A. LONDON BR	Bcototta	London
58 238	EURO CANADIAN SEC/CREDIFINANCE SEC.	Eucacred	Toronto
58 262	EUROPEENNE D'INTERM.FINANC.BOURSIER	Europeen	Paris
58 267	DEUTSCHE BANK DE INVESTIMENTOS SA	Deinvest	Lisboa
58 289	BANCA INTERNAZIONALE LOMBARDA S.P.A	Bcalomba	Milano
58 330	IST.BANC.SAN PA.FUT.DELIV.ACC SPA	Torinosa	London
58 335	ETEBA/NATIONAL INV.BK.FOR IND.DEVL.	Etebabk	Athens
58 373	BANKERS TRUST COMPANY HK BRANCH	Bthkcomp	Hong Kong
58 378	ULSTER BANK CUSTODIAL SERVICES	Ulsterbk	Dublin
58 381	BANCO TOTTA & ACORES S.A. MACAU BR	Bancotot	Macau
58 386	BANK AUSTRIA INVESTMENT BANK AG	Bkaustri	Vienna
58 394	GLOBAL SEC. OF BEAR STEARNS	Correspo	Monte-Carlo
58 399	BANCA POPOLARE DI VERONA-LUX BRANCH	Bancapop	Luxembourg
58 411	BANQUE SIFAS	Banqsifa	Paris
58 454	CREDIT LYONNAIS ARBITRAGE DMTC	Clardmtc	Paris
58 459	GOLDMAN SACHS INTERNATIO.CLEARANCE	Gsilclrn	London
58 462	GOLDMAN SACHS INTERNATIONAL CUSTODY	Gsilcust	London
58 467	GOLDMAN SACHS AND CO. FUTURES DELIV	Gosacfda	New York
58 470	MELICE + CIE S.A. DE BOURSE	Melicpub	Bruxelles
58 475	INTERCAPITAL BONDS LIMITED	Interbon	London
58 483	MG INVESTMENT NOMINEE PTE LTD AC/CL	Mgtrust	Singapore
58 488	BANCO RIO DE LA PLATA S.A.	Rioplny	New York
58 518	KDB ASIA LIMITED	Kdbasia	Hong Kong
58 526	BANCO BILBAO VIZCAYA SA NEW YORK BR	Bbvnybr	New York
58 564	V. GRAFFENRIED AG BANK	Vgralfen	Bern
58 572	BANK OF CHINA HONG KONG BRANCH	Bankofch	Hong Kong
58 577	BANQUE AUDI (LUXEMBOURG) S.A.	Banquaud	Luxembourg
58 594	MERCURY BANK AND TRUST LTD	Mercuryb	George Town
58 599	THE CHINA STATE BANK LTD HK BRANCH	Thechina	Hong Kong
58 602	REPUBLIC NATIONAL BANK OF NEW YORK	Repnatny	New York
58 632	ZENSHINREN INTERNATIONAL LIMITED	Zenshin	London

The bank up jo

Pete Sawyer couldn't believe that one of the biggest banks in the world was paying British journalists to spy on its enemies. But after a series of clandestine meetings and a trip to Luxembourg, he changed his mind. Here is his extraordinary tale.

Few outside of the City will have heard of a bank called Cedel. Its concrete-and-glass headquarters are tucked away in an otherwise residential district of Luxembourg City. Just around the corner is the computerised nerve centre which processes dealings in obscure financial instruments such as Eurobonds and Chinese securities. Despite its low public profile, Cedel is a waking giant poised to make a concerted attack on markets that have traditionally been dominated by the Stock Exchange in Britain and other stock markets across the world. Cedel is owned by an international consortium of 95 banks, but has worked particularly closely with Barclays Bank.

Last year, its turnover was more than £8 trillion, and profits were £31 million. Its sophisticated computer system hums day and night, clearing an incredible £1 billion of transactions an hour. Cedel's aggressive chief executive is André Lussi, a 47-year-old Swiss. Highly ambitious, he is determined that the bank will thrive under his stewardship. And that means by fair means or foul.

Punch has uncovered a sordid tale of commercial espionage and dirty tricks by Cedel, not only against its main competitor but against its own employees. What's more, the tale involves at least two respected British financial journalists. The two journalists, Ian Kerr, aged 55, and David Cowan, 36, have been paid tens of thousands of pounds to act as industrial spies on behalf of Cedel. Both have written for Euromoney Publications, a major financial publisher, with which Cedel has close links. One of them has even written about Cedel for the *Financial Times*, supposedly the financial world's journal of record.

Part of the National Union of Journalists' code of conduct stipulates that a journalist "shall not accept bribes nor ... allow other inducements to influence the performance of his or her professional duties". The rule is there to ensure that what you read is fair and accurate and is not distorted, selective or misrepresented. And nowhere is it more important than in financial journalism, where lay people are reliant on experts to help them make knowledgeable judgements about their own investments.

For Ian Kerr, it is a rule that went out of the window long ago.

Kerr has been around for almost as long as the Eurobond markets. A former banker with a penchant for white suits, he cuts a slightly eccentric figure in the City, often turning up in a chauffeur-driven Mercedes. He has an opulent lifestyle.

In the early Nineties, Kerr wrote a satirical column in *International Financing Review*, a

financial trade journal, under the pen-name "L'Eminence Noire". The column carried regular jibes about Cedel and its autocratic boss. But then, in mid-1992, it all changed. Cedel was suddenly flavour of the month. No one could understand why until, one day, Kerr inadvertently faxed a proposed draft contract with Cedel to one of his contacts. The proposed retainer was a mouth-watering £60,000 a year.

Unbeknown to *International Financing Review*, Kerr had been put on a retainer by Cedel to act as an external consultant to Cedel's senior management, to enhance Lussi's international profile and to write Lussi's speeches. More sinisterly, he was also asked to spy on Cedel's only competitor, Euroclear.

One assignment, called enigmatically Project 5094, involved providing "intelligence on Euroclear's moves to introduce corporate and fund management customers into Euroclear", and assessing the "erosion of confidence" among the employees of JP Morgan, one of the main players in the Eurobond market.

Kerr's "professional fees" for Cedel's Project 5094 came to some £16,700 — not bad for 16 and a half days' work. The payment to Kerr was approved at board level. Many of the subject areas he investigated on behalf of Cedel for Project 5094 were reflected in items contained in his L'Eminence Noire column. Kerr also kept making favourable references to Cedel. But these were meticulously edited out. So, in March 1994, he took himself and his column to Euromoney Publications.

There, eulogies to Cedel continue to spring forth. As recently as June 20, in "A Week in the Markets", Kerr's regular column in *Euroweek*.

Regis Hempel was dismissed from Cedel by Lussi for 'passing internal information' to a British journalist

En septembre 1997, sous le titre "La Banque qui achète les journalistes", l'hebdomadaire anglais *Punch* révèle, entre autres, qu'un journaliste collaborant à différentes revues financières (dont le *Financial Times*, *Euroweek*, le *London Finan-*

that buys urnalists

INVESTMENT BANKING
CORPORATE FINANCE, CAPITAL MARKETS AND MERGERS & ACQUISITIONS

Smith Barney and Salomon are as different as chalk and cheese. Let's hope this marriage fails to reach the altar

Little chance of nuptial bliss for Salomon

I have followed Salomon Brothers, first as a competitor and then as a financial columnist, since the early 1970s. In 1972 I was in New York and invited to view Salomon's trading floor which was almost a tourist attraction because of its size. Only the computers were missing. Later I watched Salomon arrive in London to considerable fanfares and 21 gun salutes. The rather modest offices at 1 Moorgate seemed to suggest a back bigger than its bite, but Salomon did little to suppress the fear that it played the big bad wolf in every market in which it chose to participate.

Both as an investment banker and as a writer Salomon was my kind of firm.

It was big, pushy, socially [...] we pleased with itself and [...] ared to make the most [...] US domestic

Ian Kerr

Liar's Poker by Michael Lewis is so well.

But Salomon wasn't everyone's cup of cocoa. It's bruising trading tactics upset competitors. Clients sometimes wondered when they ranked in the firm's list of priorities. "We did a ton of business with Solly but I always tried to remember that the firm's most junior trader was more important than their best salesman," said a [...] based asset manager. [...] holders – and I myself have [...] Solly stock in the past – [...] wondered whether the [...] for it [...]

partnership environment. Because of the cost involved it was impossible, but in the darker days wouldn't it have been possible to strike a deal between the firm's managers, Warren Buffett [...] say, AIG – and [...]

Street. He can turn dross into gold dust. Under Weill some of Wall Street's most famous lost cachet were transformed [...] n [...]

he described in glowing terms a charity ball sponsored by Cedel: "Well done to Cedel's John Gilchrist... who orchestrated the evening with great flair..."

In February this year, Kerr gave a touching description of how Lussi saved the day for Cedel: "A white knight was needed very quickly. Fortunately, former UBS top manager André Lussi was there to answer the call for help. Against all the odds... Lussi pulled Cedel back from the brink..." He continues: "The turnaround, according to one of our most senior banking friends in Luxembourg, was little short of a miracle". Indeed.

We contacted some of the publications Kerr writes for to see if he had disclosed his interest in Cedel to them. The editor of *Euroweek*,

Mark Johnson, told *Punch* that he was "aware" of Kerr's payments from Cedel. When asked whether that sat comfortably, he said: "He's a diary columnist and doesn't give share tips. He writes about Cedel in a light and humorous manner."

Kerr also writes a column for *London Financial News*. Editor Clive Wolman says Kerr had disclosed that he had done "some work" for Cedel but says that in any event Kerr's column in *LFN* never mentions Cedel.

It gets worse. From the point of view of the

public, perhaps the most important part of the NUJ's code of practice is the requirement that journalists shall protect confidential sources of information. Without this rule, no one would trust any journalist and consequently they would not get their stories.

In May 1992, a damning article appeared in a Luxembourg newspaper criticising Andre Lussi's management style, described in the article as "arbitrary, subjective and dictatorial". ▶

Rivals eye each other closely

by David Cowan

Euroclear and Cedel Bank:

Both organisations have undergone changes as they prepare for even greater competition

since their formation in the [...] ate 1960s, Euroclear and Cedel have eyed each other [...] across the Ardennes [...] recent past there has [...] more of a competitive [...] that to us Cedel eye. Euro [...] lear has always been the [...] idest, the one with the big [...] most market share able to [...] most of its mature Morgan [...] backing, its younger sibling [...] has always [...]

sackings and management changes, often tainted by acrimony.

But this has been at the heart of the cathartic process by which Cedel Bank has now arrived with a healing licence, has been transformed from the rotten borough of a handful of rough and tumble traders into the international competitor which clearly now has its rivals in Brussels worried.

This has seen in the response by Euroclear, which has become more aggressive in a mature kind of way, [...] [...] [...]

such as collateral management and repo.

Last year, the total value of securities transactions within the Euroclear system totalled €35,600bn, a 14 per cent increase on the year, and €10,000m within the Cedel Bank systems, a 25 per cent increase on the year. The other key figures for the value of deposits kept within the system at €1.04bn on clear stands at €1.34bn, a 40 per cent increase, while Cedel Bank exceeded the €1,000m mark after an 18 per cent increase on the year.

lively stable. Maybe they are now trying different ways to challenge our client base."

Euroclear remains steadily broker dealer dominated in the way, which Cedel Bank through its Liberty subsidiary is striving to break into. Cedel Bank, meanwhile, remains dominant in the global custody area, and in moving up the value chain both to shore they do not alienate their natural constituency. Both organisations are seeking new ways to capture their old [...]

depositories with th [...]
Both organisati [...]
aware of local Cer [...]
ment of local Cen [...]
cities Depositorie [...]
since they are [...]
bring processing [...]
their markets, w [...]
Interviews and [...]
DKV being stud [...]
André Lussi r [...]
see ourselves a [...]
and ourselves w [...]
to the CS [...]
compete with [...]
we flow int [...]

Isn't Sandy Weill (above) biting off more than he can chew with Salomon Brothers?

PUNCH 5

'She made hundreds of dumplings. He's stayed with her for 50 years'
It is the way to a man's heart. Honestly. True love revealed, on pa

The secret price of terrorism. Special report by Tim Sebastian

Cash for no questions

January 1981. After 444 days, the 52 American hostages in Iran are hastily released.

January 1981. After 444 days, the 52 American hostages in Iran are hastily released.
Hours earlier, the US government had paid a secret (and never previously revealed) $150 million ransom. They have been trading with terrorists ever since. Do the deals work?

Luxembourg: obsessively discreet, conservative and low-profile - ideal for the transaction that the Americans had in mind. Their troops had liberated it at the end of the Second World War and their spies had gone on to use it as a clearing house for covert financial operations. Slowly and without fanfare, US government agencies had spent the Forties and Fifties moving their money around the hundreds of banks and finance houses of the tiny Grand Duchy. They became the cream of the clientele and got what they wanted most - secrecy.

As he sat in his office in one of the city's financial giants, Jean Berthoud had reason to reflect on this ultra-special transatlantic relationship, as he carried out an order, telexed from Washington. The date was 18 January 1981 - three days before the release of US hostages from their embassy in Tehran. (The 52 American hostages flew from Iran to Wiesbaden in West Germany after 444 days of captivity, minutes after Ronald Reagan was sworn in as fortieth President of the United States.) As part of the deal, the Americans were unfreezing Iranian assets in the world's largest-ever transfer of private funds. But Berthoud had been given a different task. He was to pay over - in freely convertible bearer bonds - an $8 million ransom that has never before come to light.

Set against the billions that were legitimately in transit, this was indeed a tiny sum. But it ended up sending a very potent signal: under extreme conditions the US would deal with terrorists and hostage-takers and even buy them off. In years to come, that message resounded around the world's darkest corridors, received and understood by extremists of every conceivable stripe. A dangerous precedent had been set.

'We always knew,' says a former senior US government official, 'that four or five top Iranians were paid off - over and above the unfreezing of assets. [Bill] Casey was head of the CIA, and would never have trusted his own people to handle it ... that's why they would have arranged it abroad.'

But within the confines of Luxembourg, bankers were accustomed to the routine transfer of secret funds. In the confidential records of one finance house shown to the *Observer*, more than 30 unpublished accounts were identified as belonging to the Bank of England, as well as to the French Intelligence Service - the DGSE. According to financial investigators, such accounts are frequently used by governments to fund their most delicate machinations. Berthoud was to learn that at first hand.

He was instructed by the Federal Reserve in Washington to withdraw half the bonds from the deposits of two major US banks, and dispatch them to the Central Bank in Algeria - the established conduit for the Markazi bank in Tehran. Berthoud then asked the Federal Reserve if permission had been obtained from the US banks.

The reply caused him to raise both eyebrows. Washington had been unable to contact them - but he was not to worry. A similar order was on its way from the Bank of England which would 'top up' and confirm Washington's request.

'Mine was just a small slice of the payoff,' he says. 'At the time we believed the total ransom was around $150m. That was the figure being put about.'

As the day wore on, London did confirm its side of the transaction, clearing a further $3m - but things went wrong in Algiers. The Central Bank told Luxembourg it had no idea what to do with the bonds and no authority to accept them. Tehran would have to intervene.

Eventually, the bonds were dispatched, to the delight of the Iranians, who went so far as to request their own accounts with the finance house. They were tactfully turned down. But by then, word was out among the terrorists and hostage-takers. There was money to be made from the US.

For more than three months, the *Observer* has been investigating the covert contacts governments maintain with terrorists - as well as attacks that have never been made public. In some cases, the facts are sharply at variance with declared policy. A number of state officials, arms dealers and intelligence sources, who spoke to us on condition of anonymity, painted alarming pictures of a rising terrorist threat, deliberately suppressed by worried governments.

Terrorists may not be able to bomb their way to public talks, but they can certainly get an audience in a safe house in the Irish Republic, or Switzerland or South America. As one British security source put it: 'Talk to terrorists? Of course we talk to terrorists. It would be wholly irresponsible not to do so.'

Here in Britain, the authorities draw a wavy line between meetings and negotiations and there's little regard for the methods of some European countries. Last month, after French accusations that Britain was being used as a base by Islamic terrorists, intelligence sources in London hit back.

'France,' said one official, 'has a fairly idiosyncratic approach to terrorism, and would tend to negotiate over the taking of hostages. They don't buy the line that if you pay ransom, you leave yourself open to more frequent attack.'

As one of the current targets of choice, with wide-ranging interests in Africa, France may well be more vulnerable than other European states. Algerian extremists have shown no hesitation in taking their grievances to the Paris railway system. But the potential threat is now known to have been much greater than previously admitted. International arms dealers say that last year the French were allowed to 'find' a disarmed explosive device, left in a public place, as a sign that the terrorists meant business. The word from informed French sources was that it contained radioactive material which could have caused spectacular injuries and introduced an entirely new level of threat.

'Terrorists now have the capability to cause utter chaos on the streets of our capitals,' said one source. 'Yet they've also learnt a more subtle game. Show the authorities just a single device and they'll start paying to keep you from using it.'

But doling out extortion money is no long-term solution. It's fine for the terrorists who have lost some of their most important Eastern-bloc paymasters - notably the Soviet Union and East Germany - but once they have filled their coffers, the temptation to use newly purchased hardware may be irresistible. Disturbingly, today's terrorist groups have become more numerous and disparate and share no central control.

'Some of the traditional constraints, imposed by the old state sponsors, have gone,' says Dr Bruce Hoffman, expert in terrorism at St Andrew's University. 'Terrorist groups are more diffuse and amorphous right now. There's no great guiding hand, just a lot of very different groups and motivations.'

But there are plenty of things they do share, including funds and support from Iran, which, according to the US State Department, pays out more than $100m a year to terrorist causes. Last year, a report by the parliamentary human-rights group said Iranian assassins had killed 11 of the regime's critics outside the country during the first five months of 1996. But it's not clear where the orders came from. The government and the clerical factions frequently differ on methods and tactics. But none of them is idle. 'The dimensions of what's going on in the terrorist world,' says Hoffman, 'go far beyond what is generally reported.'

What is also unreported, according to arms dealers in the Gulf, is the virtual mass production by Iran of chemical and biological weapons, which poses western governments their most immediate security nightmare.

The substances are often odourless and colourless, and thus undetectable by conventional equipment. They are also cheap and easily processed - and a little goes a very long way. Stockpiles could already be in place in western capitals - which may help explain US reluctance to unleash its forecast retaliation against Iran. 'The operation's in place,' says a high-placed expert. 'But they just don't want to do it.'

The same could be said for international measures against terrorism, redrawn last July in response to the explosion aboard TWA Flight 800. Leading industrialised countries, meeting in Paris, agreed a 25-point list of new measures but, as always, intentions outnumbered actions. France and America, never slow to disagree, clashed over whether to target countries or groups. The French Foreign Minister, Hervé de Charette, ended up calling the US analysis 'a bit simplistic and a bit outdated'. The result: no perceptible increase in international co-operation - and a major upsurge in terrorist preparations.

Last month, arms dealers in the Middle East confirmed what western intelligence had already suspected:

• Six new terrorist training camps had been identified in Afghanistan, with Czechs, Scandinavians and Germans among the recruits. Run by Islamic extremists, in a country still wracked by civil war, they were said to be preparing for operations in Western Europe.

• In late October or early November, two lesser-known members of the IRA Army Council were sighted in Libya, seemingly on a shopping trip to one of their traditional suppliers, Colonel Gaddafi. The Americans say he's reluctant to supply arms and explosives to certain causes, but is still regarded as a terrorist sponsor.

• German authorities are reported to have identified a new group, replacing the now defunct Red Army Faction. So far, it is building up money and supplies. No attacks have yet been reported.

This information hardly points to all-out Islamic terrorism against the West. But it provides a snapshot of a rapidly developing crisis. It also helps explain the proliferation of all kinds of weapons on the black market, now being tracked by officials in Washington and London. Arms experts point to 'unprecedented nervousness' among the volatile Gulf states, with money and resources flooding out of the region.

For some time, they claim, both the United Arab Emirates (UAE) and Saudi Arabia have attempted to play all sides and ride all horses. Intent on building up their international tourism, they're known to have been channelling substantial sums to the Palestinian extremist group Hamas, in an effort to buy it off and prevent terrorist atrocities on their soil. 'The region,' says Dr Hoffman, 'is in far more brittle condition than for many years.'

Nowhere is that more apparent than in Saudi Arabia, where extremists have targeted American military installations, more frequently than the US has admitted. Intelligence sources confirm up to half-a-dozen unreported attacks over the past year, but it's not clear if they produced additional casualties. The worst reported incident occurred last June when terrorists blew up part of a US army hostel.

Not this time Nineteen US servicemen died in this explosion in Dhahran in 1996.

The Americans' reluctance to acknowledge the additional attacks reflects a sense of powerlessness and an inability to retaliate effectively. Moreover, there has been little assistance from the Saudi authorities. In one instance they convicted and executed their suspects before FBI investigators could even question them. For now, the US policy is to play it all down. 'Why tell the public that something bad has happened - but you can't do anything about it,' says an arms expert. 'It only encourages other groups. There could be a lot more of that in the future.'

The motive for the Saudi attacks is a growing hatred of the West in general and America in particular. Arms dealers report a dramatic rise in anti-western rhetoric - with increasing calls for the West to be thrown out of the Gulf and denied access to the oil supplies.

While that represents little more than the extremist position, it's now being parroted in traditionally more moderate circles. Americans are routinely accused of spreading conflict, pitting brother against brother, and trampling on the cultural sensitivities of the region. In return, Washington has spent the past few years issuing some pretty blunt warnings.

Early in 1994, following evidence of Sudanese involvement in the New York World Trade Center bombing, a US diplomat in Khartoum handed the Sudanese president an untitled and unattributable letter on behalf of his government. It carried no heading and was unsigned - but the message was clear enough.

'While we did not publicly link Sudan to terrorist plots in the United States when we placed your country on our list of states that support terrorism, we are of course aware of Sudan's involvement ... I have therefore been instructed to warn you that if there is a Sudanese hand in instigating or conducting such an act in the United States or against American interests anywhere in the world, there will be a harsh reaction. Our reaction could result in the international isolation of Sudan, in the destruction of your economy and in military measures that would make you pay a high price.'

Despite the simplicity of the note and the strength of its warning, the signs are that it went unheeded. Besides, with a US history of wavering commitments and covert deals, and secret Luxembourg accounts, the terrorists couldn't be sure if - this time - they meant it.

When it comes to solutions, law enforcement has no doubt at all that it could take on the terrorist groups and their leaders - if granted the powers. That would mean, says a senior British police officer, taking the kind of measures that would be deemed brutal and undemocratic. 'You'd have to be saying to these people "If you want to join a terrorist group, then we'll hunt you down anywhere in the world and kill you. We know who you are. We know where you are." But it wouldn't happen. We'd just never be allowed to take them on.'

The weakness of the big powers was underlined yet again by the flurry of recent letter bombs sent to a Saudi newspaper in London and New York. Several people were injured. It pointed up the ease with which relatively small groups can penetrate western security and bring their cause to major cities. 'A bomb in London is worth about six in Damascus,' says a security source. 'That's the way they calculate this kind of thing.'

What they have also calculated are the odds of successfully holding the world to ransom. And over the past few years, they've been steadily improving. It's already costing us more than you think.

If you want to get a feeling for the process, go back to the Grand Duchy of Luxembourg and look out over the slow-moving waters of the River Alzette. You'll never see it move, but the chances are that some very clean money is flowing downstream to some very dirty causes.

(Jean Berthoud's name has been changed for his own protection.)

Contacts in Moscow

Civ	Name1	Name2	Title	Bank	Address	RUS-	City
Mr	Paul	Blyumkin	Manager Global Network	Templeton Global Investors, Inc.	16 Tverskaya street	RUS-	103009 Moscow
Mr	Leonard	Vid	Chairman of the Board	ALFA BANK	11 M. Poryvaevoy Str.	RUS-	107078 Moscow
Mr	Oleg	Kuznetsov	Deputy Head of Correspondent Banking	MOSBUSINESSBANK	15 Kuznetsky most.	RUS-	103780 Moscow
Mr	Gennady	Melikyan	Chairman of the	Federation Bank MENATEP	19 Vavilov Str.	RUS-	117817 Moscow
Mr	Alexandre	Zourabov	an r to the Chairman of the Board	UNEXIM BANK	26 Ulansky Lane	RUS-	103045 Moscow
					11 Masha Poryvaeva Str.	RUS-	107078 Moscow
Mr	Sergej	Korepanov	Editor in Chief	Banking Weekly of Russia	10 Dekabristov Str.	RUS-	127562 Moscow
Mr	Anatoly	Chernyshov	Executive Vice President	TOKOBANK	63 Novocheremushkinskaya Str.	RUS-	117418 Moscow
Mr	Alexey	Kuznetsov	First Vice President	INKOM BANK	4/1 Slavyanskaya sq.	RUS-	103074 Moscow
Mr	Alexander	Khandruyev	First Deputy Chairman	Central Bank of Russian Federation	12 Neglinnaya	RUS-	103016 Moscow
Mr	Bernhard	Schiess	Deputy Chairman of the Board	National Reserve Bank	24/1 Novokuznetskaya Str.	RUS-	109017 Moscow
Mr	Vsevolod	Doumny	Professor	THE FINANCE ACADEMY	49 Leningradsky pr.	RUS-	125468 Moscow
Mr	Vadim	Fedyaev	International Relations Department	THE FINANCE ACADEMY	49 Leningradsky pr.	RUS-	125468 Moscow
Mrs	Olga	Pushkina	General Director	First Auditor House	55 Leningradsky pr.	RUS-	125468 Moscow

Mrs, Gryaznova Zador   Finance academy   Moscow

Mrs Gryaznova Alla Finance Academy.

Moscow
6 books
1 pen
1 watch
8

Sur ce document interne qui présente la liste des contacts de Cedel à Moscou, les représentants de la firme de clearing ont inscrit, en marge de chaque nom, "l'offrande" correspondante : B = Book (livre) ; P = Pen (stylo) ; W = Watch (montre).

À la cinquième colonne, on remarque le nom d'Alexandre Zourabov, le président de la Banque Menatep. En 1999, cet établissement fera parler de lui pour son implication dans le "Kremlingate" : le détournement massif des aides internationales accordées à la Russie par le FMI (voir chapitre 7). La Menatep est aujourd'hui membre de Cedel-Clearstream, où elle dispose d'un compte non publié (numéro 81738).

Le 19 janvier 1997, dans *The Observer Review*, le journaliste Tim Sebastian consacre un article à la rançon versée aux Iraniens par l'administration Reagan en échange de la libération "différée" (au lendemain de l'élection qui verra élire Ronald Reagan président des États-Unis) des otages américains retenus à Téhéran – alors qu'officiellement, aucune rançon n'aurait jamais été versée par Washington.

Une source luxembourgeoise qui a assisté à la transaction s'en est confiée à Tim Sebastian. Surnommé "Jean Berthoud" pour sa propre sécurité, cet homme est en réalité Ernest Backes, qui a supervisé, depuis son poste à Cedel, le paiement de la rançon à Téhéran, via la Banque nationale d'Algérie.

Nous reproduisons le panégyrique rédigé par le rédacteur en chef de la revue interne de Cedel Group, en octobre 1997, à l'occasion de la remise du Prix "Vision pour l'Europe", décerné par la Fondation Edmond Israël, à Helmut Kohl.

CÉRÉMONIE DE REMISE DU PRIX "VISION POUR L'EUROPE", ÉDITION 1997

Le groupe Cedel a accueilli la cérémonie de remise du Prix "Vision pour l'Europe", décerné par la Fondation Edmond Israël. 650 personnes ont assisté à cette cérémonie, parmi lesquels des responsables politiques de haut rang, plusieurs ambassadeurs, ainsi que des chefs d'entreprise.

À cette occasion, son excellence Monsieur Helmut Kohl, chancelier de la République fédérale d'Allemagne, a reçu le Prix "Vision pour l'Europe" 1997, une sculpture réalisée par M. Lucien Wercollier.

En présence de leurs excellences le Chancelier Helmut Kohl, M. Jean-Claude Juncker, Premier Ministre du Luxembourg, et M. Jacques Santer, Président de la Commission Européenne, Henri Marquenie, Président de la Fondation, a présenté à l'auditoire le conférencier André Lussi, qui a exprimé de manière éclatante sa vision relative à l'intégration européenne dans la mondialisation". Dans son brillant exposé, M. Lussi s'est livré à un large tour d'horizon sur la situation des marchés mondiaux et a abordé trois principaux thèmes : l'Europe, la compétitivité des régions et le rôle que devra jouer le Groupe Cedel au cours du nouveau millénaire.

M. Edmond Israël a, lui, défendu la raison d'être du Prix "Vision pour l'Europe", et présenté les contributions majeures de M. Kohl à la construction européenne, expliquant les raisons pour lesquelles le choix s'était porté sur lui cette année.

M. Israël lui a remis le trophée, et M. Kohl a ensuite captivé l'assemblée avec un discours émouvant et passionné en faveur d'une Europe des régions disposant d'une monnaie unique, l'euro.

Dans un style qui n'appartient qu'à lui, M. Jean-Claude Juncker a ensuite adressé un hommage brillamment divertissant au Chancelier Kohl, fournissant une conclusion parfaite à cet événement prestigieux.

Le rédacteur en chef

Note du rédacteur en chef : La fréquentation de la cérémonie, cette année, a été particulièrement importante, de même que la couverture médiatique (télés, radios et presse locale et internationale). L'événement a été magnifiquement organisé par Marie-Chantal Weber, qui exprime sa profonde reconnaissance aux nombreux employés de Cedel Bank ayant, par leur aide, contribué au succès de cet événement.

LE PALMARÈS DES 20
PREMIÈRES BANQUES DANS LE MONDE

Classement effectué selon la capitalisation boursière en milliards d'euros au 12 septembre 2000

1. Citigroup (USA)	294,733
2. HSBC Holdings (Angleterre)	153,6
3. Chase Manhattan (USA) + JP Morgan	117,6
4. Bank of America (USA)	108,8
5. Wells Fargo (USA)	88,6
6. UBS (Suisse)	72,3
7. Crédit suisse (Suisse)	65,7
8. Bank of Tokyo (Japon)	64,8
9. RBS (Angleterre)	58,9
10. Deutsche Bank (Allemagne)	58,2
11. BSCH (Espagne)	55
12. Lloyds TSB (Angleterre)	55
13. BBVA (Espagne)	54
14. Bank One (USA)	51,2
15. BNP Paribas (France)	47,3
16. Bank of New York (USA)	46,7
17. Sumitomo Bank (Japon)	44,6
18. Fleet Boston (USA)	44,5
19. Fortis Group (Belgique/Pays-Bas)	41,4
20. Barclays (Angleterre)	41,1

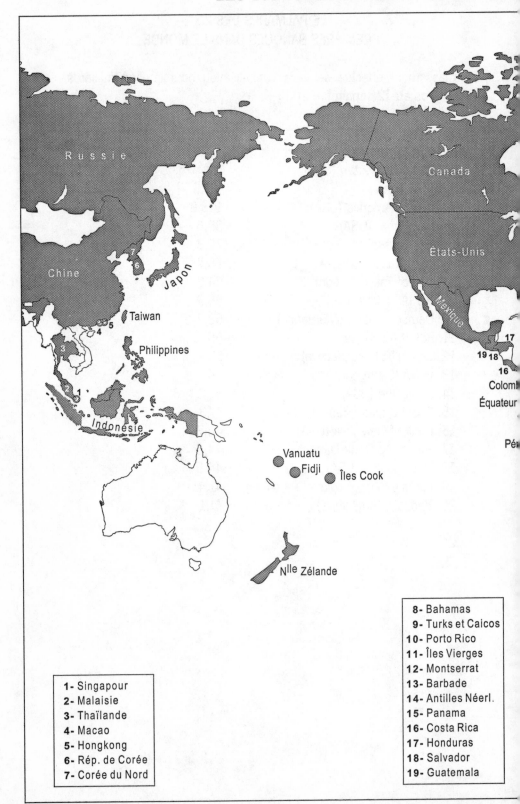

Norvège
Islande
Royaume-Uni
Irlande
France
Espagne
Portugal
Bermudes
Maroc
Brésil
Bolivie
Paraguay
Uruguay
Argentine
Russie
Suède
Finlande
Libye
Égypte
Arabie
Saoudite
Turquie
Iran
Chine
Inde
Pakistan
Oman
Maurice
Botswana
Afrique
du Sud

20- Liberia	32- Turkménistan	47- Autriche
21- Côte d'Ivoire	33- Moldavie	48- Rép. Tchèque
22- Ghana	34- Biélorussie	49- Allemagne
23- Gibraltar	35- Lituanie	50- Danemark
24- Chypre	36- Estonie	51- Pays-Bas
	37- Pologne	52- Île de Man
	38- Slovaquie	53- Guernesey
	39- Hongrie	54- Jersey
25- Israël	40- Bulgarie	55- Belgique
26- Liban	41- Macédoine	56- Luxembourg
27- Jordanie	42- Grèce	57- Liechtenstein
28- Koweït	43- Malte	58- Suisse
29- Bahreïn	44- Italie	59- Saint-Marin
30- Qatar	45- Vatican	60- Monaco
31- Émirats arabes unis	46- Croatie	61- Andorre

LA FORTUNE DES 10 FAMILLES ROYALES
LES PLUS RICHES D'EUROPE

Liechtenstein

Actifs financiers et investissements	300 millions d'euros
Collection d'art	3 milliards
Joaillerie	50 millions
Propriétés au Liechtenstein	1,5 milliard
Autres propriétés/avoirs	200 millions
Total	**5,05 milliards d'euros**

Luxembourg

Actifs financiers et investissements	45 millions
Family trusts	1,6 milliard
Collection d'art	450 millions
Joaillerie	10 millions
Propriétés au Luxembourg	1,2 milliard
Propriétés en Europe	1,1 milliard
Autres propriétés/avoirs	250 millions
Total	**4,655 milliards d'euros**

Grande-Bretagne

Actifs financiers et investissements	800 millions
Collection d'art	1,5 milliard
Joaillerie	200 millions
Domaine royal	1,1 milliard
Duché de Cornouailles	300 millions
Autres propriétés/avoirs	250 millions
Total	**4,15 milliards d'euros**

Hollande

Actifs financiers et investissements	2,4 milliards
Collection d'art	800 millions
Joaillerie	400 millions
Propriétés en Hollande	250 millions
Autres propriétés/avoirs	200 millions
Total	**4,05 milliards d'euros**

Belgique

Actifs financiers et investissements	200 millions
Collection d'art	1,2 milliard
Joaillerie	10 millions
Propriétés en Belgique	800 millions
Autres propriétés/avoirs	45 millions
Total	**2,255 milliards d'euros**

Espagne

Actifs financiers et investissements	850 millions
Collection d'art	500 millions
Joaillerie	10 millions
Avoirs	450 millions
Total	**1,81 milliard d'euros**

Monaco

Actifs financiers et investissements	485 millions
Collection d'art	200 millions
Joaillerie	23 millions
Propriétés à Monaco	450 millions
Autres propriétés	35 millions
Total	**1,193 milliards d'euros**

Suède

Actifs financiers et investissements	520 millions
Collection d'art	260 millions
Joaillerie	2 millions
Autres propriétés/avoirs	11 millions
Total	**793 millions d'euros**

Danemark

Actifs financiers et investissements	18 millions
Collection d'art	80 millions
Joaillerie	3 millions
Autres propriétés/avoirs	45 millions
Total	**146 millions d'euros**

Norvège

Actifs financiers et investissements	80 millions
Collection d'art	2 millions
Joaillerie	2 millions
Propriétés en Angleterre	45 millions
Autres propriétés/avoirs	12 millions
Total	**141 millions d'euros**

(Source : Eurobusiness, *juillet 1999.)*

clearstream

media release

Pour publication immédiate   **19 January 2000**

Clearstream annonce la composition de son Conseil d'administration

Clearstream, le plus grand fournisseur international de services de compensation, conservation et règlement-livraison, annonce que son Conseil d'Administration a été désigné comme suit:

Name	Title	City
Robert R. Douglass	Chairman, Clearstream International	New York
Dr Werner Seifert	Chief Executive Officer, Deutsche Börse AG Vice Chairman, Clearstream International	Frankfurt
André Lussi	President and CEO, Clearstream International	Luxembourg
Professor Dr Gerhard Barth	Senior General Manager, Dresdner Bank AG	Frankfurt
Andrew R. Bruce	Group Credit Policy Director Barclays plc	London
Ernst-Wilhelm Contzen	CEO, Deutsche Bank, Luxembourg	Luxembourg
Dr Johann-Rudolf Flesch	Member of the Board of Managing Directors DG Bank	Frankfurt
Dominique Hoenn	Member of the Executive Board Paribas	Paris
Josef Landolt	Managing Director, UBS AG	Zurich
Charles S. McVeigh	Chairman, Salomon Smith Barney/Salomon Brothers International	London
Dr Lutz Raettig	Vorsitzender des Vorstands Morgan Stanley Bank AG	Frankfurt
Dr Eberhard Rauch	Managing Director Bayerische Hypo-und Vereinsbank AG	Munich
André Roelants	Chairman of the Executive Board Banque Internationale à Luxembourg S.A.	Luxembourg
Thompson M. Swayne	Executive Vice President, Chase N.A.	New York
Renato Tarantola	Head of the Financial Division Banca Intesa SpA	Milan
Joe Willett	Chief Operating Officer Merrill Lynch Europe PLC	London
Gary Williams	Head of Trading, Goldman Sachs International	London

Composition du conseil d'administration de Clearstream au 19 janvier 2000.

LES BANQUES FIGURANT AU CONSEIL D'ADMINISTRATION DE EUROCLEAR AU 14 AVRIL 2000

ABN Amro Bank NV
Banco Santander Central Hispano
Banque et caisse d'épargne de l'État
Groupe BNP Paribas
Citigroup
Groupe Crédit Suisse
Deutsche Bank AG
Fortis Banque SA
Goldman Sachs International
HSBC Holdings plc
IBJ International plc
Lehman Brothers International Ltd
Merrill Lynch International
Morgan Guaranty Trust Company of New York
Morgan Stanley International
NatWest Group
Nomura International plc
Picter & Cie
Royal Bank of Canada Financial Group
Skandinaviska Enskilda Banken
Société Générale
State Street Bank &Trust Company
The Bank of New York
Tokyo-Mitsubishi International plc
UBS AG

N° 53194   für   *Leipziger Heinrich Hans*
faite par

welche sich niedergelassen hat zu Luxemburg am   *7. Juni 1933*
(Eventuell Bezeichnung der Arbeitstelle)
qui a pris résidence à Luxembourg le
(Indiquer les noms du patron ou l'établissement)

und angemeldet   am   *8 Juni 1933*
et déclaré   le

1. Ort und Datum der Geburt   *Rossberg Oberschlesien, am 28.1.1900 / 190*
(Kreis und Departement usw.)
Lieu et date   *1900 01 28 190*
(Arrondissement)

2. Des Vater.   *Isidor*
Du père   *Michalkowitz 12. 11. 1860*

3. Der Mutter   *Bergmann Johanna,*
De la mère   *Beuthen, 31.5.1870*

4. Nationalität   *deutsch*
Nationalité

5. Stand oder   *Kaufmann,*
Profession

6. Verheiratet.   *verheiratet 29.4.19?*
Marié, veuf

7. Ort und Datum der Eheschließung   *Mainz 24.1.1929*
Lieu et date du mariage

8. Der Ehegatte | Namen   *Schloss Erna Doris*
Du conjoint | Nom et prénom
| Geburtsort und Datum.   *Framersheim, 2.6.1902.*
| Lieu et date de naissance

9. Namen, Geburtsort und Alter der Kinder   *kein*
Noms, lieu de naissance et âge des enfants

10. Angehörige   Angemeldete mit oder ohne Familie in der Gemeinde anwesend ist
Indiquer si le déclarant est avec ou sans famille   *mit Frau,*

11. Erwerbs- und Vermögensverhältnisse (Gagelohn, Grundgüter usw.)
Moyens d'existence, salaire, biens immobiliers, etc.

12. Aufenthaltsorte während der letzten 10 Jahre, unter möglichst genauer Bezeichnung der Adresse und Aufenthaltsdauer in jeder Ortschaft
Résidence pendant les 10 dernières années. Indiquer la durée de séjour dans chaque localité, la rue et le N° de la maison habitée et, le cas échéant, les noms du patron.
  Bonn o/Rhein Siebengebirgst. 12
seit 1.9.1931 - 7.6.1933 vorher bei
Mannheim Richard Wagnerstr. 31 von
10.1.1919 - 1.9.1931

13. a) Reisepaß   *Reisepass & Führung & Abmeldeschein*
Passeport
b) Visum
Visa
c) Stellenzusicherung
Assurance de travail
(Behörde und Datum)
(Autorité et date)

14. Ort und Datum der Impfung   *Luxemburg 7/6 1933 D[?] Neuenheis[?]*
Lieu et date de la vaccination

15. Wohnstelle.   *Luxemburg, Grosse Hôtel Brasseur (l'ép)*
Demeure.

depuis le 22.6.1933 r. J.B. Fresez N° 4
depuis le 31.9.1933 rue Goethe 28.
enfin depuis le 8.5.1934 Neuwese par
den Limmersr. N°32.
depuis le 7.8.1934 rue Reuel N° 7.

Fiche d'inscription de Heinrich Hans Leipziger (alias Henry J. Leir) au registre de la population de la ville de Luxembourg, en date du 8 juin 1933.

En 1937, sous le pseudonyme de "Tom Palmer", Henry J. Leir publie *La Grande Compagnie de colonisation* chez l'éditeur luxembourgeois Malpartes-Verlag Evy Friedrich. À droite, l'édition originale de 1937 (qui ne s'était vendue qu'à quelques dizaines d'exemplaires) ; à gauche, la réédition initiée par les amis américains de Leir en 1980, sous l'influence d'Henry Kissinger.

LIENS INTERNET

Pour poursuivre votre lecture, nous vous proposons une liste d'adresses Internet sur les sujets évoqués dans le livre.

BLANCHIMENT D'ARGENT, PARADIS FISCAUX...

Sources officielles

France

Rapport sur les relations économiques et financières entre la France et la principauté de Monaco (ministère des Finances, octobre 2000) :
http://www.finances.gouv.fr/pole_ecofin/politique_financiere/monaco.htm

Réponses du gouvernement monégasque au rapport d'information français (juin 2000) :
http://www.monaco.net/rapport.shtml

Rapport d'information parlementaire sur la délinquance financière et le blanchiment des capitaux (mars 2000) :
Sur Monaco : http://www.assemblee-nationale.fr/2/rap-info/i2311-2.htm
Sur le Liechtenstein : http://www.assemblee-nationale.fr/2/rap-info/i2311.htm

Rapport d'information parlementaire sur la lutte contre la fraude et l'évasion fiscale (septembre 1999) :
http://www.assemblee-nationale.fr/2/rap-info/i1802-10.htm

ONU

Convention des Nations unies contre la criminalité transnationale organisée (Palerme, 12-15 décembre 2000)
http://www.un.org/french/events/palermo/

Dans le cadre d'une assemblée générale de l'Organisation des Nations unies consacrée au problème de la drogue, la question du blanchiment de l'argent a été débattue (8-10 juin 1998) :
http://www.un.org/french/ga/20special/featur/launder.htm

Le Réseau international d'information sur le blanchiment de l'argent (Imolin) était mis en place par l'ONU, le Conseil de l'Europe, l'Organisation des États américains et d'autres instances internationales dans le cadre du Programme mondial contre le blanchiment d'argent :
https://www.imolin.org/introfre.htm

États-Unis

"Fighting Global Corruption : Business Risk Management." Rapport du Département d'État américain (mai 2000) :
http://www.state.gov/www/global/narcotics_law/global_corruption/index.html

Financial Crimes Enforcement Network (Fincen). Cette organisation créée à l'instigation du gouvernement américain vise à faciliter la collaboration des différents services chargés de lutter contre la criminalité financière :
http://www.ustreas.gov/fincen/
Les publications du Fincen sur différents paradis fiscaux :
http://www.ustreas.gov/fincen/pubs.html

Tiré d'un rapport américain sur le blanchiment d'argent, l'étude des comptes bancaires des fils de l'ancien dictateur nigérian Sani Abacha (novembre 1999) :
http://www.marcosbillions.com/marcos/Dictators%20Sons%20of%20Abacha.htm

Canada

Rapport annuel sur la crime organisé au Canada (2000) :
http://www.cisc.gc.ca/Cisc2000fr/paged'acceuil2000.html

Europe

L'Office européen de lutte anti-fraude (OLAF) a été mis en place au sein de l'Union européenne. Les rapports des années 1995, 1997, 1998 et 1999 sont disponibles sur ce site :
http://europa.eu.int/comm/anti_fraud/documents/annual_reports/index_en.htm

Groupe d'action financière sur le blanchiment de capitaux (GAFI) :
http://www.oecd.org/fatf/index_fr.htm

Colloque de la section luxembourgeoise de l'IDEF (Institut international de droit d'expression et d'inspiration françaises) consacré au blanchiment de l'argent de la drogue (mai 1992) :
http://www.francophonie.org/oing/idef/colloque11.htm

Organisations non gouvernementales

Transparency International s'est fixé pour mission *"d'amener les gouvernements à mieux rendre compte de leur gestion et de freiner la corruption nationale et internationale"* : http://www.transparency.de/welcome.fr.html

Dossier sur les paradis fiscaux réalisé par l'association ATTAC :
Atlas des paradis fiscaux : http://attac.org/fra/grou/doc/69/pf/6901.htm

Programme mondial contre le blanchiment d'argent :
http://attac.org/fra/grou/doc/69/pf/6906.htm

Dossier sur les filiales compromettantes des grandes banques européennes réalisé par Transnationale.org, un portail d'informations sur les entreprises :
http://www.transnationale.org/sources/finance/bahamas.htm

Guerre au blanchiment d'argent ? Liste de sites, d'articles et de dossiers consacrés aux différents rapports français sur les paradis fiscaux :
http://www.strategic-road.com/dossiers/paradis.htm#mission

Le site internet de *La Lettre du blanchiment*, une lettre mensuelle d'analyse et d'information sur le blanchiment, la fraude, la corruption, le crime organisé, la délinquance économique et financière :
http://www.lalettredublanchiment.com/

Moneylaundering.com est un site américain consacré au blanchiment de capitaux. Il propose une revue de presse fréquemment remise à jour sur ce sujet et édite, entre autres, une lettre d'information mensuelle : Money Laundering Alert.
http://www.moneylaundering.com

Pages personnelles
_____

Passionné par le blanchiment d'argent, Billy Steel y a consacré un site très complet, Bill's Money Laundering Homepage :
http://www.laundryman.u-net.com/home.htm

Professeur titulaire du département de management à l'université Laval, au Québec, Gérard Verna propose une série d'articles et de dossiers en ligne, ainsi que des références de sites consacrés au blanchiment d'argent :
http://www.fsa.ulaval.ca/personnel/vernag/EH/F/noir/blanc.html

SOCIÉTÉS DE TRANSFERT D'ARGENT OU DE VALEURS MOBILIÈRES

Le site officiel de Clearstream :
http://www.clearstream.com/public/francais/index.htm

Le site de Cedel International :
http://www.cedelinternational.com/francais/f_ci/index.htm

Le site de Euroclear :
http://www.euroclear.com/eoc/default.asp

Le site de Swift
http://www.swifttrans.com/

AFFAIRES POLITICO-FINANCIÈRES

Le rapport des sénateurs américains John Kerry et Hank Brown, rendu public en 1992, "The BCCI Affair" :
http://www.fas.org/irp/congress/1992_rpt/bcci/

La page consacrée à l'affaire BCCI par l'Association for Accountancy & Business Affairs. On y trouve le rapport Standstorm, réalisé en Angleterre puis mis sous embargo par le gouvernement britannique :
http://visar.csustan.edu/aaba/bccipage.html

Article (en anglais) sur l'affaire Calvi publié sur le site americanatheist.org, émulation Internet de la revue éponyme.
http://www.americanatheist.org/pope99/calvi.html

Dossier consacré à Licio Gelli et à la loge P2 par amnistia.net. On y trouve la liste des membres de la loge P2 :
http://www.amnistia.net/news/gelli/gelp2.htm

Passerelle de liens Internet vers de nombreux sites consacrés aux scandales financiers (en anglais) :
http://www.ex.ac.uk/~RDavies/arian/scandals/

Émulation Internet du livre *Swiss Connection*, consacré aux filières de blanchiment d'argent (en allemand) :
http://www.unionsverlag.ch/index.htm

Le dossier consacré par *L'Express* à l'affaire Elf :
http://www.lexpress.fr/Express/Info/France/Dossier/dumas/dossier.asp

BILDERBERG, TRILATÉRALE, OPUS DEI :

Ce site non-officiel consacré au Groupe de Bilderberg compile un grand nombre d'informations, ainsi qu'une longue liste de liens :
http://www.bilderberg.org/

Le site officiel de la Commission Trilatérale :
http://www.trilateral.org/

Le site du Réseau Voltaire offre des dossiers très fournis sur l'Opus Dei et ses réseaux :
http://www.reseauvoltaire.net/

Le site officiel de l'Opus Dei :
http://www.opusdei.org/home.html

Bruxelles, le 24 janvier 2001

Monsieur Robert,

J'ai bien reçu votre lettre du 17 janvier 2001 qui m'est parvenue le 23 janvier et je vous en remercie.

Je vous donne volontiers les renseignements sollicités.

1. Affaire BCCI

Je suis étonné des assertions prétendument faites à mon égard par un témoin.

C'est grâce à l'action des autorités gouvernementales d'alors, en particulier de la commission de contrôle aux banques qui agit sous l'autorité et la responabilité du Ministre des finances que la licence a été retirée à la BCCI.

J'étais à l'époque premier Ministre et Ministre des finances et couvrais entièrement les actions entreprises par M. Pierre Jaans, Commissaire du contrôle aux banques. Une fois la justice saisie, il est du devoir du Gouvernement de s'abstenir d'intervenir dans une procédure judiciaire. C'est donc l'action déterminée et discrète des autorités d'alors -commission de contrôle aux banques et Ministre des finances- qui a déclenché la liquidation de la BCCI.

Je ne connais pas l'identité du "témoin" qui vous a renseigné et je suis dès lors hors d'état de juger de sa crédibilité. Par contre un témoin crédible pour vos investigations aurait pu être M. Pierre Jaans dont le mérite incontestable a été de procéder à la clarification d'une situation pour le moins confuse.

Je ne connais pas le détail des informations données par le prétendu témoin, cependant dans la mesure où elles voudraient insinuer que j'aurais "couvert par mon silence ou mon absence de réaction" certains agissements de la BCCI je peux vous assurer qu'elles sont dénuées de tout fondement et peuvent être qualifiées de contre-vérités. C'est exactement le contraire qui s'est produit.

M. Denis ROBERT
Editions "les Arènes
33, rue Linné
F-75005 PARIS

La lettre que nous a faite parvenir Jacques Santer le 24 janvier 2001

2. Liens avec la société CEDEL-CLEARSTREAM

Depuis plus d'un an je suis membre du Conseil d'administration de la Fondation Edmond Israël. Cette fondation a été créée fin 1989/90 par Cedel en hommage à M. Israël qui durant de longues années a assuré la présidence de CEDEL. Je connais M. Israël dès ma jeunesse, alors que j'étais président de l'Action catholique de la Jeunesse et lui-même président du Consistoire israélite. Nous avons été ensemble promoteurs de l'Association interconfessionnelle au Luxembourg.

Ayant quitté mes fonctions de président de la Commission européenne, j'ai accepté de devenir membre du Conseil d'administration de ladite Fondation. Il s'agit d'un mandat honorifique et non rémunéré.

La Fondation est un établissement d'utilité publique reconnu comme tel par arrêté Grand-ducal du 16 octobre 1990. Elle est indépendante de Cedel qui la sponsorise partiellement. Elle s'occupe de la recherche et d'études européennes, elle organise en coopération p. ex. avec INSEAD des colloques ou séminaires, elle accorde des bourses à de jeunes étudiants surtout des pays de l'Est et chaque année elle donne un prix spécial "Vision pour l'Europe" à une personne dite de "haut niveau". Ainsi ont reçu e.a. cette haute distinction les premiers Ministres Jean-Luc Dehaene et Jean-Claude Juncker, le chancelier Helmut Kohl, le président de la Hongrie Göncz, le président de la BCE Wim Duisenberg et moi-même, alors que j'étais président de la Commission européenne.

Pour le cas où vous voudriez avoir d'autres renseignements dans les deux affaires évoquées ci-dessus, je reste à votre entière disposition.

Veuillez agréer, Monsieur, l'expression de mes salutations très distinguées.

Jacques Santer

CABINET D'AVOCATS
GASTON VOGEL

GV/CB

74, GRAND-RUE - B.P. 1633 - L-1016 LUXEMBOURG
TÉLÉPHONE: 45 30 30   -   TÉLÉCOPIEUR: 25 00 86

Mᴱ GASTON VOGEL
Mᴿ PAUL TRIERWEILER
Mᴱ FERDINAND BURG
Mᴱ ANNE-MARIE VOGEL
Mᴿ JOËLLE CHRISTEN
AVOCATS A LA COUR

Monsieur Denis ROBERT

PAR TELEFAX

EN COLLABORATION AVEC
RECHTSANWALTSSOZIETÄT
BETTINGER & OEHLENSCHLÄGER
WITTLICH

LUXEMBOURG, LE

22 janvier 2001

TELEFAX N° 0033 1 43 31 77 97

conc. : Affaire SCHMITTER / ROBERT
mes réf. : Dossier GV

Monsieur,

Je suis le conseil de Monsieur SCHMITTER qui me soumet votre lettre inqualifiable du 16.01.2001.

Ma partie n'a pas de déclaration à faire quant aux questions que vous lui posez et qui ne le concernent en aucune manière.

Mon client vous conseille une grande prudence dans vos écrits. Si jamais vous deviez affirmer des incongruités, vous vous retrouveriez devant le tribunal.

On veillera au grain.

Veuillez agréer, Monsieur, l'expression de mes sentiments très distingués.

s. Gaston VOGEL

CONSULTATIONS SUR RENDEZ-VOUS

COMPTES BANCAIRES: Mᴱ VOGEL - BCEE 1000/6495-8 - CCP 33069-89

La lettre que l'avocat de René Schmitter nous a adressée.

André Lussi
3-5, place Winston Churchill
L-2964 Luxembourg

Cher Monsieur,

Je prends la plume une dernière fois pour vous tenir au courant de l'état d'avancement de mon enquête concernant Cedel-Clearstream. Compte tenu des éléments nouveaux portés à ma connaissance, je me vois en effet contraint de mettre sévèrement en cause votre gestion en tant qu'administrateur délégué.

Suite à notre entretien du 18 juillet 2000, j'ai cherché à vérifier un certain nombre de vos affirmations. Je me suis rendu compte que la description que vous m'aviez faite du fonctionnement de votre société ne correspondait pas aux informations rapportées par différents témoins que j'ai pu rencontrer. Je n'énumérerai pas ici les différents points qui feront l'objet d'un développement dans mon livre et dans mon film, puisque je l'avais déjà fait dans mon précédent courrier. Je vous propose cependant une nouvelle fois de répondre à certaines de mes interrogations, ceci dans un souci d'objectivité.

Je souhaiterais donc vous laisser le loisir d'y répondre sous une forme qui vous conviendra : courrier, e-mail, interview enregistrée en tête à tête ou en présence de tiers... J'aimerais notamment obtenir des précisions de votre part sur les points suivants :
      --- les raisons de la présence, dans la liste de vos clients, de sociétés ou de multinationales n'exerçant aucune activité bancaire ;
      --- l'apparition à Cedel-Clearstream, depuis 1991, d'une (hypothétique) double comptabilité ;
      --- la remise au président du conseil d'administration de l'époque d'un rapport mettant en cause votre gestion ;
      --- la présence en vos comptes de banques à la réputation sulfureuse ;

33, rue Linné 75005 Paris. Tél : 01 43 31 29 25 / Fax: 01 43 31 77 97 / E-mail : arenes@easynet.fr
SARL «ÉDITIONS DES ARENES » AU CAPITAL DE 50.000 F RCS PARIS B 412 073 132

--- votre implication dans une affaire de vente d'armes à l'époque de la guerre entre l'Iran et l'Irak, au moment où vous travailliez à l'UBS Londres ;
--- votre appartenance aux services secrets suisses ;
-- le nombre de comptes non publiés en vos listes, et les critères que vous appliquez à l'ouverture de comptes non publiés ;
--- la présence de clients non référencés en vos listes, et leur nombre.

Le 25 janvier 2001, nous adressions à André Lussi un courrier recommandé par lequel nous lui demandions de réagir aux éléments recueillis lors de notre enquête *(ci-dessus)*. Ce courrier est demeuré sans réponse.

Code de la valeur mobilière
en Cedel

Date des transactions

Rapport quotidien des transactions
sur le compte BCCI

Numéro du compte de la contrepartie
à la BGL

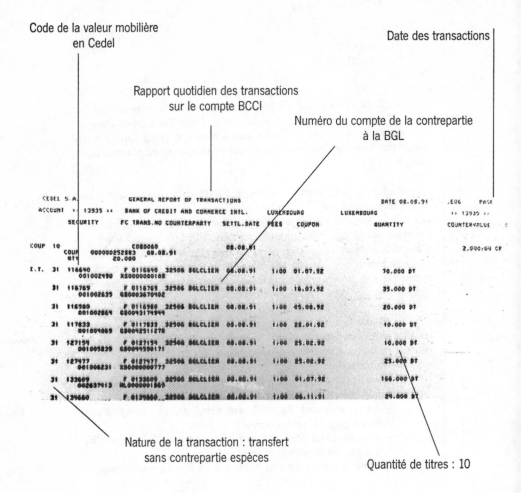

Nature de la transaction : transfert
sans contrepartie espèces

Quantité de titres : 10

Ces deux extraits sont tirés des microfiches recensant les transactions opérées chez Cedel durant la journée du 8 août 1991. Ils détaillent les opérations effectuées sur le compte de la Bank of Credit and Commerce International (BCCI) et sur celui de la Banque générale du Luxembourg (BGL). C'est en examinant scrupuleusement ces microfiches que Ernest Backes a pu trouver la preuve des transactions illicites opérées après la mise sous séquestre des comptes de la BCCI le 8 août 1991.

Rapport quotidien des transactions
sur le compte BGL

Numéro du compte de la contrepartie :
la BCCI

```
CEDEL S.A.            GENERAL REPORT OF TRANSACTIONS                          DATE 08 08 91
ACCOUNT  :  32506  :  BQUE GENERALE DU LUX. "CPTE CLIENT"  LUXEMBOURG   LUXEMBOURG
           SECURITY    FC TRANS.NO COUNTERPARTY  SETTL.DATE FEES  COUPON         QUANTITY        COUNTERVALUE

L.1  31  419788       F 5108332  11193 GENERALE  08.08.91         15.03.92       18.000 CR
         003052776    NL0000001931
     31  423866       F 0423866  13933 CRECONIN  08.08.91         81.10.91       43.000 CR
         001501283    XS0015012833
     31  432229       F 5108102  11193 GENERALE  08.08.91         18.03.92        2.000 CR
         003073050    XS0030730300
     31  443654       F 8178805  11193 GENERALE  08.08.91   1.00  28.03.92      933.000 BT
         003094391    XS0030943913
     ORDRE COUTTS
     31  450006       F 0450006  13933 CRECONIN  08.08.91         1                  2 CR
         001144693    US4834821086
     31  468970       F 5108992  11193 GENERALE  08.08.91         30.04.92       10.000 CR
         003139848    XS0031396487
     31  470134       F 5108150  11193 GENERALE  08.08.91         25.04.92       13.000 CR
         003142035    DE0004034053
     31  473774       F 5108332  11193 GENERALE  08.08.91   1.00  31.01.92       10.000 BT
         003149480    XS0031494809
     31  479784       F 5108162  11193 GENERALE  08.08.91         04.06.92      100.000 CR
         003159701    XS0031597019
     31  482035       F 0482035  13933 CRECONIN  08.08.91         01.06.92       30.000 CR
         003164489    NL0000001956
     31  494963       F 5108390  11193 GENERALE  08.08.91
```

Numéro de la transaction en Cedel

Remerciements

Merci à Mehdi Ba (pour le boulot sur le livre), Patrick Perrin (pour la conception graphique), Alain Galaup (pour les comptes), Pascal Lorent (pour tout). Merci à toutes les personnes qui m'ont aidé dans cette enquête, en particulier Jean-Philippe (pour le colmatage) et un banquier luxembourgeois exilé à Paris...

Denis Robert

À tous mes copains de Cedel, ceux qui y sont encore comme ceux qui ont quitté la firme. À tous ceux qui m'ont aidé, moralement et par l'apport de matériel utile pour ce livre. À ceux qui ne sont plus, à ceux qui se sont suicidé...

À Alex Manson, à Londres, pour m'avoir mis en contact avec les nombreux chercheurs, juges, juristes, policiers, journalistes... de tous continents, et pour m'avoir permis de puiser à ses innombrables sources, accumulées au long d'une vie remplie de travaux d'enquêteur, admirablement assisté en toute situation par Tina, son épouse.

À Marie-Claire, mon épouse, à Carmen et Pierrette, mes filles, à Mika et Liz, mes petits-enfants, un humble mais très grand merci pour avoir été les plus fervents supporters de mon parcours à contre-courant !

À Denis Robert, pour avoir tenu la barre.

À Laurent Beccaria, pour son courage à montrer ce monde tel qu'il est.

À tous ceux qui ne veulent pas encore sortir de l'ombre.

Et enfin, à ce mercenaire d'ami, légionnaire de la plume entre deux guerres, qui, depuis dix ans, assure mes arrières à sa façon, dans l'ombre...

Ernest Backes

Bibliographie

Banco Ambrosiano, Roberto Calvi, Michele Sindona, Vatican...

Larry Gurwin, *The Calvi Affair. Death of a Banker*, Macmillan London Limited, 1983 (ISBN : 0-333-35321-8).
Nick Tosches, *Geschäfte mit dem Vatikan* (titre original : *Power On Earth*), Droemersche Verlagsanstalt Th.Knaur Nachf., Munich, Livre de poche, 1989 (ISBN : 3-426-03970-2).
Christopher Winans, *The King of Cash. The Inside Story of Laurence Tisch*, 1995, John Wiley & Sons, Inc. New York, Toronto (ISBN : 0-471-54923-1).
David A. Yallop, *Im Namen Gottes* (titre original : *In God's Name*) , mars 1984. Édition allemande : Droemer, Knaur, Munich. Édition française : *Au Nom de Dieu*, Christian Bourgeois Éd., Paris, 1986 (ISBN : 2-2670-0803-3).
Mark Aarons & John Loftus, *Unholy Trinity. The Vatican, the Nazis and Soviet Intelligence*, janvier 1992, Saint Martin's Press, New York (ISBN 0-312-07111-6).
Richard Hammer, *Vatican Connection*, août 1982, Éditions Balland (ISBN : 2-7158-0383-4).
Heribert Blondiau, Udo Gümpel, *Der Vatikan heiligt die Mittel*, Der Mord am Bankier Gottes Patmos Verlag, Düsseldorf (ISBN : 3-491-72417-1).

Nadhmi Auchi, Henry J. Leir, Armand Hammer
Marchands d'armes, otages iraniens...

Couvrat et Pless, *La Face cachée de l'économie mondiale*, septembre 1988, Hatier, Paris.

Wilhelm Dietl, *Waffen für die Welt*, 1986, Droemer Knaur, Munich (ISBN : 3-426-26268-1).

Jürgen Roth, *Die Mitternachtsregierung*, 1990, Rasch u. Röhring, Hambourg (ISBN : 3-89136-366-4).

Armand Hammer et Neil Lyndon, *Hammer : un capitaliste américain à Moscou, de Lénine à Gorbatchev*, 1987, Éditions Robert Laffont, Paris (ISBN : 2-221-05532-2).

Edward Jay Epstein, *Dossier. The secret History of Armand Hammer*, 1996, Random House, New York (ISBN : 0-679-44802-0).

Steve Weinberg, *Armand Hammer. The Untold Story*, 1989, Abacus-Little, Brown and Company (UK) Ltd, Londres (ISBN : 0-349-10444-1).

Roger Colombani, *Les Dossiers de l'argent. La vie des Césars de la fortune*, 1997, Éditions France-Empire, Paris (ISBN : 2-7048-0830-9).

Holger Koppe, Egmont R. Koch, *Bombengeschäfte. Tödliche Waffen für die Dritte Welt*, 1991, Knaur Sachbuch (ISBN : 3-426-04865-5).

Walter de Bock, Jean-Charles Deniau, *Des Armes pour l'Iran*, 1988, "Au Vif du Sujet", Gallimard (ISBN : 2-07-071259-1).

Hans Leyendecker, Richard Rickelmann, *Exporteure des Todes. Deutscher Rüstungsskandal in Nahost*, 1991, Steidl-Verlag, Göttingen (ISBN 3-88243-180-6).

François-Xavier Verschave, *Noir Silence. Qui arrêtera la Françafrique ?*, 2000, les Arènes, Paris (ISBN : 2-912485-15-0).

Karl Laske, *Ils se croyaient intouchables*, 2000, Albin Michel, Paris (ISBN : 2-226-11621-4).

Ronald Kessler, *Adnan Khashoggi. L'Homme le plus riche du monde*, 1987, (traduit de *The Richest man in the World*, par Claire Simon, Warner Books Inc. NY), Éditions Carrère-Michel Laffon, Paris (ISBN :2-86804-373-9).

Valérie Lecasble, Airy Routier, *Forages en eau profonde. Les secrets de l'affaire Elf*, 1998, Bernard Grasset, Paris (ISBN : 2-246-51241-7).

Banques

Serge Kalisz, *Les Banques en Belgique*, 1996, Éditions Vie Ouvrière, Bruxelles (ISBN : 2-87003-325-7).
Ludwig Verduyn, *Le Charme discret d'un banquier luxembourgeois*, 1997, Éditions Luc Pire, Bruxelles (ISBN : 2-930088-76-1).
Hubert Bonin, *Les Groupes financiers français*, novembre 1995, Presses Universitaires de France (ISBN 2-13-047251-6).
Pierre Moussa, *La Roue de la fortune. Souvenirs d'un financier*, 1989, Librairie Arthème Fayard (ISBN : 2-213-02258-5).

BCCI

Rachel Ehrenfeld, *Evil Money. Encounters along the Money Trail*, 1992, Harper Business (ISBN : 0-88730-560-1).
Peter Truell, Larry Gurwin, *False Profits. The Inside Story of BCCI, the world's most corrupt financial Empire*, 1992, Houghton, Mifflin Company, Boston, New York (ISBN : 0-395-62339-1).
James Ring Adams and Douglas Frantz, *A Full Service Bank. How BCCI stole billions around the world*, Simon & Schuster Inc., New York (ISBN : 0-671-72911-X).
Jonathan Beaty & S. C. Gwynne, *The Outlaw Bank. A wild ride into the secret heart of BCCI*, 1993, Random House, New York (ISBN : 0-679-41384-7).
Nick Kochan & Bob Whittington, *Bankrupt. The BCCI Fraud*, 1991, Victor Gollancz Ltd., Londres (ISBN : 0-575-05279-1).
John K. Cooley, *Unholy Wars. Afghanistan, America and International Terrorism*, 1999, Pluto Press, Londres, Sterling (Virginie) (ISBN : 0-7453-1328-0).

Silvio Berlusconi

Vito Bruno, Michele Gambino, *Berlusconi. Enquête sur l'homme de tous les pouvoirs*, 1994, Éditions Sauret (ISBN : 2-85051-017-3).

Eugène Saccomano, *Berlusconi. Le Dossier vérité*, septembre 1994, Éditions n°1, Paris (ISBN : 2-863-91635-1).

Blanchiment

Olivier Jerez, *Le Blanchiment de l'argent*, octobre 1998, La Revue Banque Éditeur, Paris (ISBN : 2-86325-260-7).

Klaus Kottke, *Schwarzgeld-Was tun ? Entstehung, Unterbringung, Aufdeckung, Legalisierung von unversteuerten Geldern*, 1992, Rudolf Haufe Verlag, Freiburg i. Breisgau (ISBN : 3-448-02618-2).

Anton-Rudolf Götzenberger, *Schwarzgeldanlage in der Praxis*, 1995, 5.Auflage SIS-Verlag, Munich (ISBN : 3-925886-20-6).

Jean Vanempten, Ludwig Verduyn, *Le Blanchiment en Belgique. L'Argent criminel dans la haute finance*, 1994, Éditions Luc Pire, Bruxelles (ISBN : 2-930088-01-X).

Ludwig Verduyn, Jean Vanempten, *Blanchiment, mode d'emploi. Des affaires qui secouent le monde financier*, 1997, Éditions Luc Pire, Bruxelles, "Grandes Enquêtes" (ISBN : 2-930088-44-3).

Cedel-Clearstream, Euroclear, systèmes de clearing...

Ian M. Kerr, *A History of the Eurobond Market. The first 21 Years*, 1984, Euromoney Publications Limited, Londres (ISBN : 0-903121-68-9).

Peter Shearlock, William Ellington, *The Eurobond Diaries*, Euroclear Clearance System Société Coopérative, novembre 1994.

Université de Dijon-Institut de Relations Internationales, *Les Euro-obligations / Eurobonds*, Travaux du Centre de recherche sur le droit des marchés et des investissements internationaux, Volume 1, Librairies Techniques, Paris, 1972.

Frederick G. Fisher, III, *The Eurodollar Bond Market*, 1979, Euromoney Publications Limited, Londres (ISBN : 0-903121-09-3).

Cuba, Castro, Batista

Gus Russo, *Live by the Sword. The secret war against Castro and the death of JFK*, 1998, Bancroft Press, Baltimore (ISBN : 1-890862-01-0).
Arthur Herzog, *Vesco, From Wall Street to Castro's Cuba. The rise, fall, and exile of the King of white-collar crime. A fascinating story of big money, high living, and financial trickery*, 1987, Doubleday, USA (ISBN : 0-385-24176-3).

Gladio

Jan Willems, *Gladio*, 1991, EPO-Dossier, Bruxelles (ISBN 2-87262-051-6).
Jens Mecklenburg, *Gladio. Die geheime terrororganisation der Nato*, 1997, Elefanten Press Verlag GmbH, Berlin (ISBN : 3-88520-612-9).
Leo A. Müller, *Gladio. Das Erbe des kalten Krieges*, 1991, RoRoRo-Taschenbuch Aktuell no 12993 (ISBN : 3-499 12993-0).
Jean-François Brozzu-Gentile, *L'Affaire Gladio. Les réseaux secrets américains au cœur du terrorisme en Europe*, 1994, Albin Michel, Paris (ISBN : 2-226-06919-4).
Anna Laura Braghetti, Paola Tavella, *Le Prisonnier. 55 jours avec Aldo Moro*, 1999 (traduit de l'italien : *Il Prigioniero*), Éditions Denoël, Paris (ISBN : 2-207-24888-7)
Regine Igel, *Andreotti. Politik zwischen Geheimdienst und Mafia*, 1997, Herbig Verlagsbuchhandlung GmbH, Munich (ISBN : 3-7766-1951-1).

Justice, criminalité financière

Jean de Maillard, *Un Monde sans loi. La criminalité financière en images*, 1998, Éditions Stock, Paris (ISBN : 2-234-04827-3).

Jean de Maillard, *Crimes et Lois*, 1994, "Dominos", Flammarion (ISBN : 2-08-035225-3).

Jean de Maillard, Camille de Maillard, *La Responsabilité juridique*, 1999, "Dominos", Flammarion (ISBN : 2-08-035701-8).

Rudolf Müller, Heinz-Bernd Wabnitz, *Wirtschaftskriminalität, 3te Auflage*, 1993

Verlag C.H. Beck, Munich (ISBN : 3-406-37160-4).

Jean-Marie Charon, Claude Furet, *Un Secret si bien violé. La loi, le juge et le journaliste*, octobre 2000, Éditions du Seuil, "L'épreuve des faits" (ISBN : 2-02-029376-5).

Mafias

Thomas C.Renner & Cecil Kirby, *Mafia Enforcer*, juillet 1988, Bantam Books, Toronto, New York, Londres (ISBN : 0-553-27262-4).

Hans Leyendecker, Richard Rickelmann, Georg Bönisch, *Mafia im Staat*, 1992, Steidl-Verlag, Göttingen (ISBN : 3-88243-231-4).

Robert Lacey, *Meyer Lansky. Der Gangster und sein Amerika*, 1992 (traduit de l'américain : *Little Man. Meyer Lansky and the Gangster Life*), Gustav Lübbe-Verlag, Bergisch-Gladbach (ISBN : 3-7857-0652-9).

Giorgio Galli, *Staatsgeschäfte*, 1994 (traduit de l'italien : *Affari di Stato. L'Italia sotteranea 1943-1990 : storia politica, partiti, corruzioni, misteri, scandali*) Europäische Verlagsanstalt, Hambourg (ISBN : 3-434-50037-5).

Xavier Raufer, *Les Superpuissances du crime. Enquête sur le narcoterrorisme*, Plon, Paris, 1993 (ISBN : 2-259-02764-4).

Xavier Raufer, Stéphane Quéré, *Le Crime organisé*, janvier 2000, Presses universitaires de France, Paris (ISBN : 2-13-050540-6).

Otages iraniens

Barbara Honegger, *October Surprise*, 1989, Tudor Publishing Company, New York & Los Angeles (ISBN : 0-944276-46-6).

Gary Sick, *October Surprise. American Hostages in Iran and the Election of Ronald Reagan*, 1991, Times Books, Random House, NewYork (ISBN : 0-8129-1989-0).

Peter Kornbluh, Malcolm Byrne, *The Iran-Contra Scandal. The Declassified History*, 1993, The New Press, New York (ISBN : 1-56584-024-0).

John Tower, Edmund Muskie, Brent Scowcroft, *The Tower Commission Report*, Bantam Books and Times Books, New York, 1987 (ISBN : 0-553-26968-2).

Council on Foreign Relations, Inc., *American Hostages in Iran. The Conduct of a Crisis*, 1985, Yale University Press, New Haven & Londres (ISBN : 0-300-3233-1).

Paradis fiscaux

Guide Chambost des paradis fiscaux, 7ᵉ édition, mai 1999, Éditions Favre SA, Lausanne (ISBN : 2-8289-0621-3).

"Les Paradis fiscaux", in *L'Économie politique*, n° 4, 4ᵉ trimestre 1999, Alternatives économiques, Paris (ISBN : 2-9509818-5-2).

Pechiney

Gilles Sengès, François Labrouillère, *Le Piège de Wall Street*, 1989, Albin Michel, Paris (ISBN : 2-226-03750-0).

Airy Routier, *La République des loups. Le pouvoir et les affaires*, 1989, Calmann-Lévy, Paris (ISBN : 2-7021-1819-4).

Rapports parlementaires

Philippe Séguin (président), François d'Aubert (rapporteur), *Rapport de la Commission d'enquête (1) sur le Crédit lyonnais*, Diffusion Seuil, Paris (ISBN : 2-11-088448-7).

Vincent Peillon (président), Arnaud Montebourg (rapporteur), *La Principauté du Liechtenstein : paradis des affaires et de la délinquance financière*, Tome I, Monographies, Volume 1, La Principauté du Liechtenstein (ISBN : 2-11-108982-6).

Vincent Peillon (président), Arnaud Montebourg (rapporteur), *La Principauté de Monaco. Un centre "offshore" favorable au blanchiment*, Tome I, Volume 2, (disponible sur Internet : www.assemblee-nationale.fr/2/rap-info/i2311-2.htm)

Arnaud Montebourg, François Colcombet, *Les Tribunaux de commerce. Une justice en faillite* ?, août 1998, Éditions Michel Lafon (ISBN : 2-84098-457-1), rapport n° 1038 de la Commission d'enquête parlementaire de l'Assemblée nationale sur l'activité et le fonctionnement des tribunaux de commerce.

François d'Aubert, *Proposition de résolution tendant à la création d'une commission d'enquête sur le Crédit lyonnais et sa filiale Credit Lyonnais Netherland Bank et sur les risques pris par une banque nationalisée dans certaines de ses opérations à l'étranger*, 1990, Société nouvelle des librairies-imprimeries réunies, Paris.

Autres ouvrages

Observatoire de l'Europe industrielle, *Europe Inc. Liaisons dangereuses entre institutions et milieux d'affaires européens*, Agone Editeur, "Contre-Feux", Marseille, mai 2000 (ISBN : 2-910846-24-5).

Gian Trepp, *Swiss Connection*, 1996, Unionsverlag Zurich (ISBN : 3-293-00205-6).

Pascal Auchlin-Frank Garbelly, *Contre-enquête*, mars 1990, Éditions Favre SA, Lausanne (ISBN : 2-8289-0472-5).

Fabrizio Calvi, Leo Sisti, *Les Nouveaux Réseaux de la corruption. L'Europe de la combine et des pots-de-vin*, 1995, Albin Michel, Paris (ISBN : 2-226-07601-8).

George C. Kohn, *Encyclopedia of American Scandal. From Abscam to the Zenger Case* (ISBN : 0-8160-2169-4).

Michael Moffitt, *The World's Money. International Banking from Bretton Woods to the Brink of Insolvency*, 1983, Touchstone Books, Simon & Schuster Inc. NY (ISBN : 0-671-44682-7).

Mihir Bose & Cathy Gunn, *Fraud. The Growth Industry of the*

Eighties, 1989, Unwin, Hyman Ltd. London (ISBN : 0-04-440299-6).

Gilles Gaetner, *L'Argent facile. Dictionnaire de la corruption en France*, 1992, "Au Vif", Stock, Paris (ISBN : 2-234-02451-X).

R.T. Naylor, *Hot Money and the Politics of Debt. From Watergate to Irangate, from Afghanistan to Zaire*, Reprint 1989, Unwin Paperbacks, Londres, Sydney (ISBN : 0-04-440188-4).

Ingo Walter, *$ecret Money. The Shadowy World of Tax Evasion, Capital Flight and Fraud*, Reprint 1989, Unwin Paperbacks, Londres, Sydney (ISBN : 0-04-440191-4).

Said K. Aburish, *The Rise, Corruption and Coming Fall of the House of Saud*, Bloomsbury Publishing Limited, Londres, 1994 (ISBN : 0-7475-1468-2).

Jean-Claude Grimal, *Drogue. L'autre mondialisation*, 2000, Éditions Gallimard (ISBN : 2-07-041292-X).

David Wise & Thomas B.Ross, *Le Gouvernement secret des USA*, 1965 (traduit de l'américain : *The Invisible Government*), Librairie Arthème Fayard, Le Cercle du nouveau livre d'histoire (sans ISBN).

Philippe Madelin, *L'Or des dictatures*, 1993, Arthème Fayard , "Enquêtes".

Fred David, *Im Club der Milliardäre. Die geheime Welt der Privatbankiers*, 1998, Hoffmann und Campe, Hambourg (ISBN : 3-455-11198-X).

Andreas von Bülow, *Im Namen des Staates*, 1998, Piper Verlag GmbH, Munich (ISBN : 3-492-04050-0).

François d'Aubert, *Main basse sur l'Europe*, 1994, Plon, Paris (ISBN : 2-259-00303-6).

François d'Aubert, *L'Argent sale*, 1993, Plon, Paris (ISBN : 2-259-02632-X).

Gerhard Dannecker (éditeur), *Lutte contre les fraudes à la subvention sur le territoire de la CEE*, Académie de droit européen de Trèves (Allemagne), 1993, (ISBN : 3-88784-423-8).

Robert Gaylon Ross, Sr., *Who's Who of the Elite. Members of the Bilderbergs, Council on Foreign Relations, Trilateral Commission...*, RIE, Spicewood, Texas.

Dictionnaire de l'économie, sous la direction de Pierre Bezbakh et Sophie Gherardi, Éditions Larousse et Le Monde, Paris, 2000 (ISBN : 2-03-505142-8).

Paul Palango, *Above the Law. The Crooks, the Politicians, the Mounties and Rod Stamler. The shocking but true story of corporate crime and political corruption in Canada*, 1994, McClelland & Stewart Inc. Toronto, Ontario (ISBN : 0-7710-6929-4).

Diane Francis, *Bre-X. The Inside Story*, 1997, Key Porter Books Limited, Toronto, Ontario (ISBN : 1-55013-913-4).

Diane Francis, *Controlling Interest. Who owns Canada ?*, MacMillan of Canada, Toronto, Ontario, 1986 (ISBN : 0-7715-9744-4).

Susan Strange, *Mad Money. When markets outgrow governments*, The University of Michigan Press, 1998 (ISBN : 0-472-06693-5).

Table

Impression réalisée sur CAMERON par

BUSSIÈRE CAMEDAN IMPRIMERIES
GROUPE CPI
à Saint-Amand-Montrond (Cher)
en février 2001

Cet ouvrage, réalisé par Françoise Pham et Octavo Éditions,
a été révisé par Perline.
Conception graphique : Perrin Pep's.

Photogravure de la couverture : Sigogne
Photogravure des pages intérieures : Fotimprim

Dépôt légal : février 2001
ISBN : 2-912485-28-2
Numéro d'impression : 010838/4.

Imprimé en France